PAULA McLAIN
LADY AFRICA

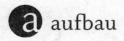 aufbau

PAULA McLAIN

LADY AFRICA

ROMAN

Aus dem Amerikanischen
von Yasemin Dinçer

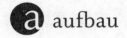 aufbau

Die Originalausgabe mit dem Titel
Circling the Sun
erschien 2015 bei Ballantine, New York.

FSC
www.fsc.org
MIX
Papier aus ver-
antwortungsvollen
Quellen
FSC® C083411

ISBN 978-3-351-03619-5

Aufbau ist eine Marke der Aufbau Verlag GmbH & Co. KG

1. Auflage 2015
© Aufbau Verlag GmbH & Co. KG, Berlin 2015
© 2015 by Paula McLain
Einbandgestaltung ZERO Werbeagentur, München
Druck und Binden CPI books GmbH, Leck, Germany
Printed in Germany

www.aufbau-verlag.de

Für meine Familie – in Liebe und unendlicher Dankbarkeit –
und für Letti Ann Christoffersen, die meine Lady D war

Ich lernte beobachten, lernte auch, mich anderen Händen anzuvertrauen. Und ich lernte es, auf Wanderschaft zu gehen. Ich lernte, was jedes träumende Kind wissen muss – dass kein Horizont zu weit ist, um bis zu ihm und über ihn hinaus vorzustoßen. Diese Dinge lernte ich sofort. Die meisten jedoch fielen mir schwerer.
Beryl Markham

Wir müssen das Leben prägen, solange es in unserer Macht steht.
Karen Blixen

Prolog

4. September 1936
Abingdon, England

Die Vega Gull ist pfauenblau mit silbernen Flügeln, prächtiger als jeder Vogel, den ich je gesehen habe, und ich darf sie fliegen. Getauft auf den Namen *Messenger*, wurde sie mit großer Sorgfalt und Geschicklichkeit entworfen und gebaut, um das scheinbar Unmögliche zu vollbringen: einen Ozean in einem einzigen mutigen Satz zu überqueren, dreitausendsechshundert Meilen aus schwarzem, stürmischem Wellengang und absolutem Nichts – mit mir am Steuer.

Ich besteige sie in der Abenddämmerung. Seit Tagen haben sich über dem Flugplatz Unwetter zusammengebraut, und dem restlichen Licht fehlt jede Kraft. Der Regen trommelt auf die Flügel der Gull ein, von der Seite kommen starke Windböen, aber man erklärt mir, mit besserem Wetter könne ich diesen Monat nicht mehr rechnen. Das Wetter bereitet mir allerdings weniger Sorgen als mein Gewicht. Die Gull ist mit einem besonderen Fahrwerk ausgestattet, um das zusätzliche Öl und Benzin tragen zu können. Die Tanks wurden unter den Tragflächen und im Cockpit angebracht, wo sie eng um meinen Sitz herum eine Wand bilden. Mit zwei Fingern kann ich ihre Benzinhähne erreichen, um während des Fluges den Tank zu wechseln. Ich wurde angewiesen, einen Tank völlig leerlaufen zu lassen und zu verschließen, bevor ich den nächsten öffne, damit sich keine Luftblasen bilden. Der Motor mag dann für ein paar Au-

genblicke aussetzen, wird aber wieder anspringen. Ich werde
mich darauf verlassen müssen. So wie auch auf eine ganze
Menge anderer Dinge.

Auf dem Rollfeld breiten sich überall Pfützen aus wie
kleine Seen, deren Oberflächen weiß schäumen. Unter tief
hängenden Wolken bläst unaufhörlich ein heftiger Gegen-
wind. Ein paar Journalisten und Freunde haben sich versammelt, um meinem Start beizuwohnen, aber die Stimmung
ist unbestreitbar düster. Wer von ihnen die Waghalsigkeit
meines Vorhabens wirklich einschätzen kann, hat versucht
mich davon abzubringen: Nicht heute. Nicht dieses Jahr.
Der Rekord wird immer noch zu brechen sein, wenn das
Wetter sich gebessert hat. Aber ich bin schon zu weit gekommen, um jetzt noch umzukehren. Ich verstaue meinen
kleinen Proviantkorb, stecke die Brandyflasche in eine Sei-
tentasche meines Fliegeroveralls und zwänge mich ins Cockpit wie in eine zweite Haut. Jim Mollison, bisher der einzige
Pilot, der dieses spezielle Meisterstück versucht und überlebt hat, hat mir seine Armbanduhr geliehen. Außerdem
habe ich eine Flugkarte dabei, auf der meine Route über
den Atlantik von Abingdon nach New York aufgezeichnet
ist, jeder Zentimeter eiskalten Wassers, über den ich hin-
wegfliegen werde, jedoch weder die Leere noch die Einsamkeit oder die Angst, die damit verbunden sind. Dabei sind
diese Empfindungen genauso real, und ich werde durch sie
hindurchfliegen müssen. Mitten durch die Übelkeit erre-
genden Turbulenzen und Luftlöcher, denn man kann die
Dinge, die einem Angst einjagen, nicht einfach umfliegen.
Man kann nicht vor sich selbst davonlaufen, und das ist
auch besser so. Manchmal glaube ich, wir wachsen und
verändern uns nur durch Herausforderungen – eine Startbahn von einer knappen Meile Länge und achthundert-
sechzig Kilo Treibstoff. Schwarze Wolkengeschwader drängen aus allen vier Himmelsrichtungen heran, während das
Licht von Minute zu Minute schwindet. Wenn ich das hier

überstanden habe, werde ich unweigerlich nicht mehr dieselbe sein.

Ich bringe mich in Stellung und gebe dann Vollgas, rase vorbei an den Zuschauern mit ihren Kameras und an der Reihe von Markierungen bis zu der einzelnen roten Fahne, nach der es kein Zurück mehr gibt. Als Startbahn steht mir nur eine Meile zur Verfügung, kein Zentimeter mehr. Und natürlich ist es möglich, dass die Gull es nicht schafft. Nach aller Planung und Sorgfalt, Arbeit und Aufbietung von Mut bleibt die überwältigende Möglichkeit bestehen, dass sie am Boden kleben bleibt, mehr Elefant als Schmetterling, und ich scheitere, noch bevor ich angefangen habe. Aber nicht, ehe ich nicht mein Bestes gegeben habe.

Nach fünfhundert Fuß hebt sich ihr Heck schwerfällig. Ich dränge sie schneller voran, nehme den Zug der Schwerkraft wahr, das unmögliche Gewicht des Flugzeugs, und spüre mehr als dass ich sehe, wie sich die rote Fahne nähert. Dann erwachen endlich das Seiten- und Höhenruder zum Leben, ihre Nase schwingt nach oben, und sie verlässt die Erde pfeilgerade. Also doch ein Schmetterling. Wir steigen hinauf in den sich verdunkelnden Himmel und den Regen über dem grün-grau karierten Swindon. Vor mir liegt die Irische See, all das finstre Wasser, das nur darauf wartet, nach meinem Herzen zu langen und es zum Stillstand zu bringen. Das verwaschene Funkeln von Cork. Die sich auftürmende Schwärze von Labrador. Das stetige Schluchzen des Motors, der ausführt, wofür er konstruiert wurde.

Mit federnder Nase schiebe ich mich durch den spritzenden Regen in den Steigflug, mitten hinein in das Unwetter, das mich erschaudern lässt. In meinen Händen stecken alle Instinkte, die zum Fliegen nötig sind, ebenso wie die praktische Erfahrung, und dann ist da noch eine geheimnisvollere und grundlegendere Sache: Ich bin und war schon immer dafür bestimmt, dies zu tun, meinen Namen mit diesem Propeller und diesen lackierten Flügeln in den Himmel zu sticken, in sechsunddreißig Stunden vollkommener Dunkelheit.

Die Idee zu diesem Rekordversuch kam vor zwei Jahren auf, in der lauten, zedernholzgetäfelten Bar des White Rhino in London. Auf meinem Teller befanden sich mit Pfeffer besprenkelte Tournedos vom Rind neben blanchierten Spargelstengeln, so schmal wie mein kleiner Finger, und all unsere Gläser waren mit dunklem Rotwein gefüllt. Da knallte JC Carberry eine Mutprobe auf den Tisch wie einen abschließenden Gang: *Noch niemand ist von dieser Seite aus über den Atlantik geflogen, in der schwierigen Richtung, weder Mann noch Frau. Was meinst du, Beryl?*

Damals hatte Mollison noch nicht zu seinem Sprung übers Wasser angesetzt, und niemand konnte sich das Flugzeug vorstellen, das dazu in der Lage wäre, aber JC hatte mehr Geld, als er je ausgeben konnte, und den Elan eines Magellan oder Peary. Und da waren sie: der grenzenlose Ozean, Tausende Meilen eiskalter unberührter Luft, eindeutiges Neuland, aber noch kein Flugzeug. *Möchtest du es riskieren?*

JCs Augen leuchteten wie Achate. Ich betrachtete ihr Glitzern und dachte, dass seine wunderschöne Frau Maia bei uns sein sollte, in weiße Seide gehüllt und das Haar perfekt onduliert, aber sie war vor Jahren bei einer einfachen Flugstunde in der Nähe von Nairobi ums Leben gekommen, an einem windstillen, ungetrübten Tag. Ihr Absturz war die erste Flugzeugtragödie, die uns direkt traf, sollte jedoch nicht die letzte bleiben. Viele andere gute Geister grüßten aus der Vergangenheit, ein Blinzeln des Lichts, das den Rand unserer Weingläser umspielte und uns daran erinnerte, wie waghalsig und wie glorreich sie gewesen waren. Mich musste man eigentlich nicht daran erinnern. Ich hatte jene Geister nicht für einen Moment vergessen, und als mein Blick den JCs traf, fühlte ich mich aus irgendeinem Grund bereit, sie noch näher an mich heranzuholen. *Ja*, sagte ich, und dann wiederholte ich es noch einmal.

Es dauert nicht lang, bis die letzten Überreste des Lichts von den ausgefransten Rändern des Himmels fortgespült werden und nur noch der Regen und der Benzingeruch zurückbleiben. Ich fliege zweitausend Fuß über dem Meeresspiegel und werde nahezu zwei Tage lang auf dieser Höhe bleiben. Dichte Wolken haben den Mond und die Sterne verschluckt – die Dunkelheit ist so vollständig, dass mir keine Wahl bleibt, als nach den Instrumenten zu fliegen und die Müdigkeit davonzublinzeln, um prüfend auf die schwach beleuchteten Skalen zu blicken. Da ich keine Funkverbindung habe, wirken das Geräusch und die Kraft meines Motors und des Windes, der mir mit vierzig Knoten um die Nase weht, beruhigend. Auch das Gluckern und Schwappen des Benzins in den Tanks ist tröstlich, bis der Motor vier Stunden nach Abflug plötzlich stockt. Er stottert und pfeift und geht dann aus. Stille. Die Nadel meines Höhenmessers bewegt sich mit erschreckender Geschwindigkeit spiralförmig abwärts. Ihr Anblick versetzt mich in eine Art Trancezustand, aber meine Hände wissen, was zu tun ist, noch während in meinem Geist dumpfes Schweigen herrscht. Ich muss lediglich nach dem Benzinhahn greifen und den Tank wechseln. Die Maschine wird wieder anspringen. Ganz sicher. Ich versuche, die Hand ruhig zu halten, während ich nach dem silbernen Hebel taste. Als ich ihn betätige, klickt er zwar beruhigend, doch der Motor rührt sich nicht. Die Gull verliert weiter an Höhe, sinkt auf tausendeinhundert Fuß, dann achthundert. Tiefer. Die Wolken um mich herum teilen sich kurz, und ich sehe das furchterregende Glitzern von Wasser und Gischt. Die Wellen greifen nach oben, während der unergründliche Himmel mich hinabdrückt. Ich betätige den Schalter erneut, gebe mir Mühe, weder zu zittern noch in Panik zu geraten. Ich habe mich so gut wie möglich auf alles vorbereitet, aber ist irgendjemand je wirklich vorbereitet auf den Tod? War Maia es, als sie den Boden auf sich zufliegen sah? War Denys es, an jenem schrecklichen Tag über Voi?

Ein Blitz, so hell wie Weihnachtsbeleuchtung, knistert neben meinem linken Flügel und lädt die Luft elektrisch auf – und auf einmal scheint es mir, als sei all dies bereits geschehen, vielleicht sogar schon viele Male. Vielleicht bin ich schon immer hier gewesen und mir selbst kopfüber entgegengestürzt. Unter mir peitscht das herzlose Wasser, bereit, mich zu empfangen, aber meine Gedanken kreisen um Kenia. Mein Rift Valley – Longonot und der zerklüftete Rand des Menengai. Der Nakurusee mit seiner pink schimmernden Hülle aus Flamingos, die hohen und niedrigeren Steilabfälle der Escarpments, Kekopey und Molo, Njoro und der glänzende Rasen des Muthaiga Club. Ich scheine auf dem Weg dorthin zu sein, auch wenn ich weiß, dass das unmöglich ist – als durchschnitte der Propeller die Jahre, brächte mich zurück und gleichzeitig endlos weit nach vorn, ließe mich frei.

Oh, denke ich, während ich durch die Dunkelheit nach unten rase, allem anderen gegenüber blind. *Irgendwie habe ich wohl den Weg nach Hause eingeschlagen.*

TEIL
EINS

1.

Als Kenia noch nicht Kenia war, bereits Millionen Jahre alt und dennoch auf gewisse Weise neu, bezeichnete dieser Name nur den prachtvollsten unserer Berge. Man konnte ihn von unserer Farm in Njoro im britisch-ostafrikanischen Protektorat aus sehen, wie er sich klar am Ende einer sich weit erstreckenden goldenen Ebene abzeichnete, seine Spitze mit einer Glasur aus Eis überzogen, die niemals vollständig schmolz. Durch den blau schimmernden Mau-Wald hinter uns zogen sich Nebelfäden. Vor uns fiel das Rongai Valley in die Ferne ab, an einer Seite begrenzt vom seltsamen, hohen Menengai-Krater, den die Einheimischen den Berg Gottes nannten, an der anderen von der entfernten Aberdare Range, einer Kette abgerundeter blaugrauer Berge, die sich in der Abenddämmerung dunstig lila verfärbten, ehe sie sich im Nachthimmel auflösten.

Als wir im Jahr 1904 dort ankamen, bestand die Farm aus nicht mehr als sechshundert Hektar unberührten Buschlands und drei verwitterten Hütten. »Das hier?«, fragte meine Mutter, während die Luft um sie herum surrte und flirrte, als wäre sie lebendig. »Für das hier hast du alles verkauft?«

»Andere Farmer haben an Orten mit noch schwierigeren Bedingungen Erfolg, Clara«, antwortete mein Vater.

»Du bist aber kein Farmer, Charles!«, fauchte sie ihn an, bevor sie in Tränen ausbrach.

Tatsächlich war er ein Mann der Pferde. Er kannte sich aus mit Hindernisrennen und Fuchsjagden und den friedlichen Landstraßen und Hecken Rutlands. Doch er hatte

Flugblätter gelesen, auf denen billiges Land der britischen Krone angeboten wurde, woraufhin eine Idee von ihm Besitz ergriffen hatte, die ihn nicht mehr loslassen wollte. So verließen wir mein Geburtshaus Westfield House und reisten siebentausend Meilen weit, vorbei an Tunis, Tripolis und Suez, die Wellen wie riesige graue Berge, die den Himmel verschluckten. Dann durch Kilindini Harbour in den Hafen von Mombasa, in dem es nach scharfen Gewürzen und trocknendem Fisch roch, und von dort weiter mit dem Zug, der sich, die Fenster mit rotem Staub bedeckt, bis nach Nairobi schlängelte. Ich starrte alles mit großen Augen an, so vollkommen hingerissen, wie ich es wohl noch nie zuvor gewesen war. Was dieser Ort auch sein mochte, er war mit nichts zu vergleichen.

Wir lebten uns ein und schufteten, um es uns wohnlich zu machen, kämpften gegen die Wildnis an, während die Wildnis mit aller Macht zurückdrängte. Unser Land hatte keine sichtbaren Grenzen oder Zäune, und unseren Hütten fehlten richtige Türen. Colobus-Affen mit seidig gestreiftem Fell kletterten durch das Sackleinen, das unsere Fenster bedeckte. Sanitäre Anlagen waren undenkbar. Wer dem Ruf der Natur gehorchen musste, trat hinaus in die Nacht, wo sich alles Mögliche über einen hermachen wollte, und ließ pfeifend, um die Angst zu vertreiben, sein Hinterteil über ein Plumpsklo hängen.

Lady und Lord Delamere waren unsere nächsten weißen Nachbarn, einen sieben Meilen langen Ritt durchs Buschland von uns entfernt. Sie waren Baron und Baronin, doch ihre Titel bewahrten sie nicht davor, in den typischen Lehm-*rondavels* mit Strohdach zu schlafen. Lady D hatte stets einen geladenen Revolver unter ihrem Kopfkissen und riet meiner Mutter, es ihr nachzutun – die sich jedoch weigerte. Sie wollte weder auf Schlangen noch auf ihr Abendessen schießen. Sie wollte Wasser nicht meilenweit heranschleppen müssen, um ein halbwegs ordentliches Bad zu nehmen, und auch nicht mehrere Monate am Stück ohne Besuch leben. Es gab keine Gesellschaft. Es war unmöglich, sich die Hände nicht schmutzig zu machen. Das Leben war einfach zu hart.

Nach zwei Jahren buchte meine Mutter die Überfahrt zurück nach England. Mein älterer Bruder Dickie würde mit ihr gehen, da er schon immer anfällig gewesen war und Afrika kaum länger überstehen würde. Ich war noch nicht einmal fünf Jahre alt, als sie mit Überseekoffern, Taschentüchern und Reiseschuhen ausgestattet den Zug bestiegen, der zweimal in der Woche nach Nairobi fuhr. Die weiße Feder am Hut meiner Mutter zitterte, als sie mich küsste und mir sagte, ich solle mich nicht unterkriegen lassen. Sie wisse, dass sie sich nicht um mich zu sorgen brauche, weil ich so ein großes, starkes Mädchen sei. Zur Belohnung würde sie mir eine Schachtel mit Lakritz und Birnendrops aus einem Geschäft in Piccadilly schicken, die ich mit niemandem würde teilen müssen.

Ich sah zu, wie sich der Zug entlang der starren schwarzen Linie der Gleise entfernte, ohne wirklich zu glauben, dass sie tatsächlich fortgehen konnte. Selbst als der letzte bebende Waggon von den fernen gelben Hügeln verschluckt war und mein Vater sich zu mir umdrehte, bereit, zur Farm und zu seiner Arbeit zurückzukehren, selbst da noch dachte ich, das Ganze sei ein Irrtum, irgendein furchtbares Missverständnis, das sich jeden Augenblick aufklären werde. Mutter und Dickie würden an der nächsten Station aussteigen oder in Nairobi umkehren und am kommenden Tag zurück sein. Als das nicht eintraf, wartete ich dennoch weiter, lauschte auf das ferne Grollen des Zuges und hatte stets mit einem Auge den Horizont im Blick, das Herz voller Erwartung.

Wir hörten monatelang nichts von meiner Mutter, erhielten nicht einmal ein hastiges Telegramm, bis schließlich die Süßigkeiten ankamen. Die Schachtel war schwer, und auf ihr stand ausschließlich mein Name – Beryl Clutterbuck – in der verschnörkelten Schrift meiner Mutter. Allein der Anblick ihrer Handschrift, diese vertrauten Schrägen und Schleifen, ließ mich sofort in Tränen ausbrechen. Ich wusste, was dieses Geschenk bedeutete, und konnte mir nicht länger etwas vormachen. Ich hielt die Schachtel fest umschlungen und verschwand damit in einer versteckten Ecke, wo ich zitternd so viele der zuckerumhüllten Dinger in mich hineinstopfte, wie ich konnte, bevor ich mich in einen Eimer aus dem Stall übergab.

Später brachte ich zwar den Tee, den mein Vater mir gekocht hatte, nicht herunter, wagte es aber endlich, meine größte Angst auszusprechen: »Mutter und Dickie kommen nicht zurück, oder?«

Er sah mich gequält an. »Ich weiß es nicht.«

»Vielleicht wartet sie darauf, dass wir zu ihr kommen.«

Er schwieg lange, bevor er zugab, dass das möglich war. »Hier ist jetzt unser Zuhause«, sagte er dann. »Und ich bin noch nicht bereit, es aufzugeben. Du etwa?«

Mein Vater ließ mir die Wahl, aber es war keine leichte. Er fragte nicht: Bleibst du hier bei mir? Diese Entscheidung war vor Monaten gefallen. Er wollte wissen, ob ich dieses Leben genauso lieben konnte wie er. Ob ich diesem Ort mein Herz schenken konnte, selbst wenn sie nie zurückkehrte und ich von jetzt an keine Mutter mehr hätte, vielleicht für immer.

Wie sollte ich ihm darauf antworten? Überall um uns herum erinnerten mich die halbleeren Schränke an all die Dinge, die sich einst darin befunden hatten, nun aber fort waren – vier Teetassen aus Porzellan mit goldbemaltem Rand, ein Kartenspiel, eine Kette aus klickend aneinander-stoßenden Bernsteinperlen, die meine Mutter geliebt hatte. Ihre Abwesenheit tönte immer noch so laut und lastete so schwer auf mir, dass es mir weh tat und ich mich ganz leer und verloren fühlte. Ich wusste nicht, wie ich meine Mutter vergessen sollte, und mein Vater wusste genauso wenig, wie er mich trösten könnte. Er zog mich – langgliedrig und ein bisschen schmutzig, wie ich es wohl stets war – auf seinen Schoß, und wir saßen eine Weile still da. Vom Waldrand schallten die Warnschreie einer Gruppe Schliefer herüber. Einer unserer Windhunde spitzte ein glattes Ohr und nahm dann sein gemütliches Nickerchen vor dem Feuer wieder auf. Schließlich seufzte mein Vater. Er fasste mich unter den Armen, streifte meine trocknenden Tränen mit einem raschen Kuss und stellte mich dann auf meine eigenen Füße.

2.

Miwanzo ist das Suaheliwort für Anfänge. Aber manchmal
muss erst alles enden und jedes Licht zischend erlöschen,
und man muss den Boden unter den Füßen verlieren, ehe
wirklich etwas Neues beginnen kann. Das Verschwinden
meiner Mutter war ein solches Ereignis für mich, auch wenn
ich es nicht sofort bemerkte. Lange Zeit war ich bloß verwirrt und verletzt und furchtbar traurig. Waren meine Eltern immer noch verheiratet? Liebte oder vermisste meine
Mutter uns? Wie hatte sie mich zurücklassen können? Ich
wollte mit diesen Fragen nicht zu meinem Vater gehen. Er
war im Vergleich zu anderen Vätern nicht allzu einfühlsam,
und ich wusste nicht, wie ich solche intimen und verletzten
Gefühle mit ihm teilen sollte.

Dann geschah etwas. Im und hinter dem Mau-Wald auf
unserem Land lebten mehrere Kipsigis-Familien in Hütten
aus Lehm und Flechtwerk, die von hohen Dornenhecken
umgrenzte *bomas* bildeten. Auf irgendeine Weise erkannten
sie, was ich brauchte, ohne dass ich darum bitten musste. Sie
sammelten mich kurzerhand auf und banden mir feierlich
eine Kaurimuschel um die Taille. Sie sollte die geschlossene
Kaurimuschel zwischen meinen Beinen symbolisieren und
böse Geister abwehren. Das taten sie bei jedem neugebo-
renen Kip-Mädchen. Ich war zwar die weiße Tochter ihres
weißen *bwanas*, aber etwas Unnatürliches hatte sich zugetra-
gen, das wieder in Ordnung gebracht werden musste. Keine afrikanische Mutter hätte je auch nur daran gedacht, ihr
Kind im Stich zu lassen. Ich war schließlich gesund, nicht

etwa verkrüppelt oder schwach. Also machten sie jenen ersten Anfang ungeschehen und schenkten mir einen neuen als *Lakwet*, was »sehr kleines Mädchen« bedeutet und von nun an mein Name bei den Kipsigis war.

Ich war klein, hatte X-Beine und schwer zu bändigendes weißblondes Haar, aber mein neuer Name und Rang trugen bald dazu bei, dass ich zäher wurde. Von den unzähligen Malen, die ich unseren Hügel in Richtung Kip-Dorf hinunter- und wieder herauflief, verwandelten sich meine Fußsohlen schnell in Leder. Abschnitte unseres Landes, in die ich mich bisher noch nie vorgewagt hatte, wurden mir so vertraut wie die Zebrafelle auf meinem Bett. Wenn das Tageslicht schwand, kletterte ich unter die Felle und beobachtete, wie der Hausdiener barfuß und lautlos in mein Zimmer trat, um die Sturmlaterne anzuzünden. Manchmal ließ das plötzliche Aufflackern und Zischen Glattechsen in ein Versteck in den Hüttenwänden huschen, was sich anhörte, als würden Stöckchen über Stroh streifen. Dann folgte die Wachablösung, bei der die Insekten des Tages – Hornissen und Mauerbienen – sich in Lehmnester in den abgerundeten Wänden meines Zimmers verkrochen und die Grillen erwachten, um in einem Rhythmus zu zirpen, der nur ihnen allein bekannt war. So wartete ich eine Stunde oder länger, beobachtete, wie sich Schatten über die Möbel in meinem Zimmer schlängelten, die aus Petroleumkisten gebaut waren und alle gleich aussahen, bis die Schatten sie abrundeten und verwandelten. Ich lauschte, bis ich die Stimme meines Vaters nicht mehr vernehmen konnte, und schlüpfte dann aus einem offenen Fenster hinaus in die tintenschwarze Nacht, um mich zu meinem Freund Kibii am niedrigen Feuer in seiner Hütte zu gesellen.

Kibiis Mutter und die anderen Frauen tranken einen trüben Tee aus Baumrinde und Nesseln und spannen ihre Geschichten darüber, wie alles entstanden war. Dort lernte ich den größten Teil meines Suahelis, immer begieriger nach neuen Geschichten ... darüber, wie die Hyäne zu ihrem hinkenden Gang und das Chamäleon zu seiner Geduld gekommen war. Wie der Wind und der Regen einst Männer gewesen waren, bis sie bei einer wichtigen Aufgabe versagten und in den Himmel verbannt wurden. Die Frauen selbst waren runzlig und zahnlos oder so glatt wie poliertes Ebenholz, muskulös, zäh und langgliedrig unter ihren blassen *shukas*. Ich liebte sie und ihre Geschichten, aber noch lieber wollte ich mich Kibii und den anderen *totos* anschließen, die zu Kriegern wurden, jungen *morani*.

Die Rolle der Mädchen im Dorf war rein häuslich. Ich hatte jedoch eine andere Position – eine seltene, frei von den traditionellen Rollen, die Kibiis Familienkreis und auch meinen eigenen bestimmten. Zumindest fürs Erste erlaubten die Kip-Ältesten mir, mit Kibii gemeinsam zu trainieren: einen Speer zu werfen, Warzenschweine zu jagen und die List von *arap* Maina, Kibiis Vater, zu studieren, der der erste Krieger des Dorfes war und mein Ideal von Stärke und Furchtlosigkeit verkörperte. Man brachte mir bei, einen Bogen zu fertigen und Ringeltauben, Seidenschwänze und leuchtende Blaustare abzuschießen, eine Peitsche aus Nashornleder knallen zu lassen und ein knorriges Wurfholz mit tödlicher Treffsicherheit zu handhaben. Ich wurde so groß wie Kibii, dann noch größer und rannte mit staubbedeckten Füßen genauso schnell wie er durch das hohe goldene Gras.

Kibii und ich liefen oft gemeinsam hinaus in die Dunkelheit, hinweg über das frisch gesichelte Gras, das die Grenze unserer Farm markierte, und durch die feuchten höheren Gräser, die uns bis zu den Hüften nass machten, vorbei am Green Hill und tief hinein ins Innere des Waldes. Dort streiften nachts Leoparden umher. Ich hatte zugesehen, wie mein Vater einen mit einer Ziege anlockte, während wir uns zur Sicherheit oben auf dem Wassertank zusammenkauerten. Die Ziege begann zu zittern, als sie die Raubkatze roch, und mein Vater visierte diese mit seinem Gewehr an und hoffte, sie nicht zu verfehlen. Überall lauerte Gefahr, aber wir kannten alle Geräusche der Nacht und ihre Botschaften, die Zikaden und Riedfrösche, die fetten, Ratten ähnelnden Schliefer, die tatsächlich entfernte Verwandte der Elefanten waren. Manchmal hörten wir die Elefanten selbst in der Ferne durch den Busch krachen, wenngleich sie sich vor dem Geruch der Pferde fürchteten und selten zu nahe kamen. Schlangen vibrierten in ihren Löchern. Schlangen konnten sich auch von Bäumen herunterschwingen und die Luft wie ein Seil durchschneiden oder nur ganz leise mit ihrem glatten Bauch über die feinporigen Äste des Mahagonibaumes reiben.

Jahrelang erlebte ich mit Kibii diese perfekten Nächte und langen, trägen Nachmittage, die zum Jagen und Reiten gemacht waren, und irgendwie – mit Hilfe von Macheten, Seilen, Füßen und menschlichem Schweiß – verwandelte sich die Wildnis im Laufe der Zeit in richtige Felder. Mein Vater pflanzte Mais und Weizen an, und alles gedieh. Mit dem Geld, das er damit verdiente, kaufte er zwei ausgediente Dampfmaschinen. Am Boden festgeschraubt, wurden sie zum pulsierenden Herzen unserer Getreidemühle, und Green Hills wurde zur wichtigsten Pulsader in Njoro. Bald konnte man, wenn man von unserem Hügel aus über die Terrassenfelder und den mannshohen Mais hinwegblickte, eine Kette aus flachen Ochsenwagen sehen, die Getreide zu unserer Mühle brachten. Die Mühle lief ohne Unterlass, und die Zahl unserer Arbeiter verdoppelte und verdreifachte sich, darunter Männer der Kikuyu, Kavirondo, Nandi und Kipsigis sowie Holländer, die ihre Peitschen knallen ließen, um die Ochsen anzutreiben. Die Blechschuppen wurden abgerissen und ein Stall aufgebaut, und dann noch weitere, deren neu entstandene Boxen sich mit frischem Heu und den besten Vollblütern Afrikas füllten, wie mein Vater mir sagte, oder auch der ganzen Welt.

Manchmal dachte ich im Bett vor dem Einschlafen immer noch an Mutter und Dickie, während ich die Laute der Nacht aus allen Richtungen hereindringen hörte, ein unablässiges Brodeln. Sie schickten keine Briefe, zumindest nicht an mich, weshalb es schwer war, mir ihr Leben vorzustellen. Unser altes Haus war verkauft worden. Wo auch immer sie sich letzten Endes niedergelassen hatten, die Sterne und Bäume wären dort ganz anders als die, die wir in Njoro hatten. Auch der Regen würde anders sein, und die Wärme und Farbe der Sonne am Nachmittag. An allen Nachmittagen all der Monate, die wir getrennt voneinander waren.

Ich hatte immer größere Mühe, mich an das Gesicht meiner Mutter zu erinnern, oder an Dinge, die sie zu mir gesagt hatte, Tage, die wir gemeinsam verlebt hatten. Vor mir lagen aber noch viele Tage. Sie erstreckten sich weiter, als ich blicken oder hoffen konnte, so wie die Ebene sich bis zur zerbrochenen Schüssel des Menengai oder bis zum schroffen blauen Gipfel des Mount Kenya ausdehnte. Es war sicherer, nach vorn zu sehen – meine Mutter in einen hinteren Winkel meiner Erinnerung zu verbannen, wo sie mich nicht mehr verletzen konnte, oder mir vorzustellen, wenn ich doch einmal an sie dachte, dass ihr Fortgehen notwendig gewesen war. Eine Art Schmieden oder Schleifen meines Geistes, meine erste wesentliche Prüfung als Lakwet.

Eins stand fest: Ich gehörte auf die Farm und ins Buschland. Ich war Teil der Dornbäume und des hoch aufragenden Steilhangs, der zerbeult aussehenden Hügel mit ihrer dichten Vegetation, der tiefen Täler dazwischen und der hohen getreideartigen Gräser. Hier war ich zum Leben erwacht, als wäre mir eine zweite Geburt geschenkt worden, eine wahrhaftigere. Dies war meine Heimat, und auch wenn mir eines Tages alles durch die Finger rinnen würde wie roter Staub, war es für die Dauer meiner Kindheit ein Himmel, der perfekt auf mich zugeschnitten war. Ein Ort, den ich in- und auswendig kannte. Der eine Platz auf der Welt, für den ich geschaffen war.

3.

Das Läuten der Stallglocke zerbrach die Stille. Die trägen Hähne und staubgrauen Gänse erwachten ebenso wie die Hausdiener und Stallburschen, Gärtner und Hirten. Ich besaß meine eigene Hütte aus Lehmflechtwerk, ein wenig abseits von der meines Vaters, die ich mir mit meinem so hässlichen wie treuen Mischlingshund Buller teilte. Er jaulte beim Erklingen der Glocke, streckte sich an seinem Platz am Fuß meines Bettes, wand dann seinen kantigen Schädel unter meinem Arm hindurch und drückte ihn mir in die Seite, so dass ich seine kalte Schnauze und die runzligen halbmondförmigen Narben auf seinem Kopf spürte. Ein dickes Knäuel befand sich an der Stelle, wo sein rechtes Ohr gewesen war, bis eines Nachts ein Leopard in meine Hütte gekrochen war und versucht hatte, ihn in die Dunkelheit hinauszuzerren. Buller hatte dem Leoparden die Kehle aufgerissen und war von ihrem vermischten Blut bedeckt nach Hause gehumpelt, wobei er aussah wie ein Held, aber auch wie halb tot. Mein Vater und ich hatten ihn wieder gesund gepflegt, und wenn er auch nie eine ausgesprochene Schönheit gewesen war, war er fortan zusätzlich ergraut und nahezu taub. Wir liebten ihn jedoch umso mehr, da der Leopard nicht einmal ansatzweise seinen Mut gebrochen hatte.

Auf dem Hof wartete Kibii in der kühlen Morgenluft auf mich. Ich war elf Jahre alt, er ein wenig jünger, und wir waren beide zu Rädchen im gut geölten Getriebe der Farm geworden. Andere weiße Kinder aus der Nachbarschaft gingen in Nairobi, manche sogar in England zur Schule, aber mein Vater erwähnte nie, dass ich etwas in der Art tun sollte. Der Stall war mein Klassenzimmer. Kurz nach Tagesanbruch war die Zeit für den morgendlichen Galopp der Pferde. Den ließ ich mir auf keinen Fall entgehen, und Kibii ebenso wenig. Als ich mich nun dem Stall näherte, sprang er hoch in die Luft, als wären seine Beine Sprungfedern. Ich hatte diese Art Sprung jahrelang geübt und kam genauso hoch wie Kibii, aber um ihn im Wettbewerb zu besiegen, das wusste ich, tat ich am besten so wenig wie möglich. Dann würde Kibii nämlich springen und springen und sich selbst übertreffen und schließlich müde werden. Erst in diesem Moment würde ich loslegen und ihn in den Schatten stellen.

»Wenn ich ein Moran werde«, sagte Kibii, »dann trinke ich Stierblut und Sauermilch statt Nesseln wie eine Frau, und dann werde ich so schnell sein wie eine Antilope.«

»Ich könnte auch ein großer Krieger sein«, erwiderte ich.

Kibii hatte ein offenes, hübsches Gesicht, und seine Zähne blitzten nun auf, da er lachte, als hätte er noch nie im Leben etwas Lustigeres gehört. Als wir noch jünger waren, hatte er mich gern an seiner Welt teilhaben lassen, vielleicht weil er spürte, dass es lediglich ein Spiel war. Ich war schließlich ein Mädchen, noch dazu ein weißes. Aber in letzter Zeit hatte ich mehr und mehr das Gefühl, dass er mich skeptisch und missbilligend betrachtete, als wartete er darauf, dass ich endlich den Versuch aufgab, mit ihm zu konkurrieren, und einsah, dass wir bald sehr unterschiedliche Wege einschlagen würden. Ich hatte jedoch nicht die Absicht, dies zu tun.

»Mit dem richtigen Training könnte ich es«, beharrte ich. »Ich könnte es heimlich tun.«

»Was für einen Ruhm würdest du damit gewinnen? Wer wüsste dann, dass es deine Taten sind?«

»Ich wüsste es.«

Er lachte erneut und wandte sich in Richtung Stalltür. »Wen reiten wir heute?«

»Daddy und ich brechen zu Delamere auf, um uns eine Zuchtstute anzusehen.«

»Ich werde jagen gehen«, erklärte er. »Dann sehen wir ja, wer mit der besseren Geschichte zurückkehrt.«

Als Wee MacGregor und Balmy, das Reitpferd meines Vaters, gesattelt und bereit waren, brachen wir in Richtung der Morgensonne auf. Eine Weile trübte Kibiis Herausforderung noch meine Gedanken, aber mit fortschreitender Zeit und Entfernung geriet sie in Vergessenheit. Um uns herum wurde Staub aufgewirbelt und kroch unter unsere locker gebundenen Taschentücher in unsere Nasen und Münder. Fein und schlickig, ockerrot wie das Fell eines Fuchses, umgab er uns ständig, genau wie die Sandflöhe, die wie rote Pfefferkörnchen waren, sich an allem festklammerten und nicht mehr losließen. Man durfte nicht an die Sandflöhe denken, da man nichts gegen sie tun konnte. Man durfte auch nicht an die beißenden Termiten denken, die sich in bedrohlichen Streifen über die Ebenen bewegten, oder an die Vipern oder die Sonne, die manchmal so hell pulsierte, als wollte sie einen erdrücken oder bei lebendigem Leibe auffressen. Man durfte es nicht, weil diese Dinge zu diesem Land gehörten und es zu dem machten, was es war.

Nach drei Meilen kamen wir an eine kleine Senke, deren roter Schlamm getrocknet war und ein rissiges Muster ausgedörrter Venen gebildet hatte. Über die Senke führte eine Lehmbrücke, die ohne unter sie hindurchfließendes Wasser nutzlos wirkte und aussah wie das Rückgrat irgendeines riesigen Tieres, das an dieser Stelle gestorben war. Wir hatten auf das Wasser für unsere Pferde gezählt. Vielleicht würde es ein Stückchen weiter welches geben, vielleicht aber auch nicht. Um uns beide von dem Problem abzulenken, begann mein Vater, über Delameres Stute zu sprechen. Er hatte sie noch nicht gesehen, aber das hielt ihn nicht davon ab, große Hoffnungen für unsere Pferdezucht in sie zu setzen. Er hatte stets das nächste Fohlen im Blick, und wie dieses unser Leben verändern könnte – und weil er so dachte, tat ich es auch.

»Sie ist zwar eine Abessinier-Stute, aber Delamere meint, sie sei schnell und vernünftig.«

Mein Vater war vor allem an Vollblütern interessiert, aber manchmal konnte man auch an gewöhnlicheren Orten ein Juwel finden, und das wusste er.

»Was für eine Farbe hat ihr Fell?«, wollte ich wissen. Das war stets meine erste Frage.

»Sie ist ein blassgoldener Palomino, mit weißer Mähne und weißem Schweif. Ihr Name ist Coquette.«

»Coquette«, wiederholte ich, und mir gefielen die scharfen Kanten des Wortes, ohne zu wissen, was es bedeutete. »Das klingt passend.«

»Meinst du?«, lachte er. »Wir werden es wohl sehen.«

Lord Delamere war für mich und für jeden, der ihn gut kannte, einfach nur D. Er war einer der ersten wichtigen Siedler der Kolonie und verfügte über ein unbeirrbares Gespür dafür, welches Stück Land am fruchtbarsten sein würde. Er schien den gesamten Kontinent übernehmen und für sich arbeiten lassen zu wollen. Niemand war ehrgeiziger oder eigensinniger oder unverblümter als D, wenn es um die Dinge ging, die er liebte (Land, die Massai, Freiheit, Geld). Er hatte die Ambition, was auch immer er berührte oder ausprobierte, in einen Erfolg zu verwandeln. Waren die Risiken hoch und die Chancen gering, nun, umso besser.

Er konnte gut Geschichten erzählen, wobei er so wild gestikulierte, dass ihm sein langes rotes Haar immer wieder in die Stirn fiel. Als junger Mann war er mit einem übellaunigen Kamel als einzigem Begleiter zweitausend Meilen durch die Somali-Wüste gelaufen und hatte sich schließlich hier im Hochland wiedergefunden. Er verliebte sich sofort in diesen Ort. Als er anschließend nach England zurückkehrte, um das für seine Ansiedlung notwendige Kapital zu organisieren, traf er dort Florence, die temperamentvolle Tochter des Earl of Enniskillen, und heiratete sie. »Sie hatte keine Ahnung, dass ich sie eines Tages an den Haaren hierher zurückschleifen würde«, sagte er dazu gern.

»Als ob du mich irgendwohin schleifen könntest«, antwortete Lady D dann oft in scherzhaftem Ton. »Wir wissen beide, dass es für gewöhnlich andersherum läuft.«

Nachdem unsere müden Pferde endlich ihr verdientes Wasser bekommen hatten, führten die Delameres uns hinaus zu der kleinen Koppel, wo Coquette gemeinsam mit ein paar anderen Zuchtstuten und einer Handvoll Fohlen weidete. Sie war mit Abstand die Hübscheste, gedrungen und flachsblond, mit gebogenem Hals und kräftiger Brust. Ihre Beine verjüngten sich zu wohlgeformten Fesseln und Hufen. Während wir sie betrachteten, warf sie ihren Kopf zurück und blickte uns direkt an, als warnte sie uns davor, sie für weniger als perfekt zu halten.

»Sie ist wunderschön«, flüsterte ich.

»Ja, und das weiß sie auch«, erwiderte D vergnügt. Er war stämmig gebaut und schien ständig zu schwitzen, was seiner guten Laune aber generell keinen Abbruch tat. Mit einem blauen Baumwolltaschentuch wischte er sich über die Schläfen, während mein Vater durch die Zaunlatten kletterte, um die Stute aus der Nähe zu begutachten.

Ich habe nur selten gesehen, dass ein Pferd sich vor meinem Vater erschreckte oder vor ihm ausriss, und auch Coquette bildete keine Ausnahme. Sie schien augenblicklich zu spüren, dass er die Situation und sie selbst unter Kontrolle hatte, auch wenn sie ihm noch nicht gehörte. Sie wackelte einmal mit den Ohren und blies ihn aus ihren samtenen Nüstern an, hielt jedoch still, während er sie untersuchte, ihr mit den Händen über Schädel und Maul strich, dann langsamer über ihren Widerrist und ihren Rücken, auf der Suche nach irgendeiner Beule oder Unregelmäßigkeit. Auf ihrer Lende und ihrer Kruppe wurde er noch langsamer und ließ seine Finger ihre Arbeit tun. Er befühlte jedes ihrer anmutigen Hinterbeine, die Unterschenkel und Knie, Sprunggelenke und Röhren wie ein Blinder. Ich wartete darauf, dass er sich aufrichtete oder dass sein Gesicht sich verdüsterte, aber die Untersuchung ging schweigend weiter, und in mir wuchs die Hoffnung. Als er fertig war und sich vor sie stellte, um ihr über die runden Wangen zu streichen, hielt ich die Spannung kaum noch aus. Wenn er ihr jetzt nicht verfallen war, nachdem sie seine eingehende Prüfung bestanden hatte, würde es mir das Herz brechen.

»Wieso willst du dich von ihr trennen?«, fragte er D, ohne den Blick von Coquette abzuwenden.

»Weil sie Geld bringt, natürlich«, antwortete D mit einem leichten Schnauben.

»Du weißt doch, wie er ist«, fügte Lady D hinzu. »Seine neuste Besessenheit sticht die alte jedes Mal aus. Jetzt dreht sich alles um Weizen, und die meisten Pferde werden gehen müssen.«

Bitte, bitte, sag ja, flehte ich stumm.

»Weizen also?«, wiederholte mein Vater, bevor er sich von Coquette abwandte, wieder auf den Zaun zuschritt und an Lady D gerichtet hinzufügte: »Ich könnte wohl nicht zufällig etwas Kühles zu trinken bekommen?«

Ich wollte mich gegen die Knie der Stute werfen, eine Handvoll ihrer buttrigen Mähne ergreifen, mich auf ihren Rücken schwingen und allein mit ihr fort in die Berge reiten – oder sie mit nach Hause nehmen, sie in eine versteckte Box sperren und mit Zähnen und Klauen verteidigen. Sie hatte mein Herz bereits erobert, und meinen Vater hatte sie auch für sich gewonnen, das wusste ich, doch er verhielt sich niemals spontan. Er verbarg seine Gefühle stets hinter einer undurchdringlichen Wand, was ihn zu einem wunderbaren Verhandlungsführer machte. Er und D würden nun den Rest des Tages damit beschäftigt sein, die Bedingungen auszuhandeln, ohne irgendetwas direkt auszusprechen, jeder sorgfältig darauf bedacht, dem anderen nicht zu zeigen, was ein Sieg oder eine Niederlage für ihn bedeuten würde. Ich fand das Ganze unerträglich, aber es blieb nichts anderes zu tun, als zum Haus zurückzukehren, wo die Männer sich mit Rye Whiskey und Limonade an den Tisch setzten und anfingen zu reden, ohne zu reden, und zu verhandeln, ohne zu verhandeln. Ich warf mich auf den Teppich vor dem Kamin und schmollte.

Die Delameres hatten auf der Equator Ranch zwar mehr Land und mindestens so viele Arbeiter wie wir auf Green Hills, dennoch hatte D an ihrem eigenen Wohnbereich, der aus zwei großen Lehm-Rondavels mit einem Boden aus gestampfter Erde, schiefen Fenstern und Leinenvorhängen als Türen bestand, kaum Verbesserungen vorgenommen. Allerdings hatte Lady D die Hütten mit allerlei hübschen Dingen gefüllt, die schon seit Jahrhunderten im Besitz ihrer Familie waren, wie sie mir erzählt hatte: einem schweren Himmelbett aus Mahagoni mit einer üppig bestickten Tagesdecke, goldgerahmten Bildern, einem langen Mahagonitisch mit acht passenden Stühlen und einem handgebundenen Atlas, in den ich mich bei jedem meiner Besuche gern vertiefte. An jenem Tag war ich jedoch zu unruhig, um Landkarten zu betrachten, und konnte lediglich auf dem Teppich liegen, meine staubigen Absätze gegeneinanderschlagen, mir immer wieder auf die Lippe beißen und mir wünschen, die Männer mögen sich beeilen.

Schließlich kam Lady D und setzte sich zu mir, wobei sie ihren weißen Baumwollrock vor sich ausbreitete und sich, auf die Hände gestützt, entspannt zurücklehnte. Sie war nie penibel oder zimperlich, und das gefiel mir an ihr. »Ich habe leckere Kekse da, wenn du möchtest.«

»Ich habe keinen Hunger«, sagte ich. Was eine glatte Lüge war.

»Dein Haar ist jedes Mal wilder, wenn ich dich sehe.« Sie schob mir sanft den Teller mit den Keksen herüber. »Dabei hat es so eine schöne Farbe. Tatsächlich ist sie der von Coquettes Mähne ganz ähnlich.«

Damit hatte sie mich gewonnen. »Findest du?«

Sie nickte. »Hättest du etwas dagegen, wenn ich es ein wenig bürste?«

Verstimmt, wie ich war, hatte ich keine allzu große Lust, still dazusitzen, während jemand sich mit meinen Haaren beschäftigte, aber ich ließ sie gewähren. Sie hatte eine Bürste mit silbernem Griff und wunderbar weichen weißen Borsten, über die ich immer wieder gern mit dem Finger strich. In unserem Haus befanden sich keinerlei weibliche Utensilien mehr, weder Seide noch Satin, Parfüm, Schmuck oder Puderquasten. Die Bürste war exotisch. Während Lady D zugange war und dabei leise summte, stürzte ich mich auf die Kekse. Bald war auf dem Teller nichts übrig außer ein paar buttrigen Krümeln.

»Woher hast du diese üble Narbe?«, fragte sie mich.

Ich blickte auf den ausgefransten Saum meiner kurzen Hose, unter dem der schlimmste Teil einer langen, schartigen Verletzung zum Vorschein kam, die sich meinen halben Oberschenkel hinaufschlängelte. Sie sah wirklich ziemlich böse aus. »Vom Kämpfen mit den Totos.«

»Mit Totos oder mit Buschschweinen?«

»Ich habe einen der Kip-Jungs verprügelt und ihn über meine Schulter zu Boden geworfen. Das hat ihn so blamiert, dass er mir im Wald aufgelauert hat und mit dem Messer seines Vaters auf mich losgegangen ist.«

»Was?« Sie fuhr erschrocken auf.

»Daraufhin musste ich ihn verfolgen, nicht wahr?« Ich konnte den Stolz in meiner Stimme nicht ganz unterdrücken. »Er sieht jetzt viel schlimmer aus als ich.«

Lady D seufzte in mein Haar. Ich wusste, dass sie besorgt war, aber sie sagte nichts weiter, also gab ich mich ganz dem Ziehen der Bürste und der Art, wie sie über meine Kopfhaut strich, hin. Es fühlte sich so gut an, dass ich halb vor mich hin dämmerte, als die Männer endlich aufstanden und sich die Hände schüttelten. Ich sprang mit einem Satz auf die Beine und fiel Lady D dabei beinahe in den Schoß. »Gehört sie jetzt uns?«, fragte ich drängend.

»Clutt feilscht wie eine Hyäne«, erwiderte D. »Beißt sich fest und will einfach nicht mehr loslassen. Er hat mir diese Stute beinahe unter dem Hintern weggestohlen.« Er lachte, und mein Vater stimmte ein und klopfte ihm auf die Schulter.

»Sieht Beryl nicht hübsch aus?«, fragte Lady D. Sie stellte sich hinter mich und legte mir eine Hand auf den Kopf. »Ich fragte mich schon, ob ich hinter einem ihrer Ohren wohl ein Meisennest finden würde.«

Mein Vater lief rot an und räusperte sich. »Ich fürchte, als Kindermädchen tauge ich nicht viel.«

»Das solltest du auch nicht«, bellte D zu seiner Verteidigung. »Dem Mädchen geht es prächtig. Sieh sie dir doch nur an, Florence. Sie ist stark wie ein Maultier.«

»Ach, ja. Wir wollen natürlich alle ein Maultier als Tochter, nicht wahr?«

Der gesamte Wortwechsel verlief freundlich, dennoch hinterließ er bei mir ein seltsames, verwirrendes Gefühl. Als wir eine Stunde später zum Ritt nach Hause aufbrachen, nachdem das Finanzielle und die Einzelheiten von Coquettes Übergabe geklärt waren, merkte ich, dass auch mein Vater verunsichert war. Wir ritten schweigend unter der rasch sinkenden roten Sonne. In der Ferne wirbelte ein Staubteufel wie ein Derwisch herum, raste in eine Gruppe Flammenbäume hinein und scheuchte eine große Schar Geier auf. Einer flog über uns davon, und sein Schatten, der langsam über uns hinwegkroch, ließ mich erschaudern.

»Ich gebe zu, dass mir das alles manchmal über den Kopf wächst«, sagte mein Vater, als der Geier verschwunden war.

Ich konnte mir anhand der Besorgnis, die Lady D angesichts meiner Narbe und meiner generellen Verfassung gezeigt hatte, denken, wovon er sprach. Ich wusste, dass er mit »das alles« mich meinte, seine Tochter.

»Ich finde, wir kommen bestens zurecht«, entgegnete ich und beugte mich vor, um Wee MacGregor den Hals zu tätscheln. »Ich will nicht, dass sich irgendetwas ändert.«

Er sagte nichts, während die Sonne am Horizont verschwand. So nah am Äquator gab es so gut wie keine Dämmerung. Der Tag verwandelte sich innerhalb von Minuten in Nacht, aber diese Minuten waren bezaubernd. Um uns herum erstreckte sich das gelbe Gras, so weit das Auge reichte, und wogte wie das Meer, tauchte manchmal in Erdferkelhöhlen und Buschschweinlöcher hinab oder stieg hinauf bis zu den unebenen Spitzen der Termitenhügel, ohne je wirklich abzureißen. Die Illusion, das Buschland würde niemals enden, war mächtig – die Vorstellung, wir könnten jahrelang so weiterreiten, getragen von den Gräsern und dem Gefühl der Ferne, weiter bis in alle Ewigkeit.

4.

Coquette war vom Tag ihrer Ankunft an der Liebling der Farm. Da wir keine anderen Pferde von solch goldener Farbe hatten, wollten alle Totos ihr nahe sein und sie anfassen. Sie schien zu leuchten und Glück zu bringen, und ein paar Monate lang lief alles reibungslos. Sie gewöhnte sich ein, während mein Vater grübelte und Pläne schmiedete, welcher Hengst sie decken sollte, um das bestmögliche Ergebnis zu erzielen. Die Zucht ist die wichtigste Angelegenheit für jemanden, der mit Pferden arbeitet. Noch bevor ich lesen konnte, wusste ich, dass jedes Vollblutpferd sich auf drei arabische und orientalische Hengste aus dem siebzehnten und achtzehnten Jahrhundert zurückführen ließ, die mit einer Handvoll ausgewählter Stuten gepaart wurden. Die lange Abstammungslinie wurde im Zuchtbuch englischer Vollblüter peinlich genau festgehalten. Beim Abendessen schlugen wir das Buch auf, um es zu Rate zu ziehen, zusammen mit dem dicken schwarzen Hauptbuch, in dem wir unsere eigene Zucht aufzeichneten – das alte und neue Testament unserer Bibel.

Nach wochenlangen Diskussionen wurde entschieden, dass Referee Coquette decken sollte, wenn diese rossig war. Er war ein heller Araberfuchs und mit einem Meter sechzig kompakt gebaut, hatte gute Hufe, weit geöffnete Schultern und vollkommen gerade Beine. Sein Schritt war so gleichmäßig, dass er jede Distanz mühelos zu durchmessen schien. Wir redeten viel über das neue Fohlen, das elf Monate nach der erfolgreichen Paarung erscheinen und die Schnelligkeit seines Vaters sowie das glänzende Fell und die anmutigen Bewegungen seiner Mutter besitzen würde. Es war für mich vollkommen real. Unsere Gespräche hatten es bereits zum Leben erweckt.

An einem langen, stickigen Nachmittag saß ich mit Kibii unter der Akazie am Rand unseres großen Hofs und überlegte mir Namen für das Fohlen, von denen ich einige laut aussprach. Außerhalb des bläulichen Schattenrings war die Erde wie gehämmertes Metall und auch genauso schmerzhaft wie heißes Metall oder glühende Kohlen, wenn man es wagte, darauf zu laufen. Wir hatten den Morgen mit Reiten verbracht und danach so viel Zaumzeug eingefettet, bis unsere Finger sich verkrampft hatten. Nun waren wir erschöpft, aber zugleich unruhig und aufgestachelt von der Hitze.

»Was hältst du von Jupiter oder Apollo?«, schlug ich vor.

»Er sollte Schakal heißen. Der Name passt besser zu einem Hengstfohlen.«

»Schakale sind nichts Besonderes.«

»Schakale sind schlau.«

Bevor ich ihn berichtigen konnte, kam eine Rauchsäule in unser Blickfeld getuckert. Es war der laute Zug aus Nairobi, ein Dutzend plumpe Eisenbahnwagen, die so hart auf den Gleisen aufschlugen, dass man jederzeit damit rechnete, einer von ihnen könnte abfliegen oder in Stücke brechen. Kibii drehte sich, um über den Hügel zu blicken. »Erwartet dein Vater ein Pferd?«

Ich glaubte nicht, dass mein Vater irgendetwas erwartete, dennoch beobachteten wir, wie er aus dem Stall geeilt kam, sich das Haar glattstrich und das Hemd in die Hose steckte. Er blickte mit vor der Sonne zusammengekniffenen Augen den Hügel hinab, bewegte sich dann rasch auf unseren neuen Ford-Wagen zu und kurbelte den launenhaften Motor an. Kibii und ich fragten nicht erst, ob wir mitkommen durften, sondern trabten einfach hinüber und kletterten auf den Rücksitz.

»Heute nicht«, sagte mein Vater, wobei er kaum den Blick von seiner Aufgabe hob. »Es wird nicht genug Platz für alle sein.«

Alle? »Also bekommen wir Besuch?«

Ohne zu antworten, setzte er sich hinters Steuer und fuhr davon, wobei er uns in eine rosarote Staubwolke hüllte. Keine Stunde später hörten wir, wie der Wagen den Hügel wieder herauftuckerte, und erhaschten kurze Blicke auf etwas Weißes. Ein Kleid. Ein Hut mit Schleifen und bis zu den Ellbogen reichende Handschuhe. Im Wagen saß eine Frau, und zwar eine sehr schöne, mit aufgetürmtem glänzenden Haar in der Farbe von Rabenfedern und einem schicken, spitzenbesetzten Sonnenschirm, der nicht aussah, als hätte er schon einen einzigen Tag im Busch überstanden.

»Beryl, das ist Mrs. Orchardson«, sagte mein Vater, nachdem sie ausgestiegen waren. Zwei große Koffer ragten hinter ihnen auf dem Wagen auf. Sie war nicht nur zum Tee gekommen.

»Ich bin so froh, dich endlich kennenzulernen«, sagte Mrs. Orchardson, wobei sie mich rasch von oben bis unten musterte. *Endlich?* Mein Mund klappte auf und blieb wohl eine ganze Weile so stehen.

Als wir das Haupthaus betraten, sah Mrs. Orchardson sich ausgiebig um, die Hände locker auf die Hüften gestützt. Mein Vater hatte es zwar schlicht gestaltet, aber das Haus war stabil und eine große Verbesserung im Vergleich zu der Hütte, die wir einst bewohnt hatten. Mrs. Orchardson hatte so etwas jedoch noch nie gesehen. Sie schritt durch den Raum. Vor allen Fenstern hingen Spinnweben, und die Kaminplatten waren mit einer dicken Rußschicht bedeckt. Das Wachstuch auf unserem Tisch war seit Jahren nicht ausgetauscht worden, nicht seit meine Mutter fort war. Der schmale Holzkohle-Kühlschrank, in dem wir Butter und Sahne aufbewahrten, roch ranzig, wie der Schlamm auf dem Grund eines Teiches. Wir hatten uns daran gewöhnt, wie an alles andere auch. An den Wänden hingen von Jagdabenteuern mitgebrachte Trophäen: Leoparden- und Löwenfelle, lange gewundene Kudu-Hörner, ein Straußenei, so groß und schwer wie ein menschlicher Schädel. Nirgendwo war irgendetwas Feines oder Vornehmes zu sehen – aber wir hatten es auch ganz gut ohne solche Dinge ausgehalten.

»Mrs. Orchardson hat sich einverstanden erklärt, unsere Haushälterin zu sein«, erklärte mein Vater, während sie sich die Handschuhe abzupfte. »Sie wird hier im Haupthaus schlafen. Wir haben reichlich Platz.«

»Oh«, machte ich, als hätte man mir einen Schlag gegen die Luftröhre versetzt. Es gab einen Raum, den man als Schlafzimmer nutzen konnte, aber er war gefüllt mit Sätteln und Zaumzeug, Petroleum, Konservendosen und allem möglichen Kram, den wir nicht sehen oder mit dem wir uns nicht befassen wollten. Dieser Raum war der Beweis dafür, dass wir gar keine Haushälterin benötigten. Und wo sollten nun Gäste übernachten, nachdem diese Frau, die kein Gast war, gekommen war, um alles auf den Kopf zu stellen?

»Warum gehst du nicht hinaus zu den Ställen, während wir hier alles regeln?«, fragte mein Vater in einem Tonfall, der keine Widerrede zuließ.

»Wie schön«, sagte Mrs. Orchardson. »Dann bereite ich schon einmal den Tee zu.«

Schäumend vor Wut lief ich über den Hof. Die Welt schrumpfte für mich auf die plötzliche Tatsache zusammen, die Mrs. Orchardson darstellte, und was sie wohl tun oder sein wollte. Als ich wiederkam, hatte sie sich umgezogen und trug nun einen einfachen Rock und eine Hemdbluse mit einer sauberen weißen Schürze darüber. Sie hatte die Ärmel bis zu den Ellbogen aufgerollt. Während sie die Tasse meines Vaters aus dem dampfenden Kessel in ihrer Hand auffüllte, fiel ihr eine seidige Haarsträhne in die Stirn. Mein Vater hatte sich auf unseren einzigen bequemen Stuhl gesetzt und die Füße auf einen niedrigen Tisch gelegt. Er sah sie voller Vertrautheit an.

Ich musste bei ihrem Anblick blinzeln. Ich war keine Stunde fort gewesen, doch sie hatte dem Raum bereits ihren Stempel aufgedrückt. Der Teekessel gehörte ihr. Sie hatte das Wachstuch abgeschrubbt. Die Spinnweben waren verschwunden, als hätte es sie nie gegeben. Nichts würde erst großartig überredet oder gezähmt werden müssen. Nichts schien bereit, sich ihr zu widersetzen.

Mein Vater sagte, ich solle sie Mrs. O nennen. Im Laufe der nächsten Tage packte sie ihre Überseekoffer aus und füllte sie mit Dingen aus dem Haus – verstaubte Jagdbeute, einzelne Kinkerlitzchen oder Kleidungsstücke, die meine Mutter zurückgelassen hatte. Es war alles Teil ihres Plans, ein »strenges Regiment« zu führen – zwei ihrer Lieblingswörter. Sie mochte Ordnung und Seife und einen in handliche Portionen aufgeteilten Tagesablauf. Morgens war die Zeit zum Lernen.

»Ich muss raus zu den Pferden«, erklärte ich ihr, überzeugt davon, mein Vater würde sich auf meine Seite stellen.

»Sie werden vorerst auch ohne dich auskommen, meinst du nicht?«, fragte sie nüchtern, während mein Vater ein trockenes, kehliges Räuspern hervorwürgte und rasch das Haus verließ.

Innerhalb einer Woche hatte sie meinen Vater davon überzeugt, dass ich Schuhe tragen müsse. Noch ein paar Wochen später war ich in Kleid und Haarschleifen gefesselt, statt eine Shuka zu tragen, und durfte nicht mehr mit den Händen essen. Ich sollte auch keine Schlangen, Maulwürfe oder Vögel mit meinem *rungu* töten oder all meine Mahlzeiten bei Kibii und seiner Familie einnehmen. Ich sollte keine Warzenschweine oder Leoparden mit Arap Maina jagen, sondern eine ordentliche Schulbildung erhalten und die englische Hochsprache erlernen.

»Ich habe dir zu lange freien Lauf gelassen, und das weißt du auch«, sagte mein Vater, als ich ihn bat, in Ruhe gelassen zu werden. »Es ist alles nur zu deinem Besten.«

Er hatte mir tatsächlich freien Lauf gelassen, aber das war wunderbar gewesen. Diese neuen Beschränkungen summierten sich zu einem konventionellen Leben, das wir nie auch nur im Entferntesten geführt hatten.

»Bitte …« Ich hörte das Jammern in meiner Stimme und hielt inne. Ich war nie ein Kind gewesen, das bettelte oder sich beschwerte, und mein Vater würde ohnehin nicht nachgeben. Wenn ich wirklich etwas gegen Mrs. O ausrichten wollte, musste ich allein auf eine Lösung kommen. Ich würde ihr zeigen, dass ich kein Spinnennetz in einer Ecke war, etwas, das man abwischen oder zurechtbiegen konnte, sondern eine ernstzunehmende Rivalin. Ich würde ihre Vorlieben und Gewohnheiten studieren und ihr auf Schritt und Tritt folgen, bis ich über sie Bescheid wüsste und verstände, wie ich sie schlagen konnte, und was genau ich tun musste, um mein schönes Leben zurückzubekommen.

5.

Der Tag, an dem Coquette fohlen sollte, rückte immer näher. Sie war rund geworden wie eine Tonne, und das neue Leben drückte von innen gegen ihren Leib, diese langen Glieder, die bereits versuchten, sich auszustrecken und ihren Weg zu finden. Die Mühen der Schöpfung hatten ihr goldenes Fell stumpf werden lassen. Sie wirkte müde und lustlos und tat kaum mehr, als an den Luzerne-Bündeln zu knabbern, die ich ihr brachte.

Für mich konnte das Fohlen gar nicht schnell genug kommen. Allein der Gedanke daran ließ mich die langen Stunden Lateinunterricht in zwickenden Schuhen überstehen. Eines Nachts weckte mich eine Bewegung Bullers neben mir aus dem Tiefschlaf. Die Stallburschen waren von ihren Nachtlagern aufgestanden. Auch mein Vater war auf den Beinen. Ich erkannte den gedämpften Klang seiner Stimme und zog mich rasch an, in Gedanken allein bei Coquette. Sie war zwanzig Tage zu früh, was normalerweise ein schwaches oder kränkliches Fohlen bedeutete, aber es musste nicht so sein. Mein Vater würde wissen, was zu tun war.

Draußen auf dem Hof drang das Licht mehrerer Sturmlaternen durch Spalte in der Stalltür. Hoch über mir wirbelten milchige Sternenstreifen, die liegende Mondsichel strahlte hell und klar. Das Brodeln der nächtlichen Insekten kam aus dem Wald und von überall her, aber im Stall war es ruhig. Viel zu ruhig, das wusste ich, lange bevor ich Coquettes Box erreicht hatte, aber ich kannte den Grund dafür nicht, bis ich meinen Vater aufstehen sah. Er schritt auf mich zu und hielt mich zurück. »Das willst du nicht sehen, Beryl. Geh wieder schlafen.«

»Was ist passiert?« Mein Hals war wie zugeschnürt.

»Totgeboren«, erwiderte er leise.

Mein Herz setzte einen Schlag aus, all meine Hoffnungen waren augenblicklich zunichtegemacht. Apollo würde nicht auf wackligen Beinen stehen wie eine Giraffe. Er würde niemals den Wald oder das hohe Escarpment sehen oder an den Bahngleisen entlanggaloppieren, während ich mich über seinen glänzenden Nacken beugte. Er würde Green Hills nicht einmal einen Tag lang kennenlernen. Mein Vater hatte mich jedoch nie vor den harten Lektionen des Farmlebens abgeschirmt. Ich schluckte meine Tränen hinunter, schüttelte seine Arme ab und drängte mich nach vorn.

In der schattigen Box hatte Coquette sich in einer Ecke niedergelegt. Hinter ihr auf dem Boden war das Heu plattgedrückt, wo zwei Stallburschen knieten, die irgendwie versuchten, alles sauberzumachen. Das winzige Fohlen, zum Teil noch von seiner glitschigen Fruchtblase umhüllt, war da und zugleich auch nicht. Seine Augen und die Hälfte seines Gesichts fehlten. Wo das Fleisch aufgefressen war, blieb nur eine zerklüftete Schwärze zurück. Sein Bauch war weit geöffnet, seine Innereien verschlungen – was nur eins bedeuten konnte: Die riesigen Siafu-Ameisen waren gekommen. Sie waren schwarze Krieger mit großen Leibern, die rasch und entsetzlich fraßen, wie ein einziger Körper.

»Sie hat so leise gefohlt, dass niemand etwas mitbekommen hat«, sagte mein Vater, der sich neben mich stellte und mir einen Arm um die Schulter legte. »Das Fohlen war vielleicht bereits tot, ich weiß es nicht.«

»Arme Coquette«, sagte ich, drehte mich um und drückte meine Stirn in seine Brust.

»Sie ist robust, sie wird es überstehen«, meinte er.

Aber wie sollte sie das tun? Ihr Fohlen war fort. Die

Ameisen hatten nichts anderes angerührt – sie hatten sich ausschließlich auf dieses zarte und hilflose Ding gestürzt und waren dann in die Nacht hinaus verschwunden. *Warum?*, dachte ich wieder und wieder, als ob es tatsächlich jemanden gäbe, der mir antworten könnte.

Am nächsten Morgen konnte ich noch nicht einmal den Gedanken an Unterricht ertragen und floh aus dem Haus, vorbei an den Pferdekoppeln zu einem schmalen Pfad, der sich steil den Hügel hinunterschlängelte. Als ich das Kip-Dorf erreicht hatte, brannten meine Lungen und meine nackten Beine waren übersät mit Striemen von den Dornbüschen und dem Elefantengras, aber ich fühlte mich schon besser, nur weil ich dort war. Das war schon immer so gewesen, auch als ich noch zu klein war, um den Riegel am Zaun zu öffnen. Die Dornbüsche, die den Zaun zusammenhielten, waren so hoch wie die Schultern großer Ochsen und schützten alles vor den Gefahren des Buschlands: die niedrigen Hütten, die wertvollen Ochsen, die zottigen meckernden Ziegen, die rußgeschwärzten Kochtöpfe über züngelnden Flammen und die Kinder.

An diesem Tag spielten ein paar Totos ein Trainingsspiel mit Pfeil und Bogen, bei dem sie sich in den festgetretenen Staub knieten und jeweils versuchten, dem Ziel aus zusammengebundenen Blättern am nächsten zu kommen. Kibii kniete in ihrer Mitte, und obwohl er mir einen kurzen neugierigen Blick aus seinen schwarzen Augen zuwarf, unterbrach er das Spiel nicht, während ich mich in der Nähe hinhockte. Die meisten Totos konnten ein festes Ziel ausgezeichnet treffen. Die Pfeile waren aus Zweigen geschnitzt und hatten Widerhaken an den Spitzen, die festsaßen, wenn sie ihr Ziel erreicht hatten, wie sie es sollten. Während ich ihnen zusah, wünschte ich mir, wie schon so oft zuvor, ich wäre als Kip geboren worden. Nicht als eins der Mädchen, die endlos kochen und sich um Körbe, Wasser, Lebensmittel und Babys kümmern mussten. Die Frauen erledigten alles Tragen und Hacken, Weben und Pflügen. Sie versorgten auch die Tiere, während die Krieger jagten oder sich auf die Jagd vorbereiteten, sich die Glieder mit geschmolzenem Fett einrieben und sich mit den Pinzetten, die sie in Beuteln um den Hals bei sich trugen, Härchen von der Brust zupften. Diese Totos, die hier auf dem Boden knieten, würden eines Tages nicht auf Blätter zielen, sondern auf Buschschweine, Steinantilopen und Löwen. Konnte es etwas Aufregenderes geben?

Als alle die erste Aufgabe erfüllt hatten, nahm einer der älteren Totos ein anderes Zielobjekt zur Hand, das ebenfalls aus Blättern bestand, aber in eine runde Kalebassenform gerollt war, und warf es in die Luft. Die Pfeile flogen, manche erreichten ihr Ziel, die meisten jedoch nicht. Diejenigen, die es am weitesten verfehlten, mussten sich dem Spott der anderen aussetzen, dennoch gab keiner auf. Wieder und wieder warf der Junge die Kalebasse in die Luft, und die Totos schossen ihre Pfeile ab, bis alle es geschafft hatten. Erst dann war das Spiel beendet.

Nachdem Kibii endlich zu mir herübergetrabt war und sich hingesetzt hatte, erzählte ich ihm, was mit dem Fohlen geschehen war. Er hielt noch immer seinen Bogen und ein paar schmale Pfeile in der Hand. Einen davon steckte er mit der Spitze in die feste Erde und sagte: »Die Siafu sind eine Plage.«

»Wozu sollen sie gut sein? Was für ein Gott würde so etwas erschaffen?«

»Das können wir nicht wissen«, meinte er mit einem leichten Schulterzucken.

»Aber wir können es uns fragen.« Ich sah ihn an und schluckte einmal schwer, aber ich würde nicht weinen, nicht hier vor Kibii, da war ich mir sicher, und dafür war ich dankbar. Schwäche und Hilflosigkeit brachten einen an diesem Ort nicht weiter. Tränen ließen einen nur leer werden.

Ich stand auf, straffte die Schultern und überredete Kibii, es mich einmal mit seinem Bogen versuchen zu lassen.

Mein Vater hatte behauptet, Mrs. O würde unsere Haushälterin werden, aber sie verhielt sich vom ersten Tag an, als wäre sie mehr als das. Wie seine Ehefrau oder wie meine Mutter. Sie hatte zu allem eine Meinung, ganz besonders zu meiner Sturheit. Innerhalb weniger Monate war sie den Versuch leid, mich zu unterrichten. Mein Vater würde eine Hauslehrerin aus der Stadt anstellen. »Emma sollte nicht darum kämpfen müssen, dass du am Schreibtisch sitzen bleibst, Beryl«, ermahnte er mich. »Das hat sie nicht verdient.«

Meine Ohren begannen, heiß zu prickeln. »Ich brauche keine Hauslehrerin. Ich werde meine Lektionen lernen.«

»Wir haben bereits alles entschieden. Und es ist nur zu deinem Besten, du wirst schon sehen.«

Sie fanden eine fürchterliche Frau namens Miss Le May für mich, und bald darauf eine neue, nachdem irgendwoher eine tote Schwarze Mamba in Miss Le Mays Bett aufgetaucht war. Am Ende jenes Jahres hatten drei Hauslehrerinnen sowie eine Handvoll Hauslehrer versagt, und mein Vater schien die Idee aufzugeben. Der Lehrerstrom versiegte, und ich glaubte schon, ich hätte gewonnen, und war zufrieden damit, wie gut ich mich geschlagen hatte.

Ende Oktober würde ich zwölf Jahre alt werden. Vollblutpferde wurden jeden August ein Jahr älter, ganz gleich, wann sie geboren waren. Manchmal hatte ich den Verdacht, dass mein Vater von mir dasselbe dachte, und meinte ihn daran erinnern zu müssen, dass dem nicht so war.

»Natürlich«, sagte er, als hätte er diesen Hinweis nicht benötigt. »An dem Tag machen wir einen Ausflug, nur wir beide.«

»Wirklich?«

»Warum nicht?«, antwortete er.

Wie sich herausstellte, handelte es sich um eine geschäftliche Reise, die gar nichts mit mir zu tun hatte. Dennoch war ich froh, mitkommen zu dürfen, insbesondere, da ich andernfalls mit Mrs. O allein zu Hause hätte bleiben müssen. Wir fuhren mit dem Zug nach Nairobi, wo mein Vater ein paar Bankgeschäfte zu erledigen hatte. Als wir in der Stadt fertig waren, ritten wir nordwärts Richtung Kabete Station, um Jim Elkington, einen Freund meines Vaters, auf dessen Ranch am Rande des Kikuyu-Reservats zu besuchen.

Während des Ritts stimmte ich ein paar Lieder auf Suaheli und Bantu an. *Twendi, twendi, ku pigani*, ging ein Kriegerlied, das ich gern mochte. Lasst uns gehen, lasst uns gehen, um zu kämpfen. Als ich meine eigene Stimme nicht mehr hören mochte, bat ich meinen Vater, mir Geschichten zu erzählen. Er war im Allgemeinen schweigsam und hütete seine Worte, als fürchte er, jemand könnte sich mit ihnen aus dem Staub machen, aber wenn wir gemeinsam ausritten, war er anders. Dann schien er gern zu reden.

Er erzählte mir die griechischen Mythen, an die er sich aus seiner Zeit in Eton erinnern konnte, mit Titanen und Heroen, den verschiedenen Göttern und spannenden Schilderungen der Unterwelt. Ein anderes Mal sprach er von den Generationen währenden Stammeskriegen zwischen Massai und Kikuyu, von heftigen Schlachten und siegreichen nächtlichen Listen, oder er erklärte mir, wie man jagte und überlebte. Wurde man von einem Elefanten angegriffen, so musste man stehenbleiben und ihm genau zwischen die Augen zielen. Verfehlte man das Gehirn, würde man nicht lange genug am Leben bleiben, um es erneut zu versuchen. Bei einer Puffotter schlich man so leise und langsam wie möglich rückwärts davon und durfte vor allem nicht in Panik geraten. Bei der tödlicheren Schwarzen Mamba rannte man einfach. Ein Mensch konnte schneller sein als eine Mamba, würde einen richtig platzierten Biss jedoch niemals überleben.

Als wir an jenem Tag zur Kabete Station ritten, war mein Vater in Gedanken bei Löwen. »Ein Löwe ist von Natur aus intelligenter als die meisten Menschen«, sagte er und schob sich mit dem Zeigefinger den Hut aus der Stirn. Er trug zum Reiten Khakikleidung – ein leichtes Baumwollhemd, Hosen und Stiefel, die auf dem Land in England auf Hochglanz poliert gewesen wären, hier jedoch von einer roten Schlammkruste überzogen waren. »Er ist auch mutiger und entschlossener als ein Mensch. Er kämpft um das, was ihm gehört, wie groß oder stark sein Rivale auch sein mag. Wenn dieser Rivale auch nur einen Funken Feigheit in sich hat, ist er bereits tot.«

Ich wollte, dass er weitersprach, bis wir bei den Elkingtons waren, und dann immer weiter. Wenn ich nur gut genug zuhörte, glaubte ich, würde ich eines Tages alles wissen, was er wusste. »Und wenn zwei gleich starke Löwen miteinander um ein Territorium oder um ein Weibchen kämpfen?«

»Dann taxieren sie sich gegenseitig und wägen ihre Chancen ab. Unter Gleichrangigen ist ein Löwe vorsichtiger, aber auch dann wird er keinen Rückzieher machen. Er hat nämlich keine Angst, zumindest nicht so, wie wir sie kennen. Er kann nur genau das sein, was er ist, was seine Natur ihm vorschreibt, und nichts anderes.«

»Ich frage mich, ob das auch auf den Löwen der Elkingtons zutrifft«, mischte Bishon Singh sich ein, unser Sikh-Stallmeister. Er hatte uns begleitet, um sich um die Pferde zu kümmern, und ritt gemeinsam mit Kimutai, dem Diener meines Vaters, direkt hinter uns.

»Das verdammte Tier macht mich nervös«, erwiderte mein Vater. »Das gebe ich gern zu. Es ist unnatürlich, eine wilde Kreatur so zu halten.«

»Ich mag Paddy«, sagte ich und erinnerte mich daran, wie Jim Elkington ihn einmal wie eine Katze gestreichelt hatte. »Er ist ein guter Löwe.«

»Was mich nur bestätigt«, entgegnete mein Vater, während Bishon Singh hinter uns zustimmend mit der Zunge schnalzte. »Man kann ein Junges aus der Savanne holen, wie sie es getan haben, und es wie ein Haustier aufziehen, wenn man mag. Man kann es füttern, damit es nie Jagen lernt, und sein Fell bürsten, damit es den Geruch von Menschen immer an sich trägt – aber dann muss man sich bewusst sein, dass man etwas Natürliches in etwas anderes verwandelt hat. Und einem unnatürlichen Wesen kann man niemals trauen. Man weiß nicht, was es ist, und es selbst ist genauso ratlos. Das arme verdammte Tier«, schloss er und schnaubte, um seine Nase vom Staub zu befreien.

Das Haus der Elkingtons hatte Bleiglasfenster und eine hübsche Veranda, hinter der sich vollkommene Wildnis ausbreitete, tausend Meilen ungezähmtes Afrika, vielleicht auch mehr. Wenn man dort sein köstliches Sandwich aß oder seinen Tee trank, beschlich einen das Gefühl, man säße am sich langsam neigenden Rand des Nichts und könne jederzeit vornüberfallen, und dann würde sich womöglich niemand daran erinnern, dass man überhaupt jemals dagewesen war.

Jim Elkington war rundlich, rotgesichtig und von ausgeglichenem Gemüt. Seine Frau trug einen Strohhut und weiße Blusen, die bei ihr irgendwie immer frisch und zivilisiert aussahen, sogar in Kombination mit der in den Gürtel gesteckten Rohlederpeitsche. Die Peitsche war für Paddy, der auf dem Grundstück umherstreifte, als würde es ihm gehören. Und das tat es ganz eindeutig auch. Wer würde sich schließlich mit ihm anlegen? Einst war er wie ein Hundewelpe mit riesigen Pfoten gewesen und hatte mit Jim auf dem Rasen gebalgt, doch nun war er voll ausgewachsen, mit wilder, glänzender Mähne. Die Peitsche war bloß eine Requisite.

Bei meiner letzten Begegnung mit Paddy hatten wir zugesehen, wie Jim Elkington ein paar gehäutete Kaninchen am Spieß an ihn verfütterte. Der Löwe lag mit gekreuzten

Tatzen da, breitschultrig und rostfarben, mit schwarzen Lefzen und Wangen. Er hatte riesige goldene Augen und schien sich des Anblicks bewusst zu sein, den er bot, während er die Leckereien in Empfang nahm. Über seiner perfekten trapezförmigen Nase befand sich eine krause Stelle, die ihn aussehen ließ, als würde er sich über uns wundern oder sogar ein wenig amüsieren.

Als wir unsere Pferde festbanden, konnte ich Paddy zwar nicht sehen, aber irgendwo, vielleicht meilenweit entfernt, brüllen hören. Es war ein gequälter und auch etwas trauriger Laut, der bewirkte, dass sich die feinen Haare in meinem Nacken aufstellten. »Er klingt einsam«, meinte ich.

»Unsinn«, erwiderte mein Vater. »Eher wie eine heulende Todesfee.«

»Ich höre es gar nicht mehr«, behauptete Mrs. Elkington und führte uns dann an den zum Tee gedeckten Tisch mit wohlduftenden Ingwerbiscuits, getrockneten Früchten, Kartoffelklößchen in knuspriger Hülle, die man mit den Fingern aß, und chinesischem Tee. Jim hatte in einem Krug einen Cocktail aus Rye Whiskey und zerdrückten Zitronen vorbereitet. Er rührte mit einem Glasstab darin herum und ließ das kostbare Eis klirren wie Tränen aus Kristall.

An jenem Tag war es auf der Veranda stickig und das Gespräch ermüdend. Ich pickte lustlos seufzend an meinem zweiten Ingwerkeks herum, bis mein Vater mir endlich einen Blick und ein Nicken zuwarf – *Na, dann geh schon* –, als er und Jim sich erhoben und in Richtung Stall aufbrachen. Mrs. Elkington versuchte zwar, mich zu einem Würfelspiel zu überreden, aber ich verschwand vom Tisch, so schnell ich konnte, warf meine Schuhe und Strümpfe ins Gras und eilte über den langgestreckten Hof davon.

Ich rannte hinaus ins freie Gelände, so schnell mich meine Füße trugen, nur um meine eigene Geschwindigkeit zu spüren. Ihr Land war unserem ganz ähnlich, mit den staubgrünen oder goldenen trockenen Gräsern und der hügeligen Ebene, die mit Akazien und Flammenbäumen und hier und da einem einzelnen mächtigen Affenbrotbaum übersät war. In der Ferne erblickte ich die durch die Wolken hindurch weniger schroff wirkenden Felsen des Mount Kenya und dachte, wie wundervoll es wäre, bis dorthin zu rennen, Hundert Meilen weit. Wie stolz mein Vater bei meiner Rückkehr auf mich wäre, und wie grün vor Neid Kibii sein würde.

Vor mir ragte ein kleiner Hügel mit Stachelbeersträuchern auf. Ich lief schnurstracks auf sie zu und nahm dabei nur mit halbem Auge eine Stelle im Gras wahr, auf der kürzlich etwas Großes gelegen und dabei die Stängel rundherum plattgedrückt hatte. Ich hielt meinen Blick auf den Hügel gerichtet, dachte an nichts anderes und wusste auch nicht, dass ich beim Rennen beobachtet wurde, von hinten belauert wie eine junge Gazelle oder Kuhantilope.

Ich wurde schneller und erklomm gerade die Anhöhe, da spürte ich plötzlich einen heißen, kräftigen Luftschwall im Nacken. Es war wie der Schlag eines Stahlrohrs gegen die Nerven in meinem Rücken. Ich fiel mit voller Wucht hin, mit dem Gesicht aufs Gras, die Arme instinktiv erhoben, um meinen Kopf zu schützen.

Ich wusste nicht, wie lange Paddy mich beobachtet hatte. Zuerst hatte er mich gewittert – womöglich noch bevor ich die Veranda verlassen hatte. Vielleicht hatte ihn mein Mädchengeruch bloß neugierig gemacht, oder vielleicht hatte er schon in diesem Moment begonnen, mich zu jagen. Im Grunde war es gleichgültig, denn er hatte mich bereits überwältigt.

Paddys Kiefer schloss sich um meinen Oberschenkel direkt über meinem Knie. Ich spürte seine dolchartigen Zähne und seine nasse Zunge. Die unerwartete Kühle seines Mauls. Mir wurde schwindelig, als ich mein eigenes Blut roch, da ließ er mich los, um zu brüllen. Es war genau dasselbe Geräusch, das ich von der Veranda aus gehört hatte, und noch viel mehr – eine vibrierende schwarze Höhle des Lärms, die die Erde und den Himmel und auch mich verschlang.

Ich wollte schreien, bekam jedoch nur einen Atemhauch heraus. Wieder spürte ich Paddys Maul und wusste, dass ich keine Chance hatte. Er würde mich entweder gleich hier auffressen, oder mich auf eine Lichtung oder in ein Tal schleifen, die nur ihm allein bekannt waren, an einen Ort, von dem ich niemals zurückkehren würde. Der letzte Gedanke, an den ich mich erinnere, war: *So fühlt es sich also an, von einem Löwen gefressen zu werden.*

6.

Als ich wieder zu mir kam, trug Bishon Singh, unser Sikh-Stallmeister, mich in den Armen, das Gesicht über meins gebeugt. Ich wollte nicht nach Paddy fragen, wo sich dieser nun befand, oder erfahren, wie verletzt ich war. Blut rann aus einer langen klaffenden Wunde entlang meines Beins auf Bishon Singhs weiße Baumwolltunika.

Mein Vater war im Stall gewesen, kam nun jedoch angerannt und presste mich eng an sich, zerdrückte mich fast an seiner Brust. Es war, als würde er mich retten – erneut retten, um genau zu sein, da es ja bereits geschehen war.

Bishon Singh hatte mich an sich vorbeirennen sehen, während er sich vor dem Stall um unsere Pferde kümmerte. Als er den Hügel hinaufkam, stand Paddy bereits auf meinem Rücken, den Rachen weit aufgerissen, die Lefzen schwarz umrandet, die Zähne vor Speichel triefend. Er brüllte erneut, und der Laut ließ Bishon Singh und die sechs oder sieben anderen Stallburschen, die hinter ihm hergeeilt kamen und alle versuchten, ihre Körper größer erscheinen und ihre Stimmen dröhnen zu lassen, beinahe zurückschrecken. Dann rollte die imposante Gestalt von Bwana Elkington heran und ließ die lange *Kiboko*-Peitsche vor sich knallen wie eine wogende Welle, wobei die Spitze die Luft zum Knistern brachte.

»Der Löwe wollte nicht gestört werden«, berichtete Bishon Singh. »Aber Bwana ließ die Peitsche erneut kräftig knallen. Er trieb Paddy an und schrie, schlug ihn wieder und wieder mit der Peitsche, bis Paddy schließlich genug hatte.

Er stürzte sich so plötzlich auf seinen Herrn, dass Bwana Elkington nichts anderes übrigblieb, als zum Affenbrotbaum zu rennen. Er sprang auf den Baum, und Paddy brüllte wie Zeus persönlich. Dann war er verschwunden.«

Die Wunde, die von meinem Wadenmuskel bis zum oberen Ende meines Oberschenkels reichte, brannte, als hielte ich sie über eine Flamme. Ich spürte jeden einzelnen der tiefen, offenen Klauenabdrücke, wo Paddy auf meinem Rücken gestanden hatte, und auch die kleineren Verletzungen an meinem Hals, unter meinem blutgetränkten Haar. Nachdem der Arzt gerufen war, verschwand mein Vater im Nebenzimmer, wo er in einem scharfen Flüsterton mit Jim und Mrs. Elkington besprach, was mit Paddy geschehen sollte. Eine Weile darauf kam ein Toto von einer Farm in der Nähe herbeigerannt und berichtete, Paddy habe das Pferd eines Nachbarn getötet und davongeschleift.

Jim und mein Vater luden ihre Gewehre und befahlen den Stallburschen, ihre Reitpferde zu satteln, während in mir ein Wirbel aus Gefühlen tobte. Paddy war auf freiem Fuß und machte die Gegend unsicher. Ein Teil von mir war besorgt, er könne zur Farm zurückkehren und jemanden angreifen, irgendeinen von uns. Ein anderer Teil von mir hatte Mitleid mit Paddy. Er war ein Löwe, und zum Töten war er schließlich erschaffen worden.

Der Arzt verabreichte mir Laudanum und nähte mich dann mit einer gebogenen Nadel und einem dicken schwarzen Faden zu. Ich lag auf dem Bauch, während Bishon Singh mir die Hand hielt, dessen Stahlarmreif an seinem Arm hin und her schaukelte und dessen weißer Turban viele, viele Male, wer weiß wie oft, um seinen Kopf gewickelt war, das Ende unsichtbar irgendwo eingeschlagen, wie die legendäre Schlange, die ihren eigenen Schwanz auffrisst.

»Die Peitsche kann für Paddy kaum lästiger als eine Mücke gewesen sein«, sagte Bishon Singh zu mir.

»Wie meinst du das?«

»Was ist eine Peitsche schon für einen Löwen? Er muss bereit gewesen sein, dich gehenzulassen. Oder vielleicht bist du auch nie für ihn bestimmt gewesen.«

Ich spürte das Zerren der Nadel, das Drücken und Ziehen, als wäre nur dieser Teil meines Körpers in eine kleine Strömung geraten. Seine Worte waren eine andere Art von Strom. »Wozu bin ich dann bestimmt?«

»Was für eine wundervolle Frage, Beru.« Er lächelte geheimnisvoll. »Und da du heute nicht gestorben bist, hast du nun mehr Zeit, um sie zu beantworten.«

Ich blieb mehrere Wochen bei den Elkingtons, wo Mrs. Elkington mich mit lauter Köstlichkeiten verwöhnte – kandiertem Ingwer, russischen Eiern und gekühlten Säften. Sie beauftragte ihren Küchen-Toto damit, mir jeden Tag einen frischen Kuchen zu backen, als könne damit irgendwie wiedergutgemacht werden, was Paddy getan hatte – und die Tatsache, dass er nun missmutig und manchmal auch fürchterlich aus einem Holzgehege hinter der Hauptkoppel herausbrüllte.

Vier Tage nachdem er fortgelaufen war, hatten sie ihn endlich gefangen und gefesselt zurückgebracht. Mrs. Elkington wollte mich beruhigen, als sie mir erzählte, dass er nun hinter Gittern war, aber mir drehte sich bei dem Gedanken der Magen um. Ich hatte Paddy verlockt, indem ich ihm vor der Nase herumgesprungen war, und nun wurde er dafür bestraft, etwas getan zu haben, das für ihn ganz natürlich war. Es war meine Schuld – aber dann war da auch Paddys Gebrüll, das ich von meinem schmalen Bett bei den Elkingtons aus hörte. Ich legte mir die Hände auf die Ohren und war erleichtert, dass er weggesperrt war. Erleichtert, aber auch gequält davon. In Sicherheit, aber auch voller Schuld.

Als ich schließlich mit dem Wagen nach Nairobi reisen konnte und von dort aus mit dem Zug heim nach Njoro, war es, als sei ich endlich aus meinem eigenen Gefängnis entlassen worden. Einem Gefängnis, das aus Paddys fürchterlichen Lauten bestanden hatte. Aber ich konnte nicht aufhören, an Paddy zu denken oder schrecklich von ihm zu träumen, bis ich in der Lage war, Kibii zu berichten, was passiert war. Er und einige andere Totos saßen regungslos da, während ich jedes Detail ausbreitete, wobei meine Geschichte immer länger und grauenvoller wurde und ich immer mutiger und unbeugsamer – ein Held oder ein Krieger anstelle von etwas, das gejagt und nur knapp gerettet worden war.

Jeder Kipsigis-Moran musste in seiner Ausbildung einen Löwen jagen und töten, um sich seinen Speer zu verdienen. Gelang es ihm nicht, lebte er fortan in Schande. War er aber erfolgreich, konnte nichts glorreicher sein. Schöne Frauen würden seinen Namen singen, und seine Tat würde zum Teil der Geschichte werden, in Versen, die seine eigenen Kinder lernen und im Spiel nachstellen würden. Ich war immer schrecklich neidisch darauf gewesen, dass Kibii so viel Kühnheit und Ruhm entgegenblicken durfte, und konnte mir nun eine leichte Befriedigung darüber nicht verkneifen, etwas überlebt zu haben, dem er noch nicht ausgesetzt gewesen war. Und sosehr ich die Geschichte über mein Erlebnis mit Paddy auch ausschmücken oder zurechtbiegen mochte, *war* es doch geschehen, und ich hatte es überlebt und konnte nun davon berichten. Das allein hatte einen mächtigen Einfluss auf mich. Ich fühlte mich ein wenig, als wäre ich unbesiegbar, als könnte ich nahezu alles überstehen, was das Leben für mich bereithalten mochte, aber natürlich hatte ich keine Ahnung, was mir noch bevorstand.

»Emma und ich sind der Meinung, dass du in Nairobi zur Schule gehen solltest«, eröffnete mir mein Vater ein paar Wochen nach meiner Rückkehr von den Elkingtons. Er hatte die Fingerspitzen aneinandergelegt.

Ich fuhr auf und blickte ihn an. »Warum bekomme ich keine neue Hauslehrerin?«

»Du kannst nicht für immer wild herumrennen. Du benötigst eine schulische Erziehung.«

»Ich kann hier auf der Farm lernen. Ich werde nicht mehr dagegen ankämpfen, ich verspreche es.«

»Verstehst du denn nicht, dass es hier nicht sicher für dich ist?«, fragte Mrs. O von ihrem Stuhl aus. Ihr unberührtes Besteck schimmerte und warf Splitter roten Lichts von der Sturmlaterne zurück, und auf einmal begriff ich, dass all das geschah, weil ich nie herausgefunden hatte, wie ich sie am besten besiegen konnte. Ich hatte mich an sie gewöhnt. Ich war von Fohlen und Ausritten und Jagdspielen mit Kibii abgelenkt gewesen. Aber sie hatte sich nie an mich gewöhnt.

»Falls du Paddy meinst, das hätte niemals passieren dürfen.«

»Natürlich nicht!« Ihre veilchenblauen Augen verengten sich zu Schlitzen. »Aber es ist passiert. Du scheinst dich für unverwundbar zu halten und rennst halbnackt mit diesen Jungs herum, da draußen im Busch, wo alles Mögliche dich angreifen könnte. Alles Mögliche. Du bist ein Kind, auch wenn das hier niemand zu begreifen scheint.«

Ich ballte die Hände zu Fäusten und ließ sie fest auf die Tischkante knallen. Ich tobte vor Wut, schob meinen Teller von mir und ließ mein Besteck klappernd zu Boden fallen. »Ihr könnt mich nicht zum Gehen zwingen!«, rief ich schließlich aus heiserer Kehle, mein Gesicht rot und geschwollen.

»Die Entscheidung liegt nicht bei dir«, erwiderte mein Vater nüchtern, die Lippen streng und unnachgiebig aufeinandergepresst.

Am nächsten Tag wachte ich bei Morgengrauen auf und ritt zur Equator Ranch, um Lady D aufzusuchen. Sie war die liebenswerteste und vernünftigste Person, die ich kannte. Ich glaubte fest daran, dass sie eine Lösung finden würde.

»Daddy scheint entschlossen zu sein«, begann ich zu

schimpfen, ehe ich richtig durch die Tür getreten war, »aber er schließt sich bloß Mrs. O an. Sie hat ihm eingeredet, dass ich vom nächsten Löwen in Stücke gerissen werde, wenn ich so weitermache, aber das ist ihr doch in Wirklichkeit ganz egal. Ich bin ihr im Weg, das ist der eigentliche Grund.«

Lady D führte mich an einen bequemen Platz auf ihrem Teppich und ließ mich erst einmal alles ausspucken, ohne mich zu unterbrechen. Als ich mich schließlich ein kleines bisschen beruhigt hatte, sagte sie: »Ich kenne weder Emmas Gründe noch Clutts, aber ich für meinen Teil werde stolz sein, dich als junge Dame zurückkehren zu sehen.«

»Ich kann hier alles lernen, was ich brauche!«

Sie nickte. Sie hatte diese Angewohnheit, freundlich zu nicken, selbst wenn sie vollkommen anderer Meinung war. »Nicht alles. Eines Tages wirst du anders über Bildung denken und dankbar dafür sein.« Sie ergriff meine Hand, zog sie sanft von meinem Schoß und legte sie in ihre eigene. »Eine ordentliche Bildung ist nicht nur nützlich in der Gesellschaft, Beryl. Sie kann ein wunderbares Geschenk sein, etwas, das du besitzen und für dich selbst behalten kannst.«

Wahrscheinlich warf ich ihr oder der Wand einen finsteren Blick zu, denn sie sah mich nun mit unglaublicher Geduld an. »Ich weiß, dass es sich anfühlt, als sei es das Ende der Welt, aber das ist es nicht«, versicherte sie mir. »Du wirst noch so viel erleben. So viel, und es liegt alles draußen in der Welt vor dir.« Sie ließ die Fingerspitzen sanft in meiner Handfläche kreisen und lullte mich damit ein. Ehe ich mich's versah, nickte ich an sie gekuschelt ein, den Kopf in ihren Schoß gebettet. Als ich nach einer Weile erwachte, stand sie auf und bat den Hausdiener, uns einen Tee zu bringen. Dann setzten wir uns an ihren Tisch, um durch den riesigen Atlas zu blättern, den ich so liebte. Ich schlug ihn auf einer Seite mit einer umfassenden Karte Englands auf, das so grün war wie ein Edelstein. »Denkst du, ich werde jemals dort hinfahren?«, fragte ich.

»Warum nicht? Es ist immer noch deine Heimat.«

Ich strich mit den Fingerspitzen über die Seite, fuhr die Namen von Städten nach, die sowohl fremd als auch vertraut klangen, Ipswich und Newquay, Oxford, Manchester, Leeds.

»Schreibt dir deine Mutter manchmal aus London?«, fragte sie.

»Nein«, sagte ich, ein wenig verunsichert. Niemand erwähnte jemals meine Mutter, und das Leben war auf diese Weise viel einfacher.

»Ich könnte dir von ihr erzählen, wenn du es irgendwann einmal möchtest.«

Ich schüttelte den Kopf. »Sie ist jetzt nicht mehr wichtig. Nur die Farm zählt.«

Lady D sah mich einen langen Augenblick an und schien darüber nachzudenken. »Tut mir leid. Ich sollte mich da nicht einmischen.«

Kurz darauf polterte D herein, schüttelte sich den Staub von den Stiefeln und redete dabei mit sich selbst. »Meine zwei liebsten Mädels«, freute er sich bei unserem Anblick.

»Beryl hatte einen harten Tag«, warnte Lady D ihn. »Sie wird bald in Nairobi zur Schule gehen.«

»Ah.« Er ließ sich unsanft in einen Stuhl mir gegenüber fallen. »Ich habe mich schon gefragt, ob das eines Tages zur Sprache kommen würde. Du wirst das großartig meistern, Mädchen. Ganz bestimmt. Ich habe immer schon gesagt, dass du blitzgescheit bist.«

»Ich bin mir da nicht so sicher.« Halbherzig nippte ich an meinem Tee, der mittlerweile kalt geworden war.

»Versprich, dass du uns besuchen kommst, wann immer du kannst. Du hast hier auch ein Zuhause. Und das wird immer so bleiben.«

Als ich mich verabschiedete, begleitete Lady D mich hinaus zum Stall und legte mir die Hände auf die Schultern. »Ein Mädchen wie dich gibt es kein zweites Mal auf der Welt, Beryl, und eines Tages wirst du das erkennen. Du wirst dich in Nairobi schon zurechtfinden. Du wirst dich überall zurechtfinden.«

Bis ich die Farm erreicht hatte, war es fast dunkel, die Berge waren tintenblau gefärbt und schienen in der Ferne zu schrumpfen und flach zu werden. Wee MacGregor erklomm unseren Hügel und brachte uns zum Rand der Koppel, wo ich Kibii sah, der auf den Pfad zur *shamba* einbog. Ich wollte ihn rufen, aber ich hatte genügend schwierige Gespräche für einen Tag geführt und wusste nicht, wie ich ihm sagen sollte, dass ich bald fortgehen würde. Ich wusste nicht, wie ich mich verabschieden sollte.

7.

In den folgenden zweieinhalb Jahren gab ich mir in der Schule alle Mühe und konnte dennoch kaum den Anforderungen genügen. Ich rannte ein halbes Dutzend Mal davon, einmal versteckte ich mich gar drei Tage lang in einer Schweinehöhle. Bei einer anderen Gelegenheit zettelte ich einen Aufstand an, bei dem die halbe Schule auf ihren Fahrrädern hinter mir her in die Steppe ausriss. Daraufhin flog ich schließlich von der Schule. Als mein Vater mich vom Bahnhof abholte, sah er verärgert, aber auch erleichtert aus, als hätte er verstanden, dass mich fortzuschicken niemals funktionieren würde.

Doch die Farm war ein vollkommen anderer Ort als der, den ich verlassen hatte. Tatsächlich war die ganze Welt eine vollkommen andere, wofür der Krieg gesorgt hatte. Wir hatten die wichtigsten Nachrichten in der Schule mitbekommen, über die Ermordung des Erzherzogs, über Kaiser Wilhelm und darüber, wie Nationen, von denen wir kaum je gehört hatten, sich zusammengetan hatten, um gegeneinander zu kämpfen. Für Britisch-Ostafrika bedeutete der Krieg, dass die landgierigen Deutschen davon abgehalten werden mussten, alles an sich zu reißen, was wir für unseren rechtmäßigen Besitz hielten. Große Teile des Protektorats waren zu Schlachtfeldern geworden, und überall hatten Männer – Buren, Nandis und weiße Siedler, Krieger der Kavirondo und Kipsigis – ihre Pflüge, Mühlen und Shambas verlassen, um sich den King's African Rifles anzuschließen. Sogar Arap Maina war in den Kampf gezogen. Während meiner Schulferien hatten Kibii und ich oben auf dem Hügel gestanden und zugesehen, wie er auf dem Weg zu seinem Regiment davonmarschierte. Aufrecht und stolz, in einer Hand den Speer, in der anderen sein Schild aus Büffelleder, schritt er den unbefestigten Weg hinunter. Er wurde Hunderte Meilen fortgesandt, an die Grenze zu Deutsch-Ostafrika, wo man ihm anstelle seines Speers ein Gewehr in die Hand drückte. Er wusste nicht, wie man eine Schusswaffe benutzte, würde es aber selbstverständlich herausbekommen. Er war der mutigste und selbstbewussteste Krieger, den ich kannte, und ich war mir sicher, dass er mit einem Haufen Geschichten und womöglich auch mit genügend Gold nach Hause zurückkehren würde, um sich eine neue Ehefrau zu kaufen.

Noch vor dem Ende jener Sommerferien kam jedoch eines Nachmittags ein Bote auf unsere Farm gerannt und erzählte uns, was in der weiten Ferne geschehen war. Arap Maina hatte so tapfer gekämpft, wie er konnte, aber er war an jenem fernen Ort gestorben und an der Stelle begraben worden, an der er gefallen war, ohne dass sein Stamm oder seine Familie ihm die letzte Ehre erweisen konnte. Kibii empfing diese Nachricht mit ausdrucksloser Miene, aß daraufhin jedoch nichts mehr und wurde mager und wütend. Ich wusste nicht, wie ich ihn trösten oder was ich denken sollte. Arap Maina war mir nicht einmal sterblich erschienen, und nun war er fort.

»Wir sollten den Mann finden, der deinen Vater umgebracht hat, und ihm einen Speer ins Herz stoßen«, sagte ich.

»Sobald ich ein Moran werde, ist es meine Pflicht, das zu tun.«

»Ich werde dich begleiten«, erklärte ich ihm. Ich hatte Arap Maina geliebt wie meinen eigenen Vater und war bereit, überall hinzugehen und alles zu tun, um seinen Tod zu rächen.

»Du bist nur ein Mädchen, Lakwet.«

»Ich habe keine Angst. Ich kann den Speer genauso weit werfen wie du.«

»Es ist aber nicht möglich. Dein Vater würde dich niemals gehen lassen.«

»Dann werde ich es ihm nicht sagen. Es wäre nicht das erste Mal, dass ich davonlaufe.«

»Deine Worte sind selbstsüchtig. Dein Vater liebt dich, und er ist am Leben.«

Mein Vater war mein Ein und Alles. Als ich fort gewesen war, hatte ich mich genauso sehr nach ihm gesehnt wie nach der Farm, aber der Krieg hatte auch ihn verändert. Als er mich vom Zug abholte, sah er so abgespannt und ernst aus, dass ich kaum wusste, wie ich ihn begrüßen sollte. Wir fuhren den langgezogenen Hügel hinauf, während er mir erklärte, dass das benachbarte Nakuru nun eine Garnisonsstadt sei. Die Rennbahn war zu einem Remontierungs- und Transportlager für die Truppen geworden. Unsere Pferde wurden zum Militärdienst eingezogen, bis über die Hälfte unserer Ställe und Koppeln leer waren, aber ohnehin waren alle Rennveranstaltungen für die Dauer des Krieges ausgesetzt worden.

Sobald wir den höchsten Punkt des Hügels erreicht hatten, konnte ich die Veränderungen mit eigenen Augen sehen. Hunderte Arbeiter waren fortgezogen, mit nichts als den Kleidern an ihrem Leib und allen Waffen, die sie besaßen – Pistolen, Speeren oder Buschmessern –, sowie einer undeutlichen Vorstellung von Ruhm oder Ehre. Das Empire hatte gerufen, und so waren sie nun Soldaten der Krone. Möglicherweise würden sie bald zurückkehren, aber für den Moment wirkte es, als hätte jemand Green Hills wie eine Kiste umgedreht und seinen Inhalt auf dem harten Boden ausgeleert, wo er fortgeblasen worden war.

Im Haupthaus hatte Mrs. O ein Festmahl für meine Heimkehr vorbereitet und sich dem Anlass entsprechend gekleidet. Sie war so ordentlich und frisch gebügelt wie immer, aber an den Schläfen war ihr Haar mittlerweile von silbernen Strähnen durchzogen, und in ihrem Gesicht zeigten sich Müdigkeitsfältchen. Mir fiel auf, dass ich sie nun mit anderen Augen sah. Während des Großteils der Zeit, die ich in der Schule verbracht hatte, hatte ich mir mit einem Mädchen namens Doris Waterman das Etagenbett geteilt – sie wollte allerdings, dass wir sie Dos nannten. Jeden Abend hatte sie sich von ihrem Bett aus zu mir heruntergebeugt, um mir irgendetwas zuzuflüstern, während ihr glattes braunes Haar ihr wie ein Vorhang ums Gesicht fiel. Sie erzählte mir, dass sie ein Einzelkind war und ihr Vater ein paar Geschäfte in der Stadt besaß. Ihm gehörte auch das New Stanley Hotel, das ein wichtiger Sammelplatz für alle war, die durch Nairobi kamen. Dos schien nichts zu entgehen, was sich dort oder irgendwo in der Umgebung abspielte.

»Mrs. Orchardson?«, fragte sie zweifelnd, als ich sie beiläufig erwähnte. »Ist ihr Ehemann immer noch in Lumbwa?«

»Was? Sie ist nicht verheiratet. Sie lebt nun schon seit Jahren mit meinem Vater zusammen.«

Dos schnalzte über meine Arglosigkeit mit der Zunge und fuhr dann fort, mir zu berichten, wie Mr. Orchardson, der ein Anthropologe war, vor Jahren eine Nandi-Frau zur Geliebten genommen hatte, die daraufhin schwanger geworden war.

Ich war schockiert. »Woher weißt du das?«

Sie zuckte die Achseln, immer noch halb über den Bettrand gekippt. »Jeder weiß es. So etwas passiert schließlich nicht alle Tage.«

»Deshalb ist Mrs. O also zu uns gekommen? Um ihrer Situation dort zu entfliehen?«

»Njoro wäre mir nicht weit genug von Lumbwa entfernt. Das Ganze ist so erniedrigend. Und jetzt sind sie und dein Vater noch nicht einmal verheiratet.«

Es war, als hätte ich bauschige, schneeweiße Wölkchen vor den Augen gehabt. Ich hatte nichts über die Welt der Erwachsenen gewusst oder darüber, welche heiklen Geschichten sich zwischen Männern und Frauen zutragen konnten. Ich war nicht aufmerksam gewesen, doch nun lösten sich die Wolken mit einem Mal auf und ließen nichts als die nackten Tatsachen zurück. Mein Vater musste über Mr. Orchardson und die Nandi-Frau Bescheid gewusst haben, aber entweder hatte es ihn nicht gekümmert, oder er hatte der Sorge darüber, was diese Verbindung für ihn bedeuten könnte, nicht nachgegeben. Ihre derzeitige Lebensform war noch skandalöser, als ich es mir je ausgemalt hatte, denn sie war immer noch verheiratet. Vielleicht war mein Vater es auch. Ich hatte dieser Angelegenheit nie viel Aufmerksamkeit geschenkt, tat es aber nun, da ich spürte, dass ihre Beziehung eine weitere Sache war, die in einer äußerst komplizierten Welt noch unendlich komplizierter geworden war.

»Wann wird der Krieg zu Ende sein?«, fragte ich meinen Vater. »In der Schule haben alle immer gesagt, der Kampf sei rein präventiv.« Helles Sonnenlicht fiel glitzernd durch die Fensterscheiben auf das einfache Teeservice, das Wachstuch, die Kaminplatten und die Zedernholztäfelung. Alle Gegenstände waren genau so, wie sie immer gewesen waren – aber die Luft um sie herum fühlte sich anders an. Ich selbst war anders.

»Das wird behauptet, nicht wahr? Und doch steigen die Opferzahlen weiter. Zwanzigtausend allein in Afrika.«

»Wirst du auch in den Krieg ziehen?« Diese Frage mit fester Stimme zu stellen kostete mich einige Mühe.

»Nein – das verspreche ich. Aber D ist eingerückt.«

»Wann? Weshalb? Sie haben doch bestimmt schon genug Männer.«

Mein Vater und Mrs. O tauschten einen vielsagenden Blick.

»Daddy? Was ist geschehen? Ist D verwundet worden?«

»Es ist Florence«, sagte Mrs. O. »Sie ist kurz nach deinem letzten Besuch sehr krank geworden. Ihr Herz …«

»Ihr Herz war vollkommen in Ordnung! Sie war immer so gesund wie ein Pferd.«

»Nein«, erwiderte mein Vater langsam und behutsam. »In Wirklichkeit war sie schon seit Jahren krank. Niemand außer D wusste es.«

»Das verstehe ich nicht. Wo ist sie jetzt?«

Mein Vater betrachtete seine Handrücken. Alle Farbe war aus seinem Gesicht gewichen. »Sie ist gestorben, Beryl. Vor sechs Monaten. Sie ist nicht mehr da.«

Vor sechs Monaten? »Wieso hast du mir das nicht erzählt?«

»Wir wollten es dir nicht in einem Telegramm mitteilen«, erklärte mein Vater. »Aber ich bin mir nicht sicher. Vielleicht war es falsch von uns, zu warten.«

»Sie war eine wundervolle Frau«, sagte Mrs. O. »Ich weiß, dass du sie sehr geliebt hast.«

Ich konnte sie nur benommen anstarren. Ich schob meinen Stuhl zurück und bewegte mich in einer Art Trancezustand und mit einem Gefühl der Verlorenheit hinaus zu den Ställen. Wie viele Stunden hatte ich auf Lady Ds Teppich gesessen, ihren Tee getrunken und ihre Worte aufgesaugt, ohne je zu ahnen, dass sie krank oder auch nur geschwächt war? Vielleicht hatte ich sie in Wirklichkeit gar nicht richtig gekannt, und nun war sie fort. Ich würde sie nie wiedersehen. Ich hatte mich noch nicht einmal von ihr verabschiedet.

Im schäbigen Stallbüro fand ich Buller schlafend vor und ließ mich auf die Knie fallen, um mein Gesicht in seinem gefleckten Fell zu vergraben. Er war mittlerweile vollkommen taub, und da er mich nicht gehört hatte, erschrak er bei meiner Berührung, freute sich aber auch. Er beschnupperte mich von oben bis unten und leckte mir übers Gesicht, wobei er mit dem ganzen Körper bis zum Schwanz wedelte. Als er sich wieder auf die festgetretene Erde plumpsen ließ, legte ich meinen Kopf auf ihm ab und betrachtete die Gegenstände meines Vaters um mich herum – seinen Schreibtisch mit dem dicken schwarzen Zuchtbuch, seinen Reithelm und seine Gerte, einen Teller voller Pfeifenasche, vergilbte Zeitungen und den Kalender an der Wand. Dort sollten eigentlich wichtige Termine rot umkreist eingetragen sein. Der Stall sollte voller Leben sein, war jedoch so still wie ein Nandi-Friedhof. Ich war endlich für immer zurückgekehrt, aber Green Hills fühlte sich kaum noch wie mein Zuhause an. Würde es das je wieder tun?

Nach einer Weile betrat mein Vater den Stall und betrachtete uns dort auf dem Fußboden. »Ich hoffe, es war nicht falsch von mir, zu warten, um dir das mit Florence persönlich zu sagen. Ich weiß, dass sie dir sehr viel bedeutet hat.« Er hielt inne. »Im Moment kommt einiges zusammen, aber früher oder später wird sich alles klären.«

Ich wollte verzweifelt glauben, dass er die Wahrheit sagte, dass unsere schlimmsten Schwierigkeiten hinter uns lagen, dass alles, was ins Chaos gestürzt war, immer noch geradegerückt werden konnte. Das wünschte ich mir mehr als alles auf der Welt. »Der Krieg wird nicht ewig dauern, oder?«, fragte ich ihn mit brüchiger Stimme.

»Das kann er gar nicht«, erwiderte mein Vater. »Nichts dauert ewig.«

TEIL
ZWEI

8.

Wenn der Märzregen über den Ebenen und dem zerklüfteten Antlitz des Escarpments niederging, brachen mit einem
Mal sechs Millionen gelbe Blütenkelche auf. Rotweiße
Schmetterlinge, die wie Pfefferminzstangen aussahen, wirbelten glitzernd in der prickelnden Luft.

Aber im Jahr 1919 blieb der Regen aus. Es gab weder den
durchnässenden Aprilregen, bei dem eine tintenschwarze
Wolke stundenlang über einem hängen und alles ausschüt-
ten konnte, was sie mit sich trug, noch die kurzen täglichen
Novemberregen, die ein- und aussetzten, als würden sie
von einem System aus Flaschenzügen betrieben. Gar nichts
kam in jenem Jahr herunter, so dass die Ebenen und das gesamte Buschland die Farbe von Sand annahmen. Wo man
auch hinblickte, schien alles vor Trockenheit zusammen-
zuschrumpfen und zu gerinnen. Der Wasserpegel an den
Ufern des Nakurusees sank und verschwand schließlich ganz
und hinterließ pulvrig grünen Moder und seltsame Kringel
getrockneter Flechten. Die Dörfer waren still, ihre Herden
abgemagert. Mein Vater suchte wie jeder Farmer im Hochland in einem Umkreis von hundert Meilen um Nairobi
herum mit dem Blick den Horizont ab, entdeckte jedoch
nirgends auch nur den winzigsten Wolkenfetzen oder einen
einzigen Schatten auf der Sonne.

Ich war nun sechzehn und voller rastloser Gefühle. Ich
beobachtete meinen Vater, wie er in seinem Arbeitszimmer
das Kinn mit ernstem Gesichtsausdruck in die Handfläche
stützte und mit verschleiertem Blick aus blutunterlaufenen

Augen in sein Hauptbuch starrte. Scotch vor dem Frühstück, großartig.

Ich beugte mich über seine Stuhllehne und schob mein Kinn zwischen seinen Hals und seine Schulter. Er roch nach heißer Baumwolle, wie der trockene Himmel. »Du solltest dich wieder hinlegen.«

»Ich war noch nicht im Bett.«

»Nein, das warst du wohl nicht.«

Am Abend zuvor waren er und Emma (ich hatte mir seit meiner Rückkehr angewöhnt, sie so zu nennen) zu einer kleinen Abendgesellschaft in Nakuru eingeladen gewesen, wahrscheinlich bei Rennbekanntschaften. Ich verstand nicht, wie Emma sich auf der Farm so gut halten konnte. Ihre Haut war zwar weicher geworden und mit Fältchen überzogen, aber immer noch hell. Sie war schlank, und ihre Kleidung umspielte hübsch all ihre Bewegungen – vielleicht hätte ich das auch hinbekommen können, wenn ich bei den anderen Mädchen auf der Schule geblieben wäre, statt hier mitten im Busch in Hosen und staubigen kniehohen Stiefeln herumzulaufen.

»Du könntest dir wirklich mehr Mühe geben, Beryl«, hatte Emma gesagt, bevor die beiden nach Nakuru aufgebrochen waren. »Begleite uns in die Stadt.«

Ich blieb jedoch lieber zu Hause. Nachdem sie in Daddys Hudson den Feldweg hinunter davongefahren waren, verkroch ich mich ans Zedernholzfeuer, um zu lesen, da ich die Stille mochte und auch brauchte. Nicht lange nachdem ich zu Bett gegangen war, kamen sie jedoch schon zurück und flüsterten aufgebracht miteinander, während sie vom Wagen zum Haus liefen. Er hatte irgendetwas getan, oder zumindest war sie der Ansicht, dass er es getan hatte. Ihre Stimmen wurden immer lauter und angespannter, und ich fragte mich, was den Streit wohl ausgelöst haben mochte. Manchmal konnte es in der Stadt brisant werden, wenn Emma sich abgewiesen fühlte. Sie lebte schon seit langem offen als Lebensgefährtin meines Vaters, aber je älter ich wurde, desto mehr Dinge erkannte ich, die mir zuvor verborgen geblieben waren, etwa dass sie und Daddy zwar womöglich bereit sein mochten, die herkömmlichen Konventionen über Bord zu werfen oder zumindest zu ignorieren, dass dies für die Kolonie im Allgemeinen jedoch nicht galt. Viele der Ehefrauen benachbarter Farmer hatten Emma praktisch aus ihrem Kreis ausgeschlossen. Selbst in der Stadt wurde ihr Arrangement als schimpflich angesehen, wie ich von Dos erfahren hatte, wie viel Zeit auch vergangen sein und wie konservativ die beiden auch in anderer Hinsicht erscheinen mochten.

Aber wenn die Spannungen aus der Außenwelt sich auch zu Hause bemerkbar machten, schien Emma doch zumindest bereit zu sein, alle weiteren Vorstöße hinsichtlich meiner Schulbildung fallenzulassen. Ihre Bemühungen konzentrierten sich nun auf mein Aussehen und Benehmen – das wenige davon, das ich besaß. Unermüdlich versuchte sie, mich dazu zu bringen, mich öfter zu waschen oder einen Rock anstelle von Hosen zu tragen. Handschuhe seien unerlässlich, wenn meine Hände hübsch bleiben sollten, und ob ich denn nicht wisse, dass jede anständige junge Dame im Freien einen Hut trage?

Sie schien auch mehr als je zuvor darauf zu beharren, dass ich mich nicht mit Kibii oder einem der anderen jungen Männer aus dem Kip-Dorf abgeben sollte. »Es war schlimm genug, als ihr noch Kinder wart, aber jetzt … Nun, es ist einfach nicht schicklich.«

Schicklich? »Ich verstehe nicht, was die ganze Aufregung soll.«

»Emma hat recht«, stimmte mein Vater zu. »Es gehört sich nun einmal nicht.«

Ich kämpfte zwar weiter aus Prinzip gegen die beiden an, aber tatsächlich sah ich Kibii kaum noch. Als ich aus Nairobi zur Farm zurückkehrte, begann er, auf dem Weg zum Stall drei Schritte hinter mir zu laufen.

»Was soll das denn?«, fragte ich ihn, als ich es zum ersten Mal bemerkte.

»Du bist die *memsahib*. So gehört es sich.«

»Ich bin dieselbe wie immer, du Dummkopf. Lass den Unsinn.«

Aber wir waren beide nicht mehr dieselben, und ich empfand diese Tatsache selbst so deutlich, wie ich die Veränderungen an meinem Körper sehen konnte, wenn ich mich abends auszog, die Rundungen und Ausdehnungen meiner neuen Kurven. Kibiis Arme und Beine waren muskulös, wo sie einst weich und jungenhaft gewesen waren, und auch seine Gesichtszüge waren härter geworden. Ich fühlte mich von ihm angezogen, von seiner glänzenden Haut und den starken, langen Schenkeln unter seiner Shuka. Er war wunderschön, aber als ich ihn einmal versuchsweise beiläufig berühren wollte, schreckte er zurück.

»Hör auf, Beru.«

»Warum denn? Bist du nicht einmal ein bisschen neugierig?«

»Sei nicht albern. Willst du, dass sie mich umbringen?«

Er stürmte davon und ließ mich zurückgewiesen und getroffen zurück, aber tief in meinem Inneren wusste ich, dass er recht hatte. Keine unserer beiden Welten hätte diese Art von Berührung zwischen uns auch nur für einen Moment gestattet, und die Situation hätte für uns beide rasch furchtbar werden können. Aber ich vermisste Kibii. Zwischen uns war einst alles so einfach und gut gewesen, als wir uns vor nichts fürchteten und im perfekten Gleichschritt auf die Jagd gingen. Ich erinnerte mich, wie wir gemeinsam mit Arap Maina auf der Suche nach einem besetzten Warzenschweinloch meilenweit gelaufen waren und uns dann davor hinuntergebeugt hatten, um Papier vor der Öffnung seiner Höhle knistern zu lassen. Das tat man, um das Schwein herauszulocken, da das Geräusch das Tier auf irgendeine Weise reizte, die ich zwar nicht verstand, die aber meistens wirkte.

Kibii und ich taten alles, was Arap Maina von uns verlangte, und kehrten schließlich mit dem leblosen Körper eines großen Ebers, der wie eine fleischige Hängematte zwischen uns baumelte, nach Hause zurück. Das Fell an seinen Flanken fühlte sich wie steifer schwarzer Draht an. Sein Maul war im Tod fest zusammengebissen erstarrt und zeigte einen Ausdruck von Widerspenstigkeit, den ich bewunderte. Mein Ende des Stocks schnitt mir tief in die Hände, was sich genau richtig anfühlte. So viel wog dieses Schwein, und so viel wog dieser Tag.

Mein Gott, wie gern ich wieder so leben wollte! Ich wollte Arap Maina wiedersehen, ihm geräuschlos durch gezacktes Elefantengras folgen, mit Kibii leichtfertig über alles und nichts lachen. Aber er war nun beinahe fünfzehn. Nach seiner Beschneidungszeremonie würde er der Krieger sein, der zu werden seine Bestimmung war. In all der Zeit, die ich ihn gekannt hatte, hatte er sich diesen Tag stets ausgemalt und ihn herbeigesehnt, aber irgendwie hatte ich, während ich ihm über die Jahre zuhörte, wohl ausgeblendet, dass diese Zeremonie den Jungen, den ich mein ganzes Leben kannte, verschwinden lassen würde, genauso wie das wilde Kriegermädchen, das ihn geliebt hatte. Es war bereits geschehen. Diese Kinder gab es nicht mehr.

9.

In seinem Büro im Stall klappte mein Vater das Hauptbuch zusammen und griff nach dem Whiskey, obwohl er gerade erst seinen morgendlichen Kaffee ausgetrunken hatte. »Wirst du Pegasus heute laufen lassen?«, fragte er mich.

»Eineinviertel Meilen in leichtem Galopp. Er hält den Kopf ein wenig niedrig. Ich dachte, ich versuche es mit der Kettentrense.«

»Gutes Mädchen«, sagte er, aber sein Blick war leer und gleichgültig, während ich die restlichen Aufgaben des Vormittags durchging – welche der Pferde geritten werden, welche sich ausruhen oder Sehnengamaschen tragen sollten, welches Futter bestellt und welche Lieferungen geplant werden mussten. Da ich auf dem Internat versagt hatte, war das nun mein Leben. Er organisierte die Zucht und führte die Farm, und ich war seine Schulsprecherin. Ich wollte gern unentbehrlich sein, würde mich aber auch mit nützlich zufriedengeben.

Der Stallbursche Toombo hatte Pegasus' Fell blankgebürstet und hob mich nun in den Sattel, seine dichten Locken vor Leinöl glänzend. Pegasus war mit seinen zwei Jahren bereits mächtig gewachsen – auf etwas mehr als einen Meter siebzig. Ich war ebenfalls groß, mittlerweile fast einen Meter dreiundachtzig, aber im Sattel fühlte ich mich so leicht wie ein Blatt.

Draußen war der Morgen glasklar – genau wie die letzten zehn oder zwanzig oder auch hundert Morgen. Wir passierten die große Akazie, auf deren niedrigeren Ästen sich ein Grünmeerkatzenpärchen lebhaft unterhielt. Mit ihren ledrigen schwarzen Händen und den schmalen, enttäuschten Gesichtern sahen sie aus wie zwei alte Männer. Sie waren auf der Suche nach Wasser aus dem Wald oder vom Escarpment heruntergekommen, aber unsere Wassertanks waren fast leer, und wir hatten nichts anzubieten.

Hinter dem Hügel führte der Feldweg durch breite Terrassenfelder in die Ferne. In besseren Zeiten hatte sich unser Getreide um uns herum in alle Himmelsrichtungen satt und grün ausgebreitet. Wenn man durch den brusthohen Mais gelaufen war, waren die Füße bis zu den Knöcheln in feuchter Erde versunken. Nun kräuselten sich die Blätter und zerbrachen. Die Mühle lief jedoch noch immer ununterbrochen und mahlte *posho*, das danach in Leinensäcken darauf wartete, dass wir unsere Verträge einhielten. Nach wie vor verließen reihenweise mit Mehl gefüllte Güterwaggons unseren Bahnhof Kampi ya Moto in Richtung Nairobi, aber davon wurde niemand reich. Mein Vater hatte sich gegen hochverzinste Schuldscheine mehr und mehr Getreide geliehen. Die Rupie fiel wie ein Sumpfhuhn voller Schrot. Niemand wusste wirklich, wo sie gerade stand. Die Kreditgeber schienen in einem fort ihre Meinung zu ändern, und die Schulden meines Vaters kletterten beinahe täglich auf einer Leiter hinauf und wieder hinunter. Allerdings mussten unsere Pferde fressen. Sie brauchten Quetschhafer, Kleie, gekochte Gerste – und keine ausgebleichten Büschel Luzerne. Mein Vater hatte sich seine reinrassige Zucht mit Liebe und Intuition und mit Hilfe des dicken schwarzen Zuchtbuchs voller Stammbäume, die bis zu glorreichen Prinzen ähnelnden Deckhengsten zurückgingen, aufgebaut. Dies waren die besten Pferde, die man finden konnte. Er würde nicht kampflos zulassen, dass irgendjemand oder irgendetwas ihm auch nur ein winziges bisschen mehr raubte, nachdem er so hart dafür gearbeitet hatte.

Als Pegasus und ich das freie Feld erreichten, hielten wir

kurz inne, um uns zu sammeln und zu orientieren, dann ließ ich ihn laufen. Er stürmte los wie eine Sprungfeder, streckte sich über dem flachen Gefälle und trommelte den Rhythmus seiner Schritte – schnell und perfekt, dem Fliegen nahe.

Ich hatte ihn selbst zur Welt geholt, als ich mit vierzehn in den Frühlingsferien zu Hause war – hatte Coquettes zitternde Wehen beobachtet, überglücklich, dabei sein zu können. Seit der schrecklichen Geburt von Apollo und dem Auftauchen der Siafu-Ameisen hatte Coquette alle paar Jahre ein gesundes Fohlen zur Welt gebracht, dennoch wollte ich nicht einen Moment von ihrer Seite weichen und schlief die letzten Wochen in ihrer Box. Als das Fohlen endlich kam, brach ich die glitschige durchsichtige Fruchtblase mit den Händen auf und zog es sanft an seinen kleinen perfekten Hufen in das Bett aus lockerem Stroh. Ich zitterte beinahe vor Glück und Erleichterung. Es war das erste Mal, dass ich mich selbst als Hebamme betätigt hatte, und alles war gut gelaufen. Mein Vater hatte mir vertraut und war erst bei Morgengrauen in den Stall gekommen, als ich Pegasus in den Armen hielt, ein Bündel aus feuchter Hitze und knochigen zusammengefalteten Gliedmaßen.

»Gut gemacht«, sagte er von der Stalltür aus. Er schien zu wissen, dass auch nur die staubige Spitze seines Stiefels in der Box schmälern würde, was ich ohne ihn hinbekommen hatte. »Du hast ihn auf die Welt geholt. Dann gehört er jetzt wohl dir.«

»Mir?« Ich hatte noch nie zuvor etwas besessen oder besitzen wollen – jahrelang war ich zufrieden damit gewesen, mich um die Pferde meines Vaters zu kümmern, sie zu striegeln, zu füttern und zu umsorgen. Aber nun war dieses wunderbare Tier tatsächlich mein, eine Gunst, von der ich noch nicht einmal gewusst hatte, dass ich sie ersehnte.

Als Pegasus und ich unseren Galopp beendet hatten, ritten wir auf dem langen Weg nach Hause, um die nördliche Grenze des Tals herum, das sich dort in einem breiten Bogen entrollte. Ein Nachbar hatte kürzlich das angrenzende Stück Land gekauft, und ich erblickte nun die ersten Zeichen von ihm. Neu aufgestellte Zaunpfähle standen gerade wie Streichhölzer, wo zuvor nur offenes Land und ununterbrochene Leere gewesen waren. Ich folgte ihrer Linie und erblickte auch bald den Farmer mit unbedecktem Kopf, breitem Brustkorb und einer Rolle Draht über der Schulter. Er befestigte ihn mit einem Klauenhammer und Krampen, und seine Armmuskeln strafften sich jedes Mal, wenn er den Draht fest an den Pfosten spannte und dann sicherte. Er unterbrach seine Arbeit erst, als Pegasus und ich eineinhalb Meter von ihm entfernt zum Stehen kamen. Dann lächelte er zu mir herauf, sein Kragen dunkel vor frischem Schweiß. »Sie zertrampeln mir die Weide.«

Ich wusste, dass er einen Scherz machte – es gab noch keine Weide oder überhaupt irgendetwas Fertiges, aber ich konnte bereits sehen, dass eines Tages alles ganz fabelhaft werden würde. Das erkannte man an der ordentlichen Art und Weise, wie er die Pfosten aufgestellt hatte. »Ich kann nicht glauben, dass Ihr Haus schon steht«, sagte ich. Es sah aus, als würde es besser in die Stadt als in den Busch passen, mit einem Schindeldach und Glas in den Fenstern.

»Es ist nichts im Vergleich zu dem Haus Ihres Vaters.« Er hatte sich also schon gedacht, wer ich war. Er sah mich mit zusammengekniffenen Augen an, die er mit dem Arm vor der Sonne abschirmte. »Ich habe ihn vor Jahren getroffen, als ich mit den Madras Volunteers in der Nähe flachlag.«

»Waren Sie verwundet?«

»Eigentlich hatte ich die Ruhr. Meine ganze Truppe hatte sie sich eingefangen. Viele Männer sind daran gestorben.«

»Das klingt furchtbar.«

»War es auch.« Die leichte Andeutung eines schottischen Akzents rollte hinter seiner Zunge hervor. »Aber es gab auch ein paar Annehmlichkeiten. An einem Tag sind ein paar von uns unten im Rongai Valley jagen gegangen, und da waren Sie. Sie hatten auch einen gutaussehenden einheimischen Jungen bei sich, Sie waren beide erstklassige Schützen.« Er lächelte und ließ seine hübsch aufgereihten Zähne blitzen. »Sie erinnern sich nicht mehr an mich.«

Ich suchte sein Gesicht – den quadratischen Kiefer, das ausgeprägte Kinn und die kornblumenblauen Augen – nach etwas Vertrautem ab. »Tut mir leid«, gab ich schließlich zu. »Damals waren hier so viele Soldaten unterwegs.«

»Sie sind groß geworden.«

»Daddy meint, ich höre vielleicht nie mehr auf, zu wachsen. Ich bin nun schon seit einer ganzen Weile größer als er.«

Er lächelte und blickte weiter auf eine Weise zu mir hoch, dass ich mich fragte, ob es noch etwas gab, was ich sagen oder tun sollte. Ich konnte mir aber nicht vorstellen, was das sein mochte. Alles, was ich über das Farmleben und die Arbeit hinaus von Männern wusste, bestand aus den warmen, verwirrenden Gedanken, die mir nun manchmal spät in der Nacht kamen und darum kreisten, wie ich angefasst oder genommen wurde, und die meine Wangen erröten ließen, selbst wenn ich allein in meiner Hütte war.

»Na, es ist schön, Sie wiederzusehen.« Ohne den Blick von mir abzuwenden, griff er nach seiner Drahtrolle.

»Viel Glück«, wünschte ich ihm und trieb Pegasus dann an, erleichtert, ihn dort mit seinen Zaunpfählen allein zurücklassen und mit der Sonne im Rücken nach Hause reiten zu können.

»Ich habe unseren neuen Nachbarn getroffen«, sagte ich an jenem Abend beim Essen, als ich gerade mit der Messerspitze an einer dicken Scheibe Thomson-Gazellen-Steak herumsäbelte.

»Purves«, meinte mein Vater. »Er hat eine Menge getan mit dem Land.«

»Ist das der Ex-Captain, von dem du mir erzählt hast,

Charles?«, fragte Emma von ihrem Ende des Tisches aus. »Ein gutaussehender Kerl. Ich habe ihn in der Stadt gesehen.«

»Er arbeitet hart, so viel kann ich sagen.«

»Wie fandest du ihn, Beryl?«

Ich zuckte die Achseln. »Ich schätze, er ist in Ordnung.«

»Es würde dich nicht umbringen, dir in gesellschaftlicher Hinsicht ein bisschen mehr Mühe zu geben«, ermahnte sie mich. »Kennst du denn überhaupt irgendjemanden in deinem Alter?«

»In meinem Alter? Er ist bestimmt dreißig.«

»Weißt du, das Farmleben wird nicht spurlos an dir vorübergehen. Du denkst, du wirst für immer jung und hübsch sein und eine Menge Chancen haben, aber so läuft es nun einmal nicht.«

»Sie ist erst sechzehn, Emma«, wiegelte mein Vater ab. »Sie hat noch reichlich Zeit.«

»Das glaubst du. Wir sind nicht gerade hilfreich, wenn wir sie ohne jede Gesellschaft hier draußen behalten. Die Schule hat rein gar nichts gebracht – aber da war sie ja auch nicht lang. Sie ist wild. Sie hat keine Ahnung, wie man ein Gespräch führt.«

»Warum unterhalten wir uns über Manieren und Gesellschaft, wenn es wirkliche Probleme gibt, über die wir nachdenken sollten?« Verstimmt schob ich meinen Teller von mir.

»Eines Tages wirst du einen Mann für dich gewinnen wollen«, sagte sie, indem sie mich eindringlich ansah. »Darauf müssen dein Vater und ich dich vorbereiten.«

»Emma findet, du solltest einen Debütantinnenball bekommen«, erklärte er und umfasste den schweren Boden seines Scotchglases.

»Das ist nicht euer Ernst. Was für ein Debüt denn?«

»Du weißt genau, dass sich so etwas gehört, Beryl. Sogar hier. Es ist wichtig, in der Gesellschaft bekannt zu sein und ein wenig Anmut zu entwickeln. Vielleicht glaubst du jetzt noch, es spielte keine Rolle, aber das wird sich ändern.«

»Ich habe hier alle Gesellschaft, die ich brauche«, sagte ich, womit ich Buller und unsere Pferde meinte.

»Es geht nur um einen Abend, Beryl.«

»Und ein neues Kleid«, fügte Emma hinzu, als könnte mich das irgendwie verlocken.

»Wir haben bereits mit dem Hotel eine Absprache getroffen«, sagte mein Vater bestimmt, und da wusste ich, dass längst alles entschieden war.

10.

Nairobi war sprunghaft gewachsen, seit ich dort zur Schule gegangen war. Mittlerweile drängten sich zehntausend Menschen am mit Buschwerk bewachsenen Rand der Athi-Ebene in den Geschäften mit Blechdach, den Gaststätten und auf dem lauten, farbenfrohen Basar. Allein dieses Ausmaß an Zivilisation war ein Wunder. Die Stadt war 1899 zufällig entstanden, als die Bahnstrecke nach Uganda zwischen Mombasa und dem Victoriasee erbaut wurde. Ein windiges Hauptquartier wurde errichtet, danach eine Blechhütte, die die Arbeiter Railhead Club nannten, dazu weitere Hütten und Zelte, und als die Eisenbahn endlich weiterzog, ließ sie eine Stadt hinter sich zurück.

Aber damals hatte noch niemand geahnt, wie wichtig die Bahnstrecke für das britische Empire und den gesamten Kontinent werden sollte. Die Strecke zu errichten war teuer, sie zu unterhalten erst recht. Kolonialbeamte heckten den Plan aus, weiße Siedler in die Gegend zu locken, indem sie ihnen spottbillige Parzellen Land anboten. Ehemalige Soldaten wie mein Vater und D erhielten zusätzliches Land als Teil ihrer Pension. Auf diese Weise entstand die Kolonie, Mann für Mann, Farm für Farm, mit Nairobi als ihrem beständig klopfenden Herz.

1919 gab es bereits einen Regierungssitz mit einem Ballsaal auf Nairobis zentralem Hügel, eine Rennbahn und drei gute Hotels. Um in die Stadt zu gelangen, mussten wir lediglich in den Zug steigen und hundertdreißig Meilen durch staubiges Buschland, roten Lehm und Papyrussümp-

fe fahren. Wir verbrachten also einen ganzen Tag in dem rußigen, schlingernden Vehikel aus Eisen, damit ich mich am
Abend in einem cremefarbenen Kleid im angemieteten Saal
des New Stanley Hotels einfinden konnte.

Das Kleid war vermutlich sehr hübsch. Emma hatte es
ausgesucht und darauf bestanden, dass es perfekt sei – aber
die steife Spitze kräuselte sich zu hoch meinen Hals hinauf
und löste einen Hautausschlag aus, an dem ich nicht richtig
kratzen konnte. Ich bekam auch eine Krone aus Rosen – feste gelb-rosa Knospen, die zu einem Haarreif zusammenge-
näht waren. Ich blickte immer wieder in den Spiegel, fragte
mich, ob ich angemessen aussah, und hoffte, es möge so sein.

»Was meinst du wirklich?«, fragte ich Dos, die im Unter-
kleid hinter mir stand und Nadeln aus ihrem kurzgeschnittenen braunen Haar zog.

»Du siehst bezaubernd aus, aber hör endlich auf, dich
zu kratzen. Die Leute werden noch denken, du hast Flöhe.«

Dos ging immer noch zur Schule – derzeit bei Miss Seccombe's in der Stadt –, und wir hatten so gut wie nichts gemeinsam. Sie war klein, kurvig gebaut, dunkelhaarig und
bezaubernd in ihrem blauen Spitzenkleid. Geübt darin, Gespräche zu führen und die üblichen Höflichkeiten auszutau-
schen, war sie völlig unbefangen in der Gesellschaft anderer. Ich dagegen war spindeldürr, selbst in flachen Schuhen
einen Kopf größer als Dos – und unterhielt mich viel lieber
mit Pferden und Hunden als mit Menschen. Wir passten so
wenig zusammen, wie es für zwei sechzehnjährige Mädchen
nur möglich war, aber ich mochte Dos trotzdem und war
froh, dass sie da war.

Um Punkt zehn Uhr, einer albernen britischen Sitte folgend, stand ich auf der Treppe und ergriff den Arm meines
Vaters. Ich sah ihn ansonsten nur in staubiger Khakikleidung und Sonnenhut, aber er trug den dunklen Frack und
das weiße Hemd mit einer Selbstverständlichkeit, die mich
an das Leben denken ließ, das er zuvor in England geführt

haben musste. Dort wäre ich dem König am Hofe formell vorgestellt worden, in einer Prozession mit anderen wohlgeborenen jungen Damen in Perlen und Handschuhen und Straußenfedern, und hätte mir die Seele aus dem Leib geknickst. In dieser entlegenen Kolonie, wo die Hoheit aus einer Flagge, einer Idee und hin und wieder ein paar mitreißenden Strophen von *God Save the King* bestand, die alle zum Weinen brachten, wurde ich in eine Gesellschaft aus Farmern, ehemaligen Soldaten und in Afrika geborenen Weißen eingeführt, allesamt sauber geschrubbt und angeheitert. Eine fünfköpfige Band spielte den fröhlichen Auftakt von *If You Were the Only Girl in the World*, das Zeichen für meinen Vater und mich, unsere Runde auf der Tanzfläche zu drehen.

»Ich werde dir jetzt auf die Füße treten«, warnte ich ihn.

»Nur zu. Ich werde keine Miene verziehen und dich nicht verraten.«

Er tanzte hervorragend, und ich tat mein Bestes, um mitzuhalten, wobei ich mich auf seinen grauen Wollfrack konzentrierte, der noch entfernt nach der Zedernholztruhe roch, aus der er am Tag zuvor gezogen worden war. Ich musste ein wenig den Kopf einziehen, um ihn nicht zu überragen, was dazu beitrug, dass ich mich noch unbehaglicher fühlte als ohnehin schon.

»Weißt du, für die schwierigen Dinge im Leben werden keine Handbücher verteilt«, sagte er, als die Band langsamer wurde. »Ich war mir nicht immer sicher, was ich als Vater tun sollte, aber irgendwie hast du dich doch ganz ordentlich entwickelt.«

Bevor ich wirklich in der Lage war, zu verarbeiten, was er gesagt hatte, oder diesen Moment ganz auszukosten, trat er mit einer einzigen Bewegung beiseite und übergab meine rechte Hand an Lord Delamere.

»Sieh dich nur an, Beryl. So hübsch wie ein Fohlen«, meinte D.

Er sah um ein Dutzend Jahre gealtert aus, seit er aus dem Krieg zurückgekehrt war. Um seine Augen hatten sich tiefe Furchen gegraben, und sein Haar war in einem schlimmen Fieberanfall schlohweiß geworden, aber er hatte es überstanden. Ich sah ihn allerdings kaum noch. Er besaß zwar immer noch die Equator Ranch, war aber auf einen anderen Farmbetrieb südöstlich von uns, an den kalkhaltigen Ufern des Elmenteitasees, gezogen.

»Florence sollte hier sein«, sagte er über meine Schulter. »Sie wäre so stolz gewesen.«

Die Zärtlichkeit, mit der D ihren Namen aussprach, versetzte mir einen Stich ins Herz, und ich sagte ihm, dass ich noch immer täglich an sie dachte. »Es ist nicht gerecht, dass sie fort ist.«

»Absolut nicht.« Dann gab er mir einen Kuss auf die Wange, bevor er mich nahtlos an den nächsten Anwärter übergab.

Ich brauchte mehrere Tänze, bis ich mein Stimmungstief überwunden hatte, aber meine Tanzpartner schienen es nicht zu bemerken, oder sie störten sich nicht daran. Über eine Stunde lang wurde ich herumgewirbelt in einem Gewühl aus warmen, rasierten Gesichtern, starken oder feuchten Händen, guten Tänzern und solchen mit unbeholfenen Seitenschritten. Ich schmeckte Champagner auf der Zunge, als eine einzelne Trompete erneut schwärmerisch die Strophen spielte, die ich kannte, aber nicht mitsang:

A Garden of Eden just made for two
With nothing to mar our joy
I would say such wonderful things to you
There would be such wonderful things to do
If you were the only girl in the world.

Ein Paradies nur für zwei
Und nichts, das unsere Freude trübt

Ich würde dir solch wunderbare Dinge sagen
Wir könnten solch wunderbare Dinge tun
Wenn du das einzige Mädchen auf der Welt wärst.

Und dann war da Jock – Purves, wie mein Vater ihn nannte –, der viel sauberer aussah als damals beim Auseinanderrollen des Zaundrahts, und auch viel besser, wie er nun so nah vor mir stand, dass sich unsere Nasenspitzen beinahe berührten. Als er mich eng an sich heranzog, roch ich Rasierpuder und Gin, und auch wenn ich nicht die geringste Erfahrung mit Männern oder Schwärmerei hatte, konnte ich an dem Blick, den Dos mir zuwarf, als wir an ihrem Tisch vorbeikamen, ablesen, dass es höchste Zeit zum Lernen wurde.

In der Stadt gab es viele Männer wie Jock – entlassene Soldaten, die ihre Siedlungszuteilung entgegengenommen und sich an die Arbeit gemacht hatten in dem Versuch, sich auf nützliche Weise neu zu erfinden –, aber wenige waren so attraktiv wie er. Er wirkte so stark mit seinen breiten Schultern, seinem kantigen Kiefer und energischen Kinn. Ich dachte, dass ein Mann wohl genauso aussehen sollte, wenn man ihn von Grund auf neu erschaffen und sich gefügig machen könnte wie Neuland.

»Steht Ihr Zaun noch?«, fragte ich ihn.

»Warum sollte er nicht?«

»Aus verschiedenen Gründen«, lachte ich. »Angefangen bei marodierenden Elefanten.«

»Sie finden mich komisch.«

»Nein …« Ich verstummte kleinlaut.

»Nur eine ganz bestimmte Sorte von Männern kommt nach Afrika und stellt Zäune auf. Ist es das, was Sie denken?«

»Was weiß ich denn schon?«, rief ich. »Ich bin erst sechzehn.«

Er umschmeichelte mich, wogegen ich nichts einzuwenden hatte. Ich hatte mittlerweile bereits drei Gläser Champagner getrunken, und langsam kam mir alles wunderbar vor –

Jocks dunkles Jackett unter meiner Hand, die Band in einer Nische gegenüber der Bar. Die Tuba war ein verschwommener goldener Fleck. Der Hornist schien mir zuzuzwinkern. Und dann waren da die anderen Mädchen, die in ihren Seidenkleidern, mit wie Sterne ins Haar gesteckten Gardenien, im Arm ihrer Partner an uns vorbeitanzten.

»Wo sind nur all diese Mädchen hergekommen? Die Hälfte von ihnen habe ich noch nie gesehen.«

Er blickte sich um. »Sie stellen sie alle in den Schatten.«

Draußen auf der Farm hatte es keine Gelegenheiten zum Flirten gegeben. Ich hatte nicht gelernt, wie man einen Mann köderte, also sagte ich einfach, was ich dachte, auch wenn ich damit meine Unsicherheit offenbarte: »Emma meint, Make-up stehe mir nicht.«

»Vielleicht ist das sogar besser so. All das Rouge und Gesichtspuder muss ja ohnehin irgendwann runter.« Wir tanzten etwa eine halbe Minute lang schweigend, dann fuhr er fort: »Diese Stadtmädchen kommen sowieso alle aus derselben Pralinenschachtel. Ich glaube, ich werde lieber Sie heiraten.«

»Was?«, keuchte ich überrascht.

Er grinste und zeigte dabei seine sauberen, abgerundeten Zähne. »Sie tragen immerhin ein weißes Kleid.«

»Oh.« Benommen lehnte ich mich wieder an ihn.

Etwas später setzte ich mich neben Dos an einen der mit Tüchern bedeckten Tische. Sie hatte das Kinn in die Hand gestützt, in der anderen Hand hielt sie einen schäumenden Gin Fizz. »Er ist hinreißend«, sagte sie.

»Dann tanz du mit ihm. Mich macht er nervös.«

»Er hat mich den ganzen Abend über keines Blickes gewürdigt.«

»Woher willst du das wissen?«

Sie lachte über mich. »Ehrlich, Beryl. Du bist so ahnungslos.«

»Wie denn auch nicht?« Ich starrte sie zornig an. »Es ist ohnehin alles so albern. Der Hälfte der Kerle läuft der Schweiß herunter, und die andere Hälfte starrt über meine Schulter hinweg, als wäre ich gar nicht da. Na, zumindest die, die groß genug sind.«

»Tut mir leid«, sagte sie etwas milder. »Ich wollte dich nur ärgern. Du wirst es noch lernen.«

Ich verzog das Gesicht und zupfte am Ausschnitt meines Kleides herum. »Magst du eine rauchen gehen?«

»Geh du nur. Womöglich ist das meine einzige Chance auf ein wenig männliche Aufmerksamkeit.«

»Du siehst großartig aus.«

Sie lächelte. »Ich werde besser aussehen, wenn du draußen bist.«

Auf der Straße war es so dunkel, wie es nur in Afrika sein kann. Ich holte tief Luft, schmeckte Staub und Eukalyptus und bewegte mich fort von den verwaschenen Lichtern der Veranda. In dem kleinen Park auf der anderen Straßenseite hatte man weiche Tonerde ausgestreut wie eine Schicht Puderzucker, in die Zwergeukalyptusbäume in einer ordentlichen Reihe neu eingepflanzt worden waren. Nairobi wollte hier seinen Aufstieg befördern, doch dahinter erstreckte sich eine viel größere Leere, die nur darauf wartete, uns alle bis auf den letzten Rest zu verschlingen. Das liebte ich an Afrika und hoffte, es möge sich niemals ändern. Als ich so vor mich hin schlenderte, fühlte ich, wie die Dunkelheit an mir zog, und es juckte mich auf angenehme Weise, aus meinem Kleid, ja sogar aus meiner Haut zu schlüpfen.

»Sie sehen aus wie Diana«, sprach mich eine Stimme auf Englisch an und ließ mich zusammenfahren.

Hinter mir auf der Straße stand ein Mann in einem gut sitzenden Cutaway, so weiß wie der Mond.

»Entschuldigung?«

»Diana, die Jägerin«, erklärte er. »Von den Römern.« Ich

bemerkte, dass er betrunken war, dabei aber immer noch angenehm wirkte. In der dicken Flasche in seiner Hand schwappte der Wein, wenn sie gegen sein Bein stieß, und als er lächelte, sah ich, dass er wunderschöne Gesichtszüge hatte, zumindest im Dunkeln. »Ich bin Finch Hatton … oder vielleicht bin ich Virbius.«

»Noch ein Römer?«

»Exakt.« Er nahm mich genauer in Augenschein und legte dabei den Kopf schief. Er war größer als ich, wie nur so wenige Männer. »Sie sehen aus, als kämen Sie von einer Party.«

»Sie auch. Diese hier ist für mich.« Ich wies mit dem Kinn in Richtung Hotel.

»Ihre Hochzeitsfeier?«

Ich lachte. »Mein Debütantinnenball.«

»Das ist gut. Heiraten Sie nie. Das machen Dianas grundsätzlich nicht.«

Er trat einen Schritt näher, so dass ich sein Gesicht unter dem Rand seines dunklen Bowler-Huts besser erkannte. Er hatte große Augen mit schweren Lidern, ausgeprägte Wangenknochen und eine spitze, feine Nase. »Fühlen Sie sich denn bereit für die Gesellschaft?«, fragte er.

»Ich bin mir nicht sicher. Kann einem irgendjemand sagen, wann man erwachsen ist?«

Ein anderer Mann kam beim Hotel um die Ecke und ging mit festem Schritt auf uns zu. Auch er hielt sich wie ein Prinz, hatte aber einen dichten gekämmten Schnurrbart und rötliches Haar, das von keinem Hut bedeckt war. »Denys, endlich«, sagte er mit einem dramatischen Seufzen. »Du hast mich ganz schön an der Nase herumgeführt.« Er machte eine halbe Verbeugung, die wahrscheinlich scherzhaft gemeint war. »Berkeley Cole, zu Ihren Diensten.«

»Beryl Clutterbuck.«

»Clutts Tochter?« Er sah mich genau an. »Ja, jetzt erkenne ich die Ähnlichkeit. Ich kenne Ihren Vater von den Rennen. Niemand kann besser mit Pferden umgehen als er.«

»Miss Clutterbuck und ich sprachen gerade von den Gefahren der Ehe.«

»Du bist betrunken, Denys.« Berkeley schnalzte mit der Zunge und wandte sich dann an mich. »Lassen Sie sich von ihm keine Angst einjagen.«

»Ich habe kein bisschen Angst.«

»Siehst du?«, fragte Denys. Er setzte die Weinflasche an die Lippen und wischte dann ein paar Tropfen mit dem Handrücken fort. »Haben Sie schon einmal solche Sterne gesehen? Das können Sie unmöglich. So sehen sie nämlich nirgendwo anders auf der Welt aus.«

Der Himmel über unseren Köpfen war eine zum Bersten gefüllte Schatzkiste. Einige Sterne schienen sich befreien und auf meine Schultern herabspringen zu wollen – und auch wenn ich noch nie andere Sterne gesehen hatte, glaubte ich Denys, dass es die schönsten der ganzen Welt waren. Tatsächlich hatte ich das Gefühl, ich würde ihm womöglich alles abkaufen, obwohl wir uns gerade erst begegnet waren. Diese Ausstrahlung hatte er einfach.

»Kennen Sie Keats?«, fragte Denys nach einigen Minuten Schweigen. Als er sah, wie verwirrt ich war, fügte er hinzu: »Ein Dichter.«

»Oh, ich kenne keine Gedichte.«

»Berkeley, sag uns etwas über die Sterne auf.«

»Hmm«, grübelte Berkeley. »Wie wäre es mit Shelley: ›Hüll dich ein in ein dunkles Gewand / Mit Sternenzier! / Dein Haar verdunkle des Tages Brand, / Küss ihn, bis ganz er erlegen dir; / Dann wandre weit über Stadt und Land, / Bis dein Mohnstab alles in Schlummer bannt …‹«

»Küss ihn, bis ganz er erlegen dir«, wiederholte Denys. »Das ist die beste Stelle, nicht wahr? Berkeley macht das wirklich gut.«

»Wundervoll.« Mein Vater hatte mir manchmal im Schein des Feuers die Klassiker vorgelesen, aber es hatte sich immer wie Unterricht angefühlt. Das hier hatte mehr von einem Lied, oder als wäre man in der Wildnis allein mit seinen Gedanken. Irgendwie war es beides zugleich.

Während Shelleys Worte noch immer nachhallten, begann Denys leise etwas anderes zu rezitieren, scheinbar nur für sich selbst: »›Dies ist deine Stunde, o Seele, dein freier Flug in das Wortlose, / Fort von Büchern, fort von der Kunst, der Tag ausgelöscht, die Arbeit getan, / Du, ganz emportauchend, lautlos, schauend, den Dingen nachsinnend, die du am meisten liebst: / Nacht, Schlaf, Tod und die Sterne.‹«

Die Worte waren für ihn so natürlich, dass sie ihn überhaupt keine Mühe kosteten. Selbst ich erkannte, dass man so etwas nicht lernen konnte, wie sehr man sich auch bemühte, und kam mir plötzlich ziemlich klein vor. »Ist das noch etwas von Shelley?«

»Tatsächlich ist es Whitman.« Er schenkte mir ein Lächeln.

»Muss ich mich schämen, weil ich noch nie von ihm gehört habe? Ich habe ja gesagt, dass ich keinen Schimmer von Gedichten habe.«

»Man braucht nur etwas Übung, wissen Sie. Wenn Sie es wirklich lernen wollen, dann tun Sie es. Nehmen Sie jeden Tag ein paar Gedichte zu sich.«

»Wie Ihr Chinin gegen die Malaria«, fügte Berkeley hinzu. »Etwas guter Champagner hilft auch. Ich weiß nicht, warum, aber in Afrika ist Champagner einfach obligatorisch.«

Ohne viel Aufhebens tippte Denys an seinen Hut, und die beiden Männer entfernten sich die Straße hinunter, bogen um eine Ecke und verschwanden aus meinem Blickfeld. Sie mochten zu einer anderen Party unterwegs sein, oder zu weißen Rössern, die nur darauf warteten, sie zu einem Zauberschloss davonzutragen. Ich hätte auch an einen fliegenden Teppich geglaubt, oder an jedes andere märchenhafte Ende. Sie waren so entzückend, und nun waren sie fort.

»Bist du betrunken?«, fragte Emma mich, nachdem ich wieder hineingegangen war.

»Kann schon sein.«

Verärgert presste sie die Lippen aufeinander und zog davon, gerade als Jock auf mich zutrat.

»Ich habe überall nach Ihnen gesucht«, sagte er und ergriff meinen Arm.

Ohne zu antworten langte ich nach der Champagnerflöte in seiner Hand und kippte deren Inhalt in einem Zug hinunter. Es war eine dramatische Geste, aber in meinem Kopf wirbelten immer noch Verszeilen herum wie die milchigen Pfade der Sterne. Da war das Bild zweier herrlicher Männer in weißen Fräcken am ungezähmten Rand der Stadt und die Vorstellung, die Welt sei viel größer, als ich es mir je ausgemalt hatte, und mir würde darin noch alles Erdenkliche widerfahren. Es geschah bereits einiges, das mein Leben für immer verändern sollte, auch wenn ich nicht genau wusste, was es zu bedeuten hatte. Für den Moment war da nur das Versprechen, so anregend wie der Geschmack von Champagner, der auf meiner Zunge perlte und tanzte. »Obligatorisch« hatte Berkeley Cole ihn genannt.

»Trinken wir mehr davon«, forderte ich Jock auf und erhob das Glas. Auf dem Weg zur Bar fügte ich hinzu: »Kennen Sie irgendwelche Gedichte?«

11.

Ein paar Wochen später warteten mein Vater und ich an der Station Kampi ya Moto auf den Zug aus Nairobi. Die Lokomotive wurde langsamer und verharrte schließlich schnaufend an Ort und Stelle, wie ein kleiner Drache, der aus dem Krieg heimgekehrt war. Hinten strömte tuckernd Rauch aus ihr heraus und trübte den weiten Himmel, während sich ein halbes Dutzend Männer vor dem rußbeschmutzten Güterwagen bückte, um eine hölzerne Rampe anzubringen. Sechs unserer Pferde kehrten siegreich aus dem Turf Club in der Stadt zurück – darunter Cam, Bar One und mein Pegasus. Cam hatte den Pokal und das Preisgeld von hundert Pfund gewonnen, aber während wir nun auf dem kurzen Bahnsteig standen und darauf warteten, dass Emma mit dem Hudson auftauchte, wollte mein Vater nicht über unsere Siegesserie sprechen. Stattdessen wollte er sich über Jock unterhalten.

»Gefällt er dir denn ein bisschen?«, fragte er und blickte den Hügel hinauf in die Sonne.

»Ich schätze, er ist in Ordnung. Er wird seine Farm zum Laufen bringen.«

Er kaute einen Augenblick auf seiner Lippe herum. »Das wird er.« Und dann: »Er meint es ernst mit dir.«

»Was?« Ich wirbelte zu ihm herum. »Wir haben uns doch gerade erst kennengelernt.«

Er lächelte schief. »Ich glaube nicht, dass das für eine Ehe von Nachteil ist.«

»Warum wollen mir alle so dringend einen Ehemann besorgen? Ich bin für das alles noch zu jung.«

»Eigentlich nicht. Viele Mädchen in deinem Alter träumen schon seit Jahren davon, zu heiraten und eine Familie zu gründen. Irgendwann einmal wirst du jemanden wollen, der für dich sorgt, nicht wahr?«

»Weshalb? Wir kommen doch auch so gut zurecht.«

Ehe mein Vater etwas erwidern konnte, zerschnitt die alberne Hupe die Luft über dem Hügel. Wir hörten das leise metallische Rasseln des motorisierten Wagens, und als er in unserem Blickfeld auftauchte, erkannte ich Emma am Steuer, die von dem harten Ledersitz auf und ab geschleudert wurde. Sie hielt im Leerlauf neben uns an. »Beryl, wo hast du deinen Hut gelassen? Bei dieser Sonne wirst du noch Sommersprossen bekommen.«

Ich wusste nicht, wie unser Erfolg in Nairobi so schnell vergessen sein konnte, aber an jenem Abend war mein Vater beim Essen schweigsam und abwesend, während Emma sich über die Suppe beschwerte, eine dünne Brühe mit Steinbutt, Kartoffeln und kleinen Lauchstücken.

»Der Fisch ist verdorben, Charles. Findest du nicht?« Sie schob ihre Schüssel von sich und rief mit erhobener Stimme unseren Hausdiener Kamotho herbei. Als er in seiner weißen Jacke und dem kleinen Samtfez erschien, wies Emma ihn an, alles wieder mitzunehmen.

»Und was sollen wir stattdessen essen, Brot und Butter?« Mein Vater hob die Hand, um den verwirrten Kamotho aufzuhalten. »Lass gut sein, Emma.«

»*Jetzt* interessiert es dich, was ich tue? Das ist ja ein starkes Stück.« Ihre Worte schepperten in der Luft über dem Tisch.

»Was ist denn eigentlich los?«, überwand ich mich endlich zu fragen.

Mein Vater sah gequält aus. Er bat Kamotho, uns allein zu lassen, und als dieser sich dankbar davonschlich, wünschte ich, ich könnte mich ihm anschließen. Ich wollte nicht hören, was als Nächstes kam. »Die verdammte Rupie ist schuld«, sagte mein Vater schließlich, wobei er die Hände rang. »Letzte Woche bin ich mit fünftausend Rupien Schulden ins Bett gegangen, heute sind es schon siebentausendfünfhundert, mit acht Prozent Zinsen auf allem. Da komme ich diesmal nicht mehr heraus.«

»Er hat eine Stelle als Trainer in Kapstadt angenommen«, teilte Emma mir kalt mit. »Die Farm ist am Ende.«

»Was?« Ich fiel aus allen Wolken.

»Landwirtschaft ist ein Wagnis, Beryl. Das war schon immer so.«

»Und Kapstadt ist kein Wagnis?« Ich schüttelte den Kopf, da ich kaum fassen konnte, was ich hörte.

»Dort lieben sie Pferde. Ich kann noch einmal ganz von vorn anfangen. Vielleicht bringt uns die Veränderung Glück.«

»Glück«, wiederholte ich ausdruckslos.

Hinterher drehte ich in meinem Zimmer das Licht herunter und legte mich wie betäubt hin. Schatten krochen seufzend über mein Bett, an dessen Pfosten noch immer Perlenschnüre und Beutel voll zarter Tierknochen hingen. Mir wurde schwindelig beim Gedanken daran, wie schnell mein ganzes Leben unter mir wegbröckelte. Unser Stall wurde noch immer perfekt geführt – wir hatten vierundachtzig einzigartige Tiere, die meinem Vater einen glanzvollen Ruf und ganze Serien verlässlicher Siege eingebracht hatten. Am nächsten Morgen würde die Stallglocke läuten, und Mensch und Tier würden sich wie immer erheben. Die Mühle würde sich drehen, die Pferde würden auf der Koppel galoppieren und aufstampfen und in ihren Boxen das lose Heu zerwühlen – aber nichts davon war mehr real. Wir lebten auf einer Geisterfarm.

12.

Als der Mond über die Kampferbäume neben meiner Hütte kletterte, strömte sein Licht durch die geöffneten Fenster und warf einen gelben Schimmer auf die Oberseiten der Regale und Kisten. Ich schlüpfte rasch in Hosen, Mokassins und ein langärmliges Hemd, um in die kühle, trockene Nacht hinauszuziehen. Wie in jeder Vollmondnacht sollte es oben auf dem Steilhang am anderen Ende des Waldes eine *ngoma* geben, den Stammestanz der jungen Kikuyu-Männer und -Frauen. Ich machte mich mit Buller im Schlepptau auf den Weg dorthin, lauschte, ob irgendetwas mich angreifen wollte, und war dabei in Gedanken bei meinem Vater.

Zuvor an jenem Abend hatte ich ihn hinter seinem mit Papieren übersäten Schreibtisch vorgefunden, wo er über den Listen interessierter Käufer für die Pferde brütete, die er zu führen begonnen hatte. Die darin liegende Kapitulation schien neue Falten um seine braunen Augen herum gegraben zu haben.

»Kommt Emma mit nach Kapstadt?«, fragte ich ihn.

»Selbstverständlich.«

»Werde ich mitkommen?«

»Wenn es das ist, was du willst.«

Ich bekam eine Gänsehaut im Nacken. »Was sollte ich denn sonst tun?«

»Hierbleiben und selbst als Farmersfrau anfangen, nehme ich an.«

»Ich soll Jock heiraten?« Die Worte brachen in einem stockenden Schwall hervor.

»Er ist eindeutig bereit, sesshaft zu werden, und er will dich.«

»Ich bin erst sechzehn.«

»Na ja.« Er zuckte mit den Schultern. »Dich zwingt ja niemand. Wenn du mitkommen möchtest, fangen wir noch einmal ganz von vorne an und arbeiten für jemand anders.«

Er wandte sich erneut seinen Listen zu, während ich seinen Scheitel betrachtete, die blassrosa, verletzlich wirkende Haut unter seinem schütter werdenden braunen Haar. Hatte ich in seinem Tonfall etwas Ausweichendes vernommen? Er behauptete, es sei meine Entscheidung, aber so, wie er es sagte, schien er mich sanft von Kapstadt fortdrängen zu wollen. »Will Emma nicht, dass ich mitkomme?«

»Ehrlich, Beryl.« Er blickte aufgebracht von den Listen in seinen Händen hoch. »Ich habe im Augenblick so viele Sorgen. Es geht hierbei nicht um dich.«

Bedrückt ging ich zu Bett, konnte jedoch weder schlafen noch an etwas anderes denken. Vielleicht hatten die schweren Entscheidungen meines Vaters tatsächlich nichts mit mir zu tun, dennoch stellten sie mein Leben auf den Kopf und zwangen mich, meine eigenen schweren Entscheidungen zu treffen, vor denen ich niemals zu stehen gehofft hatte.

Noch bevor ich den steilen Kamm auch nur halb erklommen hatte, hörte ich die Ngoma schon. Trommeln brachten die Luft zum Vibrieren und dröhnten durch den Boden unter meinen Füßen, als würde irgendetwas sich machtvoll in alle Richtungen gleichzeitig graben. Rauch wand sich über dem Grat in die Luft, gefolgt von Funken und hochzüngelnden Flammen. Endlich war ich oben angelangt und konnte die sich lebhaft bewegenden Tänzer und die sie umringenden Zuschauer sehen, die entweder zu jung oder zu alt zum Mitmachen waren. Im Zentrum des Kreises aus festgetretener Erde tanzte auch das Feuer, verströmte einen sengenden Geruch und verlieh den Gliedmaßen und Gesichtern seinen

Glanz. Die weichen rasierten Köpfe der Frauen waren mit Perlenketten geschmückt. Noch mehr Perlen hingen ihnen in langen verschlungenen Ketten über den engen Lederbändern ihrer Kleidung um Hals und Schultern. Sie waren kaum älter als ich, wirkten jedoch in dieser Aufmachung erwachsener, als wüssten sie etwas, das mir verborgen war und vielleicht auch für immer bleiben würde.

Ein paar der jungen Männer trugen lange weiße Servalfelle an Lederriemen um die Taille. Wenn die Felle unter ihren Hintern hin- und herschwangen oder bei jedem Schritt zwischen ihren Beinen vor- und zurückschnellten, schimmerten die Punkte und Tupfen darauf wie zu neuem Leben erweckt. Der Stammesführer legte den Kopf in den Nacken und ließ einen gellenden Schrei ertönen, den ich im ganzen Körper spürte. Die Männer riefen, und die Frauen antworteten; Rufe und Gegenrufe stiegen spiralförmig auf, erfüllten den Himmel und durchschnitten ihn. Schweißglänzende Haut und die vibrierenden Felle der Trommeln blitzten im Licht auf. Mein Atem ging hastiger. Mein Herz schien meinen Körper zu verlassen, während die Strophen und Refrains wie ein riesiges Rad immer schneller wurden. Gerade als das Lied die höchste Stimmlage erreicht hatte, fiel mein Blick durch den lodernden Kreis hindurch auf Kibii.

Als Kinder waren wir stets gemeinsam zu diesen Ngomas gegangen, lange dort geblieben und hinterher durch den Wald zurück nach Hause gelaufen, während Kibii sein Urteil darüber kundtat, welche Tänzer sich anmutiger oder leidenschaftlicher hätten bewegen können. Mittlerweile waren wir beide kaum noch zu zweit, und ich konnte mich nicht mehr daran erinnern, wann wir das letzte Mal unbefangen miteinander umgegangen waren. Als das Licht der Flammen nun Schatten auf seinen Körper malte, sah ich, wie viel älter er geworden war und wie sehr er sich verändert hatte. Anstelle seiner gewöhnlichen Shuka trug er eine feinere, die auf seiner linken Schulter verknotet und in der

Taille von einem perlenbesetzten Gürtel zusammengehalten war. Seine Knöchel waren mit schwarz-weißen Streifen aus Affenfell umwickelt, und an seinem Hals hing eine gekrümmte Löwenkralle. Er stand seitlich zu mir, so dass ich sein Profil sehen konnte, das wie eh und je das eines Prinzen war, aber mittlerweile härtere Kanten besaß. Endlich drehte er sich um. Seine schwarzen Augen fanden über die züngelnden Flammen hinweg meinen Blick und brachten mein Herz kurz zum Aussetzen. Er war nun ein Moran. Das war es, was sich verändert hatte – er war zu einem Mann gereift.

Verletzt entfernte ich mich aus dem Kreis. Wir standen uns schon seit einer Weile nicht mehr nah, dennoch konnte ich nicht glauben, dass Kibii die bedeutsamste Schwelle seines Lebens überschritten hatte, ohne dass ich etwas davon mitbekommen hatte. Ich sah mich nach Buller um, da ich so schnell wie möglich verschwinden wollte, konnte ihn jedoch nirgends sehen. Ich machte mich trotzdem auf den Weg und hatte schon den Rand des Steilhangs erreicht, als ich hörte, wie Kibii meinen Namen rief. Der Mond strahlte auf das Gewirr aus struppigen Pflanzen und Gräsern, das meine Füße vor mir verbarg. Selbst wenn ich mich beeilte, würde er mich leicht einholen können – also blieb ich stehen.

»Die Leute sagen, dein Vater verlasse Njoro«, sagte Kibii, als er mich erreicht hatte. »Ist das wahr?«

Ich nickte. »Er geht nach Kapstadt.« Ich wollte nicht über unsere Geldprobleme reden, es war einfach zu beschämend.

»Dort gibt es viele gute Pferde, zumindest habe ich das gehört.«

»Du bist ein Moran geworden«, stellte ich fest, um das Thema zu wechseln. »Du siehst sehr gut aus.« Der Mondschein enthüllte den Stolz auf seinem Gesicht, aber da war auch noch etwas anderes. Mir wurde klar, dass er nicht mehr wusste, wie er sich mir gegenüber verhalten sollte.

»Was wirst du jetzt tun?«, fragte er.

»Ich weiß es ehrlich gesagt nicht. Ich habe einen Heiratsantrag bekommen.«

Ich hatte geglaubt, er wäre überrascht oder würde irgendeine Art von Reaktion zeigen, aber er zuckte nur mit den Schultern, als wollte er sagen: *Natürlich*. Dann sprach er eine Redewendung der Einheimischen aus, die ich schon oft gehört hatte: »Ein Neuanfang ist etwas Gutes, auch wenn er weh tut.«

»Bist du bereit zum Heiraten?«, forderte ich ihn heraus, da mir die Überlegenheit und das Selbstbewusstsein in seiner Stimme missfielen. Als hätte er bereits alle Teile des Puzzles zusammengefügt, das ein solches Chaos aus meinem Leben gemacht hatte.

Er zuckte erneut mit den Achseln – *warum nicht?* »Zuerst werde ich in die Welt hinausziehen. Die *ndito* in meinem Dorf sind nichts für mich.«

»Die Welt ist groß. Weißt du schon, wohin du gehen wirst?«

»Mein Vater hat mir von vielen Orten erzählt, an die er gereist ist – im Norden bis nach Kitale, im Süden nach Arusha und zu den Hängen von Donya Kenya. Vielleicht werde ich damit anfangen, auf seinen Spuren zu wandeln.«

Arap Maina hatte seine letzten Schritte weit entfernt von hier getan. Ich vermutete, dass Kibii ebenfalls an diesen Ort dachte, auch wenn er ihn nicht erwähnt hatte. »Hast du immer noch vor, den Soldaten zu finden, der Arap Maina getötet hat?«

»Vielleicht«, sagte er. »Vielleicht werde ich aber auch lernen, was der Unterschied zwischen den Träumen eines Jungen und denen eines Mannes ist.« Nach kurzem Schweigen fuhr er fort: »Wenn ich heirate, wird mein Vater in meinen Söhnen wieder zum Leben erweckt.«

Er klang so arrogant und selbstsicher, dass mich der Drang überkam, ihn zu provozieren oder ihm den Kopf zurechtzurücken. Ich sagte: »Der Mann, der mich heiraten will, ist sehr reich und stark. Er wohnt ganz in der Nähe. Sein Haus hat er in drei Tagen aufgebaut.«

»Ein richtiges Haus oder eine Hütte?«, wollte er wissen.

»Ein richtiges Haus, mit Schindeln auf dem Dach und Glasfenstern.«

Er schwieg einen Moment lang, und ich war mir sicher, ihn endlich beeindruckt zu haben. »Drei Tage«, sagte er schließlich. »In solcher Eile liegt keine Weisheit. Dieses Haus wird nicht lange stehen.«

»Du hast es doch gar nicht gesehen«, rief ich verärgert aus.

»Was kann das schon ausmachen?«, fragte er. »Ich würde ihn bitten, ein neues Wohnhaus nur für dich zu bauen und diesmal sorgfältiger dabei vorzugehen.« Er drehte sich abweisend zur Seite und sagte halb über die Schulter: »Du solltest wissen, dass ich jetzt den Namen eines Moran trage. Ich bin Arap Ruta.«

Auf dem gesamten Weg zurück zur Farm kochte ich innerlich und ging all die schlauen Dinge durch, die ich ihm hätte sagen sollen, um ihn zu verletzen und ihn sich so klein und überflügelt fühlen zu lassen, wie ich es gerade tat. Arap Ruta, soso. Ich kannte ihn schon, als er noch nicht größer als ein Buschschwein war, und jetzt war er nach einer einzigen nächtlichen Zeremonie plötzlich weltgewandt und weise geworden? Mit Hilfe eines scharfen Messers und eines Tranks aus geronnenem Stierblut?

Während meine Gedanken so gegeneinanderschwirrten und -kratzten, wurde mir bewusst, dass ich tot umfallen würde, sollte Ruta auch nur im Geringsten ahnen, wie groß meine Angst vor den bevorstehenden Veränderungen war. Aber ich *hatte* Angst und war furchtbar verwirrt. Kapstadt war eine ganze Weltreise entfernt, und mein Vater würde dort schwer beschäftigt und voller Sorgen sein, stets darauf bedacht, die neuen Besitzer und Stallmanager zufriedenzustellen. Ich konnte mit ihm gehen und versuchen, ihm nicht im Weg zu sein, oder mich mit Emma zusammen häuslich einrichten. Was für eine Vorstellung.

Ich nahm an, dass England eine weitere Möglichkeit wäre, oder es zumindest sein könnte, wäre ich eine andere Art von Mädchen. Ich hätte erwägen können, meiner Mutter zu schreiben, um zu hören, ob es bei ihr und Dickie einen Platz für mich gäbe – aber England erschien in gewisser Weise noch fremder und weiter entfernt als Kapstadt, außerdem hatte sie in all den Jahren nicht ein einziges Mal versucht, mich zurückzuholen. Sie jetzt um Hilfe zu bitten würde mich zu viel kosten und eine Tür öffnen, durch die all der Schmerz und die Einsamkeit wieder hereinkriechen konnten. Nein, das war unmöglich – also blieb noch Jock.

Ich wusste nicht das Geringste über die Ehe, und die einzige glückliche Verbindung, die ich jemals als Modell vor mir gehabt hatte, war die von D und Lady D gewesen, nunmehr eine weit zurückliegende diffuse Erinnerung. Die Farm und unsere Pferde schienen stets besser geeignet, um mein Schicksal daran zu hängen. Ich hatte mir nicht einmal gestattet, mir etwas anderes auch nur vorzustellen, aber all das löste sich nun Minute für Minute weiter auf. Ich kannte Jock kaum und wusste nicht, wie ich seine Aufmerksamkeit überhaupt auf mich gezogen hatte, abgesehen davon, dass ich gut jagen konnte und ihm mein Aussehen gefiel. Aber ihn nun zu heiraten würde bedeuten, dass ich hier in Njoro bleiben konnte und dieselben Hügel und Horizonte sehen, dieselbe Art von Leben leben wie immer. Bildete Jock sich ein, er sei in mich verliebt? Konnte ich lernen, ihn zu lieben?

Auf einmal wirkte alles so undurchsichtig. Und es erschien mir sogar noch ungerechter, dass Rutas Zukunft sich ganz genau so vor ihm ausrollte, wie er es sich immer erträumt hatte, während meine eigene schwindelerregend durcheinanderwirbelte. Über zehn Jahre lang hatten wir im Spiel versucht, einander zu übertreffen, hatten uns in

Furchtlosigkeit geübt und uns immer höhere Ziele gesteckt. Diese Spiele hatten Ruta auf seine Zukunft vorbereitet, dasselbe hätten sie auch für mich tun sollen. Unsere Manöver waren natürlich immer riskanter und schwieriger geworden, aber womöglich blieben sie im Kern stets gleich. Unsere Sprünge hatten mir das Springen beigebracht, oder etwa nicht? Ich musste nur Ruta ansehen, um zu erkennen, dass er kein Kind mehr war, aber dasselbe galt auch für mich.

Nachdem ich die Verkündigung sorgfältig in meiner Hütte einstudiert hatte, um dabei möglichst selbstsicher zu klingen, eröffnete ich meinem Vater am nächsten Nachmittag, dass ich in Njoro bleiben würde.

»Gut.« Er nickte und musterte mich mit aneinandergelegten Fingerspitzen. »Ich denke, das wird das Beste sein. Jock ist vernünftig und hat keine Angst, sich die Hände schmutzig zu machen. Ich bin mir sicher, dass er gut für dich sorgen wird.«

»Ich kann auch selbst auf mich aufpassen«, gab ich vor, während mir das Blut in den Ohren rauschte. Ich musste kurz innehalten und mich fangen, um mein nächstes Anliegen hervorzubringen: »Darf ich Pegasus behalten?«

»Du hast ihn dir ehrlich verdient. Ich habe kein Recht, ihn dir wieder wegzunehmen.« Er stand auf, um sich ein Glas Scotch einzuschenken. Der torfige Geruch der Flüssigkeit stieg mir beißend in die Nase.

»Ich möchte auch einen.«

Er sah mich erstaunt an. »Du wirst dich mit Wasser begnügen müssen.«

Ich schüttelte den Kopf.

»Nun gut«, lenkte er ein. »Ich schätze, auch das hast du dir verdient.« Er reichte mir das schwere runde Glas, und wir saßen schweigend beisammen, während die Sonne langsam unterging. Ich hatte bereits Wein und Champagner getrunken, aber das hier war etwas anderes. Es gab mir das Gefühl, älter zu sein.

»Wir hatten eine gute Zeit hier, oder?«, fragte er.

Ich nickte, nicht in der Lage, meine Gefühle in Worte zu fassen. Stattdessen versenkte ich den Blick in meinem Glas und ließ den Scotch durch mich hindurchbrennen.

13.

Nachdem ich einmal entschieden hatte, Jocks Antrag anzunehmen, ging alles erschreckend schnell. Unsere Festtagskleidung wurde bestellt, der Priester beauftragt, Einladungskarten wurden in alle Himmelsrichtungen verschickt. Emma hatte ziemlich klare Vorstellungen von meinem Kleid: Es sollte aus perlenbesetztem elfenbeinfarbenen Satin sein, die Schleppe mit Rosetten und Disteln bestickt. Da ich keinen eigenen Geschmack hatte, stimmte ich all ihren Entscheidungen zu. Orangenblüten und ein langer Schleier aus leichter Seide, Schuhe, die so fein und zart waren, dass ich mir nicht vorstellen konnte, wie sie länger als einen Tag halten sollten. Die ersten Geschenke – ein silberner Tortenständer, filigrane Serviettenringe, eine Langhalsvase aus geschliffenem Glas, mehrere auf Mr. und Mrs. Purves ausgestellte Schecks – trafen ein und wurden sorgfältig verpackt in einer Ecke des Hauses platziert, während Daddys und Emmas Habseligkeiten in Kisten geräumt und in anderen Ecken abgestellt wurden. Es war schwindelerregend, wie die Farm sich vor meinen Augen auflöste, während zugleich meine Zukunft geplant wurde, aber ich verstand auch, dass es nicht anders ging.

In den mit Organisation und eiligen Vorbereitungen ausgefüllten Wochen verbrachten Jock und ich kaum mehr als ein paar Augenblicke allein miteinander. Bei diesen Gelegenheiten drückte er mir fest die Hände und versicherte mir, wie glücklich wir zusammen sein würden. Er sprach von den Veränderungen und Erweiterungen, die er an unserer Farm vornehmen wollte. Von den großen Zielen, die er für unsere Zukunft hatte, und dem Reichtum, der quasi bereits vor der Tür stand. Ich übernahm Jocks Träume, um mich zu beruhigen. Hatte Green Hills damals nicht auch bei Null angefangen? Unsere neue Farm würde im Handumdrehen wachsen und ganz wunderbar werden. Ich musste daran glauben, dass es möglich war, während ich noch darauf wartete, mehr für Jock selbst zu empfinden.

»Du hältst dich aber ran«, kreischte Dos, als ich ihr die Neuigkeiten mitteilte. »Als wir uns das letzte Mal sprachen, hat er dich noch nervös gemacht.«

»Das macht er immer noch ein bisschen«, gab ich zu. »Aber ich versuche, mir nichts anmerken zu lassen.«

»Es ist ja nicht so, als ob wir hier viel Auswahl hätten«, meinte sie. »Ich werde wahrscheinlich eines Tages auch eine Farmersfrau. Wenigstens sieht er gut aus.«

»Du denkst also, es ist in Ordnung, dass ich nicht verrückt nach ihm bin?«

»Das wirst du schon noch werden, Dummchen. Auf jeden Fall bleibst du hier, wo du hingehörst – und er wird für dich sorgen. Auch wenn dein Vater nicht nach Kapstadt ziehen würde, könnte er sich nicht ewig um dich kümmern.« Sie schmunzelte. »Zumindest erzählt mir das mein eigener bei jeder Gelegenheit.«

Wir heirateten an einem Mittwoch im Oktober bei knallendem Sonnenschein in der All-Saints-Kirche, zwei Wochen vor meinem siebzehnten Geburtstag. Man durfte damals erst mit achtzehn heiraten, aber da mein Vater mich für alt genug hielt, war auch ich damit zufrieden. Ich schritt an seinem Arm durch die Kirche, den Blick Halt suchend auf Jock gerichtet, als würde ich mit ihm zusammen in den Krieg ziehen. Das funktionierte, bis ich ihn und den Geistlichen mit dem gestärkten Kragen erreicht hatte und mein Herz zu galoppieren begann. Ich war besorgt, jeder könne es hören und wissen oder ahnen, dass ich diesen Mann nicht liebte. Aber Liebe war auch etwas Fragwürdiges, oder nicht? Meiner Mutter und meinem Vater hatte sie jedenfalls nicht viel genutzt, und auch Emma und meinem Vater nicht. Vielleicht würde eine praktische Herangehensweise dafür sorgen, dass ich nicht so endete wie sie? Ich hoffte es, während ich Jocks Hand ergriff und genügend Atem schöpfte, um die lange Reihe komplizierter Fragen des Pfarrers mit »Ja« zu beantworten und dann noch hinzuzufügen: »Ich will.«

Ein Freund Jocks aus seiner Zeit bei den King's African Rifles war gekommen, um sein Trauzeuge zu sein – der große, flott aussehende Captain Lavender mit strahlenden Augen und einer goldenen Haartolle, die ihm kess in die Stirn fiel. Lavender war es auch, der uns in Jocks gelbem Bugatti zum Norfolk Hotel fuhr. Er raste durch die Straßen Nairobis und schleuderte mich dabei so heftig über den Lederrücksitz auf Jock, dass ich mir an seinen stahlharten Oberschenkeln beinahe blaue Flecken holte. Es musste etwas zu bedeuten haben, dass er so stark war, versicherte ich mir. Er würde imstande sein, mich festzuhalten und die auf mein Leben einwirkenden Kräfte zu dirigieren, wenn mein Vater fort war. An diese Hoffnung klammerte ich mich und ließ auch nicht los, als wir aus dem Auto stiegen und von lächelnden Gesichtern umgeben die lange hölzerne Treppe zum Hotel hochstiegen. Mein Kleid und Schleier ließen mich aussehen wie mit Zuckerguss überzogen, und so wurde unser Bild für die Zeitungen und für alle Ewigkeit festgehalten.

Einhundert Gäste waren in den Speisesaal gepfercht worden, der so hübsch aufgemacht war, wie es der Raum zuließ. Das Ereignis hatte das gesamte Hochland aufgescheucht – all die Farmer, die zu Soldaten und dann wieder zu Farmern geworden waren. D war da, das Haar unter seinem Hut lang und ungebändigt. An seinem Gürtel hing eine Degenscheide, die die Luft durchschnitt, als er sich umdrehte, um mich zu küssen. Er hatte uns einen großzügigen

Scheck überreicht und ließ mich ein wenig sentimental wissen, dass er immer für mich da wäre, wenn ich seine Hilfe benötigte, ich bräuchte ihn nur zu rufen. Ich war gerührt von seinem Versprechen und fühlte mich schon etwas sicherer, während ich von Gast zu Gast ging, die Meter aus zarter Seide mit den Händen raffend, um nicht zu stolpern.

Unter einer buttrigen Bratensauce versteckte sich die allgegenwärtige Thomson-Gazelle mit kleinen Kartoffeln und Perlzwiebeln als Beilage. Mein Vater hatte ein Vermögen für den Champagner ausgegeben, also trank ich davon, so viel ich konnte, und ließ mir immer wieder nachschenken. Später beim Tanz fühlten sich meine Füße ein wenig taub und prickelnd an, während ich rückwärts über das Parkett schritt, geführt von D und jedem Farmer, der seiner Ehefrau entwischen konnte. Schließlich stand ich vor meinem Vater. Er sah an jenem Abend flott, aber auch traurig aus. Um seinen Mund hatten sich tiefe Furchen gegraben, sein Blick wirkte müde und abwesend.

»Bist du glücklich?«, fragte er mich.

Ich nickte gegen seine Schulter und drückte mich noch fester an ihn.

In den frühen Morgenstunden chauffierte Lavender uns erneut, diesmal zum Muthaiga Country Club, wo wir ein Zimmer gemietet hatten, das von einer einzigen Kristallleuchte erhellt wurde. Ein breites Bett schwamm in Chenille.

Seit unserer Verlobung hatten Jock und ich keine Minute Zeit gehabt, um uns richtig kennenzulernen. Das fiel mir jetzt auf, da ich seine massiven Umrisse im Raum betrachtete und mich benommen fragte, wie es wohl sein würde, wenn wir uns hinlegten. Ich war dankbar dafür, betrunken zu sein, als Jock anfing, an meinen Knöpfen herumzufummeln. Er fuhr mir mit der vom Wein sauren Zunge durch den Mund. Ich versuchte, mit ihm mitzuhalten, gut darin zu sein – zu verfolgen, was gerade passierte. Sein Atem strömte heiß gegen meinen Hals. Seine Hände drückten sich hier und da an meinen Körper. Wir fielen aufs Bett, wo er versuchte, sich zwischen meine Beine zu drängen, woran er jedoch von meinem langen, engen Rock gehindert wurde, weshalb ich ihm helfen wollte. Das Ganze ergab eine absurde Szene, über die ich lachen musste, aber ich merkte sofort, dass das die falsche Reaktion war.

Was wusste ich schon über Sex? Nichts, einmal abgesehen davon, was ich auf unseren Koppeln zu Gesicht bekam oder was Kibii mir über die Spiele erzählt hatte, die die Kip-Jungen und -Mädchen in der Dunkelheit miteinander spielten. Ich hatte keine Ahnung, was ich tun oder wie ich mich hinlegen sollte, damit er mich nehmen konnte, aber ich verstand, dass sich etwas Bedeutsames verändert hatte. Jock war hart gewesen – ich hatte den steifen Knoten zwischen seinen Schenkeln an meinen Beinen und meiner Hüfte gespürt –, doch das war nun vorbei. Ehe ich mich's versah, rollte er von mir hinunter auf den Rücken, den Arm über die Augen gelegt, als wäre der Raum voll blendenden Lichts anstelle der Schatten.

»Es tut mir leid«, sagte ich schließlich.

»Nein, nein. Ich bin nur erschöpft. Es war ein langer Tag.« Er stützte sich auf den Ellbogen und gab mir einen schmatzenden Kuss auf die Wange, dann wandte er sich ab, um sein Kissen zurechtzuklopfen.

Mit schwirrendem Kopf betrachtete ich die Linie, die sein Hals und seine Schulter bildeten. Was hatte ich getan oder unterlassen? War es, weil ich über ihn gelacht hatte – über uns? Während ich benommen und verwirrt neben ihm lag, fing Jock leise an zu schnarchen. Wie konnte er in solch einem Augenblick schlafen? Es war unsere Hochzeitsnacht, und ich war ganz allein.

Ich strampelte mich aus meinem Kleid heraus und wusch mir dann mein Gesicht über dem Waschbecken, entfernte die Schminke und den wächsernen Lippenstift, möglichst ohne dabei in den Spiegel zu blicken. Ich hatte lediglich ein hauchdünnes Nachthemd eingepackt, das Emma in einem Spitzengeschäft gefunden hatte und das sich kalt auf meiner Haut anfühlte. Ich legte mich erneut ins Bett und streckte mich neben Jocks aufragender Gestalt aus. Er bildete einen massiven Berg, ja, er schien in bewusstlosem Zustand sogar noch mehr Raum einzunehmen als sonst. Geräuschvoll atmend träumte er seine unergründlichen Träume, während ich mich in der Dunkelheit zwingen musste, einzuschlafen.

Am nächsten Morgen stiegen wir am Bahnhof von Nairobi in den Zug, der uns nach Mombasa bringen würde, von wo aus wir auf einem Schiff unsere Hochzeitsreise gen Indien antreten sollten.

Ich war nun Beryl Purves – und immer noch Jungfrau.

14.

In Bombay war die Luft erfüllt von Gewürzen und den heulenden Sitarklängen der Straßenmusiker. Entlang der Gassen drängten sich weiße Bungalows mit Fensterläden, von denen die Farbe blätterte und die in den heißesten Stunden des Tages geschlossen wurden, um sich nachts wieder zu öffnen, wenn der Himmel sich rot und violett verfärbte. Wir wohnten bei Jocks Tante und Onkel in deren Haus unterhalb des vornehmen Malabar Hill. Jocks Eltern und zwei seiner drei Brüder waren ebenfalls gekommen, um zu sehen, wen er sich da geangelt hatte. Auch ich wollte sie mir genau ansehen – diese neue Familie, die ich wie in der Lotterie gewonnen hatte.

Auf unserer Reise hatte Jock mir erzählt, wie seine Familie von Edinburgh nach Indien ausgewandert war, als er noch ein kleiner Junge war, aber mir fiel es schwer, mich an all die Einzelheiten der Besitzverhältnisse und Geschäftszusammenschlüsse zu erinnern, als ich schließlich vor ihnen stand – einer Gruppe hochgewachsener, rotwangiger Schotten in einem seidig-braunen Meer aus Indern. Jocks Mutter hatte den rosigsten Teint von allen und sah aus wie ein Flamingo in leuchtender Seide. Sie trug ihr kastanienbraunes Haar in einem hochgesteckten Knoten, der von schneeweißen Strähnen durchzogen war. Sein Vater, Dr. William, eine ältere Version von Jock, mit stark aussehenden Händen und leuchtend blauen Augen, zwinkerte mir beruhigend zu, während seine Frau mir eine Reihe von Fragen stellte, die eigentlich gar keine Fragen waren.

»Sie sind ziemlich groß, nicht wahr?«, wurde sie nicht müde festzustellen. »Fast unnatürlich, findest du nicht, Will?«

»Ich würde wohl nicht so weit gehen, es als *unnatürlich* zu bezeichnen, Darling …« Sein Akzent ließ seine Stimme am Satzende erwartungsvoll ansteigen. Ich dachte immer, er wolle noch etwas sagen, aber dann kam doch nichts mehr.

Jock tätschelte mir nervös das Knie. »Das heißt nur, dass sie gesund ist, Mutter.«

»Nun, sie hat reichlich Sonne abbekommen, nicht wahr?«

Als Jock und ich später allein in unserem Zimmer waren, um uns fürs Abendessen umzuziehen, studierte ich mich selbst in dem dort aufgestellten Ganzkörperspiegel. Ich war es nicht gewöhnt, Kleider und Strümpfe zu tragen, oder die hohen Riemchenschuhe, die damals in Mode waren. Die Strumpfnähte wollten einfach nicht richtig sitzen. Meine neue Unterwäsche, die ich nach Emmas Anweisungen in Nairobi erworben hatte, zwickte mich in der Taille und unter den Armen. Ich kam mir vor wie eine Hochstaplerin.

»Mach dir keine Gedanken«, sagte Jock, der auf dem Bett saß und seine Hosenträger richtete. »Du siehst gut aus.«

Ich griff nach hinten, um erneut an meinen Strümpfen herumzuzupfen. »Deine Mutter mag mich nicht.«

»Sie will mich nur nicht verlieren. So sind Mütter eben.« Er hatte es so dahingesagt, dennoch trafen seine Worte mich. Was wusste ich denn schon darüber?

»Sie behandelt mich von oben herab«, erwiderte ich.

»Sei nicht albern. Du bist meine Frau.« Er stand auf, ging auf mich zu und ergriff meine Hände mit festem, beruhigendem Druck – doch sobald er losließ, schienen seine Worte klappernd zu Boden zu fallen. Ich fühlte mich weder alt genug, um jemandes Frau zu sein, noch, als wüsste ich dafür genug oder hätte genug erlebt oder auch nur irgendetwas Wesentliches begriffen. Darüber hinaus hatte ich kei-

111

ne Ahnung, wie ich Jock diese Gefühle auch nur ansatzweise begreiflich machen sollte. Dass die Versprechen, die wir uns gegeben hatten, mir Angst einflößten. Dass ich mich einsam und taub fühlte, wenn ich nachts neben ihm im Bett lag, als wäre ein Teil von mir gestorben.

»Bitte küss mich«, sagte ich, und er tat es, aber sosehr ich mich auch an ihn lehnte und versuchte, den Kuss zu erwidern und auf mich einwirken zu lassen, konnte ich ihn doch nicht richtig spüren. Ich konnte *uns* nicht spüren.

Ich war es nicht gewohnt, so viel Zeit am Meer zu verbringen, wo die Luft schwer und klebrig vom Salz war und in mir eine ständige Sehnsucht nach einem Bad auslöste. Feuchtigkeit überzog alles und kroch in die Wände, ließ die Fensterrahmen aufquellen, bis sie nicht mehr zu öffnen waren. Schwarzer Schimmel wuchs an den Wänden und ließ sie wie eine Haut altern.

»Es kommt mir falsch vor«, sagte ich zu Jock. »Bombay ertrinkt förmlich, während wir zu Hause für ein kleines bisschen Wasser töten würden.«

»Es ist ja nicht so, als ob Indien Njoro den Regen gestohlen hätte. Außerdem sind wir jetzt hier. Versuch, es zu genießen.«

Jock schien sich zunächst in der Rolle des Reiseleiters zu gefallen und zeigte mir stolz die bunten, nach Curry und Zwiebelchutney riechenden Basare, die sich wiegenden Sitarspieler mit ihren Turbanen, die Polofelder und den Turf Club, dessen glänzender Rasen so üppig und gepflegt war, dass er unseren in Nairobi weit in den Schatten stellte. Ich hielt seine Hand und hörte ihm zu, um all unsere häuslichen Sorgen zu vergessen. Immerhin waren wir frisch verheiratet – doch wenn der Abend heranrückte, fiel alles auseinander. Wir waren nun seit mehreren Wochen Mann und Frau, aber ich konnte die Male, die wir tatsächlich miteinander geschlafen hatten, noch immer an einer Hand abzählen.

Zum ersten Mal war es auf der Überfahrt nach Indien geschehen. Ich war die meiste Zeit über seekrank gewesen, vor allem, nachdem wir am Golf von Aden das Festland hinter uns gelassen hatten und ins Arabische Meer hinausgefahren waren. Der Horizont dehnte sich und kippte, wenn es mir denn einmal gelang, aufzustehen und ihn zu betrachten.

Bevor die Übelkeit eingesetzt hatte, hatten wir es fertiggebracht, in meiner schmalen Koje miteinander zu schlafen, aber das Ganze war ein solches Gewirr aus Ellbogen, Knien und aneinanderstoßenden Kinnen, dass ich kaum bemerkte, wie es geschah, ehe es schon wieder vorbei war. Hinterher küsste er mich auf die Wange und sagte: »Das war schön, Liebes.« Dann kletterte er aus meiner Koje in seine eigene direkt darunter und ließ mich genauso verloren und verwirrt zurück, wie ich mich in unserer Hochzeitsnacht gefühlt hatte.

Jocks Trinkerei machte die Sache nicht besser. Während unseres Aufenthalts in Bombay trafen wir uns jeden Nachmittag um vier Uhr mit dem Rest der Familie zum Cocktail auf der Veranda. Ich lernte rasch, dass es ein Ritual war, welches in allen Einzelheiten peinlich genau ausgeführt wurde: wie viel Eis ins Glas gehörte und wie viel Limette, deren durchdringender Zitrusgeruch die Luft so sehr erfüllte, dass ich ihn schmecken konnte. Jocks Onkel Ogden hatte, abgesehen von Jock selbst, fast immer als Erster einen Gin in der Hand, mit dem er es sich auf seinem Sessel unter dem Jakarandabaum voll schwarzer, pausenlos lärmender Dohlen gemütlich machte.

»Diese Vögel sind hier in Indien zu unseren persönlichen Haushälterinnen geworden«, erklärte Ogden mit einem seltsam stolzen Tonfall in der Stimme, indem er auf eine Schar auf dem Hof wies. »Ohne sie würde der Abfall sich auf den Straßen türmen.«

Ich beobachtete einen dabei, wie er vorsichtig am Kadaver einer Maus zupfte und dann in einem Hügelchen aus blassrosa Sand pickte. »Was macht er da?«, fragte ich.

»Sich den Schnabel säubern«, erklärte Ogden. »Etwa so, wie man sich nach dem Abendessen den Mund ausspült.«

Ich sah dem Vogel weiter zu, da schossen zwei andere herbei, um sich um ein Klümpchen auf den Steinen zerdrückte Mango zu streiten, wobei sie mit scharfen Schnäbeln nach dem Hals des anderen pickten und bereit schienen, bis aufs Blut zu kämpfen. Aus irgendeinem Grund machten sie mich traurig und ließen mein Heimweh noch schlimmer werden. Zu vieles war in Indien neu für mich, und die Tage hatten keinerlei Anker. Jock mochte sich in das verwegene Mädchen verliebt haben, das ich mit vierzehn gewesen war, aber er kannte mich im Grunde nicht besser als ich ihn. Wir waren Fremde, die fast ihre ganze Zeit zusammen verbrachten. Ich sagte mir immer wieder, es würde leichter werden, wenn wir erst einmal zu Hause auf unserer eigenen Farm wären und Arbeiten zu erledigen hätten. Das musste es einfach.

Eines Abends stand auf dem Tisch der Purves' ein Festmahl, das trocken und kalt wurde, weil Jocks Mutter so viel Gin hinunterkippte, dass sie vergaß, dass der Koch uns schon lange zuvor gerufen hatte. Mit schwerer Schlagseite schlingerte sie durch den sich verdunkelnden Hof, ehe sie sich schließlich gegen eine Topfpalme lehnte und die Augen schloss. Niemand schien etwas zu bemerken oder sich darum zu scheren.

»Lass uns hoch ins Bett gehen«, forderte ich Jock auf.

»Was?« Er versuchte, seine blutunterlaufenen Augen auf mich zu fokussieren und las von meinen Lippen ab.

»Ich bin todmüde«, sagte ich.

»Ich komme gleich nach.«

Ich ging vorbei am Esszimmer mit dem Tisch voller Currys, die eingedickt und von einem Film überzogen waren, da die Bediensteten nicht wagten, sie abzuräumen. Im Badezimmer kletterte ich in die von bemalten Kacheln gesäumte Wanne. Auf einer war ein Tiger zu sehen, auch wenn seine Streifen im Laufe der Zeit zu einem kraftlosen Beige verblasst waren. Irgendwo in Indien streiften echte Tiger umher, hungrig und brüllend, wie Paddy einst gebrüllt hatte. Es war ein schauderhafter Gedanke, aber in gewisser Weise wollte ich dennoch lieber da sein, wo die Tiger waren, oder gar wieder in der dreckigen Schweinehöhle, in der ich einst mehrere Nächte verbracht hatte, nachdem ich aus der Schule abgehauen war. Zumindest hatte ich damals gewusst, womit ich es zu tun hatte. Ich ließ mich in das heiße Wasser gleiten und wartete dort auf Jock, bis es kalt war. Dann füllte ich die Wanne erneut. Schließlich legte ich mich ins Bett und rollte mich leicht zitternd auf den Laken aus aprikotfarbener Seide zusammen.

Liebe Dos, schrieb ich am nächsten Tag auf eine Ansichtspostkarte, *Bombay ist wunderschön und glamourös. Wir gehen fast jeden Tag in den Turf Club, wo Jock und die anderen Mitglieder mir zeigen, wie man richtig Polo spielt. Du solltest dir das alles eines Tages auch einmal ansehen.* Ich blickte auf die Worte, die ich geschrieben hatte, und mir war klar, dass ich ihr oder überhaupt irgendjemandem erzählen sollte, wie unglücklich ich war, aber ich wusste nicht, wo ich anfangen sollte. Und was würde es auch ändern? Ich klopfte leicht mit meinem Füllfederhalter auf den Tisch und überlegte, was ich noch hinzufügen könnte. Schließlich unterschrieb ich mit meinem Namen und legte die Karte zur Post.

15.

Als wir nach beinahe vier Monaten aus Bombay zurück-
kehrten, gab es Britisch-Ostafrika nicht mehr. Die Einzelheiten des Waffenstillstands waren endlich geklärt und das
Protektorat daraufhin aufgelöst worden. Wir waren nun Kenia, benannt nach unserem höchsten Berg – eine richtige
Kolonie mit den nötigen Gräbern als Nachweis. Zehntausende Afrikaner und weiße Siedler waren während des Krieges gestorben. Die Dürre hatte Tausende mehr dahingerafft,
genau wie die Spanische Grippe. Die Krankheit wütete in
Städten und Dörfern und raubte die Dünnsten und Kleinsten, Kinder, junge Männer und frischgebackene Ehefrauen
wie mich. Farmer und Hirten kehrten verzweifelt aus dem
Kriegsdienst zurück, ohne zu wissen, wie sie neu anfangen
sollten.

Ich fühlte mich ganz ähnlich. Ich hatte erwartet, meinen Vater und Emma in Green Hills auf gepackten Koffern vorzufinden. Das hatte zu meinem Plan gehört – den
schlimmsten Teil der Zerlegung meines Zuhauses in Bombay zu verbringen –, aber die Farm war noch nicht einmal
verkauft. Mein Vater hatte nichts unternommen.

»Ich werde versuchen, so lange wie möglich hier durch-
zuhalten«, setzte er zu einer Erklärung an. »Wenn ich noch
ein paar Rennen gewinne, kann ich vielleicht bessere Käufer
anziehen.«

»Oh«, brachte ich nur heraus, während in meiner Brust
alles verrutschte und durcheinanderfiel. Ich hatte mich
kopfüber in die Ehe mit Jock gestürzt, im festen Glauben, es

sei meine einzige Möglichkeit, um nun erkennen zu müssen, dass ich noch ein ganzes weiteres Jahr Zeit gehabt hätte, alles zu durchdenken. Ein Jahr, in dem ich hätte zu Hause bleiben und mich an die Idee gewöhnen können. Ein Jahr, um Jock besser kennenzulernen oder vielleicht – nur vielleicht – darauf zu warten, dass sich eine andere Gelegenheit auftat. Mir wurde schlecht, wenn ich nur daran dachte. Warum hatte ich nicht gewartet?

»Möchtest du mit Jock zum Abendessen kommen?«, fragte mein Vater leichthin, aber auch das fühlte sich an wie eine Ohrfeige. Ich würde nun nie wieder mehr sein als ein geladener Gast. Mein Zuhause war anderswo.

Die nächsten paar Monate gehörten zu den härtesten meines Lebens. Jocks Farm hatte fast dieselbe Aussicht wie Green Hills, auch die Luft fühlte sich dort genauso an – dennoch konnte ich mich nicht recht davon überzeugen, dass ich dorthin gehörte.

Die Sonne verschwand früh aus unserem Tal – niemals nach sechs Uhr abends –, und was auch sonst geschehen mochte, sobald sie unterging, stand Jock jeden Tag frisch gewaschen am Barwagen in unserem Haus und machte sich am Whiskey zu schaffen. Als wir noch in Bombay waren, hatte ich mir eingeredet, seine Trinkerei sei eine Familienangewohnheit, die zu jenen Abenden gehörte wie die Dohlen und der intensive Geschmack von Tamarinde, aber nach unserer Rückkehr hatte Jock dann im selben Rhythmus weitergemacht. Nachdem das Abendessen abgeräumt war, rauchte er und schenkte sich ein zweites Glas ein. Dabei lag etwas Zärtliches und beinahe Liebevolles in der Art, in der er das Glas in den Händen hielt, als sei es sein ältester Freund, der ihm helfen würde, alles zu überstehen – aber was genau eigentlich?

Ich kannte kaum einen von Jocks Gedanken. Er arbeitete so hart, wie ich es von meinem Vater kannte, aber die meiste Zeit war er in sich gekehrt, als befände sich direkt hinter seinen Augen eine undurchdringliche Schutzwand. Auch mein Vater war nicht gerade gefühlsbetont gewesen. Möglicherweise waren alle Männer so schwer zu deuten, aber mit Jock musste ich jeden einzelnen langen Abend durchstehen, oft in Totenstille. Versuchte ich doch einmal, mit ihm zu sprechen, oder bat ihn, Gott bewahre, nicht so viel zu trinken, wurde er wütend.

»Ach, lass mich in Ruhe, Beryl! Für dich ist alles ein Kinderspiel, nicht wahr?«

»Was meinst du?«

Aber er winkte nur ab und kehrte mir den Rücken zu.

»Wenn dich irgendetwas belastet …«, versuchte ich mich ihm sacht anzunähern.

»Was würdest du denn schon davon verstehen?«

»Nichts. Ich verstehe es nicht.« Ich wartete darauf, dass er die Lücken für mich ausfüllte, aber er schien nicht zu wissen, wie. Ich natürlich auch nicht. Ich wünschte mir immer wieder, Lady D wäre noch da und könnte mir Rat und Zuspruch geben, oder dass wenigstens Dos mir den Ellbogen in die Rippen stieß und sagte: »Nun mach schon, du musst mit ihm reden. Streng dich noch mehr an.« Auf mich allein gestellt, stocherte ich nur im Feuer herum oder schnappte mir etwas zu lesen oder beugte mich über das Trainingsbuch, um die Listen für den nächsten Tag durchzugehen. Ich vergrub mich in der Arbeit und versuchte, meine Zweifel zu ignorieren – als ließen sie sich damit zum Schweigen bringen. Ich zweifelte allerdings nicht nur an Jock. Wir waren umgeben von Hausrat. Bücher mussten geführt, Mahlzeiten zubereitet, Betten gemacht und Küsse ausgetauscht werden. *So sieht Ehe aus*, sagte ich immer wieder zu mir selbst. Überall taten Menschen jeden Tag genau dasselbe. Warum fühlte es sich dann bloß so seltsam und falsch für mich an?

In manchen Nächten versuchte ich, die Distanz zu überbrücken und mit Jock zu schlafen. Unter dem Moskitonetz in unserem Zimmer legte ich dann ein Bein über seine schlanke Hüfte und suchte im Dunkeln nach seinem Mund. Seine Zunge war warm und schlaff und schmeckte nach Whiskey. Ich machte dennoch weiter, arbeitete mich tiefer in diesen Kuss vor und setzte mich rittlings auf ihn, während er die Augen geschlossen hielt. Ich küsste sie, zog sein Baumwollhemd hoch und bewegte mich dann abwärts, streifte mit den Lippen das dichte Haar über seiner Brust und umkreiste seinen Nabel. Ich hauchte über seinen Bauch, bis er leise aufstöhnte. Seine Haut war warm und salzig, und nach und nach reagierte er auf meine Küsse. Ich beugte mich über ihn, nahm ihn behutsam in die Hand und ließ mich dann auf ihn sinken, wobei ich kaum zu atmen wagte. Aber es war schon zu spät. Bevor ich überhaupt angefangen hatte, mich zu bewegen, wurde er in mir weich. Ich wollte ihn küssen, aber er wandte sich von mir ab. Schließlich zog ich mein Nachthemd hinunter und legte mich gedemütigt neben ihn. Auch er musste es als Schmach empfinden, aber er ließ mich nicht an sich ran.

»Tut mir leid, dass ich nichts tauge, Beryl«, sagte er. »Mir geht einfach zu viel durch den Kopf.«

»Was? Erzähl es mir.«

»Du würdest es nicht verstehen.«

»Bitte, Jock. Ich möchte es ehrlich wissen.«

»Diese Farm zu führen ist eine große Last, das merkst du doch. Wenn wir scheitern, wird es meine Schuld sein.« Er seufzte. »Ich gebe mir wirklich alle Mühe.«

»Ich auch.«

»Nun, mehr können wir dann wohl nicht tun, oder?« Er gab mir mit trockenen Lippen einen keuschen Kuss. »Gute Nacht, Schatz.«

»Gute Nacht.«

Ich versuchte einzuschlafen, doch während er tief atmete und bereits in eine andere Welt entschwunden war, wurde ich von einer kindlichen Sehnsucht nach meinem Bett in

Green Hills erfüllt. Ich wollte wieder in meiner alten Hütte mit den Möbeln aus Petroleumkisten und den vertrauten Schatten sein. Ich wollte die Zeit zurückdrehen und mich an einen Ort bringen, den ich wiedererkannte. Ich wollte nach Hause.

»Ich wünschte, ich wüsste, was ich mit Jock machen soll«, sagte ich ein paar Monate später in der Stadt zu Dos. Sie lernte gerade für ihre Abschlussprüfung und wirkte angespannt, aber ich hatte sie überredet, sich mit mir im Norfolk zu Tee und Sandwiches zu treffen. »Ich hatte gedacht, Sex wäre der einfache Teil bei der ganzen Sache.«

»Ich habe doch auch keine Ahnung davon. Bei Miss Seccombe's gibt es keine Jungs. Und die, die ich beim Tanzen treffe, drängen und betatschen mich zwar, aber es führt eigentlich nie zu irgendetwas.«

»Bei uns auch nicht, das meine ich ja. Und wir sprechen nie darüber. Ich tappe vollkommen im Dunkeln.«

»Er mag es also nicht?«

»Woher soll ich das wissen?« Ich sah zu, wie Dos den Rand ihres Sandwiches vom leckeren Teil mit dem Belag aus blasser Butter und gehacktem Schinken abzupfte, und beneidete sie darum, dass sie sich bloß um ihre Prüfungen Gedanken machen musste. »Wünschst du dir nicht auch manchmal, wir wären noch dreizehn?«

»Um Gottes willen.« Sie verzog das Gesicht. »Das willst du doch auch nicht.«

»Aber damals war alles einfacher.« Ich seufzte. »Jock ist doppelt so alt wie ich und hat schon in einem Krieg gekämpft. Er sollte eigentlich Ahnung haben und das Kommando übernehmen, oder?« Noch einmal seufzte ich. »Das machen Männer doch eigentlich.«

»Ich bin wohl kaum eine Expertin.« Sie zuckte die Achseln. »Und ich kenne Jock so gut wie gar nicht.«

»Komm und zieh für eine Weile zu uns«, drängte ich sie.

»Ich brauche jemanden an meiner Seite, außerdem könnte es lustig werden. Ganz wie in alten Tagen.«

»Ich habe Prüfungen, erinnerst du dich? Und danach werde ich nach Dublin reisen, um ein Jahr bei der Familie meiner Mum zu verbringen. Das habe ich dir doch alles schon erzählt.«

»Aber du darfst nicht fortgehen. Du bist meine einzige Freundin.«

»Oh, Burl. Vielleicht ist alles gar nicht so schlimm, wie es aussieht, und …« Weiter kam sie nicht, denn ich überraschte uns beide damit, dass ich in Tränen ausbrach.

In den folgenden Monaten beobachtete ich, wenn ich auch nicht mehr daran beteiligt war, wie mein Vater den Naval and Military Cup, den War Memorial Cup, den Myberg-Hiddell und den prestigeträchtigen East African Standard Gold gewann – dennoch wurden nur sehr wenige gute Käufer bei ihm vorstellig. Mittlerweile war durchgesickert, dass Green Hills bankrott war. Es schien nichts mehr zu bedeuten, dass mein Vater einst ein Pionier der Kolonie mit einem glänzenden Ruf gewesen war. Dieselben Zeitungen, die damals seine Siege bejubelt hatten, waren nun voller Klatsch über die Insolvenz. Mehrere Redakteure spekulierten über die Gründe dafür, der Nairobi Leader druckte sogar ein kleines Spottgedicht ab:

Ein Trainer namens Clutterbuck,
Der hatte einst gehörig Glück,
Doch nun hat sich das Blatt gewendet,
Seine Zeit hier ist beendet,
Pferd und Stall lässt er zurück.

Mein Vater schien es mit Fassung zu tragen oder gab dies zumindest vor, aber ich empfand es als Demütigung, unser Scheitern in Green Hills so öffentlich ausgestellt zu sehen.

Ich wollte, dass jeder sich daran erinnerte, wie großartig unsere Farm gewesen war, wie sie aus dem Nichts entstanden war und wie glücklich wir dort gelebt hatten. Aber nach sechzehn Jahren unbeschreiblich harter Arbeit, in denen wir Maßstäbe gesetzt hatten, wollten nun alle nur noch über unseren Misserfolg sprechen. Green Hills war zu einem schlechten Scherz geworden, mein Vater zu einem abschreckenden Beispiel, mit dem man Mitleid hatte.

Die Versteigerung nahm mehrere zermürbende Monate in Anspruch. Käufer kamen und sahen unsere Gerätschaften durch, feilschten um den Preis von Schubkarren, Heugabeln, Sätteln und Zaumzeug. Wie ein auf dem Fußboden ausgekipptes Puzzle, das von Fremden durchwühlt wurde, wurden die Wirtschaftsgebäude Stück für Stück auseinandergenommen – die Hütte des Stallmeisters, die Ställe und schließlich das Haus. Die Pferde wurden zu erschreckenden Schleuderpreisen veräußert, die mir den Magen umdrehten – alle bis auf sechzehn, die Jock und ich behalten sollten, bis sie den richtigen Preis einbrächten, und natürlich Pegasus.

»Du darfst Cam nicht für weniger als fünfhundert Pfund verkaufen«, schärfte mein Vater mir am Tag seiner Abreise ein. Ich war bis nach Nairobi gefahren, um ihn zu verabschieden. Am Bahnhof wurde Vieh auf- und abgeladen, was großen Tumult und rote Staubwolken auslöste. Totos schleppten Koffer und Kisten, die doppelt so groß waren wie sie. Einer kämpfte mit einem geschwungenen, gelblich angelaufenen Elefantenstoßzahn, als würde er mit ihm tanzen, während Emma an ihrem Hut herumzupfte.

Nach Jahren, in denen sie mich mit Ratschlägen und Restriktionen bombardiert hatte, schien Emma nun nichts mehr zu sagen zu haben. Mir ging es ebenso. Ich konnte mich kaum noch daran erinnern, weshalb ich überhaupt so heftig gegen sie angekämpft hatte. Sie wirkte genauso verloren wie ich. Nachdem sie meine Hand einmal fest gedrückt hatte, eilte sie die drei rußigen Stufen hinauf, die in den Eisenbahnwagen führten, und war verschwunden.

»Lass es uns wissen, wenn du irgendetwas brauchst«, sagte mein Vater. Er drehte seinen Hut unablässig in den Händen.

»Mach dir keine Sorgen. Ich komme schon zurecht«, sagte ich, obwohl ich mir gar nicht sicher war, ob das stimmte.

»Vielleicht möchtest du später einmal für andere Besitzer als Trainerin arbeiten, womöglich sogar für Delamere. Du hast die nötigen Grundlagen und den Instinkt dafür.«

»Du meinst, ich soll die Trainerlizenz erwerben? Hat eine Frau das schon einmal getan?«

»Vielleicht nicht, aber es gibt kein Gesetz dagegen.«

»Ich könnte es versuchen …«

»Pass auf dich auf und arbeite hart.«

»Das werde ich, Daddy.«

Keiner von uns war je gut darin gewesen, seine Gefühle zum Ausdruck zu bringen. Ich sagte ihm, dass ich ihn vermissen würde, und sah dann zu, wie er in den Zug stieg, die Schultern unter seiner Jacke herausfordernd gestrafft. Seine Abreise war monatelang angekündigt gewesen, dennoch war ich nicht im mindesten bereit dafür. Wusste er, wie sehr ich ihn liebte? Wie krank und wund ich mich fühlte, seitdem ich unsere gemeinsame Welt verloren hatte?

Ein Gepäckträger in rotem Jackett hastete mit einem schweren Überseekoffer an mir vorbei und wühlte eine Erinnerung in mir auf. Mit vier Jahren hatte ich dem schrumpfenden Eisenbahnwaggon hinterhergeschaut, der meine Mutter davontrug, während schwarzer Rauch aufstieg und die Distanz zwischen uns mit jeder Sekunde größer wurde. Lakwet hatte gelernt, ihren Verlust zu ertragen und sich in der durch ihren Fortgang verwandelten Welt zurechtzufinden, darin Gutes aufzuspüren, schnell zu rennen und stark zu werden. Wo war dieses ungestüme Mädchen nun? In meinem Inneren regte sich kein Hauch von ihr. Ich konnte auch unmöglich wissen, was ich noch alles würde durchstehen müssen – wann mein Vater zurückkehren mochte, und ob er es überhaupt je täte.

Die rußschwarze Lokomotive tat ächzend ihre Bereitschaft zum Aufbruch kund. Ein lautes Pfeifen durchschnitt die Luft und drehte mir den Magen um. Schließlich blieb mir nichts anderes übrig, als davonzugehen.

Kurz nachdem ich wieder in Njoro war, fing es zum ersten Mal seit über einem Jahr an zu regnen. Der Himmel verfärbte sich schwarz und riss in einem Wolkenbruch auf, der einfach kein Ende nehmen wollte. In zwei Tagen fielen dreizehn Zentimeter Regen, und als der Himmel endlich aufklarte, war unsere lange Dürreperiode beendet, das Land wurde wieder grün. Blumen in allen nur erdenklichen Farben überzogen die Ebenen. Die Luft war erfüllt vom Duft der Jasmin- und Kaffeeblüten, Wacholderbeeren und Eukalyptusbäume. Kenia hat nur geschlafen, sagte der Regen jetzt. Alles, was gestorben war, konnte wieder zu neuem Leben erweckt werden – alles, mit Ausnahme von Green Hills.

16.

In all meinen Jahren im Busch hatte ich mir nie Malaria oder eine der anderen schlimmen Fieberkrankheiten oder Seuchen eingefangen. Nun wurde ich von etwas niedergestreckt, das genauso ernst, aber viel schwieriger zu benennen war – einer Krankheit des Geistes. Ich wollte weder schlafen noch essen, nichts machte mich glücklich. Nichts ergab Sinn. Unterdessen war Jock geschäftig und voller Pläne für unsere Farm und für uns. Er hatte die Getreidemühle meines Vaters als eins der letzten Dinge, die versteigert wurden, zu einem Spottpreis aufgekauft. Das Geschäft schien ihn zu erfreuen, aber ich konnte den Gedanken kaum ertragen, dass wir vom Scheitern meines Vaters profitierten, dass unser Besitz auf den Ruinen von Green Hills aufgebaut wurde.

Ich konnte bloß meine Aufmerksamkeit auf die Pferde richten. Ich fand ein schwarzes Hauptbuch, das genauso aussah wie das meines Vaters, und begann, alles niederzuschreiben, was täglich in den Ställen vor sich ging – die Trainingseinheiten und Futterpläne, die Löhne der Stallburschen und die zu bestellende Ausrüstung. Ich richtete mir in einer Ecke des Stalls ein kleines Büro ein, genau wie mein Vater eines gehabt hatte – nicht mehr als ein winziger Tisch, eine Lampe und ein Kalender an der Wand, auf dem der nächste Renntermin fett eingekreist war. Ich stand täglich vor Morgengrauen zum ersten Ritt des Tages auf – aber es war nicht genug. In mir ertönte immer lauter eine Glocke. Sie weckte mich in der Früh und manchmal mitten in der

Stille der Nacht und jagte einen kalten Schauder über meine Haut. *Was hatte ich getan? Konnte ich es immer noch geradebiegen? Konnte ich mich befreien?*

An den meisten Tagen redeten Jock und ich aneinander vorbei. Je härter ich arbeitete, desto mehr verhielt er sich, als würde ich ihm etwas fortnehmen. Er hatte wohl angenommen, ich würde lediglich das wollen, was auch er sich wünschte, und mich damit zufriedengeben, seine Ziele zu übernehmen, statt eigene anzustreben. Manchmal, wenn er ein paar Gläser zu viel intus hatte, hörte ich den Plattenspieler knistern, gefolgt von den ersten beschwingten Takten von *If You Were the Only Girl in the World*. Jock hatte die Schallplatte kurz nach unserer Hochzeit gekauft, als Andenken an unseren ersten Tanz, wie er sagte. Damals hatte ich die Geste reizend gefunden, aber nun spielte er die Platte nur noch, um mir unmissverständlich klarzumachen, dass ich nicht das Mädchen war, das er zu heiraten geglaubt hatte. Natürlich war ich das nicht, allerdings wusste ich auch nicht, was ich daran ändern könnte.

Ich zog meinen Morgenmantel über und ging hinaus in den Wohnbereich, wo er stockbetrunken und vollkommen schief den Text mitbrummte:

A Garden of Eden just made for two
With nothing to mar our joy
I would say such wonderful things to you
There would be such wonderful things to do ...

»Morgen wirst du dich erbärmlich fühlen. Mach das aus, und komm ins Bett.«

»Liebst du mich denn nicht, Beryl?«

»Natürlich«, erwiderte ich hastig, hölzern. In Wahrheit schnitt Jock, wenn ich ihn mit meinem Vater oder Arap Maina verglich, den beiden Männern, die ich immer am meisten bewundert hatte, katastrophal schlecht ab. Aber es war nicht allein seine Schuld. Aus irgendeinem Grund hatte ich geglaubt, ich könnte einen völlig fremden Mann heiraten, und es würde auf märchenhafte Weise gutgehen. Genau wie das Haus, in dem wir lebten, waren meine Versprechen an ihn viel zu schnell errichtet worden, um solide zu sein. Ich hatte eine überstürzte Entscheidung getroffen, die sich als falsch erwiesen hatte. »Trink einen Kaffee, oder komm ins Bett.«

»Du versuchst nicht einmal, es abzustreiten.« Das Lied war zu Ende, und der Plattenspieler gab nur noch ein zischendes Geräusch von sich. »Dieser Hund ist dir wichtiger als ich«, sagte er und stand auf, um die Nadel wieder am Anfang der Aufnahme zu platzieren.

Buller war inzwischen vollkommen gebrechlich und arthritisch geworden. Er war sowohl blind als auch taub und bewegte sich so steif und behutsam, als wäre er aus Glas. Mein Vater hätte ihn erschossen und damit das Richtige getan. Ich aber konnte es nicht und wartete stattdessen mit ihm auf das Ende. Manchmal beugte ich mein Gesicht dicht über seinen rauen Schädel und flüsterte ihm Dinge zu, die er nicht hören konnte, darüber, wie mutig er gewesen war und auch heute noch war.

»Er stirbt«, betonte ich Jock gegenüber mit brüchiger Stimme. Doch selbst an der Schwelle des Todes zeigte Buller mehr Tapferkeit als ich. Fast ein Jahr lang hatte ich mich hinter meiner übereilten Entscheidung versteckt und versucht, weder über die Zukunft noch über die Vergangenheit nachzudenken. Beide befanden sich mit uns hier im Raum, während die schreckliche Glocke erneut zu läuten begann. Ich wusste, dass sie nicht eher schweigen würde, bis ich mich irgendwie aus diesem von mir selbst angerichteten Schlamassel herausgekämpft hätte, wie scheußlich das auch werden mochte. Es gab keinen anderen Weg.

»Ich möchte für Delamere arbeiten«, verkündete ich rasch, bevor ich es mir anders überlegen konnte. »Dort kann ich mich zur Trainerin ausbilden lassen. Mein Vater hat es vor seiner Abreise vorgeschlagen, und ich halte es für eine vernünftige Idee.«

»Was? Wir haben unsere eigenen Tiere. Wieso willst du woanders hingehen?«

»Es geht nicht nur um die Arbeit, Jock. Nichts läuft zwischen uns richtig. Das weißt du genauso gut wie ich.«

»Wir fangen doch gerade erst an. Gib der Sache etwas Zeit.«

»Die Zeit wird daran nichts ändern. Du solltest eine anständige Ehefrau haben, die dich umsorgen und Dutzende Kinder haben will und all das. Das bin ich nicht.«

Er wandte sich mit dem Glas in der Hand von mir ab, und ich erkannte die scharfe Kante seines Wesens, die sich so klar und deutlich abzeichnete, als wäre er selbst ein Berg am Horizont. Darauf war er nicht gefasst gewesen. »Du liebst mich also nicht.« Er sprach es kalt und klar aus.

»Wir kennen uns doch noch nicht einmal. Oder?«

Er presste die Lippen so fest zusammen, dass sie ganz flach und weiß wurden, ehe er sie zum Sprechen öffnete: »Ich habe in meinem ganzen Leben noch keine einzige Sache aufgegeben. So etwas tue ich nicht. Wie würde das denn aussehen?«

»Wie es aussehen würde? Zunächst einmal ehrlich. Ist es denn nicht besser, sich die Dinge einzugestehen?«

Er schüttelte mit raschen kleinen, fast unmerklichen Bewegungen den Kopf. »Ich würde zum Gespött der ganzen Stadt werden … von einem Mädchen zum Narren gehalten. Meine Familie wäre entsetzt. Gedemütigt. Wir haben schließlich einen Ruf zu verlieren.«

Das war ein offensichtlicher Seitenhieb auf meinen Vater und den Skandal um seine Insolvenz, aber ich durfte nicht zulassen, dass ich dadurch ins Wanken geriet. »Dann schieb alle Schuld auf mich. Mir ist es egal. Ich habe nichts mehr zu verlieren.«

»Ich bin mir nicht so sicher, ob das stimmt.«

Als ich in jener Nacht zurück ins Bett stürmte, wusste ich immer noch nicht, wo wir miteinander standen. Schlaflos wälzte ich mich hin und her. Ich dachte, wir würden den Streit am nächsten Morgen austragen, aber unser Zerwürfnis dauerte drei Tage an. Was auch immer er zu klären hatte, es schien weniger damit zu tun zu haben, dass er mich verlieren würde, als damit, dass sein Ruf fortan befleckt wäre, und wie die Kolonie sein Scheitern beurteilen würde. Das verstand ich. Er hatte mich geheiratet, ganz einfach, weil es Zeit zum Heiraten war. Seine Familie hatte es von ihm erwartet, um das Bild eines sesshaften, erfolgreichen Lebens zu vervollständigen. Nun würde er sie gewiss nicht enttäuschen. Dafür war er zu stolz, schließlich hatte er bislang noch jedes unberechenbare Detail in seinem Leben unter seine Kontrolle gebracht – tief verwurzelte Baumstümpfe auf dem Feld, Felsbrocken, wo ein Garten entstehen sollte. Er trat jedem Hindernis mit Schneid und Muskelkraft entgegen, mich aber konnte er nicht so einfach einschüchtern. Oder etwa doch?

Am dritten Abend setzte Jock sich schließlich mir gegenüber, die Augen so schmal wie Splitter von Feuerstein. »Das hier ist nichts, was du einfach im Sand vergraben und vergessen kannst, Beryl. Geh und arbeite für Delamere, wenn es das ist, was du willst, aber du wirst als meine Frau gehen.«

»Wir werden also allen etwas vorspielen? Für wie lange?«

Er zuckte mit den Achseln. »Vergiss nicht, dass du mich auch brauchst. Die Pferde deines Vaters gehören jetzt zur Hälfte mir, und von deinem Hungerlohn wirst du sie nicht versorgen können.«

»Du willst meine Pferde als Geiseln halten? Um Himmels willen, Jock, du weißt doch, wie viel sie mir bedeuten.«

»Dann stell meine Geduld nicht auf die Probe. Ich will nicht wie ein verdammter Idiot dastehen, und du kannst es dir nicht leisten, mich abzufinden.« Er klang wie ein Fremder, aber womöglich hatten wir beide nie aufgehört, Fremde

füreinander zu sein. Wie es auch sein mochte, ich bezweifelte, dass ich je wieder an ihn herankommen würde. »Du
machst doch immer so einen Aufstand um Ehrlichkeit«,
fuhr er fort. »Ist das ehrlich genug für dich?«

17.

Als ich eine Woche später von Jocks Farm ritt, nahm ich nichts mit, was ich nicht an die Rückseite meines Sattels binden konnte – einen Pyjama, eine Zahnbürste und einen Kamm, eine Hose zum Wechseln, ein Herrenhemd aus schwerer Baumwolle. Für Pegasus hatte ich eine dicke Decke, einen Striegel, mehrere Pfund gequetschten Hafer und ein kleines stumpfes Hufmesser dabei. Mit so leichtem Gepäck ins Buschland hinauszureiten war ein großartiges Gefühl, aber ich ließ auch vieles ungeklärt zurück. Es war ein Pakt mit dem Teufel, den ich mit Jock geschlossen hatte. Er hatte meine Freiheit in der Hand, die ich ihm nur entringen konnte, indem ich die Lizenz bekam. Das war der erste Schritt, gefolgt von harter Arbeit und einer Chance – nicht mehr als einer Chance – auf einen Sieg. Alles würde perfekt laufen müssen, damit ich jemals vollkommen unabhängig wäre – ein beängstigender Gedanke. Ich konnte nur darauf hoffen und alles daransetzen.

Soysambu lag am Rand des riesigen hügligen Grabenbruchs, auf einem Hochplateau zwischen Elmenteita- und Nakurusee, wo Delameres Vieh auf viertausend Hektar relativ komfortabel und sicher grasen konnte. D hatte sich mittlerweile hauptsächlich auf Schafe konzentriert – Massaischafe mit tiefbraunem Fell, das so schwer und verfilzt war, dass sie darunter kaum noch als Schafe zu erkennen waren. Beim ersten Ablammen auf der Equator Ranch vor zehn Jahren hatten nur sechs Tiere von viertausend Mutterschafen überlebt. Unverzagt hatte D den größten Teil seines Erbes investiert (achtzigtausend Pfund, wie manche behaupteten), den Viehbestand erneuert und seine harten Lektionen gelernt, um nun der erfolgreichste Viehzüchter in ganz Kenia zu sein.

Nicht alle bewunderten ihn. In der Stadt und auf der Rennbahn machten viele einen großen Bogen um D, um eine Diskussion oder einen Vortrag über »die Indienproblematik« zu vermeiden. Er verkündete lautstärker als alle anderen, wir müssten uns endlich ein für alle Mal aus der Vormundschaft jener britischen Kolonie befreien. Außerdem war er landgierig, polterig und rechthaberisch, aber Lady D hatte stets das Gute in ihm gesehen, und das tat ich auch: Er arbeitete mehr als jeder andere – zwölf bis sechzehn Stunden am Tag war er draußen bei seiner Herde –, er war leidenschaftlich und unbeugsam, und in all der Zeit, die ich ihn nun kannte, also so gut wie mein ganzes Leben, war er mir gegenüber immer nur freundlich gewesen.

»Beryl, Liebes!«, bellte er bei meiner Ankunft. Das lange Haar hing ihm wild ums Gesicht. Er hatte gerade sein Gewehr auseinandergenommen und polierte den Kolben mit zärtlicher Präzision. »Du möchtest also Trainer werden wie Clutt, sehe ich das richtig? Ich kann mir nicht vorstellen, dass das ein einfaches Leben sein wird.«

»Ich strebe nicht nach einem einfachen Leben.«

»Das mag sein.« Er sah mir direkt in die Augen. »Aber ich habe noch nie jemanden mit einer ordentlichen englischen Trainerlizenz kennengelernt, der auch nur annähernd so jung gewesen wäre wie du. Und ich muss dir wohl kaum erzählen, dass du die einzige Frau sein wirst.«

»Irgendjemand muss immer der Erste sein.«

»Du willst nicht etwa vor Jock davonlaufen, oder?« Sein Blick war nun milder geworden. Ich hatte Mühe, ihm standzuhalten. »Wie du dich erinnerst, bin ich sehr lange verheiratet gewesen. Ich weiß, wie schwierig es sein kann.«

»Mach dir um mich keine Sorgen. Mir fehlt nur eine

konkrete Aufgabe. Ich möchte auch keine Sonderbehandlung. Ich werde genauso im Stall schlafen wie alle anderen.«

»Na schön, na schön. Ich werde mich nicht einmischen und dich auch nicht verhätscheln, aber wenn du doch einmal etwas brauchst, weißt du hoffentlich, dass du zu mir kommen kannst.«

Ich nickte.

»Ich kann ein sentimentaler alter Mistkerl sein, nicht wahr? Na komm, dann werde ich dir mal alles zeigen.«

D führte mich in eine kleine Holzhütte hinter der letzten Koppel. Darin stand ein Feldbett auf einem verschrammten Dielenfußboden, als Beleuchtung hing eine einzige Sturmlaterne von einem Haken in der Wand. Der Raum war kaum größer als die Box, in der Pegasus schlief, außerdem war er kalt. D nannte mir die Bedingungen meines Aufenthalts – eigentlich war es eher eine Art Ausbildungsvertrag – und wo und bei wem ich mich am nächsten Morgen melden sollte.

»Du wolltest keine Sonderbehandlung«, sagte er und beobachtete mich dabei scharf, als erwartete er, ich würde es mir sofort anders überlegen.

»Ich werde bestens zurechtkommen«, versprach ich und wünschte ihm dann eine gute Nacht. Nachdem er fort war, entfachte ich ein kleines Feuer, kochte mir einen bitteren Kaffee und aß kaltes Büchsenfleisch von der Spitze meines Messers. Schließlich rollte ich mich in dem schmalen Bett zusammen, fröstelnd und immer noch ein wenig hungrig. Ich betrachtete die Schatten an meiner Zimmerdecke und dachte an meinen Vater. Seit er nach Kapstadt gezogen war, hatte er mir nur ein paar dürftige Briefe geschickt, kaum ausreichend Worte, um einen Teelöffel damit zu füllen, ganz zu schweigen von der klaffenden Lücke, die er in meinem Leben hinterlassen hatte. Ich vermisste ihn schrecklich, wie jemanden, der gestorben war – dennoch fühlte ich mich ihm gerade jetzt, in meiner kalten Hütte, seltsam nah. Es war sein Leben, nach dem ich hier suchte. Wenn ich auch meinen

Vater selbst vielleicht nie wieder zurückbekommen würde, konnte ich doch dieselben Dinge anstreben wie er, mich in seinen Schatten stellen und meinen eigenen darin aufgehen lassen. Ich hatte keine Ahnung von der Ehe oder von Männern – das war nun zur Genüge bewiesen. Aber ich hatte Ahnung von Pferden. Zum ersten Mal seit langem war ich genau da, wo ich sein sollte.

18.

Gebissscheiben. Zungenanbinder. Sattlung fürs Training und Sattlung für Rennen. Hufeisen und Bandagen, Konditionierung und Ausrüstung. Ich musste lernen, den Belag auf der Rennbahn zu studieren, Wetteinsatzlisten zu lesen und Gewichtszulassungen zu bedenken. Ich musste alle Krankheiten und Beschwerden in- und auswendig kennen – überlastete Sehnen und Überbeine, Hufrehe, Periostitis, Knochensplitter, Karpalgelenkfrakturen und vertikale Hufspalten. Vollblüter waren prächtige, aber auch auf ganz besondere Weise fragile Wesen. Ihr Herz war oft empfindlich, und die Anstrengung bei den Rennen machte sie anfällig für Lungenblutungen. Eine unbehandelte Kolik konnte sie umbringen – und wenn das geschah, war dieser Tod meine Schuld.

Der Körperbau des Pferdes musste überprüft werden, Kopf, Beine, Brust und viele andere unsichtbare Details, die sogar noch wichtiger waren. Jedes Tier war ein eigenes vollständiges Buch oder eine Landkarte, die es zu studieren und sich zu merken galt, um seine Entscheidungen danach zu treffen. Wirklich alles zu wissen, was zu diesem Leben gehörte, würde unendlich viel Zeit in Anspruch nehmen, wenn es denn überhaupt möglich war. Das bloße Ausmaß und die Unmöglichkeit dieser Aufgabe verliehen meinen Tagen in Soysambu eine gewisse Reinheit. Ich ging von meiner Hütte zur Koppel, zu den Ställen, zur Reitbahn und wieder zurück in meine Hütte, um Listen und Tabellen zu studieren, bis meine Augen versagten.

Als Gegenleistung für Pegasus' Box und meine eigene Schlafstelle sollte ich zwei von Ds Pferden trainieren. Sie hatten beide ihre besten Jahre schon hinter sich, waren mattäugig und störrisch, aber ich wollte mich bewähren. Ich würde sie fürstlich behandeln müssen. Ich brütete über ihren Trainings- und Futterplänen, füllte Notizbücher im Versuch, mich ganz auf sie einzustellen, und irgendein ungenutztes Potential in ihnen aufzuspüren, das bislang noch niemand erkannt hatte.

Dynasty, eine sechsjährige Stute, war vom Sattelgurt wundgescheuert. Die empfindlichen Bläschen und die geschundene Haut an ihrem Bauch mussten speziell behandelt werden. Ihr Pfleger hatte jeden möglichen Sattel bei ihr ausprobiert, doch die Stellen heilten nie ganz zu. Er schien sich deswegen zu schämen.

»Du reinigst den Sattel ordentlich«, sagte ich zu ihm, »das kann ich sehen … Er ist auch nicht zu steif. Du hast dich gut um sie gekümmert.«

»Ja, Memsahib. Vielen Dank.«

Ich ging in die Hocke, um einen besseren Eindruck von ihren Verletzungen zu bekommen – manche waren dick mit Schorf überzogen, andere ganz frisch. Dann stand ich auf und sah mir die Stute im Ganzen genau an.

»Vielleicht liegt es einfach an ihrem Körperbau«, sagte ich zu dem Pfleger und zeigte auf die betreffenden Stellen. »Siehst du, ihre Schultern stehen ganz eng und straff. Sie hat hier hinter den Ellbogen nicht viel Luft, also quetscht der Gurt sie ein. Setz ihr mindestens eine Woche lang überhaupt keinen Sattel auf – sie soll gar nicht geritten werden, sondern nur an der Longe laufen. Du kannst es auch einmal hiermit probieren.« Ich zog eine kleine Ampulle aus meiner Tasche, in der sich eine Mischung aus Ölen befand, die mein Vater und ich immer bei unseren Pferden verwendet hatten. Ich hatte im Nachhinein noch allein daran herumgetüftelt, um sie zu perfektionieren. »Zur Pflege der Haut.«

Als ich mich umdrehte und den Stallburschen seiner Arbeit überließ, bemerkte ich, dass Ds Farmmanager uns beobachtet hatte. Sein Name war Boy Long, und er wirkte mit seinem tiefschwarzen Haar und dem einzelnen goldenen Ring im Ohr äußerst exotisch. Etwas an ihm ließ mich an einen Piraten denken.

»Was ist in der Tinktur?«, wollte er wissen.

»Nichts Ungewöhnliches.«

Er musterte mich von Kopf bis Fuß. »Das glaube ich Ihnen nicht, aber Sie können Ihr Geheimnis für sich behalten.«

Ein paar Tage später stand ich gerade am Zaun der Koppel und beobachtete, wie der Stallbursche Dynasty an der Longe führte, als Boy vorbeikam. Die Wunden der Stute hatten bereits zu heilen begonnen, und ihr Fell glänzte. Boy lehnte sich zwar nur kurz neben mich, sah zu und sagte kein Wort, aber ich spürte, dass seine Aufmerksamkeit ebenso sehr auf mir wie auf dem Pferd lag.

»Ich dachte schon, D sei verrückt geworden, als er mir erzählte, er habe ein Mädchen eingestellt«, sagte er schließlich.

Ich zuckte mit den Achseln, ohne den Blick von Dynasty abzuwenden. Sie bewegte sich gut und schien keinerlei Schmerzen zu haben. »Ich mache das hier schon mein Leben lang, Mr. Long.«

»Das kann ich sehen. Ich mag es, ab und zu eines Besseren belehrt zu werden. Das hält mich auf Trab.«

Boy war gut in seinem Job, wie ich bald merkte. Er beaufsichtigte die Arbeiter in Ds beiden Geschäftsbereichen, Pferde und Schafe, und schien stets zu wissen, was überall vor sich ging, ja sogar, was noch geschehen würde. Eines Nachts wurde ich durch Brandgeruch und einen Tumult vor meiner Hütte geweckt. Ich zog mich rasch an, trat hinaus und erfuhr, dass ein Löwe in der Koppel gesichtet worden war.

Die Kälte der Nacht legte sich mir auf die Brust, als ich mir vorstellte, wie ein Löwe, gelbbraun und breitschultrig, über das Gelände und an meiner dünnen Tür vorbeischlich. »Was hat er gerissen?«, fragte ich Boy. Er stand umgeben von Stallburschen, die Fackeln und Sturmlaternen hielten. Er selbst hatte ein Gewehr mit gekipptem Lauf über dem Arm liegen.

»Nichts. Ich war rechtzeitig da.«

»Gott sei Dank. Sie waren also wach?«

Er nickte. »Ich hatte so ein Gefühl, dass ich aufbleiben sollte. Hatten Sie so etwas auch schon einmal?«

»Hin und wieder.« In dieser Nacht hatte ich allerdings nichts gespürt. Ich hatte geschlafen wie ein Baby. »Haben Sie ihn erwischt?«

»Nein, aber ich werde einen der Stallburschen Wache halten lassen, um sicherzugehen, dass er nicht wiederkommt.«

Ich kehrte in meine Hütte zurück und versuchte, nach dieser Aufregung wieder einzuschlafen, aber ein nervöses Gefühl hatte sich in meinen Schultern und meinem Nacken festgesetzt und ließ mich nicht zur Ruhe kommen. Schließlich gab ich auf und ging zum Stall, um nach der Schnapsflasche zu suchen, die wir im Büro aufbewahrten. Boy war ebenfalls dort und hatte sie bereits gefunden. Er schenkte mir ein Glas ein, woraufhin ich mich bedankte und ihm eine gute Nacht wünschte. »Warum bleiben Sie nicht?«, fragte er. »Wir könnten einander Gesellschaft leisten.« Er sagte es so nebenbei, aber sein Blick machte deutlich, was er meinte.

»Was würde mein Ehemann wohl davon halten?«, fragte ich zurück. Ich wollte keinen der Männer auf der Farm denken lassen, ich sei verfügbar, ganz besonders nicht diesen hier, mit seinem glitzernden Ohrring und seinem frechen Blick.

Boy zuckte nur die Achseln. »Wenn Sie sich wirklich wegen Ihres Mannes sorgen würden, dann wären Sie doch zu Hause, oder?«

»Ich bin zum Arbeiten hier.« Aber das reichte ihm nicht. Seine dunklen Pupillen blieben zweifelnd starr auf mich gerichtet, bis ich sagte: »Die Situation ist kompliziert.«

»Das ist sie meistens. Ich habe auch jemanden, wissen Sie. Zu Hause in Dorking. Ihr bekommt die Hitze nicht.«

»Vermisst sie Sie denn nicht?«

»Das weiß ich nicht«, antwortete er. Mit zwei geschmeidigen Bewegungen hatte er sein Glas abgesetzt und war direkt vor mich getreten. Die Hände links und rechts von mir an die Wand gestützt, beugte er sich so weit vor, bis sein Gesicht nur noch wenige Zentimeter von meinem entfernt war und ich den Roggenwhiskey und den Rauch in seinem Atem riechen konnte.

»Das ist keine gute Idee.«

»Die Nächte können hier ziemlich lang werden.« Er senkte seine Lippen auf meinen Hals, aber ich wich zurück. »In Ordnung«, sagte er schließlich. »Ich verstehe schon.« Dann grinste er mich träge an und ließ mich aus seinen Armen gleiten.

Wieder zurück in meiner Hütte, lag ich mit geschlossenen Augen auf meinem Feldbett und musste nun nicht mehr an den Löwen denken. Ich hatte noch nie jemanden getroffen, der so direkt war wie Boy. Es war verstörend, aber auch ein wenig erregend, sich vorzustellen, dass man einfach nur begehrte und begehrt wurde, ohne irgendwelche Liebesbehauptungen oder Ketten in sich zusammenfallender Versprechen. Männer waren mir ein Rätsel, auch noch nach einem Jahr der Ehe. Ich wusste nichts über die Liebe, und erst recht nichts darüber, irgendjemandes Geliebte zu sein – doch für den Augenblick war selbst ein Kuss von Boy schon eine gefährliche Vorstellung.

Kenia mochte riesig sein, dennoch hatte man in unserer Kolonie überraschend wenig Privatsphäre. Alle schienen über jeden Bescheid zu wissen, ganz besonders, wenn es um persönliche Belange ging. Mir war es bisher gelungen, all dem aus dem Weg zu gehen, da ich noch zu jung und unerfahren war, um ernsthaft beachtet zu werden, aber nun hatte ich einen namhaften Landbesitzer geheiratet und sollte mich entsprechend verhalten. So kam es, dass ich alle paar Wochen samstagmorgens nach Njoro zurückkehrte, um eine Ehefrau zu sein.

D brachte mir das Fahren bei und lieh mir den klapprigen Wagen, den er verwendete, um Fracht zwischen den Wirtschaftsgebäuden hin- und herzubefördern. Ich bevorzugte zwar den Blick vom Pferderücken aus, lernte jedoch die Geschwindigkeit des Automobils und auch das etwas riskante Gefühl, mit aufeinanderschlagenden Zähnen und Staub im Haar die schmale Landstraße entlangzubrettern und über tiefe Schlaglöcher zu krachen, lieben, ja sogar, mich danach zu sehnen. Es gab Schlammlöcher, nach denen man Ausschau halten musste, und an manchen Stellen wusste ich, dass ich in ernsthafte Schwierigkeiten geraten könnte, wenn ich dort steckenblieb, aber es bereitete mir auch Freude – besonders die ersten paar Dutzend Meilen. Je näher ich Njoro kam, desto stärker spürte ich jedoch Jocks Griff, mit dem er mich fest umklammert hielt. Ich gehörte nicht mehr mir selbst, seit ich mich entschlossen hatte, seinen Antrag anzunehmen, aber nun erst drang mir diese Realität tiefer ins Bewusstsein und schien sich immer weiter auszudehnen, während ich dagegen ankämpfte, wie gegen Morast oder Treibsand. Njoro war immer meine Heimat gewesen, der Ort, den ich am meisten liebte. Nun aber wurde es mir durch die Mühe verleidet, die es mich kostete, auch nur ein paar Höflichkeitstage im Monat mit Jock im selben Haus zu verbringen, den benachbarten Farmern und jedem, der uns sonst noch beobachten mochte, zuliebe.

Wenn ich in Ds Wagen vorfuhr, bekam ich fast immer einen züchtigen Kuss auf die Wange. Wir tranken ein Gläschen auf der Veranda und besprachen, was in meiner Abwesenheit auf der Farm geschehen war, während die Bediensteten um uns herumschwirrten, stets froh, mich zu Hause zu sehen. Doch sobald es Abend wurde und wir allein waren, kippte die Stimmung rasch ins Eisige. Jock versuchte nie, sich mir körperlich zu nähern – das hatte bei uns ohnehin nie funktioniert, nicht einmal am Anfang. Aber jede einzelne Frage, die er mir über meine Arbeit bei D und über meine Pläne stellte, klang besitzergreifend.

»Passt D auf dich auf?«, wollte er wissen, als wir an jenem Spätnachmittag gemeinsam auf der Veranda saßen. »Sorgt er dafür, dass du nicht in Schwierigkeiten gerätst?«

»Wie meinst du das?«

»Du hast immer nach deinen eigenen Regeln gelebt. Denk nur an diesen Jungen, mit dem du herumgerannt bist, als ich dich zum ersten Mal sah.«

»Kibii?«

»Ganz genau.« Er kippte sein Cocktailglas und zog den Whiskey am Rand durch die Zähne. »Du warst hier immer eine kleine Wilde, habe ich nicht recht?«

»Ich weiß nicht, was du mir unterstellst. Im Übrigen schien es dir bei unserer ersten Begegnung zu gefallen, dass ich mit Kibii jagte. Und jetzt bin ich plötzlich eine Wilde?«

»Ich sage bloß, dass dein Verhalten auf mich zurückfällt. So wie du hier draußen aufgewachsen bist, mit Gott weiß wem herumgelaufen bist und Gott weiß was getrieben hast … Und jetzt bist du fort bei D, eine einzelne Frau umgeben von Männern. Das riecht nach Ärger.«

»Ich arbeite und bin nicht dort, um mir Dutzende Liebhaber zu nehmen.«

»Wenn es doch so wäre, würde ich sofort davon erfahren«, sagte er rundheraus. Er wandte kurz den Blick ab, bevor er mich wieder ansah. »Du hast mich bereits in eine unangenehme Lage gebracht.«

»Ich habe dich in eine unangenehme Lage gebracht?

Willige einfach in die Scheidung ein, dann haben wir es hinter uns.«

Bevor er antworten konnte, drang ein Rascheln aus dem Inneren des Hauses, worauf unser Hausdiener Barasa auf die Veranda kam, den Kopf gesenkt, um uns zu zeigen, dass er uns nicht hatte stören wollen. »Möchte Bwana das Abendessen hier serviert bekommen?«

»Nein, im Haus, Barasa. Wir kommen gleich hinein.«

Als der Junge fort war, sah Jock mich eindringlich an.

»Was denn?«, fragte ich. »Die Dienstboten werden keine Geschichten erzählen.«

»Nein«, erwiderte er. »Normalerweise nicht. Aber sie wissen immer Bescheid, oder?«

»Mir ist es egal, was irgendjemand weiß.«

»Mag sein, aber das sollte es nicht.«

Wir nahmen unsere Mahlzeit in angespanntem Schweigen ein, während alle Möbel im Raum uns zu bedrängen schienen. Die Bediensteten kamen und gingen in absoluter Stille, und für mich war es entsetzlich, dort stumm zu sitzen, obwohl ich hätte schreien wollen. Jock hatte Angst, ich würde ihn blamieren, oder noch mehr blamieren. Das war alles, woran er im Augenblick zu denken schien, während er die Muskeln warnend spielen ließ und dicke Drahtstränge um die Farce unseres gemeinsamen Lebens wickelte. Mit Zäunen hatte er sich schon immer ausgekannt. Das hatte ich von Anfang an gewusst, aber ich hatte nicht geahnt, wie verzweifelt ich mich fühlen würde, wenn ich in einem davon gefangen wäre.

Als ich mich endlich in das kleine Gästeschlafzimmer verabschieden konnte, in dem ich übernachtete, fühlte ich mich wund und schutzlos und herumgeschubst. In jener Nacht tat ich kaum ein Auge zu, bis ich mich am nächsten Morgen gleich bei Tagesanbruch zum Wagen flüchtete, obwohl ich sonst meist bis zum Mittagessen blieb.

Zurück in Soysambu, zermürbten mich Jocks Warnungen und Ansprüche weiter, allerdings nur in schwachen Momenten, wenn ich meine Gedanken abschweifen ließ. Die meiste Zeit über konnte ich die Sorgen über mein eigenes Leben unterdrücken, um mich auf meine Pferde und den täglichen Trainingsplan zu konzentrieren. Ich klammerte mich an den morgendlichen Ritt, an Futterlisten und die Einzelheiten ihrer Versorgung. Meine beiden Schützlinge Dynasty und Shadow Country machten gute Fortschritte, aber es blieb immer die Möglichkeit, sie noch weiter voran-, noch näher an ihre perfekte Form heranzubringen. Indem ich mich jede Nacht in Gedanken an ihre Pflege schlafen legte, schaltete ich meine eigenen Zweifel und Ängste so einfach aus, als würde ich das Licht löschen. Die Arbeit war das, was zählte. Sie allein würde mich alles durchstehen lassen.

Am lang herbeigesehnten Tag meines Examens fuhr D mich nach Nairobi. Den Motor übertönend, unterhielten wir uns über das bevorstehende Rennen, den Jubaland Cup, wogen die Einsätze und die mögliche Konkurrenz ab. Wir sprachen nicht vom Examen selbst oder davon, wie mir die Aufregung in Schultern und Nacken gefahren war oder wie schrecklich ich meinen Vater vermisste und mir wünschte, er könnte da sein. Wir sprachen nicht von Jock und davon, dass ich an diesem Tag bestehen musste, um mich von ihm zu befreien. Es war kein Raum für einen Funken Reue oder Selbstzweifel, also geriet ich nicht einmal ins Wanken, als ich zur Prüfung erschien und die kleinen, mich abschätzig musternden Augen des aufsichtführenden Vorsitzenden der Royal Kenyan Race Association sah. Während dieser mich von seinem Platz hinter dem breiten Schreibtisch in seinem heißen, stickigen Büro aus finster anstarrte, konnte ich seine Gedanken erraten. Frauen waren keine Trainer, weder in Kenia noch irgendwo anders. Außerdem war ich noch nicht einmal neunzehn Jahre alt. Aber ich hatte gelernt aufzublühen, wenn andere mir wenig oder gar nichts zutrauten –

etwa wenn Kibii und die anderen Totos im Kip-Dorf mich von oben herab ansahen und mir damit den Ansporn lieferten, mehr erreichen zu wollen. Für den Verbandsvorsitzenden war ich zweifellos noch ein Kind, und dann auch noch ein Mädchen – aber wenn er annahm, ich würde versagen, genügte das, um in mir die letzten verbliebenen Zweifel zum Schweigen zu bringen, all meine Kräfte zu mobilisieren und mich höher springen zu lassen, als er es je erwartet hätte.

Als meine Prüfungsergebnisse einige Wochen später eintrafen, suchte ich mir mit dem schlichten Umschlag klopfenden Herzens einen ungestörten Ort, ehe ich das Siegel aufbrach. Anstelle der furchtbaren Nachricht, die nötige Punktzahl verfehlt zu haben, erwartete mich darin ein auf der Schreibmaschine getipptes und unterzeichnetes offizielles Dokument. MRS. B. PURVES wurde eine englische Trainerlizenz erteilt, gültig bis 1925. Ich fuhr mit den Fingerspitzen über meinen Namen und das Datum, die hervorspringende Krakelschrift des Schriftführers, der es unterzeichnet hatte, und all die Ecken und Falten. Vor mir lag ein Stempel der Legitimation, meine Eintrittskarte zum Wettstreit in einem Kreis, den ich den größten Teil meines Lebens an der Seite meines Vaters beobachtet hatte, während ich mich danach sehnte, selbst darin tätig zu werden. Wenn er doch nur bei mir sein könnte. Ich wünschte, ich könnte ihm die Mitteilung zeigen, um auch nur ein paar verhaltene Worte darüber zu hören, wie stolz er auf mich war. Und er wäre stolz. Ich war um eine weitere Kurve gebogen und sah nun endlich einen Landstrich vor mir, über den ich bislang nur hatte spekulieren können. Aber es war ein einsames, einseitiges Gefühl – bei aller in mir aufkeimenden Hoffnung vermisste ich ihn und wünschte ihn sehnlichst herbei, auch wenn es unmöglich war.

An diesem Abend ließ D seinen Koch ein Festmahl zubereiten: dicke Gazellenkoteletts, die über dem offenen

Feuer gegrillt wurden, Konservenpfirsiche in Sirup und einen Mandelpudding, der nach Wolken schmeckte. Er spielte wieder und wieder sein Lieblingslied *All Aboard for Margate* und füllte mein Brandyglas so oft auf, bis sich der ganze Abend angenehm zur Seite neigte.

»Du bist der beste Trainer, den ich seit langem gesehen habe«, sagte D, während er das Grammophon für eine weitere Zugabe ankurbelte. »Du hast gute Instinkte.«

»Danke, D.«

»Freust du dich denn nicht, Mädchen? Du bist wahrscheinlich die einzige achtzehnjährige Trainer*in* auf der ganzen Welt!«

»Natürlich. Aber du weißt doch, Freudentänze waren noch nie meine Sache.«

»Dann werde ich einen für dich tanzen. Die Zeitungen werden selbstverständlich deinen Namen verlangen. Es wird das Gesprächsthema Nummer eins sein.«

»Ja, wenn wir gewinnen. Wenn nicht, werden sie sagen, das komme davon, dass Delamere dumm genug gewesen ist, einem unerfahrenen Mädchen seine Pferde zu überlassen.«

»Wir haben sechs Wochen Zeit, uns darüber Gedanken zu machen. Eigentlich sogar noch ein bisschen mehr.« Er warf einen Blick auf die Kaminuhr. »Heute werden wir uns betrinken.«

19.

Am Eröffnungstag des Jubaland Cups trat ich vor Sonnenaufgang aus dem Eastleigh Stable in Nairobi und ging an der Tribüne vorbei. Der Umriss des Donyo Sabuk hatte sich in den blassen Morgenhimmel gebrannt, im Hintergrund schimmerte der mächtige Mount Kenya silberblau. Irgendwann während der ausgedehnten Trockenzeit öffnete sich der verhärtete Boden unter der Grasnarbe in langen Rissen und Furchen, die breit genug waren, um einen darüber hinwegrasenden Huf festzuhalten, aus dem Gleichgewicht zu bringen und dabei Sehnen zu zerstören. An diesem Tag würde es allerdings nicht dazu kommen. Die Rennbahn sah für mich fest und eben aus. Der Zielpfosten hatte einen neuen weißen Anstrich mit zwei flotten schwarzen Streifen bekommen, der ihn wie eine reglose Boje in einem smaragdgrün leuchtenden Meer aussehen ließ.

Der Morgen war mild und ruhig, doch bald würden Tausende die Arena und die Tribüne füllen. Renntage wirkten wie ein Magnet, der nicht nur aus Nairobi, sondern auch aus den umliegenden Dörfern jeden herbeizog – Millionäre und Leute, die gerade so über die Runden kamen, die bestangezogenen Damen und auch die schlichteren, sie alle brüteten auf der Suche nach einem Zeichen über den Rennprogrammen. Mit Wetten konnte man Geld verdienen, aber das hatte mich nie interessiert. Schon als kleines Mädchen hatte ich mich lediglich neben meinen Vater gegen das Geländer drücken wollen, weit weg vom Lärm der Menge auf der Tribüne, den Eigentümern in ihren elitären Logen und den Wettkabinen, wo wer weiß wie viel Geld seinen Besitzer wechselte. Rennen sollten keine Festumzüge oder Cocktail-Partys sein. Sie waren Tests. Hunderte Trainingsstunden liefen auf ein paar atemlose Momente hinaus – und erst danach würde man wissen, ob die Tiere bereit waren, welche aufsteigen und welche ins Straucheln geraten würden, wie Arbeit und Talent sich miteinander verbinden würden, um dieses Pferd zum Erfolg zu führen, während jenes im Staub zurückgelassen würde, sein Jockey beschämt, überrascht oder voller Entschuldigungen.

In jedem Rennen war auch reichlich Raum für Magie, für Zufall und Schneid, für Tragik, wenn ein Tier stürzte, und für unerwartete Wendungen an der Ziellinie. Das alles hatte ich immer geliebt – selbst das, was sich nicht kontrollieren oder vorhersehen ließ. Nun, da ich auf mich allein gestellt war und für mich so viel mehr auf dem Spiel stand, besaß das Ganze allerdings eine neue Dringlichkeit.

Ich griff in meine Hosentasche, um ein Telegramm herauszuziehen, das mein Vater mir aus Kapstadt geschickt hatte, nachdem ich ihm von meiner Lizenz berichtet hatte. Das hellgelbe Papier war vom vielen Anfassen bereits weich geworden, die Buchstaben darauf verblassten langsam: *Gut gemacht STOP Hier alles gut STOP Gewinn etwas für mich!* Am Tag des Rennens war jede Art von Magie möglich. Aber wenn ich die Macht gehabt hätte, irgendetwas heraufzubeschwören, dann hätte ich mir gewünscht, dass er plötzlich aus der Menge trat, um während dieser donnernden, schwindelerregenden Minuten neben mir zu stehen. Das hätte mir so viel mehr bedeutet als ein Sieg – mehr als alles andere.

Als Dynasty ein paar Stunden später auf die Bahn tänzelte, machte mein Herz einen Sprung. Ihr Fell glänzte. Sie ging federnd und selbstbewusst, mit hoch angezogenen Beinen, und sah dabei nicht wie die sechs Jahre alte Stute aus, die D mir vor Monaten anvertraut hatte, sondern wie eine Königin. Überall um sie herum wurden die anderen Kandidaten in einer Parade zur Startbox geführt oder geritten. Einige trugen Martingale, um sie vom Schwingen des Kopfes abzuhalten, andere Scheuklappen, damit sie nicht ausscherten, wieder anderen hatte man Sehnengamaschen um die Beine gewickelt. Jockeys redeten ihren nervös tänzelnden Pferden gut zu oder spornten sie mit Gerten an, um sie in die Startboxen zu bugsieren. Dynasty hingegen glitt mitten durch das Chaos hindurch, als würde nichts davon sie etwas angehen.

Der Starter erhob die Hand und hielt sie dann still, während die Pferde an ihren Plätzen zappelten und verzweifelt darauf warteten, endlich tun zu dürfen, wozu sie hier waren. Die Glocke ertönte, die Boxen flogen auf, und die Pferde brachen in einer Explosion aus Farbe und Bewegung hervor, zwölf einzelne Tiere, die miteinander verschwammen und sich überlagerten. Ein sauberer, rasanter Start.

Ein schneller kastanienbrauner Wallach – der Favorit – katapultierte sich zuerst nach vorn, das Feld um ihn herum offen, alle trommelten auf den Rasen ein. Die Spitzenreiter übernahmen die Innenbahnen, das Geräusch ihrer Hufe schlug einem grollend in die Magengegend. Ich spürte sie in meinen Gelenken, wie die Trommeln der Ngomas meiner Kindheit, die mein Herz mit sich rissen. Ich glaube nicht, dass ich überhaupt geatmet habe, während die Gruppe die Gerade hinunterraste. Dynasty war unter ihnen und jagte kontrolliert, die Muskeln fein abgestimmt, auf die Innenbahn zu. Unser Jockey Walters drängte sie nicht oder kämpfte gegen sie an, sondern ließ sie einfach laufen. Schritt für Schritt kam sie mehr in den Takt, schmolz durch das Hauptfeld hindurch und segelte direkt über dem glänzenden Rasen dahin. Auch Walters schien zu schweben, die blau-goldene Seide an seinem Körper leicht wie ein Schmetterling über den Kurven von Dynastys Rücken.

Auf der Tribüne wurde das Geschrei der Menge lauter und schriller, während das Feld auf die ferne Ziellinie zupulsierte. Die Tiere glichen einem Hornissenschwarm, der sich wie ein einziges Wesen bewegte und dann auseinanderbrach, während jede Strategie sich in Luft auflöste, jede Vorsicht verflogen war. In den letzten Augenblicken zählte nichts außer Beinen und Längen. Dynasty glitt an den letzten Kandidaten vorbei und kam dem Favoriten immer näher, als stünde dieser für sie allein still. Sie rannte, als würde sie fliegen. Als träumte sie den Sieg oder siegte im Traum eines anderen. Dann erreichte ihre Nase die Ziellinie. Die Menge explodierte. Sie hatte es geschafft.

Ich hatte es ebenfalls geschafft. Tränen traten mir in die Augen, während ich mich nach jemandem umsah, den ich umarmen könnte. Ein paar der anderen Trainer kamen zu mir, um mir die Hand zu drücken und Worte auszusprechen, die mir alles bedeutet hätten, wären sie von meinem Vater gekommen. Dann tauchte plötzlich Jock an meiner Seite auf.

»Gratuliere«, sagte er über mein Ohr gebeugt. Der Druck seiner Fingerspitzen lenkte mich durch die Körper um uns herum auf den Siegerbereich zu. »Ich wusste, dass du es schaffen würdest.«

»Tatsächlich?«

»Dein Talent stand nie zur Debatte, oder?« Ich wollte ihn ignorieren, aber er fuhr fort: »Das wird gut fürs Geschäft sein.«

Mit einem Mal verflog der Rausch aus Stolz und Dankbarkeit, der mich nach Dynastys Sieg ergriffen hatte. Jock schnappte sich meinen Erfolg. Als Dynasty in den Siegerbereich geführt wurde und einer der Zeitungsreporter um meinen Namen und ein Foto bat, schaltete Jock sich ein und buchstabierte PURVES mit großer Sorgfalt. Seine Hand verharrte die ganze Zeit auf meinem Ellbogen oder an meinem Rücken wie eine Fessel, die sich nicht abnehmen ließ, aber nichts davon hatte etwas mit mir zu tun. Er dachte nur daran, wie er die gewonnene Aufmerksamkeit für neue Getreideverträge oder die Aufstockung unseres Viehbestands nutzen könnte.

Später würde mir bewusst werden, dass dieser Sieg für ihn seltsamerweise mehr bedeutete als für mich. Als Dynastys Trainerin würde ich einen Anteil ihres Preisgeldes bekommen. Wenn es mir eines Tages gelänge, mich regelmäßig zu platzieren, könnte ich ein Gehalt herausbekommen, das ausreichte, um mir finanzielle Unabhängigkeit zu sichern, aber das lag noch in weiter Ferne. Jock verfügte nach wie vor über reichlich Druckmittel, während er sich an meiner Seite auftürmte und fröhlich seinen eigenen Gewinn als mein Ehemann und Aufseher abwägte. Es war schockierend, wie schnell wir zu Gegnern geworden waren.

»Glauben Sie, dass es eines Tages auch in England weibliche Trainer geben wird?«, fragte einer der Reporter.

»Daran habe ich noch keinen Gedanken verschwendet«, erwiderte ich. Ich posierte für die Aufnahme, wobei ich Jock am liebsten einen harten Stoß in die Rippen versetzt hätte, um ihn aus meinem Umfeld und meinem Licht hinauszubefördern. Stattdessen lächelte ich.

D hatte schon immer zu feiern verstanden. Während der Alkohol in jener Nacht in Strömen floss, hielt er rotgesichtig ausufernde Trinkreden, belagerte mit unzähligen gut gekleideten Damen die Tanzfläche und ließ die fünfköpfige Band, die er mit gutem Champagner bestach, spielen, was immer ihm in den Sinn kam.

Der Muthaiga Club war Nairobis beste Adresse. Drei Meilen vom Stadtzentrum entfernt, bot er eine Oase hinter Feldsteinmauern, so pink wie Flamingofedern. In ihrem Schutz hielten die Clubmitglieder es für ihr gutes Recht, im einen Moment ehrerbietig bedient zu werden und im nächsten alle Hemmungen fallenzulassen. Man konnte sich neben den Tennisplätzen sonnen, ein großes Glas Gin mit zerstoßenem Eis in der Hand, sein bestes Pferd unterstellen, glänzende Krocketbälle über ebenso glänzende, getrimmte Rasenflächen schlagen, einen europäischen Chauffeur mieten, der einen in der Gegend herumfuhr, oder sich einfach auf einer der Terrassen mit ihren blauen Schirmen ordentlich betrinken.

Ich liebte den Club genauso sehr wie jeder andere: die Salons mit den dunklen Holzfußböden, die chintzbezogenen Sofas, die Perserteppiche und die gerahmten Jagdtrophäen an den Wänden – aber ich war noch immer verstimmt. Jock hatte sich so hartnäckig an meine Fersen geheftet, dass ich nicht einen Moment genießen konnte. Erst als D mit einer schönen Flasche gereiften Whiskeys vorbeikam, um mit Jock ein Gläschen zu trinken, hatte ich Gelegenheit, mich an die Bar im Nebenzimmer zu flüchten, wobei ich mich an der Wand entlangdrückte, um nicht bemerkt zu werden.

Die Körper auf der Tanzfläche bewegten sich wie wild, als sorgten sich alle, die Nacht könnte vorübergehen, ehe sie ihre Portion Glück oder Vergessen abbekommen hatten. Renntage peitschten stets alle in diesen Zustand auf, und da die Party bereits den größten Teil des Tages im Gange gewesen war, wirkten alle Kellner und Portiere erschöpft vom Versuch, mit den Feiernden Schritt zu halten. Als ich die Cocktailbar erreicht hatte, standen schon mehrere Personen davor an.

»Man läuft Gefahr zu vertrocknen, während man hier auf seinen Gin wartet«, warnte mich die Frau direkt vor mir mit abgehacktem britischen Akzent. Sie war groß und schlank und trug ein dunkelgrünes Ascot-Kleid mit passendem Straußenfederhut. »Zum Glück habe ich vorgesorgt«, fuhr sie fort, indem sie einen silbernen Flachmann aus einer kleinen schwarzen Perlenhandtasche zog und ihn mir reichte.

Ich bedankte mich und kämpfte mit dem winzigen Sil-

berverschluss, während sie mich anlächelte. »Das war heute
übrigens eine gelungene Vorstellung. Ich bin Cockie Birkbeck. Wir sind uns vor Jahren schon einmal bei einer Rennveranstaltung begegnet. Wir sind sogar entfernt miteinander
verwandt, über die Seite Ihrer Mutter.«

Die Erwähnung meiner Mutter brachte mich wie immer
augenblicklich aus dem Gleichgewicht. Ich nahm einen ordentlichen Schluck, spürte das Brennen in meiner Nase und
meinem Hals und gab das hübsche Fläschchen zurück. »Ich
kann mich nicht daran erinnern, Ihnen begegnet zu sein.«

»Oh, das ist schon eine Ewigkeit her. Sie waren damals
ein Kind, und ich war … nun, etwas jünger. Ist Ihnen dieses
trockene Klima nicht zuwider? Es dörrt und trocknet alles
aus und lässt einen in zwei Jahren um zehn altern.«

»Sie sind wunderschön«, sagte ich rundheraus.

»Sind Sie nicht ein Schatz, so etwas zu sagen? Ich wette,
Sie wünschen sich noch immer, Sie selbst wären älter, insbesondere in dem Umfeld, in dem Sie sich bewegen und sich
mit stattlichen Kerlen auf der Koppel herumdrängen?« Sie
lachte und tippte dann dem Mann vor sich auf die Schulter. »Kannst du dich nicht beeilen, Blix? Wir verschmachten
hier.«

Er drehte sich mit einem Grinsen zu ihr um, das seltsam
jungenhaft und hungrig zugleich wirkte. »Das hört sich irgendwie anzüglich an.«

»Für dich klingt alles irgendwie anzüglich.«

Er zwinkerte. »Liebst du das denn nicht an mir?« Er
war stämmig, hatte einen Stiernacken und breite Schultern,
während sein rundes Gesicht immer noch den Lausbuben
erahnen ließ, auch wenn er bereits dreißig oder älter sein
musste.

»Bror Blixen, das ist Beryl Clutterbuck.«

»Eigentlich muss es jetzt Purves heißen«, korrigierte ich
sie verlegen. »Ich bin verheiratet.«

»Das hört sich aber ernst an«, erwiderte Cockie. »Na,

machen Sie sich keine Sorgen. Sie sind hier in besten Händen.« Sie ergriff verschwörerisch mit einer Hand meinen, mit der anderen Blix' Arm.

»Dr. Turvy hat ein Rezept ausgestellt«, sagte Blix. »Aus medizinischer Sicht würde ich sagen, wir sind aus dem Schneider.«

»Dr. Turvy?« Ich lachte. »Ist das Ihr Leibarzt?«

»Sein eingebildeter Leibarzt«, entgegnete Cockie kopfschüttelnd. »Aber eins muss man Turvy lassen. Er tut immer, worum man ihn bittet.«

Als wir eine Ecke am Rand der Tanzfläche gefunden und uns niedergelassen hatten, beobachtete ich den Wirbel aus strahlenden Gesichtern und hoffte, Ds Whiskey würde Jock genügend unterhalten, um mir noch ein paar Minuten in Frieden zu schenken. Blix ließ den Kellner drei silberne Kübel und drei Flaschen roséfarbenen Champagner bringen. »Damit keiner von uns teilen muss, wenn er nicht möchte«, meinte er.

»Das ist sein löwenartiger Territorialismus«, erklärte Cockie. »Unser Blix ist ein großartiger Jäger, weil er dieselben Instinkte hat wie sie.«

»Es ist besser als Arbeiten«, bestätigte er. »Ich bin gerade zurück aus Belgisch-Kongo. Oben in Haut-Uele gibt es Legenden über Elefanten mit vier Stoßzähnen. Sie haben dort besondere Namen für sie und unzählige Geschichten über ihre mysteriösen Kräfte. Ein wohlhabender Kunde von mir hatte von ihnen gehört und mir das Doppelte meines üblichen Preises versprochen, wenn wir einen zu Gesicht bekämen. Wir bräuchten ihn noch nicht einmal zu erschießen, sagte er, er wolle nur einmal im Leben einen sehen.«

»Und haben Sie einen gesehen?«

Er sah mich schräg an und nahm einen tiefen Schluck aus seinem Glas. »Die weiß nicht, wie man einer Geschichte lauscht.«

»Darling, Sie müssen ihn die Erzählung in die Länge ziehen lassen. Andernfalls wirkt er selbst nicht halb so tapfer oder interessant.«

»Ganz genau.« Er zwinkerte ihr zu. »Wir waren drei Wochen unterwegs – im Ituri-Wald, entlang der schwülen Sümpfe des Kongo. Manchmal bekommt man wochenlang keinen einzigen Elefanten zu Gesicht, aber wir sahen gleich mehrere Dutzend, drei bis vier davon riesige, kolossale Bullen, deren Stoßzähne bis zum Boden reichten. Ich sage Ihnen, das waren alles ganz prachtvolle Exemplare, aber eben nur solche mit zwei Stoßzähnen. Derweil wurde mein Kunde langsam ungeduldig. Je länger wir unterwegs waren, desto überzeugter war er, dass es diese Kreaturen gar nicht gab und wir ihn nur beschwindeln und um sein Geld bringen wollten.«

»Du bist ja auch hinter seinem Geld her, Blickie, Darling.«

»Sicher, aber auf ehrliche Weise. Oder zumindest so ehrlich wie möglich.« Er grinste. »Diese Elefanten gibt es wirklich. Ich habe Fotografien von erlegten Exemplaren gesehen. Genau wie mein Kunde, aber wenn man so lange da draußen war, konnte man auf seltsame Gedanken kommen. Ich geriet bei ihm von Stunde zu Stunde mehr in Misskredit, bis nur noch gefehlt hätte, dass er mich beschuldigte, ihn im Schlaf ermorden zu wollen. Eines Tages hatte er schlicht und einfach genug und brach die ganze Sache ab.«

»Einen Monat unterwegs für nichts?«, rief Cockie aus. »Diese Leute werden immer absurder.«

»Ja, aber auch reicher, und da liegt der Hase im Pfeffer. Das Geld lässt einen glauben, jeder Aufwand sei es wert. Aber wir hatten fünfzig Gepäckträger mitgenommen, die irgendwie bezahlt werden mussten, und ich fürchtete, er hätte vollkommen den Verstand verloren und würde die Rechnung nicht begleichen, wenn die Zeit dafür käme.« Er schüttelte den Kopf. »Wie auch immer, wir waren also auf dem Rückweg, als wir etwas absolut Seltsames erblickten. Ein einzelner Bulle, der ganz allein am Ufer eines Sees mit dem Kopf auf einem riesigen Ameisenhügel schlief und schnarchte wie ein Weltmeister.«

»Das vierzähnige Phantom«, riet ich.

»Sogar noch seltsamer.« Blix verzog den Mund zu seinem einnehmendsten Lausbubenlächeln. »Ein Dreizähner – soweit ich weiß der einzige, der je gesichtet wurde. Der linke Stoßzahn war nämlich an der Wurzel doppelt gewachsen, aus derselben Höhle. Das war wirklich außergewöhnlich.«

»Er muss begeistert gewesen sein.«

»Der Kunde? Sollte man annehmen, aber nein. ›Er ist deformiert‹, sagte er immer wieder. Natürlich war er deformiert … wahrscheinlich irgendeine Form von angeborener Missbildung. Aber ihn schreckte es so sehr ab, dass er nicht einmal ein Foto davon machen wollte.«

»Das ist nicht dein Ernst«, sagte Cockie.

»Doch. Genau so war es.« Er schnipste gegen sein Glas, um seine Worte zu unterstreichen. »Sie wollen zwar, dass alles wild ist, aber nur bis zu einem gewissen Grad. Die echte Natur jagt ihnen Angst ein. Sie ist zu unberechenbar.«

»Nun, ich hoffe, du hast dein Geld bekommen«, meinte Cockie.

»Fast hätte ich es nicht«, erwiderte er. »Aber dann haben wir uns auf dem Weg zurück in die Stadt auf mysteriöse Weise verlaufen und hatten kaum noch Wasser dabei.«

»Das möchte ich wetten.« Cockie lachte. »Du erzählst wirklich wunderbare Geschichten, Darling.«

»Findest du? Wenn du möchtest, kann ich dir noch mehr davon besorgen.« Er warf ihr einen vertrauten Blick zu, den sie auf eine Weise erwiderte, die mir sagte, dass die beiden, wenn sie nicht schon Liebhaber waren, es sehr bald sein würden.

»Ich gehe mich nur rasch ein wenig frisch machen«, sagte ich.

»Wären Sie so nett, den Kellner vorbeizuschicken? Nicht, dass wir hier noch auf dem Trockenen sitzen.«

»Stellt Dr. Turvy jedes Mal ein neues Rezept aus, oder bleibt das alte gültig?«, fragte ich.

»Ha, ich mag sie«, sagte er zu Cockie. »Sie hat echtes Potential.«

Mein Plan war es gewesen, mich unbemerkt zurück zum Eastleigh Stable zu schleichen, aber ich war noch nicht halb aus der Tür, als Jock mit glasigem Blick auf mich zustürmte. »Was soll das, Beryl?«, blaffte er mich an. »Ich habe überall nach dir gesucht.«

»Ich wollte nur ein bisschen frische Luft schnappen. Was ist falsch daran?«

»Wir sind in der Stadt. Wie sieht es denn aus, wenn ich Däumchen drehend auf dich warte, während du nirgendwo zu finden bist?« Er griff nicht gerade sanft nach meinem Arm.

»Ich habe nichts verbrochen. Heute war immerhin *mein* Tag.« Als ich mich aus seinem Griff wand, bemerkte ich, dass mehrere Personen um uns herum neugierig in unsere Richtung spähten. Das flößte mir Mut ein. Die Aufmerksamkeit würde ihn sicher einlenken lassen.

»Nicht so laut«, warnte er mich, aber mir reichte es. Als er erneut nach meinem Arm griff, riss ich mich los und warf dabei beinahe Boy Long um, der wer weiß woher aufgetaucht war.

Boy warf rasch einen Blick auf Jock und mich, um die Situation abzuschätzen, und fragte dann: »Ist hier alles in Ordnung?«

»Alles bestens, nicht wahr, Beryl?«, erwiderte Jock.

Ich hatte ihn sicherlich nie geliebt, aber nun konnte ich mich nicht einmal daran erinnern, Jock jemals auch nur gemocht zu haben. Ich war bloß vollkommen erschöpft. »Geh ins Bett.«

Er starrte mich an. Ich schätze, er war überrascht, dass ich mich ihm widersetzte.

»Sie haben sie gehört«, sagte Boy. »Schluss für heute.«

»Das geht Sie überhaupt nichts an.« Ein Muskel in Jocks breitem Kiefer zuckte. Er hatte die Lippen zu einer harten Linie zusammengepresst.

»Ihre Frau arbeitet zufällig für mich, also würde ich doch sagen, dass es mich etwas angeht.«

Ich war mir sicher, dass Jock auf Boy losgehen würde. Er war viel größer und breiter und hätte ihn ohne große Anstrengung zu Boden strecken können – aber irgendetwas in ihm war umgeschlagen, als hätte jemand einen Schalter umgelegt, und er überlegte es sich anders. »Pass bloß auf, Beryl«, sagte er nur mit eisiger Stimme, ohne den Blick von Boy abzuwenden. Dann stürmte er davon.

»Charmant«, meinte Boy, als Jock fort war, aber ich vernahm ein leichtes Zittern in seiner Stimme.

»Danke, dass Sie für mich den Kopf riskiert haben. Darf ich Ihnen einen Drink ausgeben? Ich könnte jedenfalls einen gebrauchen.«

Wir holten uns an der Bar eine Flasche und zwei Gläser, mit denen wir hinaus auf eine der niedrigen Veranden gingen. Über das strukturierte rosa Mäuerchen hinweg konnte ich den Krocketrasen ausmachen, wo in regelmäßigen Abständen bunt bemalte Törchen ins Gras gesteckt waren und der Zielpflock auf jemandes glänzenden Krockethammer wartete. Menschen strömten zum Haupteingang hinein und hinaus, Portiere und Pagen in weißen Handschuhen, aber wir saßen fast vollständig im Schatten.

»Ich hätte nie gedacht, dass ich einmal heiraten würde«, sagte ich zu Boy, als er uns beiden einschenkte. Der Scotch floss unter beruhigendem Plätschern in die gedrungenen Gläser. »Ich hätte es wohl besser sein lassen sollen.«

»Sie müssen mir nichts erklären.«

»Ich weiß sowieso nicht, ob ich es könnte.«

Während wir die nächsten paar Minuten schweigend beisammensaßen, betrachtete ich sein Gesicht und seine Hände, die im Halbdunkel grau gesprenkelt und weich aussahen. Sein Ohrring war das Einzige, was glitzerte, als würde er das Licht einer anderen Zeit oder eines anderen Ortes einfangen.

»Ich habe den Versuch aufgegeben, die Menschen zu verstehen«, sagte er. »Aus Pferden und Schafen wird man viel eher schlau.«

Ich nickte. Genauso hatte ich auch immer empfunden. »Halten Sie meine Zukunftspläne für albern? Ich meine, dass ich als Trainerin arbeiten möchte?«

Er schüttelte den Kopf. »Ich sehe, dass Sie versuchen, sich ein dickes Fell zuzulegen, aber das ist auch sinnvoll. Als Frau werden Sie doppelt so hart für alles arbeiten müssen. Ich weiß nicht, ob ich dazu imstande wäre.« Er zündete sich eine Zigarette an und nahm einen kräftigen Zug, so dass die Glut in der Dunkelheit hell aufleuchtete. Als er den Rauch wieder entweichen ließ, sah er mir dabei in die Augen: »Eigentlich halte ich Sie eher für mutig.«

War ich mutig? Ich hoffte es. Ich betrachtete ihn erneut, seine dicken Elfenbeinarmbänder, das Knochenstück, das ihm an einem Lederband um den Hals hing, wie bei den Einheimischen, sein Hemd in der Farbe des Meeres, wo alle anderen Khaki trugen. Er war wirklich ein ziemliches Original, aber er war da. Und ich wusste, dass er mich begehrte. Für den Bruchteil einer Sekunde dachte ich darüber nach, was ich tun sollte, dann griff ich nach seiner Zigarette und drückte sie an der blassrosa Wand aus. Er lehnte sich zu mir herüber und öffnete meinen Mund mit seinem, so dass ich seine glatte heiße Zunge spürte. Ich dachte weder daran, mich ihm zu widersetzen, noch an irgendetwas anderes. Er fuhr mit einer Hand leicht über die Vorderseite meines Hemdes. Die andere glitt zwischen meine Knie, mit einem warmen Druck, auf den ich unwillkürlich reagierte. Ein

Hunger nach Berührung, *hiernach* schien aus meinem Inneren aufzusteigen. Vielleicht war er schon immer da gewesen, hatte geschlafen wie ein Tier. Ich wusste es nicht. Ich strich mit der Hand über seine Schenkel, schlängelte mich in seine Arme und presste Lippen und Zähne gegen seinen Hals.

»Du bist gefährlich«, flüsterte er.

»Meinst du Jock?«

»Und du bist verdammt jung.«

»Willst du aufhören?«

»Nein.«

In jener Nacht redeten wir kein weiteres Wort. Irgendwie schien das Gefühl seiner Haut und seines Mundes auf meiner Haut nichts mit dem Rest meines Lebens zu tun zu haben. Es hatte keinen Preis und keine Konsequenzen – so kam es mir zumindest vor. Die Geräusche der Nacht kletterten in die kühle Luft hinter der Verandamauer hinauf, und jeder Gedanke an Vorsicht schlüpfte davon.

20.

Es war spät, als ich zurück nach Eastleigh kam. Als ich mich auf meine Pritsche fallen ließ, fühlte ich mich zu wundgerieben und durchgeküsst, um zu schlafen, dann fielen mir doch die Augen zu. Direkt nach Tagesanbruch stand ich wieder auf, um wie immer meine Aufgaben zu erledigen. Ich hatte die Vorbereitungen für ein weiteres Rennen zu treffen, daher musste ich das, was zwischen Boy und mir und zuvor zwischen Jock und mir vorgefallen war, an den Rand meines Bewusstseins zurückdrängen. Ohnehin hätte ich nicht gewusst, was ich deswegen unternehmen sollte.

Jock tauchte erst auf, nachdem mein zweites Pferd, Shadow Country, gelaufen und auf einem respektablen dritten Platz gelandet war. Statt wie am Tag zuvor mitten in mein Rampenlicht zu treten, wartete er diesmal, bis sich der Aufruhr gelegt hatte, und kam dann auf mich zu, als wäre zwischen uns alles in Ordnung, gefolgt von Cockie Birkbeck und einem schlanken dunkelhaarigen Mann, der nicht die geringste Ähnlichkeit mit Bror Blixen hatte. Er stellte sich als ihr Ehemann Ben heraus.

Sollte ich Cockie irritiert angesehen haben, schien sie das nicht aus der Fassung zu bringen. Stattdessen gratulierte sie mir zum Rennen des Tages, woraufhin Jock erklärte, dass Ben plane, sich ernsthafter mit Pferden zu befassen, und vorschlug, wir vier sollten zusammen etwas trinken gehen.

Ich wartete noch immer auf das unvermeidliche Donnerwetter, darauf, dass Jock mich erneut festhielt, mich bedrohte oder warnte oder mir irgendeinen Hinweis darauf gab, dass er von der Sache mit Boy Long Wind bekommen hatte. Aber in diesem Moment schien es allein ums Geschäft zu gehen.

»Wenn Ben das richtige Pferd gefunden hat, solltest du es trainieren«, schlug Jock vor, als wir uns mit Cocktails an eine Bar gesetzt hatten.

»Falls Delamere auf Sie verzichten kann«, fügte Ben hinzu. »Außerdem bin ich begeistert von Ihrem Teil des Landes. Es gibt da ein Stück Land in der Nähe von Ihrem, auf das ich ein Auge geworfen habe.«

Wir machten einen Termin aus, an dem die beiden zu uns hinausfahren und sich Njoro anschauen wollten, woraufhin Cockie zu verstehen gab, dass all diese Unterhaltungen über geschäftliche Dinge sie langweilten, und wir beiden Frauen uns an einen separaten Tisch setzten. Als wir uns außer Hörweite niedergelassen hatten, sagte sie: »Tut mir leid, falls Blix und ich dich gestern Abend vertrieben haben. Wir sind einfach nicht oft miteinander allein. Das kommt davon, wenn man mit jemand anderem verheiratet ist.« Sie verzog das Gesicht, nahm ihren Glockenhut ab und strich sich das honigfarbene Haar zurecht. »Wir haben uns kennengelernt, als er Ben und mich auf eine Safari mitgenommen hat. Blix verführt immer die Ehefrauen, wenn man ihm nur genügend Zeit lässt. Ich schätze, er mag es, wenn sie vor Angst zittern … im Angesicht tödlicher Gefahr.« Sie zog eine zarte Augenbraue hoch. »Wahrscheinlich hatte er nicht vor, die Sache fortzuführen, aber das war nun vor beinahe zwei Jahren.«

»Das ist eine lange Zeit für so eine verzwickte Situation. Ahnt Ben etwas?«

»Ich denke schon – nicht, dass wir so geschmacklos wären, darüber zu sprechen. Er hat seine eigenen Techtelmechtel.« Sie schenkte mir ein gequältes Lächeln. »Du kennst doch den Witz, oder? *Sind Sie verheiratet, oder leben Sie in Kenia?*«

»Das ist lustig.« Ich schüttelte den Kopf. »Aber irgendwie auch furchtbar.« Noch einen Tag zuvor hätte Cockies düsterer Scherz mich nicht eingeschlossen, nun hatte sich das jedoch geändert. »Glaubst du, dass die Liebe immer so ein Durcheinander ist?«

»Vielleicht nicht überall, aber hier gelten andere Regeln. Hier wird sozusagen davon ausgegangen, dass man Tändeleien hat oder irgendeinen Unsinn anstellt … aber Diskretion spielt dabei immer noch eine wichtige Rolle. Du kannst tun, was du willst, solange die richtigen Leute geschützt bleiben. Und komischerweise ist damit nicht immer dein Ehepartner gemeint.«

Ich ließ ihre Worte langsam auf mich wirken. All das war neu für mich, eine ernüchternde Art von Unterweisung in die Gepflogenheiten einer Welt, zu der ich mich bislang nicht zugehörig gefühlt hatte. »Und du willst so weitermachen?«

»Du sagst das, als wäre ich verloren. Ganz so schlimm ist es auch wieder nicht.« Sie griff nach der Flasche, die zwischen uns auf dem Tisch stand, und schenkte uns nach. »Ben ist nicht schwer zu handhaben, aber Blix' Frau Karen hat ihren Titel zu lieb gewonnen, um sich wieder davon zu trennen. Er hat sie zu einer Baronin gemacht.« Sie seufzte. »Das Ganze hat mittlerweile groteske Züge angenommen. Karen und ich sind miteinander befreundet, oder zumindest waren wir es. Blix hat sie um die Scheidung gebeten und ihr gesagt, dass er sich in mich verliebt hat, da er wohl dachte, das würde den Schock ein wenig abmildern.« Sie schüttelte den Kopf. »Jetzt redet sie kein Wort mehr mit mir.«

»Warum sollte jemand darum kämpfen, eine Ehe aufrechtzuerhalten, wenn er weiß, dass der andere ihr verzweifelt entkommen möchte?« Ich dachte dabei natürlich an Jock.

»Ich will nicht behaupten, ich würde irgendetwas davon verstehen«, flüsterte Cockie, »aber Karen scheint fest entschlossen, Blix nicht vom Haken zu lassen.«

Mir war es nie leichtgefallen, meine Gedanken und Gefühle so einfach mit anderen zu teilen, wie Cockie es gerade getan hatte, aber ihre Offenheit erweckte in mir den Wunsch, es zumindest zu versuchen. Außerdem ersehnte ich ihren Rat, irgendeine Weisheit, die mir dabei helfen könnte, mein derzeitiges Chaos zu entwirren. »Ich war zu jung zum Heiraten«, sagte ich mit einem Blick auf Jock und Ben, um sicherzugehen, dass sie immer noch ins Gespräch vertieft waren. »Jetzt versuche ich, mich von ihm zu trennen, aber Jock will nichts davon wissen.«

»Das muss schwer für dich sein«, erwiderte sie. »Aber ehrlich gesagt, wenn ich nicht das Pech gehabt hätte, mich zu verlieben, wäre ich auch nicht gerade scharf auf eine Scheidung.«

»Du würdest nicht frei sein wollen, einfach für dich allein?«

»Um was zu tun?«

»Zu leben, denke ich. Deine eigenen Entscheidungen zu treffen oder auch Fehler zu machen, ohne dass dir irgendjemand vorschreibt, was du zu tun und zu lassen hast.«

Sie schüttelte den Kopf, als hätte ich etwas vollkommen Abwegiges gesagt. »Das schreibt dir schon die Gesellschaft vor, Darling, auch wenn du keinen Ehemann hast, der dir Fesseln anlegt. Hast du das denn noch nicht gelernt? Ich glaube nicht, dass irgendjemand bekommt, was er will. Nicht wirklich.«

»Aber du versuchst es doch gerade.« Ich war verärgert und auch ein wenig verwirrt. »Du hörst dich zwar zynisch an, aber du bist in Blix verliebt.«

»Ich weiß.« Sie runzelte die Stirn, die sich dabei ganz reizend in Falten legte. »Ist das nicht das Albernste, was du je gehört hast?«

Nach meiner Rückkehr nach Soysambu am nächsten Tag rätselte ich noch wochenlang über das, was Cockie gesagt hatte, und fragte mich, was ihre Situation und ihre Ratschläge tatsächlich für mich bedeuteten. Ihrer Einschätzung nach war eine Affäre für die Kolonisten genauso ein Muss wie Chinintabletten gegen das Fieber – als eine Möglichkeit, eheliche Unzufriedenheit besser zu überstehen oder vorübergehend zu vergessen. Aber das mit Boy war eigentlich keine Affäre, oder? Was er mir bot, war reiner und animalischer als das, worin Cockie mit Blix verwickelt war, zumindest redete ich mir das ein. Außerdem fühlte es sich wundervoll an.

Nach einem Jahr linkischer und peinlicher Versuche mit Jock lernte ich nun endlich, was Sex war und dass ich ihn mochte. Boy kam nachts in meine Hütte und weckte mich, indem er sich grob an mich presste, seine Hände überall, noch bevor ich vollständig bei Bewusstsein war. Er hatte nichts von Jocks Unsicherheit, und auch ich verhielt mich bei ihm nicht schüchtern. Ich konnte mich bewegen, wie ich wollte, ohne ihn zu erschrecken. Ich konnte ihn abweisen, ohne seine Gefühle zu verletzen, weil Gefühle mit alldem gar nichts zu tun hatten.

Eines Nachts traf er mich allein im Stall an und führte mich in eine leere Box, ohne ein Wort zu sagen. Er drehte mich gegen einen Heuballen, umfasste meine Taille und riss mein Baumwollhemd auf. Meine Rippen wurden gegen den Ballen gestoßen, und ich bekam Heu in den Mund. Hinterher streckte er sich ohne einen Hauch von Anstand nackt aus, die Arme hinter dem Kopf verschränkt. »Du wirkst nicht mehr wie das Mädchen, das mir monatelang eine Abfuhr erteilt hat.«

»Um ehrlich zu sein, weiß ich nicht mehr, was für eine Art Mädchen ich bin.« Ich drehte mich um und strich leicht über den Schopf federnder dunkler Härchen auf seiner Brust. »Ich bin mit den Kips aufgewachsen. Für sie ist Sex nicht so vollkommen verstrickt mit Schuldgefühlen oder Erwartungen. Es ist einfach etwas, das man mit seinem Körper macht, wie jagen.«

»Manche würden dir erzählen, dass wir genauso sind wie die Tiere. Dieselben Begierden, dieselben Triebe. Mir gefällt die Vorstellung.«

»Aber du glaubst nicht daran?«

»Ich weiß es nicht«, sagte er. »Irgendjemand scheint immer verletzt zu werden.«

»So sollte es nicht sein müssen. Wir spielen doch mit offenen Karten, nicht wahr?«

»Natürlich tun wir das. Aber deinen Ehemann gibt es auch immer noch. Spielt er denn mit?«

»Soll ich ihn fragen?«

»Um Himmels willen«, widersprach er, indem er mich mit Leichtigkeit auf sich zog.

Als ich am folgenden Samstag zu Hause in Njoro ankam, stand Bens und Cockies Wagen mit ans Heck geschnürten Koffern auf unserem Hof. Ich parkte Ds Auto dahinter und ging zur Veranda, wo sie an unserem Rattantisch bequem im Schatten saßen und mit Jock einen Cocktail tranken.

»Wir haben dir etwas Eis übrig gelassen«, begrüßte mich Cockie. Sie sah reizend aus in ihrem lockeren Seidenkleid und einem Hut mit feinem Netz, das ihr auf den Nasenrücken fiel. Ich freute mich, sie zu sehen. Ihre und Bens Gesellschaft würden meine Zeit in Njoro viel erträglicher machen.

Jock brachte mir einen Drink – ein scharlachroter Schuss Pimm's auf zerstoßenem Eis mit frischer Zitrone und Orangenschale, bildhübsch –, hatte dabei aber einen merkwürdigen Gesichtsausdruck und versuchte nicht, mir seinen üblichen flüchtigen Kuss auf die Wange zu drücken.

»Ist alles in Ordnung?«, fragte ich.

»Sicher.« Er sah mich nicht an. »Warum sollte es das nicht sein?«

»Sie haben hier wirklich Wunder vollbracht«, sagte Ben. Vor seiner Hinwendung zur Weidewirtschaft war er Major bei den King's African Rifles gewesen, und er hatte immer noch etwas Militärisches an sich, eine Exaktheit und Selbstbeherrschung. Mit seinem sauber gestutzten dunklen Haar und den feinen, ebenmäßigen Gesichtszügen sah er deutlich besser aus als Blix, aber ich ahnte bereits, dass er weder dessen Humor noch seine Abenteuerlust besaß.

»Jock ist der Wundertäter«, gab ich zu. »Es gibt nichts, was er nicht zurechtpflügen oder -hämmern könnte.«

»Außer vielleicht meine Frau.« Er sprach es locker, beinahe heiter aus, als wäre die spitze Bemerkung ganz harmlos. Ben und Cockie lachten, und ich versuchte, einzustimmen. Ich war nie gut darin gewesen, Jocks Verhalten zu deuten, was sich nun, da wir getrennt voneinander lebten, sicher nicht gebessert hatte.

»Wir haben gerade die benachbarte Parzelle gekauft«, erklärte Cockie. »An den Wochenenden müssen wir uns unbedingt zum Bridge verabreden. Ich liebe Kartenspiele.« Sie fügte hinzu: »Auch wenn der gute Ben hier lieber Messer schlucken würde.«

Barasa trat auf die Terrasse, um unseren Eiskübel zu füllen, woraufhin wir alle eine zweite Runde zu uns nahmen, während die Sonne am Himmel ein wenig höher kletterte. Ich wurde jedoch das vage Gefühl nicht los, dass irgendetwas mit Jock nicht stimmte. Womöglich bestrafte er mich für die Szene im Muthaiga Club, als er angetrunken davongestürmt war. Vielleicht begann die ganze Fassade unseres Arrangements endlich zu bröckeln und einzustürzen. Was es auch war, Cockie spürte es eindeutig ebenfalls. Als wir vier vor dem Abendessen hinauszogen, um ihr neu erworbenes Land zu bewundern, hielt sie mich am Ellbogen zurück und ließ die Männer ein kleines Stückchen vorausgehen.

»Gibt es etwas, das du mir sagen möchtest?«, fragte sie mich leise.

»Ich weiß es nicht«, antwortete ich. Was auch stimmte. Aber als wir uns später am Abend vor dem Kamin niederließen, löste sich das Rätsel schließlich. Jock trank beim Abendessen zu viel, seine Augen nahmen einen beunruhigenden Glanz an. Ich verstand es als eine Art Warnung – der erste Schritt auf dem Weg zu einem handfesten Streit –, hoffte aber, er würde es sich in Anwesenheit der Birkbecks zweimal überlegen.

»Wie wollen Sie Ihren Erfolg beim nächsten Rennen fortsetzen?«, fragte Ben vom Sofa aus, während das Feuer fröhlich knisterte. »Möchten Sie ein paar Ihrer Geheimnisse mit uns teilen?«

»Wenn ich Ihre Pferde trainiere, werde ich sie alle mit Ihnen teilen«, erwiderte ich.

Ben lachte schwach. Es schien, als hätte auch er die Anspannung im Raum gespürt und versuchte nun, einen strategischen Plan zu ersinnen, der uns sicher zurück auf Kurs bringen würde. Er stand auf und schritt durch den Raum. »Ich muss schon sagen, Jock, das ist wirklich ein Prachtstück.« Er meinte die breite arabische Tür aus glattem Holz, die Jock kurz nach der Hochzeit für unser Haus gekauft hatte. Wie das Grammophon war auch sie ein Zeichen für Wohlstand, auf das Jock stolz war. Das stark gemaserte Holz war bedeckt mit verschlungenen Mustern, die der Kunsthandwerker sorgfältig in die Oberfläche geschnitzt hatte.

»Sie ist wunderschön«, stimmte Cockie zu. »Wo haben Sie die bloß aufgetrieben?«

»Lamu«, antwortete Jock. »Ich habe mir aber überlegt, sie noch zu verschönern.«

»Was?« Sie lachte. »Das ist eine Antiquität, oder? Die würde man doch wohl nicht anrühren wollen.«

»Vielleicht doch.« Er rutschte seltsam über das letzte Wort, da seine Zunge mittlerweile so schwer war, dass er sie nicht mehr unter Kontrolle hatte. Er war betrunkener, als ich gedacht hatte.

»Lasst uns etwas spielen.« Ich griff nach dem Kartenstapel, aber Jock hörte nicht zu. Er verließ das Zimmer gerade so lange, dass Cockie mir einen fragenden Blick zuwerfen konnte, und kehrte dann mit einem Holzhammer zurück, den er aus der Küche geholt hatte: Es handelte sich um ein schweres Kochwerkzeug, mit dem man Fleisch weich klopfte, aber er scherte sich nicht mehr um den vorschriftsmäßigen Gebrauch irgendeiner Sache. Wir sahen zu, wie er einen Stuhl zur Tür schleppte und mit dem Holzhammer einen kleinen Kupferstift in die obere rechte Ecke der Tür trieb.

»Bei jedem Fehltritt meiner Frau werde ich einen Nagel hinzufügen«, sagte er in Richtung der Tür. Ich konnte weder seinen Gesichtsausdruck erkennen noch Cockie oder Ben in die Augen blicken. »Das dürfte die einzige Möglichkeit sein, den Überblick zu behalten.«

»Gute Güte, Jock«, rief ich entsetzt aus. Irgendjemand hatte ihm also von Boy erzählt, und dies war seine Art, Vergeltung zu üben, mit einer großen Szene vor neuen Freunden. Als er mit funkelndem Blick herumwirbelte, schwang er den Holzhammer für einen Moment in seiner Hand wie einen *Rungu*-Knüppel. »Komm runter!«

»Nach meiner Zählung bislang nur einer, stimmt das?«, fragte er mich, bevor er sich Ben zuwandte. »Außer, Sie hatten sie ebenfalls.«

»Genug!«, rief ich, während Cockie alle Farbe aus dem Gesicht wich. Eins von Jocks Knien knickte ein, und er kippte vom Stuhl und krachte auf den Fußboden. Dabei glitt ihm der Holzhammer aus der Hand, flog über meine linke Schulter hinweg und prallte mit lautem Poltern gegen den Fensterrahmen. Zum Glück hatte ich mich instinktiv genau im richtigen Moment geduckt. Es hätte nur weniger Zentimeter oder des Bruchteils einer Sekunde bedurft, und der Hammer hätte mich am Kopf getroffen. Dann hätten wir wirklich etwas zu erzählen gehabt.

Während Jock sich aufrappelte, eilte Ben zu Cockie und verschwand mit ihr im Nebenzimmer, gerade als Barasa hereinkam.

»Bitte, hilf Bwana ins Bett«, sagte ich zu ihm, woraufhin ich aus dem Schlafzimmer bald den dumpfen Aufprall von Schuhen und das Rascheln von Bettwäsche vernahm. Als ich dann die Birkbecks aufsuchte, erklärten sie mir, sie führen nun zurück in die Stadt. Ich war beschämt. »Wartet wenigstens bis morgen früh, dann ist es sicherer«, bat ich sie.

»Wir sind absolut unerschrocken«, sagte Cockie sanft. Sie gab Ben ein Zeichen, ihre Sachen packen zu gehen, und als er fort war, fügte sie hinzu: »Ich weiß nicht, was du getan hast, Darling, aber ich kann dir sagen, dass es Dinge gibt, die Männer nicht wissen wollen. Und dann auch noch, während wir hier waren ... Ich schätze, er musste dir zeigen, dass er noch immer das Sagen hat.«

»Du willst doch nicht etwa behaupten, er hatte das Recht, sich so aufzuführen?«

»Nein«, seufzte sie. Aber es schien, als würde sie genau das tun.

»Ich bin eine fürchterliche Ehefrau, und jetzt kann ich noch nicht einmal richtig betrügen?«

Sie lachte trocken. »Ich weiß, dass das alles nicht einfach ist. Du bist noch so jung, und wir alle geraten manchmal ins Taumeln und machen große Fehler. Du wirst schon eines Tages dahinterkommen. Aber für den Augenblick wirst du wohl Kreide fressen müssen.«

Nachdem ich sie draußen verabschiedet hatte und die zitternden Scheinwerfer ihres Fords außer Sichtweite verschwunden waren, blieb ich allein mit den Sternen über der Südhalbkugel. Wie genau war ich hier gelandet? Die Schatten der Aberdares und die Geräusche des Waldes waren wie immer, aber ich selbst war es nicht. Ich hatte mich vergessen. Ich hatte eine riskante, bange Entscheidung nach der anderen getroffen und dabei gedacht, ich könnte über diese verschlungenen, schwierigen Pfade am Ende irgendwie die Freiheit erlangen. Arap Maina hätte mit der Zunge geschnalzt und den Kopf geschüttelt, hätte er mich so gesehen. Lady D hätte mich mit ihren weisen grauen Augen angeblickt und gesagt – ja, was? Dass ich Kreide fressen müsse? Das glaubte ich nicht. Und was war mit meinem Vater? Er hatte mich zu einer starken, eigenständigen Frau erzogen – die ich im Augenblick nicht war. Bei weitem nicht.

Irgendwo in der Nähe erklang das heisere Jaulen einer Hyäne, gefolgt von der Antwort einer anderen. Die Nacht drängte von allen Seiten auf mich ein. Es schien, als könnte ich entweder in Jocks Haus zurückkehren, die Tür hinter mir schließen und mit diesem Unsinn fortfahren, oder mich ohne einen Plan, was als Nächstes passieren würde, in die Dunkelheit hinausstürzen. Jock könnte mich voller Zorn verfolgen, weil ich seinen Namen in den Dreck gezogen hatte. Freunde und Nachbarn mochten sich langsam und beinahe unbemerkt von mir abwenden oder mich von oben herab behandeln, weil ich aus der Reihe getreten war, wie sie es bei Mrs. O getan hatten. Womöglich würde ich meine Pferde nie wiedersehen oder einfach pleitegehen, wenn ich versuchte, meinen Weg ohne Jocks Unterstützung zu finden. Ich konnte in so vieler Hinsicht scheitern, dennoch hatte ich eigentlich keine andere Wahl.

Als ich wieder ins Haus trat, löschte ich alle Lichter und ertastete mir den Weg in mein Zimmer im Dunkeln. Geräuschlos packte ich rasch meine paar Sachen ein und war vor Mitternacht aufgebrochen.

21.

»Denkst du, Jock wird hinter mir her sein?«, fragte Boy
mich, als ich ihm, zurück in Soysambu, die ganze Geschichte erzählte. »Jetzt, wo er über uns Bescheid weiß?«

»Warum sollte er? Er hat doch immer damit argumen-
tiert, der Schein müsse gewahrt und Gerede vermieden werden. Wenn überhaupt, wird er mir das Leben schwerer machen oder sich noch stärker gegen die Scheidung wehren.«

Wir waren in meiner Hütte. Da die Nacht kalt war,
wärmte ich mir die Hände über der Sturmlaterne, während
Boy mit düsterer Miene in Gedanken versunken blieb. Er
wirkte beunruhigt und irgendwie fehl am Platz, obwohl er
Dutzende Male zuvor bei mir gewesen war. »Und was ist mit
uns?«, fragte er schließlich.

»Was meinst du? Wir hatten unseren Spaß, oder nicht?
Ich sehe nicht, warum sich irgendetwas ändern sollte?«

»Ich habe mich nur gefragt.« Er räusperte sich und wickelte sich die Somali-Decke enger um die Schultern. »Manche Frauen erwarten von einem Mann ab einem bestimmten
Punkt, nach vorn zu treten und seine Ernsthaftigkeit zu de-
monstrieren.«

»Ist es das, was dir Sorgen bereitet? Es scheint nicht so,
als würde ich den Ehemann, den ich habe, loswerden können, außerdem würde ich wirklich gern einmal wissen, wie es
sich anfühlt, allein zu sein. Ich meine, nicht die Tochter oder
Ehefrau von irgendjemandem … sondern einfach ich selbst.«

»Oh.« Anscheinend hatte ich ihn überrascht. »Auf solche Gedanken stößt man in dieser Gegend nicht oft.«

»Aber natürlich«, entgegnete ich in dem Versuch, ihm ein Lächeln zu entlocken. »Sie werden nur meistens von Männern gedacht.«

Nun, da ich nicht mehr die Wochenend-Ehefrau würde spielen müssen, hatte ich mehr Zeit und Energie für meine Pferde und war bereit, ihnen alles zu geben. Das St. Leger war eine Veranstaltung für Dreijährige und Kenias berühmtestes Wettrennen. D hatte ein paar vielversprechende Kandidaten, aber der beste von ihnen war Ringleader, ein satinschwarzer hoch ausschreitender Wallach. Er war ein richtiges Rennpferd, und D bot mir die Chance, ihn zu trainieren. Aber er hatte schwache Beine, wie man bei uns sagte. Bevor er nach Soysambu gekommen war, hatte man ihn übertrainiert, so dass seine Sehnen empfindlich geworden waren und dazu neigten, sich zu entzünden. Mit guter Pflege und viel Geduld konnte er aber noch immer zu alter Form zurückfinden. Er würde einen weichen, nachgiebigen Boden benötigen, also nahm ich ihn mit ans Ufer des Elmenteita und ließ ihn dort am feuchten Rand des Sees galoppieren, während Elenantilopenherden uns aus der Nähe neugierig beäugten und Scharen von Flamingos über dem See aufflogen und sich wieder niederließen, immer wieder denselben Warnruf kreischend.

Eines Nachmittags kam ich spät von einer Trainingseinheit dort nach Soysambu zurück, meine Kleider und Haare mit getrocknetem Schlamm besprizt, als ich Berkeley Cole über den Weg lief. Zwei Jahre waren seit der Nacht meines Debütantinnenballs vergangen, in der er und Denys Finch Hatton mir in ihren blendend weißen Anzügen Gedichte vorgetragen und sich aufgeführt hatten, als wären sie einem Buch über Ritter und galantes Benehmen entstiegen. Nun war er mit ein paar anderen Siedlern wegen irgendeines neuen politischen Unsinns zu D gekommen. Er stand zufällig gerade draußen, um gegen einen Zaun gelehnt eine Zigarette zu rauchen, während hinter ihm die Sonne endgültig am Horizont verschwand. Den Kragen gelockert, das unbedeckte kastanienbraune Haar vom Wind leicht zerzaust, sah er beinahe so aus, als hätte ihn jemand dort hingezeichnet.

»Als wir uns das letzte Mal sahen, haben Sie fast noch Zöpfe getragen«, sagte er, nachdem wir einander wiedererkannt hatten. »Heute sind die Zeitungen voll von Ihnen. Ihr Auftritt beim Jubaland Cup war beeindruckend.«

Sein Lob machte mich verlegen. »Eigentlich habe ich nie Zöpfe getragen. Konnte nie lange genug stillsitzen.«

Er lächelte. »Es scheint Ihnen nicht besonders geschadet zu haben. Und Sie haben geheiratet?«

Da ich nicht recht wusste, wie ich meinen derzeitigen Status beschreiben sollte, antwortete ich ausweichend: »Sozusagen.« In den Wochen seit der schrecklichen Szene mit den Birkbecks und der arabischen Tür hatte ich nichts mehr von Jock gehört. Ich hatte geschrieben und ihm klargemacht, dass ich die Scheidung wollte und nicht nachgeben würde, doch er hatte mir nicht geantwortet. Vielleicht war das aber auch in Ordnung. Es war schon eine Erleichterung, dass wir nun jeder unserer Wege gingen.

»Sozusagen?« Berkeley zog ein Gesicht, das sowohl ironisch als auch leicht väterlich wirkte. Aber er hakte nicht weiter nach.

»In was will D Sie denn da verwickeln?« Ich wies auf das Haus. Dem Dröhnen von Ds Bass nach zu urteilen, ging es um eine brisante Angelegenheit.

»Ich möchte es lieber gar nicht so genau wissen. Irgendein Wachsamkeitskomitee-Unfug.«

»Aha. Vielleicht sollten Sie sehen, dass Sie hier wegkommen.«

D hatte das Komitee ein paar Monate zuvor als Teil seiner Bemühungen gegründet, das alte Problem zu lösen, wer ein Recht auf Kenia hatte und weshalb. Die weißen Siedler hatten immer für eine Selbstverwaltung plädiert, die letztendlich auf eine absolute Herrschaft über das Territorium hinauslief. Sie sahen Inder und Asiaten als unerwünschte Ausnahmen an, die man, wenn nötig, mit Stöcken vertreiben musste. Afrikaner waren in Ordnung, solange sie sich ihres untergeordneten Ranges bewusst blieben und nicht zu viel Land forderten. Vor kurzem hatte das britische Parlament allerdings das Devonshire White Paper veröffentlicht, eine Reihe von Erklärungen, die die gierigen Forderungen der weißen Siedler zurückweisen und eine Art von Ordnung in der Kolonie wiederherstellen sollten. Unser neuer Gouverneur Sir Robert Coryndon nahm das White Paper extrem ernst. Auch wenn er so britisch war, wie man nur sein konnte, von seinem gestärkten Kragen bis zu den glänzenden Oxfords, war er proasiatisch und proafrikanisch eingestellt und ein energischer, furchtloser Verteidiger beider Gruppen, wo der vorherige Gouverneur gefügig und harmlos gewesen war. Da so lange alles zugunsten der weißen Siedler gelaufen war, konnten diese nun bloß erzürnt sein und sich überlegen, wie sie zurückschlagen sollten, selbst wenn es Gewalt einschloss. Wenig überraschend kämpfte D dabei an vorderster Front.

»Ich bin wirklich erleichtert, dass ich das letzte Jahr größtenteils außerhalb des Landes verbracht habe«, erklärte Berkeley. Dann erzählte er mir, dass er in London gewesen sei und eine ganze Reihe von Ärzten wegen seines Herzens aufgesucht habe.

»O nein. Was haben sie gesagt?«

»Leider nichts Gutes. Das verdammte Ding macht mir nun schon seit Jahren Ärger.«

»Was werden Sie jetzt tun?«

»Leben, bis es mich im Stich lässt, natürlich. Und nichts als den besten Champagner trinken. Für etwas anderes bleibt keine Zeit.« Seine Gesichtszüge waren fein und empfindlich, wie die einer Rassekatze. Außerdem hatte er tiefbraune Augen, die über die Vorstellung von Traurigkeit oder

Selbstmitleid zu lachen schienen. Er schnipste seine Zigarette davon und räusperte sich. »Ich werde nächste Woche eine Geburtstagsfeier für mich geben«, sagte er. »Eine von vielen Weisen, auf die ich mir zurzeit im Dunkeln Mut zupfeife. Sie können sicher großartig pfeifen, habe ich recht? Bitte, kommen Sie.«

Berkeley hatte sich in Naro Moru an den niedrigeren Hängen des Mount Kenya niedergelassen. Er hatte einen großen Steinbungalow direkt an die Rundungen des Berges gebaut, so dass es schien, als würde er dort und nirgendwo anders hingehören. Rundherum gab es Koppeln voller gut genährter Schafe und einen gewundenen, von Dornbäumen und verbogenen gelben Zaubernussbäumen gesäumten Fluss. Über allem ragten die Steilhänge des Mount Kenya auf, die aus der Nähe tiefschwarz, breitschultrig und imposant aussahen, aber auch irgendwie perfekt, genau das Richtige, um auf Berkeley aufzupassen, dachte ich.

D kam ebenfalls mit auf die Party. Als wir vorfuhren, parkten bereits eine Menge Automobile wild durcheinander auf Rasen und Auffahrt. Berkeley stand in einem eleganten weißen Cutaway auf der Veranda und summte Teile einer Melodie, die ich nicht erkannte. Er hatte Farbe im Gesicht und wirkte kerngesund, aber ich schätzte, dass diese Erscheinung genauso aufgesetzt war wie sein reizender Anzug. Wahrscheinlich bedeutete es ihm viel, den perfekten Gastgeber darzustellen, der sich bester Gesundheit erfreute, ganz gleich, wie die Dinge unter der Oberfläche wirklich standen oder sich anfühlten.

»Sie haben einen wunderschönen Fluss.« Ich beugte mich durch eine Wolke frisch duftenden Haarwassers, um ihm die Wange zu küssen. »Er glänzte nur so von Fischen, als wir darübergefahren sind.«

»Freut mich, dass Sie Forellen mögen. Ich konnte keine ordentliche Gans fürs Abendessen bekommen.« Er zwinkerte mir zu. »Nun kommen Sie und trinken Sie ein Glas Champagner, bevor Denys ihn noch leersäuft.«

Denys. Ich war ihm zwar nur einmal kurz nachts in Nairobi auf der Straße begegnet, dennoch machte mein Herz aus irgendeinem Grund einen kleinen Sprung, als ich seinen Namen hörte. Wir überquerten die Veranda und betraten den Hauptsaal des Gebäudes, der erfüllt war von Menschen und Gelächter. Und dort stand er, lässig an die Wand gelehnt, die Hände in den Taschen seiner schicken weißen Hose vergraben. Er war so groß, wie ich ihn in Erinnerung hatte, und genauso hübsch anzusehen.

»Beryl Purves«, sagte Berkeley, »Sie haben den ehrenwerten Denys Finch Hatton bereits kennengelernt.«

Mir stieg die Röte ins Gesicht, als ich seine Hand ergriff. »Vor langer Zeit.«

»Natürlich.« Sein Lächeln ließ die Fältchen um seine haselnussbraunen Augen tiefer werden. Sein Tonfall war allerdings so unverbindlich, dass ich nicht wusste, ob er sich überhaupt auch nur vage an mich erinnerte. »Schön, Sie zu sehen.«

»Denys ist viel zu lange daheim in London gewesen«, sagte Berkeley.

»Was haben Sie jetzt vor, da Sie zurück in Kenia sind?«

»Das ist eine hervorragende Frage. Vielleicht werde ich mich an der Erschließung von Farmland beteiligen. Tich Miles meint, wir könnten ein rechtmäßiges Unternehmen gründen.« Er grinste dabei, als wäre »rechtmäßig« in diesem Kontext eine angenehme Überraschung. »Und ich will unbedingt auf die Jagd gehen.«

»Warum nicht?«, mischte D sich ein. »Die Welt schreit nach noch mehr großen weißen Jägern.«

»Sie sollten es ja wissen«, erwiderte Denys lachend. »Sie haben den Begriff schließlich erfunden.«

»Ja, nun, ich hatte nicht geahnt, wer da alles gierig nach Trophäen hinunter nach Kenia gestapft kommen würde.

Zwei- bis dreimal im Monat schießt sich irgendein reicher Bankier selbst ins Bein oder wirft sich einem Löwen zum Fraß vor. Es ist absurd.«

»Vielleicht bekommen diese Leute, was sie verdient haben«, sagte ich. »Ich meine, wenn sie völlig ahnungslos sind, womit sie es zu tun haben oder gar, was es bedeutet, ein Tier zu töten ...«

»Sie haben wohl recht«, stimmte Denys mir zu. »Bislang habe ich immer nur allein gejagt. Ich bin mir nicht sicher, ob ich genügend Geduld für Kunden aufbringen könnte.«

»Was spricht denn gegen eine Farm?«, wollte Berkeley wissen. »Das ist viel sicherer, ohne all diese lästigen Hyänen oder was einem sonst noch mitten in der Nacht das Gesicht abknabbern möchte.«

»Sicherer«, wiederholte Denys. Er sah plötzlich aus wie ein Schuljunge, dem der Sinn nach Schabernack stand. »Und wo bleibt dann der Spaß?«

Denys schien ein paar Jahre jünger zu sein als Berkeley, ich schätzte ihn auf Mitte dreißig, aber aus ebenso gutem Hause. Meiner Erfahrung nach brach diese Art von Mann für gewöhnlich angelockt von Neuland und Großwild oder aus Abenteuerlust in Richtung Afrika auf. Es waren die Söhne britischer Aristokraten, die auf die besten Schulen geschickt worden waren und alle Privilegien und Freiheiten genossen hatten. Sie kamen nach Kenia und wendeten ihr ererbtes Vermögen auf, um Tausende Hektar Land zu erwerben. Manchen, wie Berkeley, war es ernst damit, hier Wurzeln zu schlagen und sich eine Existenz aufzubauen, während andere Lebemänner waren, denen es in Sussex oder Shropshire langweilig geworden war und die nun auf der Suche nach etwas Aufregung waren. Ich wusste nicht, zu welcher Kategorie Denys gehörte, aber ich sah ihn gern an. Er hatte ein wunderbares Gesicht, ein wenig von der Sonne gerötet, mit einer schmalen kräftigen Nase, vollen Lippen und haselnussbraunen Augen unter schweren Lidern. Außerdem strahlte er eine innere Ruhe und Zuversicht aus, die den ganzen Raum in seinen Bann zu ziehen schien, als wäre er dessen Fixpunkt oder Achse.

Nachdem ich mich von ihm entfernt hatte, um an meinem Champagner zu nippen und hier und dort ein wenig dem Tratsch zu lauschen, kamen ein halbes Dutzend hübsche Frauen auf ihn zugestürzt, die meisten von ihnen mit geschliffenen Manieren und schönen Kleidern, Strümpfen, Juwelen und ordentlich gebändigtem Haar. Ich konnte erkennen, dass sie sich alle von ihm angezogen fühlten, aber das war eigentlich keine große Überraschung, denn mir selbst ging es ja genauso.

»Sie sollten einen Blick auf mein neues Pferd werfen«, sagte Berkeley, der mit einem frischen Cocktail auf mich zutrat. »Ich glaube, es hat das Zeug fürs Derby.«

»Wunderbar«, stimmte ich mechanisch zu, und ehe ich wusste, wie mir geschah, hatten wir schon Denys auf dem Weg zum Stall eingesammelt, wo uns ein halbes Dutzend Pferde in ihren Boxen erwartete. Wir waren allerdings wegen Soldier gekommen, einem großen, langgliedrigen dunklen Rotbraunen mit einem weißen Halbmond auf der Stirn. Er wirkte nicht so stolz und feurig wie die Vollblüter, die mein Vater immer geliebt hatte, strahlte aber eine ungeschliffene Anmut aus, die mich sofort faszinierte. »Ein Halbblut?«, fragte ich Berkeley, während wir uns der Box zu dritt näherten.

»Ich denke, er ist zum Teil Somali-Pony. Keine edle Herkunft, aber man sieht, dass er Temperament hat.«

Ich öffnete die Tür zur Box und bewegte mich auf Soldier zu, wie ich es als Kind gelernt hatte, behutsam, aber bestimmt. Mein Vater hatte sein Gespür für Tiere an mich weitergegeben, oder vielleicht war ich auch schon damit geboren worden. Soldier spürte meine Autorität und scheute weder, noch wich er zurück, als ich ihm mit den Händen über Rücken, Kruppe und Fesseln fuhr. Er war gesund und stark.

Ich merkte, dass Denys mich von seinem Platz an der Tür aus beobachtete. Meine Nackenhaare prickelten unter seiner Aufmerksamkeit, aber ich blickte nicht auf.

»Was meinen Sie?«, fragte Berkeley.

»Er hat was«, musste ich zugeben.

»Was wäre er Ihnen wert?«

So pleite wie ich war, sollte ich wohl nicht einmal den Anschein erwecken, als wollte ich handeln, aber es lag mir nun einmal im Blut. »Fünfzig Pfund?«

»Ich habe mehr für den Champagner bezahlt, den Sie getrunken haben!« Auch wenn er und Denys lachten, war es offensichtlich, dass Berkeley ebenfalls gern feilschte. »Sie sollten ihn einmal laufen sehen. Einer der Stallburschen soll ihn Ihnen vorführen.«

»Nicht nötig«, widersprach ich. »Ich werde ihn selbst reiten.«

Ich brauchte keine fünf Minuten, um mir ein Paar Hosen zu leihen und mich umzuziehen. Als ich wieder aus dem Haus trat, hatte sich eine kleine Menge auf dem Rasen versammelt. Berkeley lachte, als er mich in seinen Kleidungsstücken sah, aber ich wusste, dass sie mir hervorragend standen und ich mich nicht schämen musste, vor diesem wohlgeborenen Publikum zu reiten. Auf dem Rücken eines Pferdes zu sitzen war für mich so natürlich wie das Gehen – vielleicht sogar noch natürlicher.

Ich lenkte Soldier fort von der Menge und vergaß bald alles um mich herum. Hinter Berkeleys Koppel führte ein Weg an ein paar Farmgebäuden mit Blechdächern vorbei einen Hang hinunter auf eine kleine, buschbestandene Lichtung. Ich ritt darauf zu und ließ Soldier in einen schnellen Trab fallen. Sein Rücken war breit, seine Flanken so rund und bequem wie ein gemütlicher Sessel mit Chintzüberzug. Noch war nicht klar, ob er wirklich rennen konnte, aber da Berkeley darauf bestanden hatte, trieb ich ihn weiter an, worauf er sofort reagierte. Im leichten Galopp waren seine Schritte flüssig und kraftvoll, während sein Hals entspannt blieb. Ich hatte die Freude vergessen, die es bereiten konnte, ein neues Pferd zu reiten – die Kraft durch die Lederzügel in meine Hände und durch Soldiers Körper in meine Beine strömen zu spüren. Ich ließ ihn noch schneller werden, und er streckte sich von seiner Mitte aus, die Muskeln perfekt ausbalanciert, und begann zu fliegen.

Dann erschreckte er sich so unvermittelt, als würde ein Faden reißen. Mitten im Galopp stemmte er auf einmal die Vorderbeine in den Boden, so dass ich über seinen Widerrist schwang wie eine Peitsche. Bevor ich mich berappeln konnte, bäumte er sich auf und verdrehte sich seitlich, wobei er ein spitzes Wiehern ausstieß. Ich flog in die Luft, landete hart auf der Seite, biss mir auf die Zunge und schmeckte Blut, während meine Hüfte vor Schmerz explodierte. Neben mir schrie Soldier erneut auf und stieg wieder auf die Hinterbeine. Ich zuckte zusammen, da ich wusste, dass er mich zerstampfen konnte, aber im nächsten Augenblick war er bereits auf und davon. Erst da sah ich die Schlange.

Etwa fünf Meter von mir entfernt hatte sie sich wie ein fettes schwarzes Band um sich selbst gewickelt, den Blick starr auf mich gerichtet. Als ich erschrocken zurückwich, schoss der vordere Teil ihres langen Körpers mit atemberaubender Geschwindigkeit nach oben. Ihr mit blassen Streifen überzogener Hals breitete sich wie eine Art Umhang aus. Ich wusste, dass es sich um eine Kobra handelte. In Njoro gab es sie nicht, und ich hatte auch noch nie genau so ein Exemplar gesehen, mit Zebrastreifen und pfeilförmigem Kopf, aber mein Vater hatte mir erklärt, dass viele Kobras im Bruchteil einer Sekunde um die gesamte Länge ihres Körpers vorschnellen konnten. Manche spritzten auch Gift, allerdings griffen die meisten Schlangen nicht von sich aus an.

Ein knorriger Mahagoniast lag nur wenige Zentimeter von mir entfernt. Mit ihm könnte ich einen Angriff abwehren, sollte es dazu kommen. Ich hielt mich bereit und folgte den Bewegungen ihres Kopfes. Die harten, glasigen Augen sahen aus wie schwarze Perlen. In der Luft schwebend, schien auch die Schlange mich abwartend zu beobachten, während sie ihre blasse Zunge herausschießen ließ, um Witterung aufzunehmen. Ich beruhigte meinen Atem und bewegte meine Hand so langsam ich konnte auf den Stock zu.

»Stillhalten«, ertönte plötzlich eine Stimme hinter mir. Ich hatte keine Schritte vernommen, aber die Kobra richtete sich noch höher auf. Ihr halber Körper wölbte sich nun vom Boden auf, so dass die gelblichen Schlitze an ihrem Bauch sichtbar wurden. Ihre Haube blähte sich. Das war die einzige Warnung, ehe sie nach vorn peitschte. Ich kniff die Augen zusammen und schlug mir die Arme vors Gesicht, im selben Augenblick ertönte ein Schuss. Die Kugel traf so nah an meinem Kopf auf ihr Ziel, dass ich sie durch meinen Schädel vibrieren fühlte. Mir klangen die Ohren. Noch bevor der Knall ganz verhallt war, trat Denys mit großen Schritten vor und schoss erneut. Beide Schüsse waren Treffer, der zweite erwischte die Schlange so im Hals, dass sie zur Seite geschleudert wurde. Fetzen ihres Fleisches und leuchtende Spritzer ihres Blutes landeten im Staub. Als das Tier sich nicht mehr rührte, drehte er sich gelassen zu mir um. »Geht es Ihnen gut?«

»Ich denke schon.« Beim Aufstehen flammte der Schmerz in meiner Seite erneut auf. Mein Knie pochte und wollte mein Gewicht nicht tragen.

»Diese Sorte schreckt nicht vor Ärger zurück, müssen Sie wissen. Gut, dass Sie ruhig geblieben sind.«

»Wie haben Sie mich überhaupt gefunden?«

»Ich habe das Pferd allein zurückkommen sehen und mir gedacht: ›Ich wette, sie fällt nicht einfach ohne Grund.‹ Dann bin ich nur dem Staub gefolgt.«

Er war so ruhig und sachlich. »Sie klingen, als würden Sie so etwas jeden Tag machen.«

»Nicht jeden Tag.« Er lächelte schief. »Sollen wir zurückgehen?«

Ich hätte es wahrscheinlich auch allein geschafft, aber Denys bestand darauf, mir zu helfen. Dicht an ihn gelehnt, roch ich sein warmes Baumwollhemd und seine Haut und spürte, wie stark er war. Angesichts der Schlange hatte er einen erstaunlich kühlen Kopf behalten. Er hatte an nichts anderes gedacht, sondern einfach gehandelt. Ein solches Ausmaß an Selbstbeherrschung hatte ich noch nicht oft bei einem Mann gesehen.

Allzu bald waren wir wieder am Haus angelangt. Berkeley eilte erschrocken und beschämt herbei, während D in väterlicher Sorge die Stirn runzelte. »Was zum Teufel haben Sie sich dabei gedacht, meine beste Trainerin in Gefahr zu bringen?«, fuhr er Berkeley an.

»Mir geht es gut«, versicherte ich den beiden. »Es ist so gut wie nichts passiert.«

Auch Denys spielte die Situation herunter, fast so, als hätten wir beide uns insgeheim darauf verständigt. Er verlor kein Wort über seinen eigenen Mut, als sei diese Heldentat etwas ganz Alltägliches gewesen. Das beeindruckte mich ebenso sehr wie der Umstand, dass wir für den Rest des Tages nicht noch einmal erwähnten, was geschehen war. Die Stunden wurden durch die Erinnerung jedoch spürbar aufgeladen, als spannte sich zwischen uns ein unsichtbarer Draht. Wir unterhielten uns über andere Dinge: wie oft er immer noch an seine Zeit in Eton zurückdachte, wie er Kenia 1910 durch Zufall entdeckt hatte, als er sich eigentlich in Südafrika hatte niederlassen wollen.

»Was hat Sie damals angezogen?«, fragte ich ihn.

»An Kenia? So gut wie alles. Ich glaube, ich habe immer nach einem Fluchtweg Ausschau gehalten.«

»Flucht wovor?«

»Ich weiß es nicht. Wahrscheinlich vor jeder eng gefassten Definition davon, wie das Leben aussehen sollte.«

Ich lächelte. »Sollte ist kein Wort, das Ihnen gefällt, oder?«

»Das haben Sie also bereits herausgefunden?«

»Es war auch nie eins meiner Lieblingswörter.« Unsere Blicke trafen sich für einen Moment, und ich spürte einen Funken vollkommenen gegenseitigen Verständnisses. Dann kam Berkeley herbeigeschwebt und begann, sich mit Denys über den Krieg zu unterhalten. Darüber, wie sie sich bei einem Kundschaftertrupp in der Nähe der Grenze zu Deutsch-Ostafrika und des Kilimandscharo verpflichtet hatten.

»Ich fürchte, wir waren nicht besonders ruhmreich«, sagte Denys, der die Umstände kurz für mich schilderte. »Die meisten unserer Todesfälle gingen auf das Konto der Tsetsefliege und unseres Buschratteneintopfs.«

Die beiden zusammen waren so lustig und geistreich, dass es fast schon eine Art Tanz war, federleicht. Es dauerte nicht lang, und wir waren alle betrunken vom Champagner, den wir hinuntergekippt hatten. Inzwischen war es ziemlich spät geworden. »Nehmen wir ein paar Flaschen mit hinüber nach Mbogani«, schlug Denys Berkeley plötzlich vor. »Die Baronin ist heute Nacht allein.«

Baronin? Das Wort ließ mich aufhorchen. Cockie Birkbeck hatte es an jenem Tag im Norfolk verwendet, als sie mir von Blix' Situation und seiner Frau erzählt hatte.

»Ich kann meine eigene Party nicht verlassen«, widersprach Berkeley. »Außerdem ist es ohnehin zu spät, und du bist in keinem fahrtüchtigen Zustand.«

»Ich habe bereits eine Mutter, vielen herzlichen Dank.« Denys kehrte Berkeley den Rücken zu und sah mich an. »Lust auf eine kleine Landpartie, Beryl?«

Berkeley schüttelte warnend den Kopf. Ich stand einen Augenblick lang nur da und fragte mich, wie ernst Denys es meinte und ob er tatsächlich von Blix' Frau sprach. Doch bevor ich annähernd irgendetwas begriffen hatte oder auch nur ein Wort herausbringen konnte, trat Denys bereits an die Bar hinüber, klemmte sich drei Flaschen Champagner unter den Arm und war auf dem Weg zur Tür hinaus. Berkeley lachte. Ich war sprachlos.

»Gute Nacht«, flötete Denys uns über die Schulter zu, bevor er in der Dunkelheit verschwand.

»Sollen wir noch ein letztes Schlückchen trinken und dann schlafen gehen?«, fragte Berkeley.

Ich war immer noch nicht richtig hinterhergekommen. »Was war das gerade?«

»Nur Denys, der eben Denys ist«, antwortete er geheimnisvoll und griff nach meiner Hand.

22.

In jener Nacht blieben D und ich bei Berkeley und schliefen mit einer Handvoll weiterer beschwipster Gäste auf dick
gestapelten Somali-Decken. Jedes Mal, wenn ich mich auf
die andere Seite rollte, spürte ich die geprellte Stelle an meiner Hüfte, und Denys' Bild flackerte vor meinem inneren
Auge auf wie ein neuer Geist. Als es am nächsten Tag Zeit
war aufzubrechen, war er immer noch nicht zurückgekehrt.
Aus irgendeinem Grund wurde ich dadurch noch neugieri-
ger auf ihn. Das Ereignis mit der Kobra schien uns auf seltsame Weise zusammengeschweißt zu haben, oder vielleicht
war Denys auch nur attraktiver und selbstbewusster als fast
jeder andere Mann, der mir je begegnet war. Wie dem auch
sein mochte, ich dachte jetzt schon darüber nach, wie schön
es wäre, ihn wiederzusehen.

»Richten Sie Denys meine Grüße aus?«, fragte ich Berkeley, als D loszog, um unseren Wagen zu holen.

»Hmm?« Er sah mich schief an. »Darling, bitte sagen
Sie bloß nicht, dass auch Sie Finch Hatton verfallen sind.«

»Seien Sie nicht albern.« Ich spürte, dass ich rot anlief.
»Ich mag ihn lediglich.«

»Das wäre dann eine Premiere.« Er strich sich über den
Schnurrbart. »Ich habe noch keine Frau kennengelernt, die
ihm widerstehen konnte. Sie verlieben sich zu Dutzenden
in ihn, aber er selbst scheint nie in irgendeine verliebt zu
sein.«

»In gar keine?«

Er zuckte die Achseln. »Entschuldigen Sie übrigens

nochmals wegen der Angelegenheit mit dem Pferd. Ich hoffe, Sie werden es mir nicht nachtragen.«

»Natürlich nicht. Ich würde ihn kaufen, wenn ich könnte, aber Jock hat die Kontrolle über die Finanzen, und ich versuche gerade, diese ganze Sache endlich hinter mich zu bringen. Die Ehe meine ich.«

»Ich habe mich schon gefragt, was wohl zwischen Ihnen vor sich geht, da Sie für D arbeiten und so«, erwiderte er in freundlichem Tonfall und ohne jede Verurteilung, die ich befürchtet hatte.

»Es ist wohl nicht allzu üblich für Frauen in der Kolonie, vor ihren Pflichten davonzulaufen.«

Er schüttelte den Kopf. »Sagen Sie Bescheid, wenn ich irgendetwas für Sie tun kann. Oder pfeifen Sie einfach«, fügte er lächelnd hinzu.

»Das werde ich«, versicherte ich ihm. Im nächsten Augenblick dröhnte D mit dem Wagen heran, und schon waren wir auf dem Weg.

Mit Ringleaders Training ging es schrittweise voran. Er hatte den richtigen Stammbaum zum Gewinnen, und auch seine Nerven waren stark genug. Wenn nur seine Beine vollständig verheilen würden. Ich ließ ihn weiter am schlammweichen Uferstreifen des Elmenteita galoppieren, wobei ich auch die Zeit für mich allein genoss. Selbst mit all den Flamingos ging es dort weit weniger chaotisch zu als auf der Farm. Ich spürte jedes Mal, wie ich ruhiger wurde, wenn ich mich mit Ringleaders Bewegungen, seinen Schritten sowie der prächtigen Landschaft um uns herum verband. Der See bildete ein flaches Becken, das sich in alle Richtungen zur grünen Savanne hin öffnete. Hier und dort ragten kleine knubblige Hügelformationen auf, dazu die steil emporstrebenden Linien des Berges, der den Namen Schlafender Krieger trug. Oft war sein Spiegelbild perfekt auf die glatte Oberfläche des Sees gemalt und mit ruhenden Flamingos besetzt wie mit leuchtenden Juwelen. Soysambu umgab eine wunderschöne Landschaft, die mich zwar nie so berührte, wie Njoro es tat, mir jedoch langsam ans Herz wuchs und sich sogar wie ein Ort anzufühlen begann, an dem ich glücklich verweilen könnte.

Nachdem ich Ringleader eines Tages mit nahezu voller Geschwindigkeit hatte laufen lassen, ermutigt durch seine zunehmende Stärke und Selbstsicherheit, sah ich in einigen Meilen Entfernung einen Wagen über Land schnurgerade auf Soysambu zufahren. Ich konnte mir nicht vorstellen, wer so wagemutig wäre, die Hauptstraße zu verlassen. Es hatte seit Tagen immer wieder geregnet, weshalb die Reifen Morast aufspritzen und eine große Gruppe Elenantilopen im Zickzack durch den Busch davonstieben ließen. Als der Wagen näher kam, erkannte ich Denys am Steuer.

Sein Gefährt war gebaut wie ein Rhinozeros, mit schweren, schlammüberzogenen Reifen. Ich band Ringleader an, damit er nicht scheute, und ging zu Fuß dem Wagen entgegen, der gerade um die Kurve des Sees gebogen kam. Der Boden am Ufer war so aufgeweicht, dass die Reifen des Lasters langsam einsanken, als dieser im Leerlauf stehenblieb. Denys wirkte deswegen jedoch nicht im Entferntesten besorgt.

»Die Straße ist Ihnen heute wohl nicht gut genug?«, fragte ich ihn.

»Man weiß nie, auf wen man so trifft.« Er schaltete den Motor aus, nahm den Hut ab und blickte mit zusammengekniffenen Augen zu mir herauf. »Als ich über die Anhöhe gekommen bin, habe ich gesehen, wie Sie am Ufer entlanggeflogen sind. Ich wusste zwar nicht, dass Sie es waren, aber es war ein herrlicher Anblick. Geradezu mitreißend.«

»Mein Pferd macht wirklich langsam Fortschritte, das habe ich heute deutlich gespürt. Vielleicht war es das, was Sie gesehen haben.« Vom Hut befreit, kringelten sich Denys' spärliche braune Locken nass vor Schweiß. Kleine

Schlammspritzer sprenkelten ihm Stirn und Wangen, und ich verspürte den unerklärlichen Drang, sie mit den Fingerspitzen fortzuwischen. Stattdessen fragte ich ihn, wohin er unterwegs sei.

»D hat zu einer seiner Versammlungen gerufen. Anscheinend hat Coryndon irgendetwas in den Augen des Komitees Unverzeihliches getan. D ist kurz davor, ihn zu fesseln und in einen Wandschrank zu sperren.«

»Den Gouverneur zu entführen ist zumindest auch nicht unvernünftiger als Ds andere Ideen.«

»Ich versuche größtenteils, mich herauszuhalten. Aber heute war so ein schöner Tag für einen Ausflug.«

»Mit dem Schlamm und allem?«

»Ganz besonders der Schlamm.« Seine haselnussbraunen Augen funkelten und fingen für einen Augenblick das Licht ein, bevor er den Hut wieder aufsetzte und sich anschickte weiterzufahren.

»Vielleicht sehen wir uns ja irgendwann einmal in der Stadt«, sagte ich.

»Ich bin nicht mehr oft dort. Ich bin kürzlich nach Ngong zu meiner guten Freundin Karen Blixen gezogen.«

Er meinte sicherlich Blix' Ehefrau, die mysteriöse Baronin. »Tatsächlich?«

»Sie ist wundervoll. Dänin. Führt ganz allein eine Kaffeeplantage, während Blix irgendwo seinen Nashörnern nachstellt. Ich weiß nicht, wie sie es fertigbringt, aber sie schafft es.« Die Bewunderung in seiner Stimme war nicht zu überhören. »Ich nehme an, Sie haben Blix bereits kennengelernt. Ihm kann kaum eine schöne Frau entkommen.«

»Ja.« Ich lächelte. »Das war auch mein Eindruck von ihm.«

Es war schwer zu deuten, was Denys tatsächlich über die Baronin sagte. Lebte er bei ihr, als wären sie Mann und Frau? Oder waren sie lediglich enge Freunde, wie er und Berkeley? Ich konnte ihn natürlich nicht direkt fragen.

»Auf der Farm ist es so viel schöner als in der Stadt«, fuhr er fort. »Die Luft dort ist wie Champagner. Hat wohl irgendetwas mit der Höhenlage zu tun.«

»Das klingt, als käme es aus Berkeleys Mund«, bemerkte ich.

»Kann schon sein.« Er lächelte erneut. »Kommen Sie uns doch einmal besuchen. Wir freuen uns immer über Gesellschaft ... und Karen hat ein kleines leerstehendes Haus auf ihrem Grundstück. Sie könnten so lange bleiben, wie Sie möchten. Sie müssten jedoch eine Geschichte mitbringen«, fügte er hinzu, indem er den Motor ankurbelte. »Das ist eine unserer Bedingungen.«

»Eine Geschichte? Dann werde ich wohl eine auftreiben müssen.«

»Tun Sie das«, rief er mir noch zu, bevor er davonbrauste.

23.

Ein paar Tage später rief D mich von der Koppel ins Haus und überreichte mir ein an mich adressiertes Telegramm. Ich erwartete eine der seltenen Nachrichten meines Vaters oder vielleicht irgendeine Forderung von Jock – aber der Umschlag trug eine verschmierte Londoner Adresse als Absender. Ich kehrte D den Rücken und brach das klebrige Siegel mit einem stechenden Anflug von Furcht. *Liebe Beryl*, las ich, *Harry ist gestorben, und die Jungs und ich werden in die Kolonie zurückkehren STOP Würdest Du uns bitte eine Unterkunft suchen? – Wir kennen niemanden und haben kaum Geld STOP Mutter.*

Mutter? Das Wort allein fühlte sich an wie eine Ohrfeige. Ich hatte die Erinnerung an sie schon vor langer Zeit vergraben, so tief ich konnte, aber nun taumelte sie benommen zurück ans Tageslicht. Ich überflog erneut die paar Sätze. Meine Kehle war staubtrocken.

»Alles in Ordnung?«, fragte D.

»Clara kommt zurück nach Kenia«, antwortete ich wie betäubt.

»Ach du meine Güte. Ich dachte, sie wäre für immer verschwunden.«

»Anscheinend nicht.« Ich reichte ihm das Durchschlagpapier, als würde es irgendetwas erklären. »Und wer, bitte, ist Harry?«

»Harry?« Er las einen Moment lang schweigend, dann seufzte er tief und fuhr sich mit der Hand durchs Haar. »Trinken wir ein Schlückchen Brandy, was meinst du?«

Es war nicht leicht, die ganze Geschichte aus D herauszubekommen, aber der Alkohol half, ihn und auch mich ein klein wenig aufzubrechen. Nach einer Stunde hatte ich alles Wesentliche erfahren. Harry Kirkpatrick war ein Captain gewesen, den meine Mutter in ihrem zweiten Jahr in Kenia beim Tanz nach einer Rennveranstaltung in Nairobi kennengelernt hatte. Ihre Liebschaft hatte ein Geheimnis bleiben sollen, aber solche Geheimnisse waren nicht leicht zu bewahren. Als sie schließlich mit ihm nach London zog, Dickie im Schlepptau, war der Skandal bereits über die ganze Kolonie verbreitet worden.

»Offensichtlich hat sie ihn dann irgendwann geheiratet«, sagte D. »Auch wenn ich nicht sagen kann, wann. Der Kontakt zwischen uns ist vollständig abgebrochen.«

»Warum hat mir niemand die Wahrheit gesagt?«

D umschloss nachdenklich sein Brandyglas mit den Händen und antwortete schließlich: »Das war vielleicht ein Fehler. Wer kann das schon sagen? Alle wollten dich vor noch größerem Kummer bewahren. Florence vertrat diese Meinung am entschiedensten. Sie beharrte darauf, dass es alles nur noch schlimmer machen würde.«

Ich dachte an jenen Tag, an dem ich die Karte von England in Lady Ds Atlas studiert hatte, und an ihre damaligen Worte: *Ich könnte dir von ihr erzählen, wenn du es irgendwann einmal möchtest.* Hatte sie damit gemeint, dass sie mir ein Märchen erzählen könnte, eine geschönte Version der Wahrheit? Oder hatte sie langsam das Gefühl beschlichen, es sei an der Zeit, dass ich verstand, was wirklich geschehen war? Ich konnte nun nur noch raten.

»Die ganze Geschichte darüber, wie schwer hier alles für Clara gewesen sei, war also bloß Unsinn?«

»Deine Mutter war tatsächlich wahnsinnig unglücklich, Beryl. Green Hills war damals die reinste Wildnis. Die Farm saugte jeden Tropfen Energie auf, den Clutt zu geben hatte. Ich denke mal, deshalb hat sie sich an Kirkpatrick gehängt. Vielleicht hat sie in ihm ihren einzigen Ausweg gesehen.«

»Aber sie hatte Verpflichtungen«, fauchte ich. »Sie hätte auch an uns denken sollen.« *An mich*, meinte ich – denn Dickie war es schließlich gut ergangen, er war ausgewählt worden. »Was war dieser Harry überhaupt für ein Mann?«

»Attraktiv, wenn ich mich recht erinnere, und sehr aufmerksam ihr gegenüber. Weißt du, sie war eine wunderschöne Frau.«

»Wirklich?« Mein Vater hatte es fertiggebracht, jedes Bild, alles bis auf die letzte Erinnerung an sie zu verstecken oder wegzuwerfen, insbesondere seit Emma zu uns gekommen war. Er hatte Clara so gründlich aus unserem Leben entfernt, dass sie ebenso gut nie existiert haben konnte, und ich verstand nun, weshalb. Sie war mit einem anderen Mann fortgegangen. Sie hatte ihn verletzt und beschämt – ganz ähnlich, wie ich es mit Jock getan hatte, bloß gab es bei uns keine Kinder, an die wir hätten denken müssen.

»Warum konnte er mir nicht die Wahrheit erzählen?«

»Dein Vater hat getan, was er für das Beste hielt. Manchmal ist es nicht leicht, zu wissen, was das ist.«

Ich schluckte die aufsteigenden Tränen hinunter, denn es war mir zuwider, dass meine Mutter mich zum Weinen bringen konnte, dass sie dazu nach all den Jahren immer noch in der Lage war. Aber meine Gefühle ließen sich nicht unterdrücken. Sie überfluteten mich dermaßen unkontrolliert, dass ich mich fragen musste, ob ich mir lediglich eingebildet hatte, Claras Fortgang als Kind überwunden zu haben. Wenn die Stärke und Unverwundbarkeit, die ich damals empfunden hatte – waghalsige Mutproben, Leopardenjagden und Ritte auf Pegasus über die Savanne, meine Ohren rauschend vor Geschwindigkeit und einer scharfen Freiheit –, nun nichts als eine dünne Strohschicht über einem klaffenden Loch waren? Jedenfalls fühlte ich mich in diesem Moment gänzlich haltlos.

»Erwartet sie wirklich von mir, dass ich nett bin und ihr die Gegend zeige? Als wäre überhaupt nichts geschehen?« Er trat vor mich und ergriff meine Schultern mit seinen von der Arbeit geröteten Händen. »Du wirst tun, was für dich das Richtige ist.«

Während D sicher zu sein schien, dass ich irgendwann Klarheit erlangen würde, hatte ich meine Zweifel. Claras Telegramm brannte noch immer und zog mich mit sich hinab in die Vergangenheit. Es war so seltsam, erst jetzt zu erfahren, weshalb sie damals die Kolonie verlassen hatte, nachdem der Kern ihrer Geschichte jahrzehntelang vergraben gewesen war. Auch wenn es mich nicht überraschte, dass mein Vater mir die Wahrheit und seine Gefühle verheimlicht und das Leben auf der Farm vorangetrieben hatte, wurde ich den Wunsch einfach nicht los, er hätte mich ins Vertrauen gezogen. Immerhin hatte sie auch mich verlassen. Ihre Abreise hatte alles verändert, und nun kehrte sie zurück? Das ergab keinen Sinn. Was veranlasste sie zu glauben, sie könne in Kenia Fuß fassen, einem Ort, dem sie damals nicht schnell genug hatte entfliehen können? Und wie konnte sie die Dreistigkeit aufbringen, mich um Hilfe zu bitten? Warum sollte ich mich auch nur im Geringsten für irgendetwas verantwortlich fühlen?

Wütend und verwirrt, war ich mehr als versucht, Clara mitzuteilen, sie solle sich selbst zurechtfinden – aber ich durfte nicht nur an sie denken. Sie hatte Dickie in ihrem Telegramm zwar nicht erwähnt, aber ihr beiläufiger Hinweis auf die »Jungs« deutete an, dass sie und der Captain gemeinsam Kinder bekommen hatten. Diese hatten nun keinen Vater mehr und würden in eine vollkommen fremde Welt geschleift werden. Was hielten sie wohl von alldem?

Während ich mich mit Claras Bitte herumschlug, blitzte plötzlich Denys in meinen Gedanken auf. Er hatte vor weniger als einer Woche das Grundstück und das leere Haus der

Baronin erwähnt. Zwar hatte er dabei an mich gedacht, an einen freundschaftlichen Besuch, aber ich erkannte plötzlich die Gelegenheit, die sich darin bot, und den perfekten Zeitpunkt. Auch wenn ich mir immer noch nicht ganz im Klaren darüber war, ob ich Clara überhaupt helfen wollte, schienen sich ihr Bedürfnis und diese Lösung auf mysteriöse Weise ineinanderzufügen, als sei die ganze Situation seit Jahren vorbereitet gewesen. Als würden wir alle durch unsichtbare Hände zueinandergeführt. Es fühlte sich quasi unausweichlich an.

Ich teilte Boy und D mit, dass ich ein paar Tage verreisen würde, und ging Pegasus satteln. Seit langem hatte ich mich nicht mehr so gut gefühlt. Zwar hatte ich immer noch keinen blassen Schimmer, was es bedeuten würde, Clara zurück in der Kolonie und in meinem Leben zu haben, aber ich war auf dem Weg, Denys wiederzusehen und ihm womöglich eine Geschichte erzählen zu können. Der Nachmittag war warm, ich saß auf einem starken, schönen Pferd, und ich hatte einen Plan.

24.

Karen Blixens Farm befand sich zwölf Meilen westlich von Nairobi, an einer ausgefahrenen Straße, die kontinuierlich anstieg. In dieser Höhe, etwa dreihundert Meter über Delameres oder Jocks Ländereien, schnitt der aufragende Wald scharfe Kämme in den blassen Himmel. Auf einer Seite der Straße erstreckte sich ein langes Tal mit Teppichen aus Feuerlilien, die überall wild emporschossen, wenn es geregnet hatte. Ihr Duft lag in der Luft, vermischt mit dem der weißen Kaffeeblüten, die nach Jasmin rochen. Alles schien irgendwie zu prickeln, genau wie Champagner. Damit hatte Denys recht gehabt.

Ich war mir zwar ziemlich sicher, dass die Baronin zumindest in Betracht ziehen würde, meiner Mutter das Haus zu vermieten – schließlich stand es leer –, dennoch hatte ich leichte Gewissensbisse, weil ich unangekündigt erscheinen würde. Da die Siedler in Kenia so weit verstreut lebten, waren Besucher allerdings generell willkommen, wann und wie auch immer sie auftauchten. Ich wusste jedoch weder, ob Denys mich ihr gegenüber bereits erwähnt hatte, noch, wie genau sie zueinander standen. Meine Neugier, die bislang leise vor sich hin gesimmert hatte, flammte nun erneut auf, und ich fühlte mich so erwartungsvoll, als stünde ich an der Schwelle zu einer interessanten Entdeckung.

Der solide Bungalow aus grauem Stein hatte ein Ziegeldach mit mehreren robust wirkenden Giebeln. Eine lange Veranda führte einmal um das Haus herum, das inmitten eines breiten, gepflegten Rasens stand. Zwei große blaugraue Hirschhunde mit Backenbart und wunderbar spitzen Schnauzen sonnten sich gerade im Gras, als ich angeritten kam. Sie bellten weder, noch schien sie meine Ankunft zu stören, also stieg ich ab und ließ sie an meiner Hand schnuppern.

Ich blickte auf, als eine Frau aus dem Haus trat. Sie trug ein einfaches weißes Hauskleid und war klein, mit sehr heller Haut und dunklem Haar. Sie hatte auffällig geschnittene Gesichtszüge und ausdrucksvolle, tiefliegende Augen unter zarten Brauen. Ihr Blick und ihre scharfe, feine Nase verliehen ihr das Aussehen eines hübschen Habichts. Ich schämte mich plötzlich und wand mich unter diesem Blick.

»Bitte entschuldigen Sie, ich hätte Ihnen ein Telegramm schicken sollen«, sagte ich und nannte ihr meinen Namen. »Ist Denys da?«

»Er ist gerade auf Safari. Ich erwarte ihn frühestens in einem Monat zurück.«

In einem Monat? Doch bevor ich mich ernüchtert oder noch unbehaglicher fühlen konnte, fuhr sie fort, dass Denys von mir erzählt und sie sich sehnlichst ein wenig Gesellschaft gewünscht habe. »Wie es scheint, habe ich seit Tagen mit niemandem außer den Hunden gesprochen.« Sie lächelte, was ihre Züge weicher werden ließ. »Ich habe auch gerade ein paar neue Platten für mein Grammophon bekommen. Mögen Sie Musik?«

»Ja, auch wenn ich nur wenig Ahnung davon habe.«

»Ich versuche selbst gerade, dazuzulernen. Meine Freunde finden meinen Geschmack zu altmodisch.« Sie verzog leicht das Gesicht und seufzte. »Dann wollen wir mal Ihr Pferd versorgen.«

Karens Haus erinnerte mich an die Besuche bei Lady D auf der Equator Ranch in meiner Kindheit. Es war die Beschaffenheit all der Dinge darin, die Kultiviertheit, die noch in den kleinsten Details steckte. Hinter der breiten Eingangstür lagen farbenprächtige Teppiche auf dem Mahagoniparkett, die die Räume miteinander verbanden und ihnen Wärme spendeten. Es gab seidig glänzende Holztische, dick gepolsterte, mit Chintz bezogene Sofas und prall gestopfte Sessel, schwere Vorhänge an jedem Fenster, Blumen in Vasen und Schüsseln. Sie hatte Regale über Regale voll kostbar gebundener Bücher, deren Anblick mir meine lückenreiche Bildung in Erinnerung rief. Ich fuhr mit der Hand über eine Reihe Buchrücken. Auf meinen Fingerspitzen blieb kein Staub zurück. »Haben Sie die wirklich alle gelesen?«, fragte ich.

»Natürlich. Sie haben mir schon so oft das Leben gerettet. Die Nächte können hier zäh wie Sirup sein, ganz besonders, nachdem gute Freunde fortgegangen sind.«

Ich fragte mich, ob sie damit Denys meinte, aber sie führte es nicht näher aus. Stattdessen zeigte sie mir ein kleines Gästezimmer, in dem ich mich frisch machen konnte, bevor ich mich zum Tee zu ihr auf die Veranda gesellte. Ihr Hausdiener Juma schenkte uns aus einer Porzellankanne ein, wobei die weißen Handschuhe um seine dünnen schwarzen Handgelenke schlackerten. Er reichte uns einen Teller Gebäck und Süßigkeiten mit einer Förmlichkeit, die ich noch nicht bei vielen Dienern in dieser Gegend gesehen hatte.

»Ich bin gekommen, um Sie um einen Gefallen zu bitten«, eröffnete ich ihr, nachdem Juma fort war. »Aber vielleicht hatten Sie sich das bereits gedacht.«

»Sie möchten also gern hierbleiben?« Ich wand mich ein wenig unter dem Blick ihrer schönen, dunklen Augen. Sie schien zu beobachten, statt einfach nur irgendwo hinzusehen.

»Nicht ganz. Meine Mutter kehrt nach vielen Jahren nach Kenia zurück. Ich dachte, sie könnte vielleicht in Ihrem Haus wohnen, falls es noch leer steht. Sie wird natürlich angemessen dafür bezahlen.«

»Aber ja. Dort hat schon so lange niemand mehr gelebt. Es wäre schön, sie hier zu haben, für Sie natürlich auch.«

»Sie ist eigentlich nicht …« Ich wusste nicht, wie ich ihr die ganze Geschichte erklären sollte. »Wir kennen uns nicht besonders gut.«

»Ich verstehe.« Wieder fixierte sie mich mit ihren dunklen Augen, so dass ich am liebsten nervös auf dem Stuhl herumgerutscht wäre. »In dem Fall ist es sehr nett von Ihnen, dass Sie ihr helfen.«

»Wahrscheinlich«, sagte ich, ohne noch etwas hinzufügen zu wollen. In einiger Entfernung ragte eine Kette aus fünf tiefblauen Bergen in den Himmel, die meinen Blick immer wieder anzogen.

»Sind sie nicht wunderbar?«, fragte Karen. »Ich liebe sie abgöttisch.« Sie hielt eine Faust hoch, um zu zeigen, dass die Form des Bergkamms den Knöcheln ihrer Hand entsprach. »So etwas gibt es in Dänemark nicht. Nichts, das dem nahekommt, was ich hier habe.« Sie zog ein kleines silbernes Etui aus ihrer Tasche und zündete sich eine Zigarette an, woraufhin sie das Streichholz ausschüttelte und ein Tabakfädchen von ihrer Zunge zupfte, ohne auch nur einmal den Blick von mir abzuwenden. »Wissen Sie, Ihre gebräunte Haut sieht zu ihren Haaren so wundervoll aus«, sagte sie schließlich. »Sie sind wirklich eins der hübschesten Mädchen, die ich hier in der Gegend gesehen habe. Und ich habe in der Zeitung von Ihren Rennerfolgen gelesen. Das kann kein leichtes Leben für eine Frau sein, zumal die Gesellschaft hier nicht besonders behutsam mit einem umgeht, nicht wahr?«

»Meinen Sie den Tratsch?«

Sie nickte. »Nairobi ist so eine kleine Stadt. So provinziell – was komisch ist, wenn man bedenkt, wie groß Kenia ist. Man würde denken, wir hockten alle eng aufeinander und flüsterten zwischen den Fenstern, statt Hunderte von Meilen voneinander entfernt zu sein.«

»Ich hasse das alles. Warum sind die Leute so begierig darauf, jedes hässliche Detail zu erfahren? Sollten manche Dinge denn nicht privat sein?«

»Bekümmert es Sie so sehr, was andere denken?« Ihr Gesicht war auf kantige und düstere Weise wunderschön. Ich schätzte, dass sie zehn bis fünfzehn Jahre älter war als ich, aber ihre Attraktivität war unübersehbar.

»Es überfordert mich einfach manchmal. Ich denke, ich war zu jung zum Heiraten.«

»Wäre es ein anderer Mann, der richtige Mann, wäre das Alter vielleicht kein Problem. Wenn man zueinander passt, verändert das alles.«

»Sie sind eine Romantikerin.«

»Eine Romantikerin?« Sie lächelte. »Das hätte ich nie gedacht, aber in letzter Zeit bin ich mir nicht mehr so sicher. Ich denke jetzt anders über Liebe und Ehe. Es ist aber keine richtige Philosophie. Jedenfalls möchte ich Sie nicht damit langweilen.« Sie verfiel einen Moment lang in Schweigen, dann, als habe Karen sie still herbeigerufen, glitt eine kleine Eule mit gesprenkeltem Gefieder durch ein zur Veranda geöffnetes Fenster auf sie zu und ließ sich auf ihrer Schulter nieder. »Das ist Minerva. Sie kommt immer auf der Suche nach ein wenig Gesellschaft vorbei … oder vielleicht sind es auch die Kekse.«

25.

Karens Farm hieß Mbogani, was so viel bedeutete wie »Haus in den Wäldern«. Jenseits des breiten Rasens blühten Frangipanibäume gelb-weiß und dunkelrosa. Es gab Palmen und Mimosenbäume, Bambus, Akazien und Bananenhaine. Zweihundertfünfzig Hektar der tieferen Hänge waren für die hellgrünen Kaffeepflanzen präpariert und terrassiert worden. Ein anderer Teil ihrer Farm bestand aus Urwald, ein weiterer aus sanft ansteigendem, duftendem Weideland. Dazu kamen die Shambas der Kikuyu, einheimische Squatter, die Rinder und Schafe hüteten und selbst Mais, Kürbis und Süßkartoffeln anpflanzten.

Wir gingen auf einem Trampelpfad durch schulterhohe Pflanzen und ein Gewirr aus Reben auf Mbagathi zu, das Haus, das sie Clara anbieten würde. Es war lediglich ein kleiner Bungalow mit einer winzigen Veranda, hatte aber viele Fenster und an der Rückseite eine Gartenlaube und Schatten spendende Mimosenbaumgruppen. Ich versuchte, mir meine Mutter dort vorzustellen, wie sie sich im Schutz der Bäume ausruhte, stellte jedoch fest, dass ich sie nicht ohne beklommenes Schaudern heraufbeschwören konnte.

»Bror und ich haben zuerst hier gewohnt«, erklärte Karen. »Direkt nach unserer Hochzeit. Es liegt mir immer noch sehr am Herzen.«

»Ich habe Ihren Ehemann einmal in der Stadt kennengelernt. Er ist charmant.«

»Nicht wahr?« Sie lächelte vieldeutig. »Das hat mich schon oft davon abgehalten, ihn zu erdrosseln.«

Im Inneren gab es drei kleine Schlafzimmer, eine Küche, ein Bad und ein Wohnzimmer, das mit Lampen und einem Leopardenfellteppich ausgestattet war. Als Sofa diente ein in eine Ecke gestelltes Bett, das dort eine gemütliche Nische bildete.

Sie zeigte mir eine hübsche französische Uhr auf dem Kaminsims, die ein Hochzeitsgeschenk gewesen war. Sie fuhr mit dem Ärmel darüber und sagte: »Ohne Zweifel haben Sie die Leute ebenso über meine Ehe flüstern hören wie ich über Ihre.«

»Nur ein wenig.«

Sie schüttelte skeptisch den Kopf. »Na, es spielt auch keine Rolle. Niemand weiß wirklich, wie es bei irgendjemand anderem ist. Das ist die Wahrheit und unsere einzige Möglichkeit, es ihnen heimzuzahlen, wenn das Gerede anfängt.«

Ich dachte an die demütigenden Witze und Gerüchte, die in den letzten Tagen von Green Hills aufgekommen waren und alles zunichtezumachen schienen, was einst gut gewesen war. »Vielleicht ist das das Geheimnis, wie man jegliche Art von Ärger übersteht: zu wissen, wer man davon abgesehen ist.«

»Ja.« Sie nahm die Uhr und drehte sie in ihrer Hand, als wollte sie sich ihre Bedeutung in Erinnerung rufen. »Aber wie bei so vielem ist es einfacher, diese Grundhaltung zu bewundern, als sie zu verwirklichen.«

Wir verließen Mbagathi und drehten eine Runde durch ihre Produktionsstätte, wo Dutzende Kikuyu-Frauen sorgfältig die auf langen schmalen Tischen in der Sonne trocknenden Kaffeekirschen prüften, deren Farbe von rot bis kreideweiß reichte.

»Die gesamte Anlage ist letzten Januar abgebrannt.« Sie pickte sich eine Kaffeekirsche heraus und rollte sie zwischen den Handflächen, bis die Haut zerbrach und abfiel. »Eine von Gottes kleinen Grausamkeiten. Damals dachte ich, ich wäre nun erledigt, aber hier bin ich nach wie vor.«

»Wie schaffen Sie das? Landwirtschaft ist so schwierig.«

»Ehrlich gesagt weiß ich es selbst manchmal nicht. Ich habe ausnahmslos alles riskiert, aber man kann eben auch alles gewinnen.«

»Ich bewundere Ihre Unabhängigkeit. Ich kenne nicht viele Frauen, die tun könnten, was Sie vollbracht haben.«

»Danke. Ich habe hier für meine Unabhängigkeit und auch meine Freiheit gekämpft, wobei ich mehr und mehr feststellen muss, dass diese beiden Dinge ganz und gar nicht dasselbe sind.«

Auf unserem Weg zurück fing es an zu regnen. Bis wir Karens Haus erreicht hatten, waren wir klatschnass, unsere Stiefel bis zu den Knien bedeckt mit rotem Kikuyu-Schlamm. Bei unserem Anblick mussten wir lachen, dann umrundeten wir die Veranda, wobei wir begannen, uns aus unseren nassen Sachen zu schälen. Da saß plötzlich Blix vor uns, unrasiert und staubbedeckt. Er war offensichtlich vor dem Regen angekommen und hatte bereits eine entkorkte Flasche Brandy neben sich stehen.

»Ich bin gerade rechtzeitig gekommen. Hallo, Beryl. Hallo, Tanne, Liebes.«

»Wie ich sehe, hast du es dir bequem gemacht«, bemerkte Karen.

»Es ist immer noch mein Haus.«

»Was du mir immer wieder unter die Nase reibst.«

Ihre Neckerei hatte eine boshafte Schärfe, aber unter der Oberfläche verbarg sich mehr. Irgendein Teil dessen, was auch immer sie miteinander verbunden hatte, war noch immer äußerst lebendig. Das war selbst für mich deutlich zu erkennen.

Karen und ich gingen zum Umziehen ins Haus, und als wir zurück auf die Veranda kamen, hatte Blix es sich noch gemütlicher gemacht und rauchte eine Pfeife. Sein Tabak roch exotisch, wie etwas, das er nur hatte auftreiben können, indem er bäuchlings durch die entferntesten Gebiete des Kontinents gekrochen war. »Sie sehen gut aus, Beryl.«

»Sie ebenfalls. Dr. Turvy scheint sich seinen Unterhalt zu verdienen.«

»Er hat Sie in dieses alberne Spiel hineingezogen?« Karen wandte sich Blix zu. »Wo bist du diesmal gewesen?«

»Uganda und dann zurück durch Tanganjika mit einem Vanderbilt – auf Nashornjagd. Ich hätte ihn beinahe verloren.«

»Den Vanderbilt oder das Nashorn?«

»Sehr lustig, Darling. Den Vanderbilt. Zwei gefährlich aussehende Männchen haben ihn angegriffen. Der Bursche hatte großes Glück, dass ich das richtige Gewehr dabeihatte.« Er wandte sich zu mir um. »Ein Nashorn ist nichts, was man auf seiner Spielwiese haben möchte. Es ist wie eine massive schnaufende Lokomotive, die von einem unbezwingbaren Panzer umhüllt ist. Wenn es bedroht wird, zerschmettert es alles, selbst Stahl.«

»Hatten Sie keine Angst?«

»Eigentlich nicht.« Er grinste. »Ich hatte eben das richtige Gewehr dabei.«

»Wenn Sie lange genug im Muthaiga Club sitzen«, mischte Karen sich ein, »werden Sie zu hören bekommen, wie unzählige Jäger ihre Beute noch einmal machen. Die Geschichten werden bei jeder Nacherzählung größer und entsetzlicher. Bror ist der Einzige, den ich kenne, der aus Elefanten Mäuse macht, statt andersherum.«

»Abgesehen von Denys, meinst du wohl«, korrigierte Blix sie.

»Und Denys, ja.« Es schien sie nicht im Geringsten aus der Fassung zu bringen, Denys' Namen aus dem Mund ihres Ehemannes zu vernehmen. Und so gelassen, wie Blix ihn aussprach, konnte ich mir nicht vorstellen, dass Denys Karens Liebhaber war. Dennoch war der Tanz, den sie vollführten, faszinierend. »Hast du ihn dort draußen gesehen?«, wollte sie wissen.

Blix schüttelte den Kopf. »Es heißt, er sei nach Westen gegangen, in den Kongo.«

»Wie ist dieses Land?«, fragte ich ihn.

»Sehr, sehr dunkel.« Er nippte an seinem Brandy. »Dort gibt es alle Arten von Schlangen und Gerüchten zufolge auch Kannibalen.«

»Versuchst du, mir Angst einzujagen?« Karen verengte die Augen zu Schlitzen.

»Nein, dich zu inspirieren. Wussten Sie, dass Tanne die ganze Zeit über Geschichten aufschreibt, Beryl? Sie ist wirklich ziemlich gut.«

»Ich werde Ihnen irgendwann einmal abends vor dem Feuer eine erzählen.« Sie wischte sein Lob mit der Hand fort. »Ich bin jedenfalls eher eine Geschichtenerzählerin als eine Schriftstellerin.«

»Denys hat erwähnt, dass Sie hier Geschichten lieben.«

»Oh, das tun wir«, bestätigte sie. »Und Bror ist darin auch ausgesprochen gut. Vielleicht wird er heute Abend für uns Scheherazade spielen.«

»Wenn ich nicht vorgeben muss, eine Jungfrau zu sein«, sagte er, worüber wir alle lachten.

An diesem Abend aßen wir auf der Veranda. Die Ngong-Berge färbten sich pflaumenblau und strahlten eine fast hypnotische Ruhe aus, während Blix uns mit weiteren Geschichten von seiner Vanderbilt-Safari unterhielt, von denen eine nahtlos in die andere überging. Er hatte Dutzende und Aberdutzende auf Lager und schwieg nie mehr als wenige Minuten am Stück, während Karens Koch Kamante uns eine Abfolge von Gängen servierte. Es gab paniertes Huhn in Sahnesauce, gebratenes Gemüse mit Kräutern, Maisbrei mit Pilzen und Thymian, reifen Käse und Orangen. Blix sorgte dafür, dass unsere Gläser nicht leer wurden, so dass ich, als wir beim letzten Gang angelangt waren, vom

Wein zu schweben schien, aber auch überrascht feststellte, wie sehr ich die beiden mochte. An ihnen war nichts Einfaches, was mir gefiel und vertrauenswürdig erschien. Mein Leben war ebenfalls nicht einfach.

Als die Mondsichel am Himmel aufgestiegen war und wir unseren Pudding, unseren Calvados und unseren Kaffee zu uns genommen hatten, wünschte Blix uns eine gute Nacht und machte sich auf den Weg zurück in die Stadt.

»Ist er nicht ein wenig zu betrunken zum Fahren?«, fragte ich Karen.

»Ich glaube, er kann gar nicht anders fahren.« Sie blickte ein paar Minuten schweigend in die Dunkelheit hinaus. »Er hat mich um die Scheidung gebeten. Deshalb ist er hergekommen.«

Von Cockie wusste ich, dass er schon mehr als einmal darum gebeten hatte, ließ es mir aber nicht anmerken. »Werden Sie einwilligen?«

Sie zuckte die Achseln. »Wie wäre das, wenn wir zwei Baroninnen Blixen in der Kolonie hätten? Dafür ist kein Platz, verstehen Sie? Eine würde hinausgedrängt und vergessen werden.«

»Ich kann mir nicht vorstellen, dass irgendjemand Sie vergessen würde«, erwiderte ich. Ich wollte ihr nicht schmeicheln, ich konnte es mir wirklich nicht vorstellen.

»Nun, wir werden sehen.«

»Wie haben Sie es fertiggebracht, Freunde zu bleiben?«

»Wir waren Freunde, bevor wir irgendetwas anderes waren. Mir hatte es sein jüngerer Bruder Hans angetan. Das war vor langer Zeit, in Dänemark. Bror wurde mein Vertrauter, als Hans eine andere heiratete.« Sie hielt inne und schüttelte den Kopf, so dass ihre langen Silberohrringe klimperten.

»Sein jüngerer Bruder? Er hätte Ihnen also keinen Titel bieten können.«

»Nein. Nur Liebe.« Sie lächelte düster. »Aber es sollte nicht sein. Und dann kam Bror auf diese Idee, ein neuer Anfang in Afrika. Wenn es uns nur nicht einen Berg von Schulden eingebracht hätte.«

»Lieben Sie ihn noch immer?«

»Ich wünschte, ich könnte nein sagen. Aber Afrika löst Gefühle in einem aus, auf die man nicht vorbereitet ist. Ich glaubte irgendwann, wir könnten alles haben … Kinder, Hingabe, Treue.« Sie schloss die Augen und öffnete sie wieder, wobei ihre Pupillen schwarz aufflammten. »Vielleicht ist er nicht in der Lage, nur eine Frau zu lieben. Oder vielleicht ist er es, aber nicht mich. Er war niemals treu, nicht einmal am Anfang, und darauf komme ich immer wieder zurück, wie ich dachte, ich wüsste, worauf ich mich einließ, als ich Bror heiratete, obwohl ich tatsächlich kaum eine Vorstellung davon hatte.«

Ich nahm einen ermutigenden Schluck Calvados. »Sie könnten ebensogut über meine Ehe sprechen. Genauso fühle ich mich auch.«

»Und denken Sie, dass Sie Ihre Scheidung bekommen werden?«

»Ich hoffe es. Ich fürchte mich noch, irgendeinen Druck auszuüben.«

»Wir alle fürchten uns vor vielen Dingen – aber wenn Sie sich kleiner machen oder sich von Ihrer Angst einschränken lassen, dann sind Sie im Grunde nicht Ihr eigener Herr, nicht wahr? Die eigentliche Frage ist doch, ob Sie bereit sind, den Preis dafür zu zahlen, glücklich zu sein.«

Sie sprach von Jock, aber ihre Worte ließen mich auch an andere Dinge denken.

»Sind Sie glücklich, Karen?«

»Noch nicht. Aber ich habe es vor.«

26.

In einer Reihe von Telegrammen wurde mit Clara alles sehr schnell geregelt. Das Haus würde perfekt für sie sein, behauptete sie beharrlich und dankte mir voller Überschwang. Aber selbst so viel Intimität irritierte mich. Ich hatte sechzehn Jahre lang keine Mutter gehabt und keinen blassen Schimmer, wie ich mit ihr umgehen sollte, nicht einmal in einem Telegramm. Ich rang mit jeder Zeile, fragte mich, wie herzlich ich sein sollte oder wie distanziert. Ich hatte keinerlei Übung in solchen Dingen – es gab nicht einmal ein Wort für das, was wir nun waren, nicht Mutter und Tochter, aber auch nicht vollkommen fremd. Es war verwirrend.

Aus einer Nachricht von Clara erfuhr ich, dass mein Bruder Dickie seit vielen Jahren in Kenia lebte und derzeit in Eldoret oben im Norden für einen guten Stall als Jockey arbeitete. Ich konnte es kaum glauben. Dickie war hier gewesen, in meiner Welt, ohne dass ich es mitbekommen hatte? Was hatte das zu bedeuten? Würden wir irgendwie alle wieder als Familie zusammenfinden? Wollte ich das? War das überhaupt möglich?

Ich schwankte immer noch zwischen widersprüchlichen Gefühlen, als Clara Ende Mai ankam. Mit zitternden Händen und staubtrockenem Hals fuhr ich in einem Automobil, das ich mir von D geliehen hatte, zum Norfolk Hotel, um mich dort mit ihr zu treffen. Unter meinen Achseln und in meinen Kniekehlen brach mir der Schweiß aus, als hätte ich einen mysteriösen Fieberanfall. Nur mit Mühe konnte ich mich zurückhalten, die Flucht zu ergreifen, als sie und die

Jungs hinunter zu mir in den Tearoom kamen. Ich hatte versucht, mich daran zu erinnern, wie sie aussah, und mir Sorgen gemacht, ob ich sie überhaupt erkennen würde, was sich jedoch als unnötig herausstellte. Wir hatten dasselbe schmale Gesicht mit den ausgeprägten Wangenknochen, der hohen Stirn und denselben hellblauen Augen. Bei ihrem Anblick wurde mir seltsam schwindelig – als begegnete ich mir selbst in Gestalt eines lange verschollenen Geistes –, und ich war froh, dass die beiden Jungen da waren und mich in die Wirklichkeit zurückholten. Sie waren sieben und neun Jahre alt, blond, gewaschen und gekämmt und zu Anfang ein wenig schüchtern. Sie versteckten sich halb hinter ihrer Mutter, als diese mich in ihre Arme schloss. Darauf nicht vorbereitet, stieß ich mit dem Ellbogen gegen ihren Hut und machte mich rasch los, da es mir einen Stich versetzte und mich verwirrte. Ich wollte nicht von ihr umarmt werden, aber was wollte ich dann? »Wie war die Reise?«, brachte ich hervor.

»Die Wellen waren größer als alles andere«, sagte Ivan, der Ältere.

»Ivan hat sich über die Reling ins Meer übergeben«, fiel Alex ihm stolz ins Wort. »Zweimal.«

»Es war eine Strapaze«, bestätigte Clara. »Aber nun sind wir hier.«

Wir setzten uns an einen schmalen Tisch, wo sich die Kinder über Teller mit Süßigkeiten hermachten, als wären sie halb verhungert. »Du bist wirklich zu schön«, rief Clara aus. »Und wie ich gehört habe, bist du nun verheiratet.«

Ich wusste nicht, was ich darauf antworten sollte, also nickte ich einfach.

»Harry war das größte Glück in meinem Leben.« Claras Unterlippe zitterte. In ihren Augen glitzerten Tränen. »Du hast keine Ahnung, wie schwer es gewesen ist, mit den Schulden und der Unsicherheit. Und jetzt bin ich wieder allein.«

Während sie sich die Tränen mit dem Taschentuch abtupfte, starrte ich sie leicht geschockt an. Aus irgendeinem Grund hatte ich geglaubt, sie würde womöglich versuchen, sich zu erklären oder zu entschuldigen. Dass sie mit Bedauern nach Clutt fragen könnte oder wissen wollte, wie es mir wirklich ergangen war. Aber sie war so sehr in ihrer eigenen traurigen Geschichte gefangen, dieser jüngsten, als gäbe es keine andere.

»Mbagathi ist wunderschön«, sagte ich im Bemühen, einen Schritt nach vorn zu machen. »Die Jungs werden es lieben. Sie können dort nach Lust und Laune herumrennen, vielleicht sogar zur Schule gehen. Die Baronin hat einen Lehrer für die Kikuyu-Kinder auf ihrem Land ausfindig gemacht.«

»Du warst wirklich meine Retterin, Beryl. Ich wusste, dass ich mich auf dich verlassen konnte.« Sie schniefte laut. »Ist eure Schwester nicht wunderbar, Jungs?«

Ich war ihre Schwester und zugleich eine Fremde, doch die beiden schien diese Tatsache weniger zu erschüttern als mich. Ivan ignorierte Clara einfach, Alex schaute mit dem Mund voller Kekskrümel kurz auf und stürzte sich dann wieder auf das Gebäck.

Zwei Stunden später spuckten die Jungs über die offenen Seiten des geliehenen Wagens in den Staub, während ich sie vom Hotel fortbrachte. Clara wies sie zerstreut zurecht und sagte dann: »Ich kann einfach nicht fassen, wie sehr Nairobi sich verändert hat. Es ist jetzt eine richtige Stadt. Du hättest es damals sehen sollen.«

»Nun, du warst lange Zeit fort.«

»Damals konnte man nicht laufen, so viele Ziegen waren auf der Straße unterwegs. Die Post war nicht größer als eine Dose Bohnen. Keine richtigen Geschäfte. Niemand zum Unterhalten.« Sie schlug mit ihrem Taschentuch nach den immer noch spuckenden Jungen und wandte sich dann wieder zu mir um. »Ich kann es einfach nicht fassen.«

Es schien sie nicht zu beschämen, mit mir über die Vergangenheit zu sprechen. Tatsächlich schien sie vergessen zu haben, dass ich ein Teil ihrer Vergangenheit in der Kolonie war. Aber wenn ich darüber nachdachte, war es vielleicht auch besser so – wenn wir uns unvoreingenommener begegnen konnten, als gäbe es nichts zu entschuldigen oder wiedergutzumachen. Als wäre nichts verlorengegangen. Vielleicht läge dann auch kein weiterer Schmerz vor uns. Ich hoffte, es möge so sein, während ich meine Hände in den Handschuhen um das Lenkrad krampfte und uns auf der ausgefahrenen Straße aus der Stadt hinaus und auf Mbagathi zu kutschierte.

Seit meinem letzten Besuch bei Karen war über ein Monat vergangen. Ich steuerte zuerst das Hauptgebäude an. Karen war den Hang hinauf bei der Kaffeeproduktion, kam jedoch angerannt, als sie den Motor hörte, das Haar vom Wind zerzaust und einen Fingerabdruck aus Kaffeestaub auf der Wange. Von Denys war weit und breit keine Spur zu sehen. Vielleicht war er noch immer fort – oder wieder.

»Entschuldigen Sie, dass ich wie eine Vogelscheuche aussehe.« Karen streckte Clara die Hand hin. »Wir sind heute mit der Ernte beschäftigt.«

»Beryl hat mir auf der Fahrt alles erklärt, was Sie hier tun. Ich bewundere, was Sie auf sich genommen haben. Und Ihr Haus und der Rasen sind so wunderschön.« Clara drehte sich einmal anerkennend im Kreis.

»Sie möchten sicher einen Tee – oder vielleicht Sandwiches?«

Die Jungs horchten bei der Erwähnung von mehr Essen auf, aber Clara wies sie an, still zu sein. »Wir hatten bereits unseren Tee.«

»Dann fahre ich mit Ihnen hinaus zum Haus. Lassen Sie mich nur meine Schuhe wechseln.«

Wir rollten den gewundenen Weg nach Mbagathi entlang, auf dem die süß duftenden Bäume durch die Fenster des Wagens zu uns hereindrängten.

»Oh, es ist reizend«, sagte Clara bei unserer Ankunft. »Wir werden es hier schön gemütlich haben.«

»Sie bleiben doch auch eine Weile, Beryl?«, fragte Karen.

»Darüber hatte ich noch nicht nachgedacht«, antwortete ich zögernd, da ich mich fragte, wie angenehm es für mich sein würde. Clara war eine Fremde, obendrein eine komplizierte.

»Aber natürlich musst du das. Wir haben uns doch noch gar nicht richtig unterhalten.« Clara wandte sich an die beiden Jungen, die bereits im Staub knieten und einen Herkuleskäfer beobachteten, der sich mit einem hoch aufragenden Zweig in seiner geweihartigen Zange vorwärtsbewegte. »Sagt ihr, dass wir sie brauchen.«

»Sicher«, meinte Ivan. Alex grunzte, ohne den Blick vom Käfer abzuwenden.

»Dann ist es abgemacht.«

Karen lieh uns ihren Koch und ihren Hausdiener und nannte meiner Mutter die Namen mehrerer Kikuyu-Totos, die ihr am nächsten Tag bei Bedarf zur Verfügung stehen würden.

Als sie fort war, bemerkte Clara: »Ich wollte ja vor der Baronin nichts sagen, aber das Haus ist wirklich recht einfach, oder?«

»Kann sein. Hier hat schon eine Weile niemand mehr gewohnt.«

»Es ist viel kleiner, als ich es mir vorgestellt habe.«

»Es hat drei Schlafzimmer, und ihr seid zu dritt.«

»Nicht heute Nacht«, berichtigte sie mich.

»Aber ich kann überall schlafen. Mir ist das egal.«

»Welch wunderbare Fähigkeit, Beryl. Du warst schon immer die Zäheste von uns.«

Ich zuckte unwillkürlich zusammen und richtete mich

in meinem Stuhl auf. »Du hast gesagt, Dickie arbeite als Jockey?«

»Ja, und er ist sehr gut darin. Erinnerst du dich, wie er reiten konnte?«

Ich nickte unbestimmt.

»Ich weiß, dass er jetzt gern hier bei uns wäre, aber er hat sich nicht wohl gefühlt. Seine körperliche Verfassung war schon immer schlecht, wie du ja weißt.«

Ich erinnerte mich an so wenig ... aufgeschürfte Knie, als die Farm noch im Rohzustand und voller Hindernisse war. Wie er mir einmal fest in die Seite getreten hatte, als wir uns um ein Spielzeug stritten. Aber selbst das war in gewisser Weise zu viel. Es wäre leichter gewesen, alles bis auf den letzten Rest vergessen zu haben.

»Er wird natürlich Geld senden, wenn er kann«, fuhr sie fort, wobei ihre Augen erneut feucht wurden. »Vergib einer dummen Frau, Beryl. Vergib mir.«

In dieser Nacht wälzte ich mich schlaflos auf dem Sofa vor der Feuerstelle hin und her, da mich Clara mit ihrer merkwürdigen Kombination aus Bedürftigkeit und Gedächtnisverlust verstörte. Ich wünschte mir, ich hätte nie auf ihr erstes Telegramm geantwortet oder sie wäre erst gar nicht auf die Idee gekommen, es zu senden. Aber hier waren wir nun, gefangen in einem seltsamen Schwebezustand.

Irgendwann nach Mitternacht, lange nachdem das Feuer erloschen war, begann es zu regnen. Ich hörte das Prasseln immer lauter werden, als auf einmal Clara auftauchte, barfuß und mit gelöstem Haar, was sie sehr jung aussehen ließ. Sie trug Nachthemd und Morgenmantel und hielt eine flackernde Kerze in der Hand. »Es gießt in Strömen.«

»Versuch, es zu ignorieren. Zu dieser Jahreszeit bekommen wir eine Menge Regen ab.«

»Nein, ich meine hier drinnen.« Sie zerrte mich in eins der kleineren Zimmer, in dem die Jungen sich auf einem

Bett zusammendrängten, während durch eine Nahtstelle im Dach Wasser auf die Laken tropfte. Der Regen fiel direkt auf sie herunter, aber sie waren kaum klug genug, um auszuweichen.

»Verschieben wir das Bett«, schlug ich vor.

»Richtig«, erwiderte Clara. Sie wäre niemals selbst auf diese Idee gekommen, so viel stand fest. Die Jungen kletterten herunter, damit Clara und ich das Bett an die andere Wand rücken konnten. »Hier tropft es auch.«

Im zweiten Schlafzimmer war es ein wenig trockener. In der Küche fanden wir Eimer, die wir aufstellten, um die Tropfen aufzufangen, bevor wir von Raum zu Raum gingen und nach den sichersten Plätzen für die Möbel suchten. »Es ist hoffnungslos!«, rief Clara und warf die Hände in die Luft.

»Bloß ein bisschen Regen.« Ich seufzte. »Euch Jungs macht es doch nichts aus, oder?« Aber sie wirkten plötzlich genauso fragil. Alex hielt ein zerzaustes Kuscheltier im Arm, einen Teddybären, benannt nach Roosevelt. Er zog an seinem Ohr und schien sich am liebsten in einem Schrank verkriechen zu wollen.

»Wir müssen nur die Nacht überstehen«, munterte ich sie auf. »Morgen werden wir sehen, ob die Arbeiter das Dach reparieren können.«

»Ich glaube, hier ist es am trockensten«, sagte meine Mutter mit Blick auf das Sofa. »Macht es dir etwas aus, wenn die Jungs und ich deinen Schlafplatz nehmen?«

»Überhaupt nicht.« Ich seufzte noch einmal.

»Danke. Und es wäre wunderbar, wenn wir ein Feuer bekommen könnten, nicht wahr, Jungs?«

Das Holz war feucht, rauchte und brauchte ewig, bis es brannte. Als ich es endlich in Gang gebracht hatte, war ich zu erschöpft, um die Betten erneut zu verschieben. Ich ließ mich auf das erstbeste fallen, rollte mich zwischen den feuchten Laken zusammen und versuchte, zu schlafen.

Den ganzen nächsten Tag über schüttete es wie aus Kübeln. Als der Nachmittag halb vorüber war, war Clara völlig verzweifelt. Karen war gekommen und hatte versucht, alles in Ordnung zu bringen, aber der Regenguss wollte kein Ende nehmen, und das Wasser drang durch alles hindurch. Schließlich ließ sie Clara und ihre Söhne ins Haupthaus umziehen.

»Es tut mir wirklich leid, dass Sie solche Unannehmlichkeiten haben«, hörte Karen nicht auf, zu wiederholen.

»Dafür können Sie doch nichts«, versicherte Clara ihr, während sie sich ein paar feuchte Strähnen mit Haarnadeln feststeckte. Etwas in ihrem Tonfall sagte mir allerdings, dass sie Karen eigentlich doch dafür verantwortlich machte – oder vielleicht auch mich. Zu sehen, dass sie so wenig Tatkraft oder Belastbarkeit besaß, war wohl kaum überraschend, dennoch machte es mich traurig für sie. Wie furchtbar musste es sein, wenn man von allem ins Wanken gebracht wurde und unter jeder Last gleich zusammenbrach. Regen zum Beispiel – vom Verlust eines Ehemanns ganz zu schweigen. Sie war so bemitleidenswert, dass ich mich nicht über sie hätte ärgern dürfen, aber ich konnte nichts dagegen tun. Bis zum Abendessen hatte ich die ganze Situation so gründlich satt, dass ich nach Soysambu und zu meinen Pferden floh – zu meiner Arbeit, die mir nie Rätsel aufgab und mich stets verlässlich beruhigte.

»Ich komme am Wochenende wieder«, versprach ich und fuhr in Ds Automobil durch den zähen, spritzenden Schlamm davon.

27.

Bis ich drei Tage später wieder nach Mbogani kam, hatte Clara sich bereits aus dem Staub gemacht. Sie hatte ein Auto mit Fahrer gemietet, das sie abgeholt und gemeinsam mit den Kindern zurück nach Nairobi gebracht hatte, und nur einen Zettel hinterlassen, auf dem sie sich in knappen Worten für die Unannehmlichkeiten entschuldigte.

»Es hat mich tatsächlich einige Mühe gekostet, das Haus für sie sauber und einzugsbereit zu machen«, bemerkte Karen. »Regen ist Regen. Was hätte ich denn tun sollen?«

»Ich hoffe, sie hat Ihnen wenigstens etwas Geld dagelassen.«

»Nicht eine Rupie.«

Es war mir entsetzlich peinlich. »Lassen Sie mich Ihnen etwas geben.«

»Seien Sie nicht albern. Es ist ja nicht Ihre Schuld. Sie können aber bleiben und mich ein wenig aufheitern. Ich habe mich einsam gefühlt.«

Spät in dieser Nacht setzte der Regen erneut ein. Das war im Mai nicht selten: verheerende, sintflutartige Unwetter, die nicht aufhören wollten und die Straßen in Abzugsrinnen, die Abzugsrinnen jedoch in unpassierbare reißende Ströme verwandelten.

»Sie können bei diesem Wetter unmöglich zurück«, sagte Karen am nächsten Morgen, als sie durch die offene Veranda auf das strömende Grau blickte.

»D wird sich fragen, wo ich bleibe, also werde ich es wohl riskieren müssen.«

»Er ist ein vernünftiger Mann … zumindest hin und wieder. Sie können ja wohl kaum nach Hause schwimmen.«

Bevor wir unser Gespräch beendet hatten, kam ein Somali-Junge nahezu nackt auf das Haus zugerannt, wobei ihm der rote Schlamm bis zu den schmächtigen Hüften spritzte. »Bedar ist auf dem Weg«, verkündete der Junge. »Er wird bald hier sein.«

Bedar war offensichtlich Denys. Ich konnte an Karens Gesichtsausdruck ablesen, wie glücklich sie diese Neuigkeit machte, während sie den Jungen ins Haus bat und darauf bestand, dass er badete, sich umzog und etwas Herzhaftes aß, bevor er wieder zurücklief. »Denys' Diener sind ihm vollkommen treu ergeben«, erklärte sie mir, während sie mit einem Baumwolllappen über die nassen Fußabdrücke wischte, die der Junge auf ihren Fliesen hinterlassen hatte. Sie hatte genügend Bedienstete, aber es war deutlich, dass sie selbst gern tätig wurde und sich nützlich machte. »Sie respektieren ihn, als wäre er einer von ihnen. Ich nehme an, sie würden sich einem Löwen ins Maul legen, wenn er sie darum bäte.«

Ich spürte, wie sie ein wenig aus der Deckung trat, und tastete mich weiter vor. »Wie haben Sie beide sich angefreundet?«

»Bei einer Jagd, die wir vor ein paar Jahren veranstaltet haben. Er wurde von Delamere mitgebracht und bekam dann so heftiges Fieber, dass er hierbleiben musste. Ich hatte schon fast aufgegeben, hier jemals so etwas wie gute Gesellschaft zu finden, aber da war er plötzlich.« Sie blickte von ihrer Arbeit auf. »Wirklich, ich hatte noch nie zuvor einen so intelligenten Menschen kennengelernt. Das war die beste Überraschung des gesamten Jahres.«

»Trotz Fieber?«

»Ja, trotzdem.« Sie lächelte. »Aber dann verbrachte ich eine Weile in meiner Heimat, er danach ebenfalls, und so haben wir uns erst kürzlich wieder getroffen. Ich schätze mich sehr glücklich.« Sie stand auf und wischte sich die Hände an ihrer Schürze ab. Jenseits der geöffneten Tür hing eine dichte, niedrige Wolkendecke, aus der es unablässig regnete. »Wenn Sie möchten, lasse ich einen der Jungen Ihr Pferd holen. Außer, Sie überlegen es sich doch noch einmal.«

Ich dachte zuerst an die rutschigen Meilen bis Soysambu, danach an Denys' haselnussbraune Augen und sein Lachen. Ich wollte ihn wiedersehen und auch ihn und Karen zusammen erleben. »Das werde ich wohl müssen«, erwiderte ich. »Es wird nicht aufhören.«

Karen blieb den gesamten Tag auf Denys' bevorstehende Ankunft konzentriert, stellte Menüs fürs Abendessen zusammen und ließ die Bediensteten das Haus gründlich reinigen. Schließlich erblickten wir erneut Denys' Somali-Jungen, dem er selbst in geringer Entfernung folgte, nass bis auf die Knochen, aber bester Dinge. Er kam unerschütterlich herangeritten, während sein ebenso unverzagter Somali-Diener Billea neben ihm herlief.

»Ich schäme mich ein bisschen dafür, mich vom Regen aufhalten zu lassen, wo er Ihnen so wenig ausgemacht hat«, gestand ich, nachdem wir uns begrüßt hatten.

»Ich habe Ihnen nichts von den Stellen erzählt, an denen mein Pferd bis zum Hals eingesunken ist.« Er sah mich mit zusammengekniffenen Augen an, ehe er seinen Hut abnahm, von dessen Krempe das Wasser strömte. »Außerdem ist es schön, Sie zu sehen.«

Karen führte ihn ins Innere des Hauses, damit er sich vor dem Abendessen umziehen konnte, während ich, von plötzlicher Nervosität gepackt, die Bibliothek aufsuchte. Ich wusste nicht genau, weshalb, aber als ich versuchte, durch einen Stapel Thackeray-Romane und Reisebücher zu blättern, die Karen für mich herausgelegt hatte, las ich dieselben Absätze immer wieder, ohne mir irgendetwas zu merken, während die kleine Eule Minerva von ihrer Sitzstange über mir den Kopf schwenkte und mich mit ihren großen, runden Augen ansah, ohne zu blinzeln. Sie sah aus wie ein gefiederter Apfel mit einem glänzenden Schnabel, der der Spitze eines Knopfhakens glich. Ich trat zu ihr und versuchte ihr Vertrauen zu gewinnen, indem ich sie mit einem Finger streichelte, wie Karen es getan hatte, bis sie ihre Scheu schließlich ablegte.

Vielleicht war ich nur unsicher, dachte ich, wobei mein Blick erneut auf den dicken Bücherstapel fiel. Denys und Karen waren beide so intelligent … und vor ihnen gemeinsam mochte ich mir dumm vorkommen. Hätte es mich wohl umgebracht, ein paar Jahre in der Schule zu bleiben und ein wenig Wissen zusammenzutragen, das nichts mit Pferden oder Landwirtschaft oder der Jagd mit Kibii zu tun hatte? Ich hatte es so eilig gehabt, nach Hause zurückzukehren und mich in das zu stürzen, was ich kannte, dass ich mir in keiner Weise hatte vorstellen können, wozu das Lernen aus Büchern mir nützlich sein sollte. Nun war es wahrscheinlich zu spät. Ich konnte versuchen, ein paar Häppchen von Thackeray aufzusaugen, um beim Abendessen womöglich schlau zu klingen, aber das wäre bloß Verstellung und der Versuch, Karen zu imitieren. »Dummkopf«, sagte ich, wütend auf mich selbst, während Minerva eine gestreifte gelbe Klaue ausstreckte. Ich musste mich wohl oder übel damit abfinden, dass ich war, wer ich war. Es würde genügen müssen.

Nach so vielen Wochen im Busch war Denys ausgehungert nach Gesprächen. Während der Mahlzeit aus duftender Tomatensuppe, kleinem blanchiertem Kopfsalat und Steinbutt in einer Sauce Hollandaise, die auf dem Löffel schmolz, erzählte er uns, wie er durch den Norden des Landes zurückgekehrt war. Er hatte bei seinem Anwesen in der Nähe von Eldoret Halt gemacht und mitbekommen, wie Touristen Wild aus ihren Automobilen heraus erschossen und die Kadaver einfach verrotten ließen.

»Um Gottes willen.« Von so etwas hatte ich noch nie gehört. »Das ist reines Abschlachten.«

»Ich gebe Teddy Roosevelt die Schuld daran«, sagte er. »Diese Fotografien von ihm, auf denen er über erlegten Elefanten steht wie eine Art Seeräuber. Das wirkte viel zu glamourös. Zu einfach.«

»Ich dachte, er habe nur gejagt, um Exemplare für Museen zu sammeln«, sagte Karen.

»Lass dich von dieser Museumssache nicht täuschen. Er war durch und durch ein Jäger.« Denys schob seinen Stuhl vom Tisch zurück und zündete sich eine Zigarre an. »Es ist nicht so sehr Roosevelt selbst, der mir auf die Nerven geht, sondern das, was er in Gang gesetzt hat. Diese Tiere sollten nicht umsonst sterben. Nur weil jemand sich betrinkt und ein Gewehr lädt.«

»Vielleicht könnte es eines Tages ein Gesetz dagegen geben«, meinte Karen.

»Vielleicht. Aber bis dahin hoffe ich, dass mir keiner dieser Vergnügungsjäger begegnet, sonst kann ich für nichts garantieren.«

»Du versuchst dich an ein Paradies zu klammern.« Karens Augen flimmerten im Kerzenschein, intensiv und tief schwarz. »Denys erinnert sich noch zu gut daran, wie unberührt alles in den Anfangsjahren war«, erklärte sie mir.

»Genau wie ich. Das vergisst man nicht so leicht.«

»Beryls Mutter war kurz hier«, berichtete Karen Denys und setzte dann hinzu: »Ich dachte, sie würde in Mbagathi zur Miete wohnen.«

»Oh«, machte er. »Ich hatte angenommen, Ihre Mutter sei tot.«

»Das macht nichts. Sie liegen damit nur knapp daneben. Sie ist fortgegangen, als ich noch sehr jung war.«

»Ich könnte ohne die Liebe meiner Mutter nicht überleben«, sagte Karen. »Ich schreibe ihr jeden Sonntag und lebe für die Briefe, die sie mir schickt. Diese Woche werde ich ihr von Ihnen erzählen und ihr schreiben, dass Sie wie die Mona Lisa aussehen. Darf ich Sie irgendwann einmal malen? Sie würden ein wunderbares Bild abgeben, genau so, wie sie jetzt aussehen. Voller Anmut, aber auch ein wenig verloren.«

Ich errötete, da ich mich beobachtet fühlte. Sie sprach so freiheraus, aber es lag auch an ihrem Blick, dem nichts zu entgehen schien. »So etwas kann man doch nicht tatsächlich von meinem Gesicht ablesen, oder?«

»Tut mir leid, versuchen Sie mich nicht zu beachten. Ich interessiere mich so sehr für Menschen, denn sie geben einem solche wunderbaren Rätsel auf. Denken Sie doch nur. Die Hälfte der Zeit haben wir keine Ahnung, was wir tun, dennoch leben wir irgendwie.«

»Ja«, stimmte Denys zu. »Nach etwas Wichtigem zu suchen und auf Irrwege zu geraten ist oft kaum voneinander zu unterscheiden.« Er streckte sich und setzte sich erneut zurecht wie ein langgliedriger Kater in der Sonne. »Manchmal erkennt niemand den Unterschied, am wenigsten der arme verdammte Suchende.« Er zwinkerte mir kaum wahrnehmbar zu. »Wie wäre es nun mit einer Geschichte? Kein Abendessen ohne Geschichte.«

Ich hatte darüber nachgedacht, was ich ihnen erzählen könnte, und mich schließlich für Paddy und jenen Tag auf der Farm der Elkingtons entschieden. Um sie zu fesseln, beschrieb ich ganz langsam von Anfang an alles, woran ich mich erinnern konnte – den Ritt hinaus zur Kabete Station und den Vortrag, den mein Vater mir über Löwen gehalten hatte. Bishon Singh und seinen endlosen Turban, die Stachelbeerbüsche und den zischenden Knall von Jim Elkingtons Kiboko. Nach einer Weile vergaß ich, dass ich versuchte, Denys und Karen in die Geschichte zu ziehen, und wurde selbst davon gefangen genommen, fast so, als hätte ich vergessen, was geschehen war und wie das Ganze ausgehen würde.

»Sie müssen fürchterliche Angst gehabt haben«, sagte Karen, nachdem ich geendet hatte. »Ich kann mir nicht vorstellen, dass schon viele so etwas überlebt haben.«

»Ja, die hatte ich. Aber später habe ich es als eine Art Initiation verstanden.«

»Ich glaube Ihnen, dass das wichtig für Sie war. Wir alle erleben solche Augenblicke – auch wenn sie nicht immer so dramatisch sind«, sagte Denys und blickte dann einen Moment nachdenklich ins Feuer. »Ich nehme an, sie sollen uns auf die Probe stellen und verändern. Uns klarmachen, was es bedeutet, alles zu riskieren.«

Einen Moment lang herrschte Schweigen im Raum. Ich dachte über Denys' Worte nach und sah zu, wie die beiden still rauchten. Schließlich zog Denys einen schmalen Band aus der Innentasche seines braunen Samtjacketts. »Dieses kleine Juwel habe ich in einer Buchhandlung in London gefunden. Es heißt *Grashalme*.« Er schlug es an einer gekennzeichneten Stelle auf und hielt es mir mit der Aufforderung hin, daraus vorzulesen.

»O Gott, nein. Ich würde es nur verschandeln.«

»Das werden Sie nicht. Ich habe bei diesem speziellen Gedicht an Sie gedacht.«

Ich schüttelte den Kopf.

»Lies du es vor, Denys«, kam Karen mir zu Hilfe. »Beryl zu Ehren.«

»›Ich glaube, ich könnte hingehn und mit den Tieren leben‹«, las er laut, »›sie sind so ruhig und beschlossen in sich, / Ich stehe und schaue sie an, lange und lange. / Sie schwitzen und wimmern nicht über ihre Lage, / Sie liegen nicht wach im Dunkeln und weinen über ihre Sünden …‹«

Er trug die Worte ganz einfach vor, in keiner Weise theatralisch, doch sie besaßen ihre eigene Schwere und Dramatik. In dem Gedicht schien es darum zu gehen, welche natürliche Würde Tiere besaßen und dass ihr Leben sinnvoller war als das der Menschen, das verwirrt wurde durch Gier und Selbstmitleid und das Gerede über einen fernen Gott. Das war etwas, woran ich immer geglaubt hatte. Er schloss mit dieser Passage: »»Ein riesiges Prachtstück von Hengst, frisch und empfänglich für meine Liebkosung, / Kopf hoch in der Stirn, breit zwischen den Ohren, / Glieder geschmeidig und glänzend, der Schweif fegt den Boden, / Die Augen voll funkelnden Mutwillens, fein geschnitten die leicht beweglichen Ohren.‹«

»Das ist wundervoll«, sagte ich leise. »Darf ich es mir ausleihen?«

»Natürlich.« Er reichte mir das schmale Büchlein, so leicht wie eine Feder und immer noch warm von seiner Berührung.

Ich wünschte den beiden gute Nacht und ging in mein Zimmer, wo ich mich unter eine Lampe hockte, um mehr von den Gedichten zu lesen. Das Haus um mich wurde still, aber nach einer Weile wurde mir bewusst, dass Laute über den Flur zu mir drangen. Mbogani war nicht allzu groß, und die Geräusche, wenn auch gedämpft, waren unverkennbar. Denys und Karen liebten sich.

Ich ließ das Buch in meinem Schoß zusammenklappen, während mich ein leichter Adrenalinstoß durchfuhr. Ich war mir so sicher gewesen, dass sie nur gute Freunde waren. Warum hatte ich das geglaubt? Blix hatte Denys' Namen an jenem Abend, an dem er hier war, so beiläufig ausgesprochen, aber vielleicht bedeutete das auch nur, dass er Denys' Platz in Karens Leben akzeptiert hatte. Je mehr ich darüber nachdachte, desto offensichtlicher erschien es mir, dass diese beiden sich zueinander hingezogen fühlten. Sie waren beide schön und interessant, voll tiefen Wassers, wie die Kips es ausdrücken würden. Und was Berkeley auch über Denys' ausweichende Haltung in Sachen Liebe gesagt haben mochte, hatten er und Karen eindeutig eine innige Verbindung zueinander. Das konnte ich klar erkennen.

Ich wandte mich erneut dem Buch zu und blätterte zu

dem Tiergedicht, das Denys für mich vorgetragen hatte, aber die schwarzen Lettern sprangen wild vor meinen Augen herum. Hinter mehreren Wänden flüsterten die beiden Liebhaber miteinander, während ihre Körper mit den Schatten verschmolzen, zusammenkamen und sich wieder trennten. Ihre Affäre hatte nichts mit mir zu tun, dennoch konnte ich nicht aufhören, an sie zu denken. Schließlich löschte ich das Licht und legte mir das Kissen auf den Kopf, da ich nur noch schlafen wollte.

Am nächsten Tag teilten sich die Wolken, und der Himmel erstrahlte in einem frischen Azurblau, so dass wir beschlossen, zu einer kleinen Jagdexpedition aufzubrechen. Strauße waren in den Garten eingedrungen und hatten die meisten kleinen Salatköpfe aufgepickt. Die Vögel wankten durch das Beet und nahmen sich, was sie wollten, wobei sie überall Kot und Federn verstreuten.

Sowohl Denys als auch Karen sahen ausgeruht und glücklich aus, während ich schlecht geschlafen hatte. Aber so müde und leicht beschämt aufgrund meiner nächtlichen Entdeckung ich auch war, beeindruckten mich Denys' Selbstvertrauen und Gelassenheit doch genauso, wie sie es anscheinend immer taten. »Diese Vögel haben Gehirne so groß wie Kaffeekirschen«, erklärte er, während er sein schmales Rigby-Gewehr mühelos in Anschlag brachte. »Wenn man weit genug zielt, springen sie oft mitten in den Schuss hinein.«

»Warum schießen Sie nicht in die Luft?«

»Aus irgendeinem Grund reicht das nicht. Sie müssen das Vorbeizischen der Patrone spüren, um richtig in Panik zu geraten.« Er nahm sein Ziel ins Visier und richtete die Mündung sachkundig darauf. Die Gruppe schreckte zusammen wie ein einziges Tier und stob dann lärmend und unbeholfen in alle Richtungen davon.

Wir lachten über sie – man konnte es sich unmöglich verkneifen – und sicherten den Zaun wieder ab. Danach erklommen wir die höchste Stelle des Kamms, um Karens Aussicht zu genießen. Ihr Hirschhund Dusk führte uns, während ich mich ein wenig zurückfallen ließ und über Denys' Leichtfüßigkeit nachdachte. Er zeigte nicht den leisesten Hauch von Unsicherheit. Er wusste einfach, wie er zu stehen und wohin er seine Arme und Beine zu bewegen hatte, und wie er zustande brachte, was getan werden musste — wobei er weder sich selbst noch irgendeinen Teil der Welt, in der er sich aufhielt, jemals in Zweifel zu ziehen schien. Ich verstand, weshalb Karen sich zu ihm hingezogen fühlte, sogar wenn sie immer noch Gefühle für Blix hatte und fest entschlossen schien, seine Frau zu bleiben.

»Wo haben Sie Ihren Blick so geschärft?«, fragte ich ihn, als ich wieder aufgeholt hatte.

»Wahrscheinlich auf dem Golfplatz von Eton.« Er lachte. »Was ist mit Ihrem?«

»Woher wissen Sie, dass er scharf ist?«

»Ist er das etwa nicht?«

»Ich habe von den Kips auf dem Land meines Vaters zielen gelernt. Sie sollten mich einmal mit einer Steinschleuder sehen.«

»Solange ich außer Schussweite bin.« Er lächelte. »Das würde mir gefallen.«

»Bror hat mir das Schießen beigebracht«, sagte Karen, die auf uns gewartet hatte. »Zuerst habe ich nicht verstanden, weshalb irgendjemand so etwas wollen sollte. Aber es hat etwas nahezu Rauschhaftes, nicht wahr? Nicht Mordlust, sondern eine machtvolle Verbindung, die man zum gesamten Leben spürt. Vielleicht hört sich das grausam an.«

»Nicht für mich. Nicht, wenn es ehrenvoll getan wird.« Ich dachte an Arap Maina, seine kriegerischen Fähigkeiten, aber auch den großen Respekt, den er selbst noch gegenüber der kleinsten Kreatur gehabt hatte. Das hatte ich jedes Mal ganz rein gespürt, wenn ich mit ihm jagen gegangen war, aber auch immer, wenn ich einfach neben ihm hergelaufen war, so wie ich nun neben Denys ging. Aus irgendeinem Grund brachte mich Denys' Nähe anscheinend in Verbindung zu jenen Jahren in Green Hills. Vielleicht, weil ich einen würdevollen und überaus fähigen Krieger in ihm sah und an die Kriegerin in mir selbst erinnert wurde, an das bisschen von Lakwet, das ich noch immer in mir trug.

Mittlerweile waren wir, vorbei an den Kaffeepflanzen, durch Dornengestrüpp und ein schmales, gewundenes Flussbett, in dem Quarz glitzerte, hinaufgeklettert. Der Hügel verflachte sich zu einer Art Plateau, von dem aus wir direkt hinunter ins Rift Valley sehen konnten, dessen zerklüftete Ränder wie Teile einer zerbrochenen Schüssel aussahen. Der Himmel hatte endlich aufgeklart, nur über dem Kilimandscharo im Süden, dessen flache Spitze bedeckt von Schnee und Schatten war, bauschte sich immer noch ein Ring aus Wolken. Östlich und ein klein wenig nördlich von uns erstreckte sich das Kikuyu-Reservat in einer langgezogenen hügeligen Ebene bis zum Mount Kenya, der hundert Meilen oder mehr entfernt war.

»Sie sehen, weshalb ich nirgendwo anders leben wollen würde«, sagte Karen. »Denys möchte hier begraben werden.«

»Irgendwo hier in der Nähe hat ein Adlerpärchen seinen Horst«, erklärte er. »Mir gefällt die Vorstellung, wie sie sich edel über meinem Kadaver in die Höhe schwingen.« Er blinzelte in die Sonne, sein Gesicht braungebrannt und gesund, hinter ihm die lila Schatten seiner langen Glieder. Zwischen seinen Schulterblättern lief eine einzelne Schweißspur seinen Rücken entlang, und seine weißen Baumwollärmel waren über den glatten, gebräunten Unterarmen aufgerollt. Ich konnte ihn mir nicht anders vorstellen als genau so: jeder Millimeter seines Körpers absolut und vollkommen lebendig.

»Die Kikuyu legen ihre Toten hinaus für die Hyänen«, sagte ich. »Wenn wir es uns aussuchen dürften, würde ich wohl auch die Adler bevorzugen.«

28.

Im September rannte Ringleader beim St. Leger um sein Leben und kam ohne Zaudern oder Wanken, ohne Schwellung oder auch nur ein Anzeichen für seine Schwierigkeiten in der Vergangenheit als Zweiter ins Ziel, als wäre er neu erschaffen worden. Als ich am Rand des Siegerbereichs stand und zusah, wie D seinen Silberpokal in Empfang nahm, war ich zufrieden mit meiner Arbeit: Ich hatte Ringleader verstanden und gesehen, was er benötigte, um wieder Großartiges zu leisten – wofür er geschaffen war.

Alle waren zum Rennen in die Stadt gekommen. Eastleigh war überflutet von Pferdepflegern und Trainern. Sämtliche Zimmer im Muthaiga waren belegt, weshalb D mir auf dem Rasen des Clubs ein Zelt aufstellen ließ, vor dem ein Pflock mit meinem Namen beschriftet war. Es war ziemlich unglamourös. Ich musste mich bücken und durch ein Moskitonetz kriechen, um hineinzugelangen, aber Berkeley fand, es könnte lustig sein, dort einen Drink zu sich zu nehmen. Er suchte mich mit einer gekühlten Flasche auf, mit der wir uns vor dem Zelt auf Hocker setzten.

Er war wie immer elegant gekleidet, sah jedoch blass aus. Womöglich hatte er auch abgenommen, aber als ich ihn nach seiner Gesundheit fragte, winkte er nur ab. »Sehen Sie dort?« Er zeigte auf ein kleines Cottage, das nicht weit entfernt in einem Eukalyptushain stand. Es war grob verputzt, hatte eine gerundete Tür und seinen eigenen Miniaturgarten, als wäre es einem Märchenbuch entsprungen. »Dort hat Denys jahrelang gelebt … bevor er hinaus nach Ngong gezogen ist.«

»Sie hätten mir von Denys und der Baronin erzählen sollen. Sie lieben sich, nicht wahr?«

Berkeleys Blick streifte meinen. »Hätte ich das? Ich dachte, Sie seien nicht interessiert.« Wir schwiegen ein paar Minuten, während er unsere Champagnergläser auffüllte. Schwärme von Bläschen stiegen zu einem buttrig aussehenden Schaum auf. »Ich bin mir sowieso nicht sicher, wie lange es halten wird.«

»Weil Denys nicht eingefangen werden kann?«

»Sesshaftigkeit und Denys sind unvereinbare Gegensätze. Er hat ihr aus Abessinien einen Ring mitgebracht, der aus einem so weichen Gold gefertigt ist, dass er an jeden Finger passt. Nun trägt sie ihn wie einen Verlobungsring, womit sie natürlich auf dem Holzweg ist. Nicht, dass ich Tania nicht schätzen würde« – er verwendete Denys' Kosenamen für Karen –, »ich mag sie wirklich. Aber sie sollte nicht vergessen, wer Denys ist. Sie wird kein Glück haben, wenn sie versucht, ihn zu zähmen. Das ist mit Sicherheit nicht der Weg zu seinem Herzen.«

»Wenn ihm die Zügel zu straff sind, wieso ist er dann zu ihr gezogen?«

»Er liebt sie natürlich. Und es macht manches einfacher.« Er fuhr sich abwesend mit den Fingerspitzen durch den Schnurrbart. »Sie hatte in letzter Zeit ziemlich schlimme Sorgen. Geldprobleme.«

»Sie haben sicher von dem Fiasko mit meiner Mutter gehört.«

»Ah, ja.« Er schnitt eine Grimasse. »Die Witwe Kirkpatrick und das undichte Dach.«

»Ich könnte noch immer im Boden versinken vor Scham.«

»Die Miete für Mbagathi wäre ohnehin nur ein Tropfen auf den heißen Stein gewesen. Wie ist denn nun der Stand der Dinge mit Ihrer Mutter?«

»Wenn ich das wüsste. Ich habe gehört, dass sie irgendwo in der Stadt ist. Die ganze Situation wird immer bizarrer. Warum sind Menschen so kompliziert?«

Er zuckte die Achseln. »Was würden Sie sich in Bezug auf Ihre Mutter wünschen – wenn Sie es so haben könnten, wie Sie wollen?«

»Um ehrlich zu sein, kann ich das noch nicht einmal sagen. Vielleicht, dass es mich weniger kümmert? Sie war so lange fort, ich hätte nicht gedacht, dass sie mir noch weh tun könnte, aber nun …« Ich ließ den Satz unvollendet.

»Mein Vater ist gestorben, als ich noch jung war. Zuerst hielten wir es sogar für ziemliches Glück, da es alle möglichen Dinge vereinfachte. Aber im Laufe der Zeit … nun ja. Sagen wir, ich habe eine Theorie entwickelt, derzufolge nur die, die fort sind, einen wirklich prägen. Und ich habe immer noch nicht das Gefühl, das Ganze verstanden zu haben. Vielleicht können wir unsere Familien niemals überleben.«

»Oje. Und das soll mich nun aufheitern?«

Unter seinem Schnurrbart verzogen sich seine Lippen zu einem matten Lächeln. »Tut mir leid, Liebes. Zumindest hat Tania Ihnen das schlechte Benehmen Ihrer Mutter nicht übelgenommen, da bin ich mir sicher. Ich werde später zum Abendessen hinausreiten. Kommen Sie mit!«

Ich schüttelte den Kopf. »Ich denke, ich werde heute früh schlafen gehen.«

»Sie haben die Energie von zehn Männern, und das wissen Sie auch.« Er fixierte mich neugierig. »Ich denke, dass Denys Ihnen den Kopf verdreht hat, Darling, und falls das stimmen sollte: Er ist …«

»Nein, Berkeley«, fiel ich ihm ins Wort. »Keine Warnungen und keinen guten Rat mehr. Ich kann für mich selbst sorgen, vielen Dank, und wenn mir Tiefschläge bevorstehen, werde ich einen Weg finden, sie zu verkraften, in Ordnung? Ich habe einen harten Schädel.«

»Den haben Sie«, gab er zu, »auch wenn ich mir nicht sicher bin, ob überhaupt irgendjemand hart genug ist. Nicht, wenn es um solche Sachen geht.«

Nachdem wir die Flasche geleert hatten, verschwand er in Richtung Ngong, während ich die Lampe anzündete, ins Feldbett in meinem Zelt kletterte und den schmalen Band *Grashalme* aus meiner Tasche zog. Ich hatte mich vor Monaten wie ein Dieb damit aus dem Staub gemacht – und konnte es noch nicht über mich bringen, es zurückzugeben. Ich schlug das Buch auf und las: *Ich glaube, ich könnte hingehn und mit den Tieren leben.* Was mich an diesem Gedicht so bewegte, stellte ich fest, war die Tatsache, dass Denys mich darin gesehen hatte. Die Selbstgenügsamkeit und Freigeistigkeit, die Whitman feierte, die Verbindung zu wilden Tieren und zur Wildheit – sie waren ein Teil von mir, und von Denys ebenfalls. Wir erkannten diese Eigenschaften im anderen, unabhängig davon, was ansonsten wahr oder möglich war.

Eine Brise wölbte das Zelt. Hinter dem Dreieck des Moskitonetzes pulsierte die Nacht. Am Himmel funkelten unendlich viele Sterne, ganz nah und kristallklar.

29.

Im November gab Karen eine Jagdgesellschaft und lud mich ein, für ein paar Tage zu ihr zu kommen. Im Hinblick auf Boy und Jock und eine Reihe neuer, verwirrender Gedanken an Denys fragte sich ein Teil von mir, ob es klug war, die Einladung anzunehmen – aber ich tat es.

Bei meiner Ankunft spielten Denys und Karen Gastgeber und Gastgeberin für ein ganzes Haus voller Gäste, darunter auch Ginger Mayer, die ich zwar noch nie getroffen hatte, von der mir Cockie jedoch erzählt hatte. Anscheinend war sie jahrelang Bens Geliebte gewesen, dennoch waren die Frauen irgendwie Freundinnen geblieben. Sie waren beide auf dem Rasen, als ich dazustieß, und spielten ein Spiel, das ein wenig nach Golf und ein wenig nach Kricket aussah, für das sie Squashschläger, Krockethammer und sogar eine Reitgerte verwendeten. Ginger trug ein wallendes Seidenkleid, das sie zwischen den Beinen zusammengeknotet hatte, um daraus einen Hosenrock zu machen. Mit ihrem gekräuselten kastanienbraunen Haar und ihren Sommersprossen war sie wunderschön. Sie und Cockie hätten Schwestern sein können, wie sie so umeinander herumjagten, um nach dem schäbig aussehenden Lederball zu schlagen.

»Wie kann es sein, dass du hier bist?«, fragte ich Cockie, als sie mich begrüßen kam. »Ich dachte, Karen spricht nicht mit dir.«

»Das tut sie eigentlich auch nicht, aber gerade herrscht eine Art Waffenstillstand. Vielleicht, weil sie endlich bekommen hat, was sie wollte.« Wir warfen beide einen Blick in Richtung Veranda, wo Karen und Denys vor Dutzenden Weinflaschen standen, ganz Herr und Herrin des Hauses. »Wie läuft es mit Jock?«

»Ich denke, wir befinden uns in einer Pattsituation. Ich habe versucht, ihn zur Scheidung zu drängen, aber er reagiert nicht darauf. Zumindest nicht in vernünftiger Weise.«

»Das tut mir leid, Darling. Aber es muss sich doch bald regeln lassen, oder? Selbst die schlimmsten Dinge nehmen irgendwann ein Ende … nur so können wir weitermachen.«

Nachdem sie mit ihrem Schläger zurück zum Spiel getänzelt war, ging ich hinein und sah, dass Karen sich selbst übertroffen hatte. Überall standen Kerzen und Blumen, der Tisch war mit ihrem hübschesten Porzellan gedeckt. Jede Oberfläche, jeder Winkel war choreografiert worden, perfekt arrangiert, um Behaglichkeit, aber auch Bewunderung auszulösen. Karen mochte schreiben und malen, aber auch dies war eine Art von Kunst, die sie gut beherrschte. »Gibt es einen besonderen Anlass?«, fragte ich sie.

»Eigentlich nicht. Ich bin nur so glücklich, dass ich es nicht für mich behalten wollte.« Damit rauschte sie davon, um ihrem Diener Juma Anweisungen zu einem Punkt im Menü zu geben, während ich stehenblieb und mich an etwas erinnerte, das sie vor Monaten zu mir gesagt hatte – dass sie vorhatte, glücklich zu sein. Ich hatte die reine Entschlossenheit in ihren Worten vernommen, und hier lag nun ihre Beute, als hätte sie sie verfolgt und zur Strecke gebracht. Sie hatte im Derby ihres Lebens alles gegeben und den großen Preis gewonnen.

Zur Abendessenszeit schlüpften die Hausdiener in weiße Jacketts und Handschuhe und servierten uns sieben Gänge, während Karen vom Ende der Tafel aus mit einem kleinen Silberglöckchen alles reibungslos dirigierte. Als ich allein bei ihr zu Besuch gewesen war, hatte sie einfache weiße Röcke und Hemdblusen getragen, doch nun war sie in kostbare pflaumenfarbene Seide gehüllt. Ein Strasshaarband bändigte ihre dunklen Locken. Ihr Gesicht war dick gepudert, die Lider kräftig schattiert. Sie sah umwerfend aus, aber natürlich wollte sie damit nicht mich beeindrucken.

Ich hatte eins meiner beiden Kleider mitgebracht, die ich für die Stadt besaß, das aber wahrscheinlich nicht fein genug war, weshalb ich mich sorgte, es könnte mich von den anderen abheben. Das war jedoch nicht der einzige Graben, den ich überbrücken musste. Alle schienen dieselben Witze und Lieder zu kennen. Denys und Berkeley waren Eton-Männer und stimmten im Laufe der Nacht immer wieder die gleiche Melodie an, eine Art Bootshymne, die forderte, dass man »bis in alle Ewigkeit mit festem Ruderschlag gemeinsam ausholte«, am lautesten vorgetragen von Denys in seinem wunderbar klingenden Tenor. Gelächter und Wein flossen in Strömen, und ich kam nicht gegen das Gefühl an, ein wenig außen vor zu sein. Ich war mit Abstand der jüngste und provinziellste Gast. Karen hatte sich angewöhnt, mich als »das Kind« zu bezeichnen, wie etwa an Ginger gewandt: »Ist Beryl nicht das reizendste Kind, das du je gesehen hast?«

Ginger saß beim Essen zu meiner Linken. Ich wusste von ihr eigentlich nur das, was Cockie mir erzählt hatte: dass sie Bens Geliebte war. Sie klopfte ihre Zigarette elegant über einem Aschenbecher aus geschliffenem Kristall ab und sagte zu mir: »Sie haben den Gang einer Katze. Hat Ihnen das schon einmal jemand gesagt?«

»Nein. Ist das ein Kompliment?«

»Aber natürlich ist es das.« Sie schüttelte den Kopf über mich, so dass ihre rötlichen Locken zitterten. »Sie sind ganz anders als die anderen Frauen in dieser Gegend, nicht wahr?« Sie hatte riesige, stechend blaue Augen. Zwar wand ich mich ein wenig unter ihrem prüfenden Blick, aber ich wollte auch nicht klein beigeben.

»Gibt es wirklich nur eine einzige Sorte Frau?«

»Es ist gehässig von mir, das zu sagen, aber manchmal

scheint es so. Ich komme gerade aus Paris zurück, wo wirklich alle das gleiche Lanvin-Kleid mit Perlen trugen. Das war schon nach zwei Minuten nicht mehr originell.«

»Ich bin noch nie gereist«, sagte ich.

»Oh, das sollten Sie aber unbedingt«, betonte sie. »Schon allein, um nach Hause zurückkehren und alles mit neuen Augen sehen zu können. Das gefällt mir daran am besten.«

Nachdem der Tisch abgeräumt worden war, versammelten sich fast alle auf Sesseln, Bänken oder großen Sitzkissen um den gemauerten Kamin herum. Karen drapierte sich in einer Ecke wie ein Kunstwerk, mit einer langen Zigarettenspitze aus Elfenbein in der einen Hand und einem roten Kelchglas in der anderen. Denys saß neben ihr, und als ich näher kam, konnte ich hören, wie sie über Voltaire diskutierten. Der eine beeilte sich, die Sätze des anderen zu vollenden. Sie wirkten wie eine einzige Person, die in zwei Hälften geteilt oder verdoppelt worden war, als hätten sie schon immer genauso dagesessen, einander zugeneigt, mit lebendigem Blick.

Am nächsten Tag stand ich im Morgengrauen auf, um mit den Männern jagen zu gehen. Ich erlegte mehr Enten als alle – bis auf Denys – und bekam von allen Seiten dafür auf die Schultern geklopft.

»Wenn ich nicht aufpasse, schießen Sie noch mehr als ich«, sagte Denys und schulterte sein Rigby.

»Wäre das so schlimm?«

»Das wäre eigentlich ganz fabelhaft.« Er blinzelte in die Sonne. »Ich habe es immer gemocht, wenn eine Frau gut zielen und noch besser reiten kann … die Sorte, die auf ihren eigenen Beinen steht und alle auf Trab hält. Die sittsamen Mimosen können andere Männer haben.«

»War Ihre Mutter so? Rührt Ihre Anerkennung daher?«

»Sie war eine starke Frau, ja. Und sie hätte womöglich

eine große Abenteurerin abgegeben, hätte sie nicht so viel zu tun gehabt.«

»Sie haben nicht viel fürs Familienleben übrig.« Es war eine Feststellung. Ich konnte ihn immer klarer sehen.

»Es ist fürchterlich eng, oder nicht?«

»Afrika ist also das Heilmittel, das Gegenteil von Beengtheit. Hat es Sie je enttäuscht? Ich meine, können Sie sich vorstellen, dass auch dieser Ort irgendwann einmal anfangen wird, Sie zu erdrücken?«

»Niemals.« Er sagte es geradeheraus, ohne Zögern. »Afrika bleibt immer frisch. Es scheint sich andauernd neu zu erfinden.«

»Das stimmt«, erwiderte ich. Genau das hätte ich gern am Abend zuvor zu Ginger gesagt, da ich es gedacht hatte, ohne es genau benennen zu können. Kenia schälte sich beständig aus seiner Haut und zeigte sich einem immer wieder neu. Dafür musste man nicht in die Ferne reisen. Man brauchte sich nur umzudrehen.

Als Denys auf seinen endlos langen Beinen davonschritt, passte ich mich in meinen schlammbedeckten Stiefeln seinem Tempo an, während ich zutiefst empfand, dass wir einiges gemein hatten. In Sachen Kultiviertheit und Intellekt konnte ich nicht mit Karen mithalten. Dazu würde ich nie imstande sein … aber auch sie hatte nicht, was ich besaß.

Bei unserer Rückkehr nach Mbogani standen zwei vornehme Wagen auf dem Hof, da zwei weitere Gästepaare gekommen waren, um sich der Gesellschaft anzuschließen – Mr. und Mrs. Carsdale-Luck, das wohlhabende Ehepaar, das oben in Molo eine erstklassige Pferdezucht namens Inglewood führte, und John Carberry mit seiner wunderschönen Frau Maia, die im Norden auf der anderen Seite der Aberdares, in der Nähe von Nyeri, eine Kaffeeplantage besaßen.

Carberry war anscheinend ein irischstämmiger Aristokrat, was ich jedoch niemals erraten hätte. Er war blond und schlaksig und sprach mit einem breiten amerikanischen Akzent, den er sich zugelegt hatte, wie ich erfuhr, als er mit Irland und seinem Erbe brach.

Karen stellte ihn mir als »Lord Carberry« vor, aber er drückte mir fröhlich die Hand und korrigierte sie in seiner gedehnten Sprechweise: »JC.« Maia sah frisch und reizend aus in sommerlicher Seide, Spitzenstrümpfen und Stöckelschuhen, die sie hoch über der glanzlosen, altmodischen, beständig über die Hitze klagenden Mrs. Carsdale-Luck wanken ließen.

»JC und ich reisen nächste Woche nach Amerika«, erklärte Maia Karen und Mrs. Carsdale-Luck gerade. »Wir werden dort mein Flugtraining abschließen.«

»Wie viele Stunden haben Sie schon?«, fragte Denys interessiert.

»Erst zehn, aber JC meint, ich sei von Anfang an in meinem Element gewesen.«

»Ich kann es nicht erwarten, auch endlich dort hinaufzusteigen«, sagte Denys. »Im Krieg hatte ich einen Schein, hatte aber danach keine Gelegenheit mehr zum Fliegen. Und übrigens auch kein verdammtes Flugzeug.«

»Fliegen Sie mit unserem«, schlug JC vor. »Ich sende Ihnen ein Telegramm, wenn wir zurück sind.«

»Bräuchtest du dafür nicht eine Menge Training?«, fragte Karen behutsam.

»Es ist wie Fahrradfahren«, erwiderte JC sorglos, womit die beiden Männer uns verließen, um ein neues Gewehr in Augenschein zu nehmen.

Das Flugzeug war für mich etwas vollkommen Neues. Bei den wenigen Gelegenheiten, in denen ich eins hoch über mir erblickt hatte, wie es Rauchwolken in den Himmel malte, war es mir albern und falsch vorgekommen, wie ein Kinderspielzeug. Aber Denys war vom Fliegen genauso begeistert wie Maia.

»Haben Sie keine Angst, einfach vom Himmel zu fallen?«, fragte Mrs. Carsdale-Luck ungläubig, während sie un-unterbrochen mit dem Fächer um ihr feuchtes Gesicht und ihren Hals herumwedelte.

»Wir alle müssen auf irgendeine Weise gehen.« Maia lächelte, was ein Grübchen in ihre rosige Wange zauberte. »Ich würde es zumindest mit einem großen Knall tun.«

30.

Kekopey, das Anwesen von Berkeleys Bruder Galbraith Cole, lag am westlichen Ufer des Elmenteitasees, in der Nähe einer natürlichen heißen Quelle. In der Sprache der Massai bedeutete der Name »der Ort, an dem Grün sich in Weiß verwandelt«, da dort beständig Natriumcarbonat an die Oberfläche brodelte, um dann wie Schnee davonzutreiben. Es verfing sich im Hals und konnte auch in den Augen brennen, aber das Wasser sollte über Heilkräfte verfügen. Oft badeten Leute hier trotz der Schlangen und Skorpione. Das würde ich zwar niemals tun, mochte es auch noch so viel warmes Wasser geben, aber ich ritt gern am zweiten Weihnachtstag mit D nach Kekopey, um ein wenig Abwechslung zu bekommen und weil ich glaubte, es könnte lustig werden.

Bei unserer Ankunft saßen Denys und Berkeley mit Cocktails draußen am Feuer. Anscheinend waren sie mitten in der Nacht angekommen, nachdem sie sich den ganzen Weg von Gilgil aus, wo ihr Wagen liegengeblieben war, durch den Busch geschlagen hatten. Karen war in Mbogani geblieben.

»Wir haben zuerst versucht, die Federn mit Rohleder auszubessern«, erklärte Berkeley, »aber es war zu dunkel, um irgendetwas zu erkennen. Schließlich haben wir die Enten abgeladen und sind zu Fuß aufgebrochen.«

»Fünfzig Pfund Enten«, fügte Denys hinzu.

»Es ist ein verdammtes Wunder, dass Sie nicht von Löwen angefallen wurden«, bemerkte D.

»Das habe ich auch gedacht«, stimmte Berkeley zu. »Oder habe diesen Gedanken besser gesagt zu vermeiden versucht.«

Denys küsste mich zur Begrüßung auf die Wange. »Sie sehen gut aus, Beryl.«

»Nicht wahr?«, meinte Berkeley.

»Berkeley hat ein besonderes Gespür dafür, was Frauen hören möchten«, sagte Galbraiths Frau Nell. Sie war so klein und dunkel wie Karen, ihr fehlten jedoch deren Puder und Kohlstift oder ihr scharfer Verstand.

»Beryl weiß längst, dass sie schön ist«, erwiderte Denys. »Sie war schön, als sie heute Morgen in den Spiegel gesehen hat. Was könnte sich seitdem schon verändert haben?«

»Sei kein Spielverderber, Denys«, schalt Nell ihn. »Alle Frauen wollen von Zeit zu Zeit ein wenig gepriesen werden.«

»Und wenn nicht? Was, wenn sie sich einfach selbst mögen würden und niemand sich ein Bein ausreißen müsste, um ihnen zu schmeicheln? Könnte dann nicht alles einfacher sein?«

»Wir reden hier nur über ein paar nette Worte, Denys«, sagte Berkeley. »Jetzt übertreib mal nicht.«

»Ich verstehe sein Argument«, meinte ich. »Und ganz ehrlich: Wie weit bringt Schönheit einen denn schon? Was ist mit Stärke? Oder Mut?«

»Oje.« Berkeley lachte Nell zu. »Jetzt verbünden sie sich gegen mich.«

Im Speiseraum hatte Nell gefüllte Champagnergläser aufgereiht. Ich leerte rasch eins davon, spürte das heftige Prickeln der Bläschen in meiner Nase und nahm dann jeweils eins für Berkeley und Denys mit. »In Afrika ist Champagner einfach *obligatorisch*«, sagte ich in meiner besten Berkeley-Imitation.

Er lachte, wobei sich kleine Fältchen um seine Augen bildeten. »Und ich dachte die ganze Zeit, ich würde nur Selbstgespräche führen.«

Ich schüttelte den Kopf. »Frohe Weihnachten.«

»Frohe Weihnachten, Diana«, sagte Denys leise. Der Name durchzuckte mich, als wäre er gerade zum Leben erwacht.

Für das Abendessen war ein Spanferkel über dem Feuer gebraten worden, dazu gab es weitere Köstlichkeiten, die ich seit Jahren nicht gegessen hatte – Preiselbeersauce, geröstete Maronen und Yorkshirepudding. Ich saß Denys gegenüber, der gar nicht mit dem Essen aufhören zu können schien.

»Ich habe eine Sondergenehmigung für Elfenbein bekommen, weshalb ich nach Neujahr drei Monate auf Safari unterwegs sein werde«, erklärte er. »Vielleicht sollte ich mir die Taschen mit diesen Maronen füllen.«

»Armer Denys«, meinte D.

»Von wegen armer Denys. Er wird ein Vermögen verdienen«, entgegnete Berkeley.

»Wohin werden Sie diesmal aufbrechen?«, fragte ich.

»Nach Tanganjika.«

D bemerkte: »Das ist Massaigebiet.«

»Ja. Straßen gibt es dort kaum, aber dafür reichlich Tiere zum Jagen, sofern mein Lastauto mitmacht.«

»Sie sollten für alle Fälle etwas Rohleder mitnehmen«, schlug ich vor.

»Ha. Ja, das werde ich.« Mit diesen Worten füllte er seinen Teller erneut.

Nach dem Essen wurde gespielt, am Feuer geraucht und schließlich Brandy gereicht. Der Abend schritt für mich in zwei Geschwindigkeiten voran, dehnte sich aus wie eingefroren und war zugleich schon halb vorbei. Ich wusste es nicht einmal mir selbst richtig zu erklären, aber ich konnte mir nicht vorstellen, zu gehen oder auch nur die kleinste Gelegenheit zu versäumen, in Denys' Nähe zu sein. Irgendetwas sammelte sich in mir, drängte ans Licht – ein Gefühl, das ich nicht benennen konnte.

Als D sich zum Aufbruch bereitmachte, hatte ich drei verschiedene Entschuldigungen, weshalb ich bleiben musste. Ich glaube nicht, dass er mir auch nur eine davon abkaufte, aber er nahm seinen Hut, wünschte allen eine gute Nacht und warf mir nur noch einen letzten fragenden Blick zu, bevor er in die Nacht hinaus aufbrach. *Ich handle nicht leichtsinnig,* wollte ich ihm hinterherrufen, aber natürlich stimmte das nicht.

Es *war* leichtsinnig, mit Denys allein vorm Feuer zu sitzen, nachdem alle zu Bett gegangen waren, und mich zu fragen, wie ich ihm näherkommen könnte, wo er doch Karen gehörte. Leichtsinnig und falsch, aber ich konnte an nichts anderes denken. Zwei verkohlte Holzscheite glommen noch auf dem Kaminrost. Rötliches Licht fiel hypnotisierend auf die ausgeprägten Flächen und Erhebungen seiner Hände. »Sie sprechen von Safaris, als ließe sich dort etwas Wesentliches finden«, sagte ich zu ihm. »Vielleicht sogar nur dort. So habe ich immer der Farm meines Vaters bei Njoro gegenüber empfunden.«

»Wunderschönes Land.«

»Das allerbeste.«

»Wissen Sie, als ich mit den Safaris anfing, gab es noch keine Lastautos. Die Gepäckträger schleppten alles, und man musste sich seinen Weg mit einer Machete schlagen. Es gab auch grauenvolle Geschichten … über Jäger und Gewehrträger, die aufgespießt oder durchbohrt wurden. Einem hat ein bedrohter Büffel mit seinem Horn das Gesicht zerfetzt. Ein anderer hat oben bei Longonot einen Löwen aufgeschreckt, der ihm sauber den Bauch aufgerissen hat. Alles war damals noch wilder, das Land eingeschlossen. Hinauszugehen fühlte sich an, als würde man gegen eine gute Hand Karten spielen.«

»Sie sehnen sich doch wohl nicht tatsächlich nach einer Zeit zurück, in der Menschen aufgespießt wurden?« Ich lächelte, und er erwiderte es, wobei sich Fältchen um seine

Augen bildeten und er die Lippen auf einer Seite weiter nach oben zog als auf der anderen. Ich wurde langsam zu einer Expertin für seine Gesichtszüge. Mit geschlossenen Augen hätte ich ihn ebenso klar vor mir sehen können.

»Beim letzten Mal verlangte der Kunde vier verschiedene Sorten Wein zu jedem Essen. Wir hatten sogar eine Eiskiste und Bärenfellteppiche dabei.«

»Ich würde nichts dergleichen wollen, bloß die Sterne, vielen Dank.«

»Genau das meine ich. Wenn ein Kunde draußen im Buschland sein möchte, sollte er doch zumindest versuchen, es zu spüren. Es so zu sehen, wie es wirklich ist. Sie wollen die Trophäe, aber was bedeutet die schon, wenn sie gar nicht wirklich dort gewesen sind?«

»Nehmen Sie mich irgendwann einmal mit? Ich möchte es sehen … bevor es ganz verschwunden ist.«

»In Ordnung. Ich denke, Sie würden es verstehen.«

»Das denke ich auch.«

Galbraiths zahmer Serval schaute auf der Suche nach Essensresten oder jemandem, der ihn kraulte, vorbei. Er rollte sich zu Denys' Füßen auf dem Boden und enthüllte das blass getupfte Fell an seinem Bauch. Das Feuer war nun beinahe erkaltet, und die Nacht glitt davon. Als Denys aufstand und sich ausgiebig streckte, fragte ich rasch, aus reinem Instinkt heraus: »Kann ich bei dir bleiben?«

»Ist das eine gute Idee?« Ich hatte ihn überrumpelt. »Ich dachte, du und Tania würdet gerade Freundinnen werden.«

»Ich kann nicht erkennen, was das eine mit dem anderen zu tun haben soll.« Das stimmte zwar nicht, aber ich wusste nicht, wie ich sagen sollte, was ich wirklich fühlte: dass ich diese Nacht mit ihm wollte. Nur eine Nacht, danach würde ich endgültig alle Hoffnungen auf ihn aufgeben. »Wir sind doch auch Freunde, oder nicht?«

Sein Blick traf meinen und hielt ihm stand. So unbekümmert ich auch war – oder zu sein versuchte –, spürte ich doch, wie sein Blick mich durchdrang und mein Innerstes nach außen kehrte. Ich erhob mich. Wir standen nur eine Handbreit voneinander entfernt, und er berührte mein Kinn mit der Fingerspitze. Dann drehte er sich um, ohne mir eine Antwort zu geben, und ging den Flur hinunter zu seinem Zimmer. Ich folgte ihm ein paar Minuten später in völliger Dunkelheit und schob mich langsam durch die Tür, die er offen gelassen hatte. Ich spürte die Holzdielen unter meinen nackten Füßen, glatt und lautlos, während die watteweiche Dunkelheit mich umhüllte wie eine ganz eigene Art von Tier. Keiner von uns sprach oder machte ein Geräusch, aber ich erspürte, wo er war, und bewegte mich in diese Richtung. Ich fand ihn, indem ich mich Schritt für Schritt vorantastete.

31.

Ich erwachte in vollkommener Dunkelheit. Denys lag neben mir und atmete ruhig und gleichmäßig. Als sich meine Augen an das fehlende Licht gewöhnt hatten, erkannte ich die langgestreckte Kurve seiner Hüfte, während er ein Bein locker über das andere gelegt hatte. Ich hatte mir schon oft vorgestellt, mit ihm zusammen zu sein – seinen Geschmack und den Druck seiner Arme –, aber nie durchdacht, wie es hinterher sein würde, was wir einander sagen mochten und wie es unsere Beziehung verändern würde oder auch nicht. Wie dumm das gewesen war. Nun musste ich feststellen, dass ich wirklich in Schwierigkeiten steckte.

Während ich ihn so betrachtete, öffnete er die Augen. Einen Moment lang hörte alles auf, sich zu drehen, und stand stockstill. Er blinzelte weder, noch wandte er den Blick ab, stattdessen zog er mich mit langsamen, bedächtigen Bewegungen unter sich. Das erste Mal war überstürzt gewesen, als wollte keiner von uns einen Moment zum Atmen oder zum Bedenken haben, was wir da in Gang setzten. Nun stand die Zeit vollkommen still, genau wie wir. Im Haus war es ruhig, auch die Nacht jenseits des Fensters war verstummt. Es existierten nur noch unsere beiden Körper, über die die Schatten hinwegzogen. Wir pressten uns näher aneinander, um durch etwas hindurchzudringen – aber selbst in diesem Augenblick dachte ich nicht: *Das ist die Liebe, die mein Leben verändern wird.* Ich dachte nicht: *Nun gehöre ich nicht mehr mir selbst.* Ich küsste ihn nur, löste mich auf, und da war es geschehen.

Als Denys erneut eingeschlafen war, zog ich mich lautlos an und schlüpfte aus dem Haus zu Galbraiths Ställen, um mir ein Pferd auszuleihen. Es würde vielleicht nicht ganz leicht werden, das Pferd am nächsten Tag zu rechtfertigen, aber noch schwieriger wäre mein Gesicht zu erklären, wenn ich nicht verbergen könnte, was geschehen war. Da es sich bei dem Tier um einen trittsicheren Araber handelte, hatte ich keine Angst, obwohl wir im Dunkeln aufbrachen. Nach wenigen Meilen tauchte im Osten ein immer breiterer Streifen blassen Lichts auf, bis die Sonne klar und scharf umrissen aufging, von derselben intensiven Farbe wie die Flamingos, die im seichten Gewässer des Elmenteitasees ruhten. Als ich mich dem Ufer näherte, regten sie sich alle zugleich, als wären sie unter der Wasseroberfläche miteinander verbunden. Sie fraßen in Zweier- oder Dreiergrüppchen, durchsiebten das trübe Wasser füreinander und zogen mit s-förmigen watenden Schritten voran.

Ich hatte dieses Bild schon Hunderte Male gesehen, aber an diesem Tag schien es etwas anderes zu bedeuten. Der See war ruhig wie eine feste Hülle, als wäre gerade der erste Morgen der Welt angebrochen. Ich hielt an, um das Pferd trinken zu lassen, stieg dann wieder auf und schnalzte mit der Zunge, um es vom Schritt in einen leichten Galopp zu bewegen, was die Flamingos aufscheuchte und in einer wellenförmigen Bewegung auffliegen ließ. Sie glitten mit ihren blassen Bäuchen und ausgebreiteten Flügeln über den Rand des Sees davon, ehe sie wie ein einziger Körper wendeten und mich in einen Wirbel aus Farbe hüllten. Mir wurde bewusst, dass ich geschlafen hatte. Seit dem Augenblick, in dem mein Vater mir eröffnet hatte, dass die Farm am Ende war, hatte ich geschlafen oder war auf der Flucht gewesen, vielleicht auch beides zugleich. Nun war da die Sonne auf dem Wasser und das Geräusch von tausend flatternden Flamingos. Ich wusste nicht, was als Nächstes passieren würde. Wie es mit Denys und Karen sein würde oder wie sich all diese verhedderten Gefühle in mir entwirren ließen. Ich hatte nicht die geringste Ahnung, aber zumindest war ich nun wach. Immerhin das.

Vier Tage später gab D eine Silvesterparty in einem Hotel, das er in Nakuru besaß. Alle hatten sich fein zurechtgemacht, um 1923 mit bunten Papiertröten davonzulärmen und das Jahr 1924 willkommen zu heißen, das sich verheißungsvoll wie eine unberührte Stoffbahn vor uns ausrollte. Der mehrköpfigen Blaskapelle wurde Kaviar und so viel Champagner versprochen, wie sie hinunterkippen konnten, wenn sie bis zum Morgengrauen spielten. Auf dem kleinen Tanzparkett herrschte ein wildes Durcheinander aus schwingenden Armen und Beinen.

»Wie geht es Ihrem Herzen zurzeit?«, fragte ich Berkeley, als wir miteinander tanzten. Er trug eine leuchtend rote Weihnachtskrawatte, aber unter seinen Augen zeichneten sich dunkle Ringe auf seiner aschfahlen Haut ab.

»Ein wenig schlapp, aber es schlägt noch. Was ist mit Ihrem?«

»Ungefähr dasselbe.«

Wir tanzten an einem Tisch vorbei, an dem sich Denys und Karen unterhielten, er in einem blendend weißen Anzug, sie in meterweise schwarzem Taft, der ihre blassen Schultern entblößte. Meine Brust krampfte sich bei ihrem Anblick zusammen. Ich hatte nicht mit Denys gesprochen, ihn noch nicht einmal wiedergesehen, seit ich mich wie ein Dieb aus seinem Bett gestohlen hatte. Mit Karen hatte ich seit ihrer Jagdgesellschaft keinen Kontakt mehr gehabt, und nun wusste ich nicht, wie ich mich vor ihnen auch nur halbwegs normal verhalten sollte. Normal hatte ich endgültig hinter mir gelassen.

Als das Lied zu Ende war, entschuldigte ich mich, um mir etwas zu trinken zu besorgen. Ich brauchte ewig, bis ich mich zur Bar durchgedrängt hatte, wo Karen mich schon erwartete. Ihre lange Zigarettenspitze aus Elfenbein legte die Distanz zwischen uns fest. »Frohes neues Jahr, Beryl.«

»Frohes neues Jahr.« Ich beugte mich vor, um sie auf die Wange zu küssen. Schuldgefühle durchfluteten mich in kleinen Wellen. »Wie geht es Ihnen?«

»Mir steht das Wasser bis zum Hals. Meine Teilhaber wollen, dass ich die Farm verkaufe.«

»Steht es wirklich so schlimm?«

»Fast immer.« Ihre Zähne schlugen mit einem klickenden Geräusch gegen das Elfenbein, als sie den Rauch einzog und ihn langsam wieder ausströmen ließ, ohne dabei etwas preiszugeben. Das war Karen. Ihre Worte waren so umfassend, dass man den Eindruck bekam, man wüsste alles über sie, dabei war das nur ein Zaubertrick. In Wahrheit behielt sie ihre Geheimnisse am vollkommensten für sich, wenn sie sie offen aussprach.

Ich erwiderte: »Es hilft Ihnen sicher, Denys dazuhaben.« Ich gab mir alle Mühe, dabei ganz natürlich zu klingen.

»Ja, es bedeutet mir alles. Wissen Sie, dass jedes Mal ein Teil von mir stirbt, wenn er fortgeht?«

Meine Brust schnürte sich zusammen. Sie zeigte wie immer ihr poetisches Talent, aber etwas in ihrem Tonfall ließ in mir die Frage aufkommen, ob sie mich wohl warnte oder ihr Revier absteckte. Ich betrachtete ihr scharf geschnittenes Gesicht durch den wabernden Rauch hindurch und bewunderte, wie gut sie darin war, Menschen zu durchschauen. Ich war für sie zwar noch immer »das Kind«, aber es war durchaus möglich, dass sie spürte, was sich verändert hatte.

»Können Sie Ihre Teilhaber nicht davon überzeugen, Ihnen noch eine letzte Chance zu geben?«

»Die hatte ich bereits. Eigentlich sogar schon zweimal – aber ich werde etwas unternehmen müssen. Zum Beispiel werde ich vielleicht heiraten.«

»Sind Sie nicht immer noch verheiratet?«, brachte ich hervor.

»Natürlich. Ich denke nur voraus.« Sie blickte über ihre spitze Nase hinweg auf mich. »Vielleicht werde ich aber auch alles aufgeben und nach China ziehen, oder nach Marseille.«

»Das meinen Sie nicht ernst.«

»Manchmal … Ich träume oft davon, noch einmal ganz von vorn zu beginnen. Das kennen Sie doch sicher auch.«

»Ich habe nie daran gedacht, Kenia zu verlassen. Es wäre nirgendwo dasselbe.«

»Womöglich ändern Sie eines Tages noch Ihre Meinung. Wenn der Schmerz groß genug ist.« Sie fixierte mich mit einem ihrer besonderen Blicke, die wie Pfeile durch mich hindurchschossen, und zog dann davon.

Die nächsten paar Stunden stand ich hinter der Band an die Wand gelehnt, dachte über das nach, was Karen gesagt hatte, und fragte mich, ob sie wusste, was zwischen mir und Denys geschehen war. Er würde es sicher nicht riskieren, zu mir zu kommen, um mit mir zu reden, wofür ein Teil von mir dankbar war. Ich war mir nicht sicher, was ich zu ihm sagen würde oder was ich überhaupt wollte. Wo ich auch hinsah, bildeten sich komplizierte Paare und trennten sich wieder, wie Figuren in einem Melodram. Leben gerieten aus den Fugen. Sie veränderten sich von einem Augenblick zum anderen … So schnell konnte etwas neu begonnen oder endgültig abgeschlossen werden. Manchmal waren diese Möglichkeiten an der Oberfläche kaum voneinander zu unterscheiden. Und beide hatten ihren Preis.

Es dämmerte beinahe, als ich das Nakuru Hotel gemeinsam mit D und Boy Long verließ. Ich lief zwischen ihnen, erleichtert, dass die Nacht endlich vorüber war. Ich hatte Denys im Lauf des Abends nur einmal gegenübergestanden, als unsere Blicke sich an der Bar trafen und kurz verharrten. Dann hatte Karen ihm eine Hand auf die Schulter gelegt, er hatte sich umgedreht, und der Moment war vorbei. Nun fühlte ich mich ernüchtert und übernächtigt. Wahrscheinlich bekam ich deshalb auch nicht sofort mit, was als Nächstes geschah. Wie Jock aus dem Nichts erschien und über die Straße auf uns zugetorkelt kam, wobei er Dinge rief, die ich nicht verstand. Ihn nur dort zu sehen versetzte mir bereits einen Schock.

»Sie sollten doch auf sie aufpassen«, lallte er an D gerichtet. Sein Blick war wild, ohne irgendetwas zu fokussieren.

Ich spürte, wie Boy sich neben mir aufrichtete. Er schien auf Jock losgehen zu wollen, doch D trat zuerst vor und sagte: »Beruhigen Sie sich, dann reden wir wie Männer.«

»Ich lasse mich nicht zum Narren halten«, spuckte Jock aus, und bevor irgendjemand noch ein weiteres Wort sagen konnte, schwang er eine Faust heftig in Ds Richtung und verfehlte ihn nur knapp, während mir das Blut in den Adern gefror. Irgendwie hatte er die Sache mit Denys erfahren – das war mein einziger Gedanke.

D wich zurück, wobei er beinahe das Gleichgewicht verlor. Ich konnte erkennen, dass er aus dem Konzept gebracht und ihm der Schreck in die Glieder gefahren war. Boy hatte nun genug und trat vor, um nach Jocks Arm zu greifen, aber dieser entwand sich seinem Griff und holte erneut aus. Diesmal traf seine Faust D heftig am Kinn. D taumelte und sank auf ein Knie nieder, als wäre alle Luft aus seinem Körper entwichen. Boy versuchte, Jock zu erwischen, aber dieser schlug nun mit wirbelnden Armen um sich und brüllte etwas davon, sich Genugtuung zu verschaffen.

Selbst wenn meine Geschichte mit Denys ans Licht gekommen war, was hatte das mit D zu tun? Warum um alles in der Welt ging er auf einen alten und noch dazu unschuldigen Mann los? Nichts von alledem ergab Sinn, doch Jock war so betrunken, dass es ihm vollkommen egal war. »Hör auf!«, schrie ich. »Es ist D. D! Aufhören!« Ich zerrte von hinten an ihm und trommelte mit den Fäusten auf seinen Rücken, aber er schüttelte mich mit Leichtigkeit ab. Ich landete unsanft auf dem Boden und rappelte mich wieder auf.

D war auf die Seite gefallen, lag zusammengerollt auf dem Boden und hatte die Arme schützend um den Kopf gelegt, als Jock erneut auf ihn losging. Alles ging rasend schnell. »Aufhören, hör auf!«, schrie ich immer weiter, plötzlich voller Angst, Jock könnte ihn umbringen.

Ich rief Boy zu, er solle Hilfe aus dem Hotel holen, und schließlich kam er mit einer Handvoll Männer wieder herausgerannt, die sich zwischen Jock und D drängten. Sie drückten Jock gegen eine Mauer, wo er gegen ihren Griff ankämpfte, das Gesicht vor Wut lila angelaufen. »Du selbstsüchtiges Weibsstück«, fauchte er mich an. »Dachtest du, du könntest dich wie eine dreckige Hure herumtreiben, ohne dass ich es herausfinde? Dass ich nicht zurückschlagen würde?« Mit einem gewaltigen Stoß schüttelte er die Arme der Männer ab und taumelte dann im Laufschritt die Straße hinunter und in die Dunkelheit davon.

D war böse zugerichtet. Irgendwie bekamen wir ihn ins Krankenhaus, während sein Auge immer stärker zuschwoll und ihm Blut aus Mund und Nase rann. Ein Arzt wurde aus dem Bett geholt, um ihn zu behandeln, und Boy und ich warteten stundenlang, während ihm Wunden zugenäht und Gipsverbände angelegt wurden. Sein Arm war an drei Stellen gebrochen, sein Nacken verstaucht, sein Kiefer zertrümmert. Als der Arzt das Ausmaß von Ds Verletzungen beschrieb, vergrub ich von Scham überwältigt mein Gesicht in den Händen. Meine Leichtsinnigkeit hatte bei Jock das Fass zum Überlaufen gebracht. Ich hätte wissen müssen, wozu er fähig war. Das alles war meine Schuld.

»Wird er sich wieder erholen?«, fragte ich den Arzt.

»Es kann eine Weile dauern. Wir werden ihn mindestens ein paar Wochen hierbehalten, und wenn er wieder zu Hause ist, wird er eine Pflegerin benötigen.«

»Was immer er auch braucht«, versicherte Boy ihm.

Als der Arzt fort war, dachte ich daran, wie Jock in die Nacht hinausgestürzt war und dass er ungeschoren davonkommen könnte. »Wir sollten jedenfalls die Polizei verständigen«, sagte ich zu Boy.

»D möchte nicht, dass diese Sache an die Öffentlichkeit kommt. Er schützt dich ... uns beide wahrscheinlich, aber auch sich selbst. Wie würde es denn vor dem Wachsamkeitskomitee aussehen, wenn er so angreifbar erschiene?«

»Wahrscheinlich hast du recht ... Aber es kommt mir einfach nicht richtig vor.«

»Richtig und falsch spielen in solchen Fällen nicht immer eine Rolle.«

»Ist das wirklich so?«, fragte ich und dachte voller Schmerz und Entsetzen, wie sehr ich für alles verantwortlich war.

Als ich D endlich sehen durfte, betrachtete ich das erschreckende Bild, das er mit seiner lila angelaufenen Kieferpartie und Stirn, den Klammern und dem Gips, dem Blut, das in seinem weißen Haar klebte, und dem Schmerz in seinem Gesicht bot. Ich ergriff seine Hand. »Es tut mir so leid.«

D konnte nicht sprechen, aber er blinzelte mir zu. Das Weiße in seinen Augen war blutunterlaufen. Er sah unendlich zerbrechlich und uralt aus.

»Kann ich irgendetwas tun?« Er blinzelte erneut und schloss dann die Augen.

Ds Atem ging rasselnd und mühsam. Er regte sich und verzog das Gesicht, dann atmete er wieder gleichmäßig. Ich betrachtete lange Zeit das Heben und Senken seiner Brust, bis ich in einen unruhigen Schlaf fiel.

32.

In den darauffolgenden Wochen klang Tratsch aus der gesamten Kolonie nach Soysambu zu mir durch. Anscheinend hatte die Berichterstattung über mich beim St. Leger das Gerede über Boy neu befeuert. Jock hatte davon Wind bekommen und beschlossen, dass es ihm reichte. Die Einzelheiten meiner Ehe waren nun allgemein bekannt. Vielleicht waren sie das auch schon immer gewesen – aber glücklicherweise hörte ich kein Getuschel über meine Nacht mit Denys. Aus irgendeinem Grund war dieses Geheimnis als Einziges sicher verborgen.

D blieb zur Genesung in der Stadt, während Boy sich darauf vorbereitete, seine Zelte abzubrechen. Er hatte seinen Job auf der Ranch gekündigt und eine Überfahrt nach England gebucht.

»Ich werde endlich mein Mädchen in Dorking heiraten«, erklärte er, während er piratenbunte Kleidungsstücke in seinen Seesack warf. »Ich fühle mich ein bisschen komisch, dich im Stich zu lassen.«

»Schon in Ordnung«, versicherte ich ihm. »Ich verstehe, weshalb du gehen willst.«

Auch wenn er nicht von seinem Gepäck aufsah, erkannte ich, wie er mit seinem Stolz rang. Erst später begriff ich ganz, weshalb. »Wenn du je irgendetwas brauchst, wirst du mich hoffentlich aufsuchen.«

»In Dorking?« Ich sah ihn zweifelnd an.

»Warum nicht? Wir sind Freunde, oder etwa nicht?«

»Das sind wir«, sagte ich und küsste ihn auf die Wange.

Nach Boys Abreise stach und pikste mich mein Gewissen weiter und ließ mich nachts nicht zur Ruhe kommen. Ich hatte mir immer gesagt, Jock zu verlassen und eine Affäre mit Boy zu beginnen sei nicht schlimmer als das, was alle anderen in der Kolonie auch taten. Aber in Soysambu kamen nun Gerüchte unter den Farmarbeitern auf, Jock habe gedroht, Boy zu erschießen, sollte er ihn jemals in der Stadt sehen. Deshalb war er nach Dorking geflohen.

Ich fühlte mich einsam und überwältigt und wünschte mir von ganzem Herzen, mein Vater wäre in der Nähe. Ich brauchte den Halt, den mir seine Gegenwart bot, und auch seinen Rat. Sollte ich versuchen, das Gerede zu ignorieren, oder konnte ich etwas tun, um dazu beizutragen, dass schneller Gras über die Sache wuchs? Und wie sollte ich bloß mit Jock fertigwerden, wo er so verzweifelt und unberechenbar geworden war?

D war bei seiner Heimkehr äußerst schwach und gezeichnet. Er würde noch ganze sechs Monate das Bett hüten müssen.

»Ich fühle mich furchtbar wegen Jock«, sagte ich, während die Krankenschwester sein Bettzeug zurechtzog und seinen Verband wechselte. Ich hatte es zwar schon Dutzende Male zuvor gesagt, konnte es mir aber nicht verkneifen.

»Ich weiß.« D hatte einen Arm bis zur Schulter eingegipst und trug eine steife Halskrause. »Es ist nur so, dass die Gemeinschaft mich beschützen will. Mehr als ich selbst es für nötig halte.«

»Was meinst du damit?«

Er bat die Krankenschwester, uns einen Moment allein zu lassen und antwortete dann: »Ich habe versucht, deinen Namen aus der Sache herauszuhalten, aber wenn die Kolonie beschlossen hat, sich zu empören, dann kann niemand sie davon abbringen.«

Ich verspürte eine Woge der Schmach, aber auch der

Entrüstung, die sich miteinander vermengten. »Mich kümmert es nicht, was irgendjemand von mir denkt«, log ich.

»Diesen Luxus kann ich mir nicht gönnen.« Er senkte den Blick auf seine Hände über den ordentlich gefalteten Laken. »Ich denke, du solltest dich eine Weile von den Rennen fernhalten.«

»Und was soll ich dann tun? Die Arbeit ist das einzige, was ich habe.«

»Die Leute werden es irgendwann vergessen, aber noch ist es zu frisch. Sie fordern deinen Kopf.«

»Wieso nicht den von Jock? Er ist derjenige, der durchgedreht ist.«

Er zuckte leicht die Achseln. »Wir sind alle äußerst liberal, bis wir tatsächlich Farbe bekennen müssen. Und aus irgendeinem Grund hat jeder mehr Verständnis für die eifersüchtige Raserei eines Ehemanns als für die … Fehltritte einer Ehefrau. Es ist ungerecht, aber so ist es nun einmal.«

»Du feuerst mich also.«

»Du bist für mich wie eine Tochter, Beryl. Für dich wird hier immer ein Platz sein.«

Ich schluckte. Mein Mund war staubtrocken. »Ich kann es dir nicht verübeln, D. Das habe ich verdient.«

»Wer weiß schon, was irgendjemand verdient? Wir spielen gern Richter und Jury, aber letztendlich herrscht in uns allen ein heilloses Gewirr.« Er griff nach meinem Arm und tätschelte ihn. »Komm zurück, wenn sich die Aufregung gelegt hat. Und pass gut auf dich auf.«

Brennende Tränen standen mir in den Augen, doch ich blinzelte sie fort. Ich nickte, bedankte mich und verließ dann das Zimmer auf wackligen Beinen.

Ich wusste nicht, wohin ich mich wenden sollte. Meine Mutter und Dickie kamen nicht in Frage. Cockie besuchte gerade ihre Familie in London. Berkeley war zu besorgt um mich, zu einfühlsam, und zu Karen würde ich nun auf keinen Fall gehen. Ich hatte sie verraten – man konnte es nicht anders nennen –, und wenn ich sie immer noch mochte und bewunderte, ganz gleich, was ich für Denys empfand, dann war dies ein Problem, das ich allein lösen musste. Ohnedies hatte ich wahrscheinlich längst ihren Respekt verloren – genau wie Denys' auch.

Ich stellte nun schmerzlich fest, wie viel Respekt offenbar bedeutete, da mein Leben unter ständiger Beobachtung war. Es erinnerte mich an Green Hills und den Skandal um die Insolvenz meines Vaters. Er hatte ein dickeres Fell als ich, so dass ihm das Gerede damals nicht viel auszumachen schien. Ich wünschte mir erneut innig, er wäre hier, um mich anzuleiten. Ich fühlte mich bis ins Mark erschüttert und wollte nur noch so schnell wie möglich fort aus der Kolonie, fort von den neugierigen Blicken und tratschenden Zungen. Selbst Kapstadt war nicht weit genug entfernt. Aber welcher Ort dann? Ich grübelte und grübelte, wälzte das Problem und zählte meine Ersparnisse. Ich besaß insgesamt etwa sechzig Pfund, also so gut wie nichts. Was würde ich für nichts bekommen? Wie weit würde es mich bringen?

33.

Dosenmaronen und gebrannte Mandeln im Schaufenster von Fortnum and Mason. Bunt gestreifte Baumwollhemden, Krawatten und Einstecktücher an Schaufensterpuppen in der Regent Street. Hupende Lastwagenfahrer, die lautstark ihr Vorfahrtsrecht einforderten. Die Bilder und Geräusche Londons waren schwindelerregend und überwältigend. Außerdem war es kalt. Ich hatte Mombasa an einem schwülen Tag verlassen. Von der Reling des Schiffes aus hatte ich Kilindini Harbour schrumpfen und schließlich verschwinden sehen, während ein warmer Wind durch mein Haar und meine dünne Bluse fuhr. In London bedeckte vom Ruß geschwärzter Schnee das Kopfsteinpflaster. Die Wege waren vereist, und meine Stiefel wie auch meine Kleidung waren für das Wetter gänzlich ungeeignet. Ich besaß weder einen Wintermantel noch Galoschen und hatte als Anhaltspunkt nur eine einzige Adresse in meiner Tasche – die von Boy Long und seiner frischgebackenen Ehefrau Genessee in Dorking. In vieler Hinsicht war es seltsam, bei meinem ehemaligen Liebhaber zu Hause aufzutauchen, aber nach allem, was wir gemeinsam durchgemacht hatten, glaubte ich ihm, als er sagte, ich könne ihn um Hilfe bitten.

Bei meiner Ankunft in Dorking stellte ich mit einem leichten Schock fest, dass Boy hier eine ganz andere Person war. Er hatte den Piraten in Kenia zurückgelassen und trug nun Hosen mit Hahnentrittmuster, maßgeschneiderte Hemden und elegante polierte Schnürschuhe. Genessee nannte ihn Casmere anstelle von Boy, also tat ich es ihr nach.

Zum Glück war Genesee herzlich und freundlich und außerdem groß. Liebenswürdigerweise lieh sie mir ein paar Kleidungsstücke, damit ich ausgehen konnte, ohne angestarrt zu werden oder mir den Tod zu holen. In ihrem Wollkostüm und mit Boys Wegbeschreibung brach ich mit dem Zug zur West Halkin Street in Londons vornehmem Stadtteil Belgravia auf, um Cockie ausfindig zu machen.

Es war später Nachmittag, als ich unangekündigt vor ihrer Haustür stand. Ich wusste kaum etwas über Cockies familiäre Situation, aber sie war eindeutig gut betucht. Ihr Stadthaus stand nur einen Katzensprung vom Buckingham Palace entfernt in einer langen majestätischen Reihe ähnlicher cremefarbener Villen mit schwarzen, schmiedeeisernen Geländern und überdachten Vordereingängen. Ich nahm allen Mut zusammen, um an der herrschaftlichen Tür zu klopfen, hätte es jedoch nicht gebraucht. Außer dem Dienstmädchen war niemand zu Hause. Sie musterte mich von oben bis unten, wie ich so ohne Mantel vor ihr stand, und schien mich als irgendeine arme Angehörige abzustempeln, die die Hand aufhielt. Ich starrte auf meine Schuhe, um die sich auf dem Marmorfußboden der Eingangshalle Pfützen bildeten, und wusste nicht, was für eine Nachricht ich hinterlassen sollte. Schließlich eilte ich wieder hinaus in die Kälte, ohne dem Mädchen auch nur meinen Namen zu nennen.

Ich wollte nicht den ganzen Weg zurück nach Dorking fahren, also wanderte ich durch den Hyde Park, Piccadilly Circus und Berkeley Square, bis meine Zehen völlig erfroren waren und ich mir ein nicht zu teures möbliertes Zimmer in Soho suchte. Am nächsten Morgen kehrte ich zurück, doch Cockie war wieder ausgegangen, diesmal zu Harrods.

»Bitte warten Sie«, sagte das Dienstmädchen. »Sie hat mich gebeten, Sie zurückzuhalten.«

Als Cockie kurz vor dem Mittagessen endlich nach Hause kam, ließ sie ihre Taschen fallen und stürzte in meine

Arme. »Beryl! Ich wusste doch, dass du es bist. Was hat dich denn hierher verschlagen?«

»Das ist eine furchtbare Geschichte.« Ich nahm ihre gesunde Rundlichkeit ebenso wahr wie ihren reizenden Rock, ihre Schuhe und ihren Pelzmantel, in dem sich Schneeflocken verfangen hatten. Abgesehen vom Mantel hatte sie sich kaum verändert, seit ich sie das letzte Mal in Nairobi gesehen hatte, während für mich alles anders geworden war. »Können wir zuerst einen Schluck Brandy trinken?«

Ich brauchte lange, um die ganze schäbige Angelegenheit häppchenweise auszuspucken, wobei ich manche Dinge bis zum Schluss nicht erwähnte. Ich sagte kein Wort von Denys oder davon, wie unsicher meine Beziehung zu Karen geworden war. Zum Glück hörte Cockie schweigend zu und sparte sich ihre besorgteste Miene bis zum Schluss auf.

»D nimmt dich ganz sicher zurück, wenn sich der Sturm wieder gelegt hat.«

»Ich weiß nicht, ob er es tun sollte. Er hat einen Ruf zu schützen.«

»Das Leben ist voller Unordnung. Deine Fehler sind auch nicht schlimmer als die von anderen.«

»Ich weiß … aber ich habe ihre Hauptlast nicht allein getragen. Es ist nicht leicht, damit zu leben.«

Sie nickte und schien darüber nachzudenken. »Wo ist Jock jetzt?«

»Als ich ihn das letzte Mal gesehen habe, rannte er in Nakuru in die Nacht hinaus. Ich kann mir nicht vorstellen, dass er sich jetzt noch gegen eine Scheidung stemmen wird.«

»Vielleicht nicht. Aber solange du verheiratet bist, kannst du finanzielle Unterstützung bekommen.«

»Was? Geld von ihm annehmen? Eher würde ich verhungern.«

»Woher soll es sonst kommen?« Sie betrachtete meine Kleidung, die annehmbar für eine Fahrt aufs Land war, für

Belgravia jedoch nicht genügen würde. »Du kannst nicht viel besitzen.«

»Ich werde einen Weg finden, wieder zu arbeiten oder was auch immer. Ehrlich, ich werde wieder Fuß fassen. Das scheint mir irgendwie doch jedes Mal zu gelingen.«

Wie sehr ich mich auch bemühte, sie zu beruhigen, Cockie sorgte sich um mich und wollte gern eine Art Schutzengel für mich sein. Ich blieb die nächsten paar Wochen bei ihr und ließ mich von ihr auf Partys mitnehmen und mit den angesehensten Leuten bekannt machen. Außerdem versuchte sie behutsam, mir zu erklären, wie die Sache mit den Finanzen in London funktionierte. Ich hatte noch nie Ahnung von Geld gehabt und kannte lediglich das Schuldschein-System. In Kenia gaben einem Ladenbesitzer Kredit für alles, was man benötigte, in mageren Zeiten manchmal über Jahre hinweg. In London konnte man jedoch anscheinend erst für etwas anschreiben lassen, wenn man den Betrag verfügbar hatte.

»Warum sollte ich anschreiben lassen, wenn ich das Geld hätte?«

Sie lächelte mit einem Seufzen. »Wir werden dir einen gutaussehenden Gönner suchen müssen.«

»Einen Mann?« Ich schreckte zurück. Nach dem Spießrutenlauf, den ich hinter mir hatte, konnte ich den Gedanken kaum ertragen.

»Du musst sie als Sponsoren ansehen, Darling. Jeder Mann würde sich glücklich schätzen, dich im Austausch für ein paar nette Geschenke am Arm herumführen zu dürfen. Am besten wäre Schmuck.« Sie lächelte erneut. »Damit könntest du gerade so zurechtkommen.«

Cockie war kurvig gebaut und einen ganzen Kopf kleiner als ich, weshalb mir nichts von ihren Sachen passte, aber sie nahm mich mit zum Einkaufen und zu einer wohlhabenden Freundin, um deren Kleiderschrank zu plündern. Ich war ihr dankbar dafür, dass sie sich um mich kümmern und mir behilflich sein wollte, meine derzeitige Lage zu klären. Aber ich fühlte mich in London kaum wie ich selbst. Tatsächlich hatte ich mich seit der Überfahrt von Mombasa aus, während der ich vor Übelkeit grün im Gesicht und an mein Etagenbett unter Deck gefesselt war, nicht mehr hundertprozentig wohl gefühlt. Das Schwindelgefühl hatte noch lange angehalten, nachdem ich wieder festen Boden unter den Füßen hatte, doch als ich in Belgravia ankam, hatte es sich verzogen und war einer generellen Erschöpfung gewichen. Ich zögerte, Cockie gegenüber etwas zu erwähnen, aber sie sah es rasch genug selbst und begann, mich nach meinen Symptomen auszuhorchen.

»Du könntest die Grippe haben, Darling. Die Leute hier sterben daran. Du solltest meinen Arzt aufsuchen.«

»Aber ich hatte noch nie irgendeine Art von Fieber.«

»Hier ist allerdings alles anders. Bitte geh, mir zuliebe.«

Generell mied ich die moderne Medizin, seit Arap Maina Kibii und mir von den verrückten *Mzungu*-Ärzten erzählt hatte, die das Blut aus dem Körper eines Menschen nahmen, um einen anderen zu heilen. Er hatte sich darüber lustig gemacht und angesichts der Lächerlichkeit weißer Männer nur abgewunken, während Kibii und ich uns erschaudernd vorstellten, wie der klebrige rote Lebenssaft eines Fremden sich durch unsere Adern schlängelte. War man danach überhaupt noch man selbst?

Cockie ließ meinen Protest jedoch nicht gelten. Sie schleppte mich zur Praxis, wo der Arzt bei mir Fieber maß, meinen Puls fühlte und mir alle möglichen Fragen zu meiner Reise und meinen Gewohnheiten in letzter Zeit stellte. Schließlich erklärte er mich für vollkommen gesund. »Höchstens ein wenig Verstopfung«, sagte er und empfahl mir mehrere Gaben Lebertran.

»Bist du nicht trotzdem froh, dass du dort warst?«, fragte Cockie mich auf der Rückfahrt zur West Halkin Street. »Jetzt kannst du ganz beruhigt sein.«

Aber das war ich nicht. Irgendetwas stimmte nach wie vor nicht mit mir, und es war keine Verstopfung. Ich bedankte mich bei Cockie und kehrte nach Dorking zurück, um der Stadt und ihrer Geschwindigkeit für eine Weile zu entfliehen. Boy und Genessee behandelten mich mit ebenso viel Warmherzigkeit und Geduld wie zuvor – bis eines Morgens in meinem behaglichen Bett in Dorking für mich plötzlich alles einen Sinn ergab, die Übelkeit, das Schwindelgefühl und die Mattigkeit. Wie ich unter meinen geliehenen Kleidern immer runder wurde. Ich versuchte vergeblich, mich an das letzte Mal zu erinnern, als ich meine monatlichen Blutungen gehabt hatte. Ich schob die Arme unter die Daunendecke und ließ meine Hände auf meinem Bauch ruhen, der in den letzten Wochen deutlich angewachsen war. Ich hatte es auf die gebutterten Crumpets und die Clotted Cream geschoben, doch nun stand mir auf einmal die Wahrheit klar vor Augen.

Ich lehnte mich auf mein Kissen zurück und fühlte die Realität wie ein Karussell um mich kreisen. Empfängnisverhütung war eine unzuverlässige Angelegenheit. Seit dem Ende des Krieges konnten Männer zwar Kondome bekommen, doch diese waren aus steifem, grobem Material und rissen oder platzten leicht. Meistens zog der Mann sich heraus, bevor irgendetwas geschah, oder man versuchte, die gefährlicheren Tage des Monats zu vermeiden, wie ich es mit Boy während unserer Affäre getan hatte. Aber mit Denys war alles so schnell gegangen, dass ich nichts unternommen hatte. Nun befand ich mich tatsächlich in einem noch größeren Schlamassel. Zu Hause wäre ich vielleicht zu einer der Frauen im Somali-Dorf gegangen, hätte sie um einen Tee aus Flohkraut oder Wacholder gebeten und gehofft, das Problem damit zu lösen – aber hier, in England?

Ich rollte mich in dem kuscheligen Bett enger zusammen und dachte an Denys. Es war grausam, dass mich eine Nacht in seinen Armen in solche Schwierigkeiten brachte.

Und ich konnte mir nicht vormachen, er würde sich über die Neuigkeit freuen, dass ich ein Kind von ihm erwartete. Das Familienleben war ihm zu einengend, das hatte er von Anfang an klar gesagt. Aber was waren dann meine Möglichkeiten? Ich war einundzwanzig Jahre alt, hatte weder einen Ehemann, auf den ich zählen konnte, noch Eltern, von denen ich in praktischer Hinsicht irgendetwas zu erwarten hatte, und war Tausende von Meilen entfernt von der Welt, die ich am besten kannte – meiner Heimat. Außerdem lief mir die Zeit davon.

Später an jenem Tag verabschiedete ich mich von Boy und Genesee, dankte ihnen für all ihre Liebenswürdigkeit und bestieg mit einer beißenden Furcht den Zug zurück nach London.

Cockies Arzt wirkte überrascht, mich wiederzusehen – tatsächlich sogar ein wenig verstimmt. Er hatte mich mit meinem Lebertran davongejagt, doch nun war ich wieder aufgetaucht, wie eine streunende Katze vor der Tür. Allerdings hatten ein paar weitere Wochen das Problem recht deutlich werden lassen. Während Cockie in einem kleinen Wartezimmer saß, legte ich mich auf seinen Behandlungstisch und presste die Augen fest zusammen. Er stieß und stocherte, während ich mich gedanklich weit fort versetzte und stattdessen an Njoro dachte – die Biegung unserer Landstraße, die den maisgoldenen Hügel hinabführte, den weiten, reglosen Himmel, die Morgenhitze, die flimmernd aus dem Staub aufstieg. Wäre ich doch nur wieder zu Hause, dann könnte ich alles ertragen, sagte ich mir.

»Sie sind bereits einige Monate weit«, berichtete mir der Arzt, als ich mich wieder aufgesetzt hatte. Er räusperte sich und wandte sich ab, während der ganze Raum ins Wanken geriet.

»Wie konnten Sie das beim letzten Mal übersehen?«, schrie Cockie ihn beinahe an, als der Arzt diese Verkündigung in seinem Büro wiederholte. Der Raum war von feuchtem Aprillicht durchflutet. Auf dem breiten Lederschreibtisch lag eine dunkelblaue Löschwiege zum Trocknen von Tinte. Neben meinen gekreuzten Fußknöcheln stand ein blitzblanker Abfalleimer, der wohl noch niemals tatsächlich mit Abfall in Berührung gekommen war.

»Es handelt sich dabei nicht um eine genaue Wissenschaft.«

»Vor fünf Wochen haben Sie behauptet, sie habe Verstopfung! Sie haben sie nie gründlich untersucht. Jetzt ist alles so viel schlimmer.« Cockie drangsalierte ihn auf diese Weise weiter, während ich reglos auf meinem Stuhl verharrte. Meine Sicht verschwamm an den Rändern, als blickte ich einen tiefen, unergründlichen Tunnel hinab.

»Gewisse junge Damen sind unter diesen … Umständen nach Frankreich gereist«, sagte er, ohne dabei eine von uns beiden richtig anzusehen.

»Ist denn noch Zeit für Frankreich?«, fragte ich.

»Wohl nicht«, gab er schließlich zu. Auf ein wenig weiteres Drängen hin überreichte er uns eine Adresse mit den Worten: »Ich habe Sie nie dorthin geschickt. Ich habe Sie überhaupt nie gesehen.«

Ich kannte nur vage Geschichten von der Art Ort, die er meinte, wo man sich um Frauen in Schwierigkeiten »kümmerte«. Im Taxi auf dem Heimweg von der Arztpraxis erschauderte ich voller Angst, während sich die Panik wie ein Metallring immer fester um mein Herz zu legen schien. »Ich habe keine Ahnung, wo ich das Geld auftreiben soll«, sagte ich zu Cockie.

»Ich weiß.« Sie blickte aus dem Fenster auf den grauen Nieselregen, seufzte dann tief und drückte mir die Hand. »Lass mich nachdenken.«

Zwei Tage später fuhren wir zu einem kleinen Zimmer in der Brook Street. Cockie hatte mich nicht mit Fragen bedrängt und mir nichts als bedingungslose Wärme und Freundlichkeit entgegengebracht, aber im Taxi konnte ich die Wahrheit keinen Augenblick länger für mich behalten. »Das Baby ist von Denys«, sagte ich. Heiße Tränen brannten ihre Spuren über meine Wangen und auf meinen geliehenen Kragen.

»Denys? Oh, Darling. Ich hatte keine Ahnung, wie kompliziert zu Hause alles geworden ist. Willst du es ihm nicht zuerst sagen?«

Ich schüttelte den Kopf. »Das hat keinen Sinn. Kannst du dir vorstellen, dass er mich heiratet? Außerdem weiß Karen nichts von uns. Ich würde ihr ihr Glück stehlen – ihrer beider Glück. Damit könnte ich nicht leben.«

Cockie atmete tief aus, nickte und biss sich auf die Lippe. »Ich wünschte, ich könnte dir ein wenig von deinem Schmerz nehmen oder irgendetwas leichter machen.«

»Das kann niemand. Außerdem habe ich mir das alles selbst zuzuschreiben.«

»Sei nicht albern, Beryl. Du bist noch ein Kind.«

»Das bin ich durchaus nicht«, entgegnete ich. Nicht mehr.

34.

Ich erholte mich – wenn man das so ausdrücken konnte – bei Boy und Genesee in Dorking. Ich erzählte ihnen, ich litte unter Fieber und ließ mich von ihnen unter eine ausladende Platane in die Sonne setzen. Dort trank ich literweise englischen Tee und versuchte, durch Zeitschriften zu blättern, während mir das Herz vor Kummer weh tat. Mein Verstand wusste zwar, dass ich die einzig mögliche Lösung gewählt hatte, aber das tröstete mich nicht im Geringsten. Denys und ich hatten gemeinsam eine Verheißung, den Kern des Lebens erschaffen, und ich hatte es vorsätzlich zerstört. Noch trauriger schien die Tatsache, dass es niemals auch nur die entfernte Möglichkeit gegeben hatte, dass er sich über diese Schwangerschaft hätte freuen können und sich ein Leben mit mir hätte aufbauen wollen. Die Welt, in der ich ihm zeigen konnte, wie viel er mir bedeutete oder was ich wirklich wollte, existierte nicht. Ich wusste genug, um nicht einmal von solch einem Ort zu träumen.

Mehrmals am Tag ging ich im Versuch, mich aufzurichten, langsam an der Steinmauer, die sich den Hügel hinunterschlängelte, entlang bis zur Hecke und wieder zurück, blieb dabei jedoch in denselben düsteren Gedanken gefangen. Denys würde niemals von diesem schrecklichen Geheimnis erfahren. Karen ebenso wenig, dennoch waren wir nun so fest und in solch einem komplizierten Muster miteinander verwoben, dass ich nicht aufhören konnte, an sie beide zu denken. In Dorking brannte die Sonne nicht nieder, stattdessen lag alles im Halbschatten. Hoch über der

Platane flogen Habichte, nicht die prachtvollen Adler von Ngong – aber in meinen Gedanken und in meinem Herzen verbrachte ich einen Großteil jeden Tages in meiner Heimat.

Seltsamerweise beherrschte Kenia gerade auch die Zeitungen. Wie aggressiv Ds Wachsamkeitskomitee und ähnliche andere auch gekämpft hatten, kam das Devonshire White Paper nun voll zum Tragen und ließ den Ruf nach mehr Rechten für die Afrikaner immer lauter werden. Was die Asiaten anging, warb man nun darum, dass sie eines Tages ins Wählerverzeichnis aufgenommen werden und auch im fruchtbaren Hochland Boden besitzen könnten. Diese neuen und bedrohlichen Ideen lagen in der Luft. Auch wenn sich nichts davon in nächster Zeit klären würde, war selbst die Vorstellung solcher Veränderungen schockierend.

Wie Cockie mir gegenüber erwähnte, nachdem sie Ende Mai mit dem Zug herausgefahren war, um mich zu besuchen: »Weißt du, die *Times* lässt sich andauernd darüber aus, wie gierig wir Siedler seien, wie wir die Kolonie, die sie uns gegeben haben, misshandelt und an uns gerissen hätten. Aber sie müssen auch jedes Mal, wenn sie einen Artikel bringen, eine Karte von Kenia dazu abdrucken. Sonst wüssten die Londoner womöglich nicht, dass es tatsächlich existiert.« Sie schlug die Zeitung zu.

»Es spielt keine Rolle«, sagte ich mit einem seltsam dumpfen Gefühl. »Niemand kann Afrika aufteilen oder gar verteidigen. Es gehört niemandem.«

»Abgesehen von den Afrikanern, meinst du wohl.«

»Mehr als allen anderen, nehme ich an. Aber vielleicht sind wir alle töricht, zu glauben, wir könnten auch nur ein Staubkorn davon besitzen.«

»Wirst du nach Hause zurückkehren? Denkst du gerade daran?«

»Wie denn?« Ich blickte über die Wiese in den Himmel, wo ein Habicht langsam und wunderschön dahinglitt, scheinbar ohne auch nur einen Muskel zu bewegen. »Wenn ich Flügel hätte, vielleicht.«

Die Steinmauer, die durch das üppige grüne Feld schnitt, reichte bis zu den Knien und war auf eine Weise verfallen, die in England auf dem Land als charmant galt, an manchen Stellen gekippt und mit Moos überzogen. Ich stand auf und ging langsam darauf zu, während ich in der Hand ein Häufchen toter Blätter fein zerbröselte. In jener einen Nacht in Kekopey war Denys zärtlich und absolut wahrhaftig gewesen. Er hatte mir in die Augen geblickt, und ich hatte mich verstanden gefühlt, als könnte er sehen, wer und was ich in meinem Kern war. Allerdings verstand auch ich ihn – und wusste, dass er niemals irgendjemandem gehören könnte. Das half mir nun jedoch nicht weiter. Mein Herz fühlte sich geschlagen und getreten, und ich machte mir keinerlei Hoffnung darauf, dass irgendetwas mich heilen könnte, außer einer Rückkehr nach Hause. Ich musste einen Weg finden.

Nach einer Weile kam Cockie über die Wiese auf mich zu. Still setzte sie sich auf den Rand der Mauer.

»Wie hast du überhaupt das Geld zusammenbekommen?«, fragte ich sie. »Für den Arzt?«

»Warum willst du das wissen?«

»Ich bin mir nicht sicher. Sag es mir.«

»Frank Greswolde.«

»Frank?« Er war ein alter Freund aus der Kolonie – ein weiterer Pferdebesitzer, den mein Vater gut gekannt hatte, als ich noch ein kleines Mädchen war. Cockie und ich hatten ihn einen Monat zuvor auf einer Party in der Stadt getroffen, neben einer ganzen Schar von Londons prahlerischeren Wohlhabenden. Er hatte kein besonders großes Interesse an mir gezeigt und nur wissen wollen, wie es Clutt ging – dabei hatte ich keine Ahnung davon.

»Frank hat ein gutes Herz.«

»Du meinst wohl, er hat eine dicke Brieftasche.«

»Ehrlich, Beryl, ein Mann kann beides haben. Als ich ihm – äußerst diskret – mitteilte, in was für einer Notlage du dich befandst, hat er darauf bestanden zu helfen.«

»Das hast du also mit einem Gönner gemeint. Was erwartet er dafür als Gegenleistung?«

»Ich glaube nicht, dass er irgendwelche Hintergedanken hat. Wahrscheinlich möchte er lediglich mit dir ausgehen, wenn du dich danach fühlst. Daran ist nun wirklich nichts Verwerfliches.«

Für sie nicht, das war offensichtlich – aber ich verabscheute auch nur die Vorstellung, einem Wohltäter verpflichtet zu sein, egal von welchem Schlag er war oder was er als Ausgleich forderte. Ich würde nichts brauchen, nicht wenn ich es irgendwie verhindern konnte. Aber ich sah auch keinen anderen Weg, zumindest nicht im Augenblick. »Dann lass uns zurück nach London gehen«, sagte ich. »Ich will es hinter mich bringen.«

»Darling, du darfst Frank nicht missverstehen. Ich bin mir sicher, dass du mit ihm tun kannst, was du willst, oder es auch sein lassen.«

»Das ist sowieso egal«, erklärte ich ihr. »Ich habe nichts mehr zu verlieren.«

TEIL
DREI

35.

Im Hafen von Mombasa herrschte ein fabelhaftes Durcheinander aus Frachtschiffen und Fischerbooten, auf deren flachen Decks gekräuseltes trocknendes Haifischfleisch hing oder Eimer mit Aalen standen. Die Strandpromenade pulsierte vor Hitze, Transportkarren und Ochsenherden. Rosarote und gelbe Bungalows, deren blassgrüne Blechdächer sich scharf von dem beinahe ins Lila gehenden Farbton der fetten Affenbrotbäume abhoben, kletterten die Hänge der niedrigen Hügel hinauf. Der Geruch nach Fisch, Staub und Kot wehte mir wie ein liebevoller Angriff entgegen, als ich mich an die Reling lehnte und mein Heimatland immer näher kommen und weiter, klarer und wilder werden sah. Um meinen Hals trug ich eine schwere, glänzende Perlenkette, darunter ein perfekt auf mich zugeschnittenes weißes Seidenkleid. Neben meiner ruhte Franks Hand auf dem Geländer. Sie hatte das Recht, dort zu sein. Ich war zu seinem Mädchen geworden.

»Sollen wir ein paar Tage hierbleiben?«, fragte Frank. »Oder die Küste hinunterfahren?« Er stand seitlich zu mir, und sein dicker Bauch berührte die weiße Reling. Ein Kellner hatte uns zwei Gläser Wein gebracht. Frank nippte an seinem und wandte mir das Gesicht zu, so dass ich die gekräuselte Narbe an seinem rechten Auge sehen konnte, die unter einer dunklen Augenklappe zum Vorschein kam. Er hatte das Auge vor ein paar Jahren bei einem Jagdunfall verloren, doch auch wenn ihm dies ein hartes Aussehen verlieh, war er es nicht. Zumindest nicht mir gegenüber.

»Ich bin bereit, nach Hause zurückzukehren«, sagte ich.

»Ich nehme an, die Aufregung wird sich gelegt haben. Es ist nun sechs Monate her.«

»In der Kolonie ist das so viel wie ein ganzes Leben«, meinte ich und hoffte, dass ich recht hatte.

Frank trug einen Goldring am kleinen Finger, gedrungen und kantig, mit einem blassblauen Beryll. Er hatte ihn in London erworben und mir ganz aufgeregt gezeigt. »Reiner Beryll ist farblos«, hatte er dazu gesagt, »aber dieser hier war der schönste.«

»Er ist wie der afrikanische Himmel.«

»Genau wie du«, beteuerte er. Sein Kuss war trocken, beinahe staubig.

Aber wenn Franks Worte auch vor Romantik aufloderten, rührten sie mich nicht halb so sehr wie seine Loyalität. Sie bedeutete mir mehr als alles andere, genau wie sein Glaube an mich. Was ich mir am meisten wünschte – zurück in Kenia zu sein und zu arbeiten –, das wollte auch er für mich. Von dem Augenblick an, in dem Cockie geholfen hatte, uns zusammenzubringen, hatte Frank mir immer wieder versichert, er könne mir einen Stall voller Pferde besorgen. Ich könnte meine eigenen Tiere trainieren und wäre niemandem verpflichtet, versprach er, und bislang hatte er sein Wort gehalten. Vor Einbruch der Dunkelheit würden wir einen Zug besteigen, der uns nach Nairobi brachte. Dann wollten wir mit dem Auto zu Franks Rinderfarm Knightswick fahren, die am Fuß des Mau Escarpments lag. Dort würde ich wieder mit der Arbeit und dem Training beginnen.

»Bist du glücklich?«, fragte Frank mich, als das Schiff vorsichtig in den Hafen gesteuert wurde. Es war ein Leviathan, umgeben von Treibgut, Farben und Lärm – der Kakophonie Mombasas mit seinen gebogenen Palmen und dem roten Sand unter einem hohen, blassblauen Himmel. Die Docker warfen die langen rauen Taue auf den Anlegeplatz, jedes davon so dick wie das Bein eines Mannes.

»Das bin ich. Weißt du, sogar die Gerüche meiner Heimat geben mir das Gefühl, mehr ich selbst zu sein. Die Farben auch. Wenn ich bloß niemanden wiedersehen müsste, würde ich mich wahrscheinlich längst pudelwohl fühlen.«

»Wir könnten direkt nach Knightswick fahren.«

»Das käme mir feige vor. Bleib einfach in meiner Nähe, in Ordnung?«

»Natürlich«, sagte er und drückte meine Hand.

Zwei Tage darauf brausten wir in Franks Ford Runabout nach Nairobi hinein. Die Stadt sah noch genauso aus wie vor meiner Abreise – Straßen aus rotem Staub, gesäumt von Geschäften und Cafés mit Blechdächern, Wagen voller Lieferungen, blassgrüne Eukalyptusbäume, deren schlanke, schuppige Stämme in die Höhe schossen, wo die Blätter in einer leichten Brise erzitterten.

Hinter dem niedrigen rosaroten Tor des Muthaiga Club wand sich die Auffahrt durch einen gepflegten grünen Rasen. Wir fuhren unter den Säulenvorbau, wo ein Portier mit weißen Handschuhen mir die Tür öffnete. Mein Fuß schlüpfte in seinem eleganten Schuh anmutig hinaus. Mein Kleid, meine Strümpfe und mein Hut waren schicker als alles, was ich je zuvor im Club getragen hatte, das wurde mir nun deutlich bewusst, als ich die schattige Eingangshalle durchquerte. Frank hatte eine Hand besitzergreifend auf meinen Ellbogen gelegt und führte mich zur Bar, als wäre ich nicht schon Hunderte Male dort gewesen. Vielleicht war ich das auch gar nicht. Seit meinem Aufbruch nach London hatte ich mindestens einmal meine Haut abgeworfen, wenn nicht öfter.

»Sehen wir mal, wer da ist«, sagte Frank. Er meinte seine Freunde. Ich wusste nicht viel von ihnen, abgesehen von Klatschgeschichten, und davon gab es reichlich. Sie gehörten allesamt zu einer Gruppe von Schönen und Reichen, die sich in den letzten Jahren auf riesigen Landstücken nahe

Gilgil und Nyeri niedergelassen hatten, wo sie herumtollen oder Farmer spielen konnten, ohne den Regeln oder Umgangsformen, die das Leben anderer Menschen bestimmten, große Beachtung schenken zu müssen. Sie hatten ihre eigenen Regeln oder auch gar keine – was passieren konnte, wenn man über zu viel Geld und Zeit verfügte. Sie amüsierten sich damit, sich beieinander die Ehemänner und Ehefrauen auszuleihen und pfundweise Opium zu rauchen. Ab und zu tauchte einer von ihnen halb nackt und delirierend in Nairobi auf.

Frank gehörte nicht ganz zu dieser Welt, da er nicht kultiviert genug war – falls man es so ausdrücken konnte. Er sprach wie ein Seemann und humpelte. Meiner Ansicht nach behielten die Überreichen ihn trotzdem in ihrem Kreis, weil er wusste, wo man das beste Kokain auftreiben konnte. Er trug immer etwas davon in einem braunen Samtbeutel bei sich. Ich hatte in London das ein oder andere Mal mitbekommen, wie der Beutel hervorgeholt wurde, hatte das Zeug jedoch nie angerührt. Drogen interessierten mich überhaupt nicht. Schon allein die Vorstellung, meine Sinne nicht beisammen zu haben, gab mir das Gefühl, zu angreifbar zu sein. Frank respektierte das und versuchte nicht, mich zu überreden oder mir das Gefühl zu geben, puritanisch zu sein – zumindest nicht in London. Ich fragte mich, ob sich das nun ändern würde.

Es war mitten am Nachmittag. Die glänzenden Holzfensterläden waren in der Hitze geschlossen, so dass alles dunkel war und sich ein wenig feucht anfühlte, wie in einer Höhle. Frank überblickte den Raum prüfend wie ein Goldsucher, sah jedoch niemanden, den er kannte. Wir nahmen trotzdem allein in aller Ruhe und Abgeschiedenheit einen Drink zu uns, bevor er wieder in die Stadt aufbrach, um sich um geschäftliche Angelegenheiten zu kümmern, während ich mich in einer Ecke des Speisesaals niederließ und dort zu Mittag aß und Kaffee trank. Ich hatte ihn gehen lassen, weil niemand Anstalten gemacht hatte, sich mir zu nähern, oder mich in meinen neuen Kleidern überhaupt zu erkennen schien. Ich bekam langsam das Gefühl, mich tatsächlich in jemand anderes verwandelt zu haben, bis Karen in einem breitkrempigen weißen Hut und einem bunten Schal den Raum betrat. Sie musterte mich im Vorbeigehen und blieb dann wie erstarrt stehen. »Beryl. Sie sind es. Sie sind wieder da.«

Ich legte meine Serviette beiseite und stand auf, um sie zur Begrüßung zu küssen. »Dachten Sie, ich würde nicht zurückkommen?«

»Nein, nein.« Sie blinzelte wie eine exotische Katze. »Ich habe mich nur gefragt, wie. Als Sie fortgingen, wirkte alles so hoffnungslos.«

»Das war es auch.« Ich räusperte mich und zwang mich, ihr in die Augen zu blicken. »Tatsächlich hoffe ich, nie wieder so tief zu sinken. Wie geht es D?«

»Er ist wieder ganz gesund – und so aufbrausend wie eh und je. Sie kennen ihn ja.«

»Ja … ich hoffe zumindest, dass ich das noch tue. Sechs Monate sind lange genug, damit sich der Rauch verziehen kann, aber auch, um eine Kluft sich ausdehnen und größer werden zu lassen. Er fehlt mir.«

»Ohne Zweifel vermisst er Sie auch.« Ihr Blick fiel auf meine Perlen, dann auf meine feinen neuen Schuhe. Ich konnte erkennen, dass sie voller Fragen über meine Verwandlung war, nahm jedoch nicht an, dass sie sie stellen würde.

»Bleiben Sie doch und trinken Sie etwas mit mir.«

»Gerne.« Sie setzte sich, nahm ihren Hut ab und strich sich über das Haar, das sie nun in einem Bubikopf trug, der neuen, emanzipierten Frisur. In London war sie mir überall begegnet, aber ich hätte nicht gedacht, dass Karen sich der aktuellen Mode anpassen würde. »Ist es nicht fürchterlich?« Sie lachte. »Ich weiß nicht, weshalb ich es getan habe.« Dann veränderte sich ihr Gesichtsausdruck und sie sagte: »Was ist aus Ihrer Scheidung geworden? Sind Sie endlich frei?«

»Noch nicht.« Cockie hatte mich gedrängt, Jock aus Dorking zu schreiben und auf einer Scheidung zu bestehen, aber ich hatte noch nichts von ihm gehört. »Wurde Jock hier angeklagt?«

»Nicht dafür.« Sie sah ernst aus, zweifelnd.

»Wofür dann?«

»Kürzlich gab es einen erneuten Zwischenfall. Niemand hat es gesehen, also lässt sich nicht leicht herausfinden, was tatsächlich passiert ist, aber anscheinend hat Jock in Nakuru mit seinem Auto einen anderen Wagen angefahren. Dann hat er das Paar darin angegriffen, als wäre es ihre Schuld gewesen, statt seine. Beide Automobile haben Feuer gefangen.«

»Meine Güte, ist jemand verletzt worden?«

»Zum Glück nicht. Es gab einen Schadenersatzprozess, aber dabei ist nichts herausgekommen.«

»Er war ohne Zweifel betrunken.«

»Das kann man nur vermuten.« Anscheinend verlegen, zupfte sie am Ende ihres Schals herum, während wir ein paar angespannte Minuten still dasaßen. Dann sagte sie: »Sie sehen wirklich gut aus, Beryl. Wenn ich Sie jemals male, sollten Sie Weiß tragen. Das ist absolut Ihre Farbe.«

Das Cocktailglas in meiner Hand war kühl und glatt. Spritzer geschäumten Gins und Eiweißes klebten an den Eiswürfeln. Ich war vor dem Skandal geflohen, aber er war immer noch hier und wartete auf mich. Auch viele andere Dinge waren noch ungeklärt, ein Netz aus schwierigen Wahrheiten, die weder ausgesprochen wurden noch aus der Welt geschafft werden konnten. Dennoch freute ich mich, Karen wiederzusehen. Ihre Gesellschaft hatte mir gefehlt.

»Ist alles gut verlaufen?«, fragte Frank mich bei seiner Rückkehr. Karen und ich hatten uns bereits verabschiedet.

»Ich nehme es an. Aber in der Stadt zu sein macht mich

nervös. Es wird nicht lange dauern, ehe sich das Getratsche über uns bis in den hintersten Winkel des Landes ausgebreitet hat.«

»Tratsch gab es in London auch. Die Leute reden nun einmal gern Unsinn. Sie können nicht anders.«

»Nun, ich bin es jedenfalls leid.« Mein Gin war längst ausgetrunken. Ich schwenkte die letzten Überreste des geschmolzenen Eises in meinem Glas. »Ich glaube, ich könnte hingehn und mit den Tieren leben«, sagte ich leise.

»Was meinst du?«

»Nichts ... das ist bloß ein Gedicht, das ich einmal gehört habe.« Er zuckte mit den Schultern, und ich drückte mich entschlossen von der Tischkante ab. »Ich bin fertig. Bring mich nach Hause.«

36.

Frank hatte kaum Interesse an der Landwirtschaft und stellte für die Feldarbeit Leute ein, damit er seine Zeit mit Jagen oder Besuchen bei Freunden verbringen konnte. Seine Jagdhütte lag zehn Meilen vom Haupthaus in Knightswick entfernt im Kedong Valley. Er verbrachte die meisten Nächte gemeinsam mit seinem Fährtenleser Bogo dort und kehrte nur alle paar Tage ins Haupthaus zurück, um nach mir zu sehen. Dann aßen wir zu Mittag oder zu Abend, bevor er mich ins Schlafzimmer führte. Dort sah er mir beim Ausziehen zu und legte mich ausgestreckt aufs Bett. Er liebte es, zu hören, wie mein Atem stockte, zu sehen und fühlen, wie meine Hüften sich bewegten und meine Hände sich in die Laken gruben. Er schien es sogar mehr zu genießen, mir Vergnügen zu bereiten, als dass er selbst Erleichterung suchte. Ich nahm an, dass es ihm das Gefühl vermittelte, sich um mich zu kümmern. Was er auch tat, auf seine Weise.

Frank zwang mich nie zu etwas, dennoch kann ich nicht behaupten, mich je zu ihm hingezogen gefühlt zu haben. Er hatte einen unbeholfenen, schlingernden Gang, wie ein dressierter Bär, dazu plumpe, quadratische Hände und Füße und einen Bauch, so rund und straff gespannt wie eine Trommel. Seine Ausdrucksweise war grob und vulgär, aber er vergaß nie, mich zu fragen, wie es mir ging, was ich getan und worüber ich nachgedacht hatte. Er erzählte mir Geschichten von seinen Jagden oder Ausritten, bat mich jedoch nie, ihn auf seine Ausflüge zu begleiten, was mir auch ganz recht war. Ihn zeitweise um mich zu haben, war mehr als genug. Wenn wir miteinander schliefen, sah ich es als eine Art physische Transaktion an. Wir gaben einander etwas, auch wenn es keine Zuneigung war. Ich kniff die Augen zusammen oder konzentrierte mich auf die lockigen grauen Haare auf seiner Brust und versuchte, nicht daran zu denken, dass er so alt war wie mein Vater. Er war freundlich. Er hatte mich gern. Er würde mich nicht aufgeben.

In der Kommode in Franks Schlafzimmer lag ein dickes Bündel Banknoten, die er für mich vorgesehen hatte, damit ich mir Pferde kaufen konnte, oder was immer ich sonst wollte. Ich zog oft die Schublade auf und betrachtete den Stapel Geld, wobei ich mich der Welt des Handels, in der Schillinge Dinge geschehen ließen, seltsam fremd fühlte. Ich war so lange mittellos gewesen, dass ich die Chance hätte ergreifen sollen, aber ich tat es nicht. Ich war Frank dankbar und glaubte ihm, dass er es gut meinte, außerdem wollte ich mehr als alles andere endlich wieder trainieren. Aber ich war noch nicht bereit, Aktien für ein Leben mit ihm zu erwerben. Irgendetwas fühlte sich einfach nicht richtig an – also ritt ich allein auf Pegasus aus oder spazierte in einem bedruckten Seidenpyjama, den Frank mir in Nairobi gekauft hatte, über das Gelände. Seine Freundin Idina Hay trug ihren überall, selbst in der Stadt, und er fand, ich solle genauso träge und glamourös aussehen wie sie.

Als wir Idina auf Slains besuchten, ihrem Anwesen in der Nähe von Gilgil, bat er mich, ihn zu tragen und schwor, ich würde mich damit dort viel wohler fühlen, aber ich zog stattdessen das weiße Seidenkleid an, von dem Karen behauptet hatte, es würde mir gut stehen, dazu Strümpfe, Schuhe mit Absatz und die Perlen, die wir in einem Geschäft in Belgravia gefunden hatten, nicht lange nachdem Frank in mein Leben getreten war. Ich schätze, ich wollte vor Idina und ihren Freunden respektabel erscheinen, obwohl ich nicht weiß, weshalb es mich überhaupt kümmerte.

Wir kamen an einem heißen Julinachmittag in Slains

an. Der Gutshof saß wie ein Rohdiamant inmitten der achthundert Hektar großen Ländereien in den Hügeln über Gilgil, direkt am Fuße der blauen Aberdares. Wir holperten über immer schmaler werdende Straßen, bis wir schließlich das Haus erreichten, das zum Teil aus Ziegelsteinen, zum Teil aus Schindeln bestand, ein Durcheinander aus Farben und Texturen, das dennoch irgendwie einladend wirkte.

Idina und ihr Ehemann Joss, tatsächlich ihr dritter Ehemann, hatten das Haus gebaut, die Farm jedoch verpachtet. Gemeinsam sah das Paar aus, als wäre es den Seiten einer Zeitschrift entsprungen. Sie hatten helle Haut, schmale Hüften und trugen beide ihr kastanienbraunes, kurz geschnittenes Haar auf eine Seite gekämmt. Entweder sah er feminin oder sie maskulin aus. Wie auch immer, sie begrüßten unseren Wagen wie strahlende Zwillinge, dicht gefolgt von mehreren Bediensteten in Fez und langen weißen Roben. Die Diener trugen unsere Taschen davon, während Idina und Joss uns barfuß über die unkrautbewachsenen Hügel an eine Stelle führten, wo bereits ein üppiges Picknick ausgebreitet war. Ein weiteres Paar hatte es sich auf einer karierten Decke auf der Wiese bequem gemacht, beide trugen Strohhüte und tranken Whiskey Sour aus geeisten Gläsern. Für die meisten Menschen bedeutete ein Picknick trockene Sandwiches und lauwarmes Wasser aus Feldflaschen. Hier gab es eine generatorbetriebene Eismaschine, die surrend bereitstand, wie ein Butler. Aus einem Grammophon rankte sich Jazz in die Luft.

»Hallo«, gurrte die schlanke hübsche Frau auf der Karodecke. Sie setzte sich auf, kreuzte die Beine und rückte ihren Hut zurecht. Es handelte sich um Honor Gordon mit ihrem neuen Ehemann Charles – einem blassen, dunkelhaarigen gutaussehenden Schotten, den Idina selbst ein paar Jahre zuvor abgelegt hatte. Sie schienen nun alle gute Freunde zu sein, fühlten sich vollkommen wohl miteinander und auch mit Frank, der seinen braunen Samtbeutel hervorzog, noch ehe er sein erstes Glas geleert hatte.

»O Frank, mein Lieber«, rief Idina. »Genau deshalb laden wir dich ein. Du hast immer das beste Spielzeug.«

»Und einen großartigen Frauengeschmack«, fügte Joss hinzu, der nach dem Beutel griff.

»Sie sehen zum Anbeißen aus«, stimmte Idina zu. »Auch wenn ich mir nicht ganz vorstellen kann, wie Frank Sie sich geangelt hat. Ist nicht persönlich gemeint, Frank.« Sie senkte lächelnd den Blick auf ihn. »Aber du bist nicht gerade Sir Galahad.«

»Frank ist mir ein guter Freund gewesen«, sagte ich.

»Was täten wir nur ohne Freunde?« Idina räkelte sich auf dem Rücken und ließ die Beine auf eine Seite sinken. Ihr sarongartiges Hemdkleid glitt ihr die blassen Schenkel hinauf.

»Du bist so weiß wie eine Lilie!«, rief Honor. »Weshalb verbrennst du hier nicht wie alle anderen?«

»Sie ist ein Vampir.« Joss lachte. »Sie hat keinerlei eigenes Blut, nur geborgtes, und Whiskey.«

»Ganz genau, mein Löwe«, schnurrte sie. »Deshalb bin ich auch unsterblich.«

»Solange du mich nicht allein lässt«, sagte Joss und beugte sich über eine Linie, die er mit dem Kokain auf einem Tablett gezogen hatte. Mit einem gerollten Papierzylinder zog er sie sich mit einem Mal in die Nase. Wir lagen im durchbrochenen Schatten, bis sich das Tageslicht ausdehnte und golden färbte und wir hineingingen, um uns fürs Abendessen umzukleiden. Das vornehme Schlafzimmer, das man Frank und mir zugeteilt hatte, war voller Teppiche und Überwürfe und üppig verzierter und bemalter antiker Möbel. Auf den beiden prallen Kissen des massiven Bettes lagen zusammengefaltete Seidenpyjamas, Geschenke von Idina.

»Ich habe dir doch von den Pyjamas erzählt«, meinte Frank und zog seine Kordhosen aus. Über den Gummibändern seiner Strümpfe ragten seine dicken, behaarten Beine empor. »Die vier sind in Ordnung, nicht wahr? Du wirkst verunsichert.«

»Es kommt mir bloß alles ein wenig nichtssagend vor. Alles scheint für sie Unterhaltung zu sein – vor allem andere Menschen. Diese Art von Spaß verstehe ich einfach nicht.«

»Vielleicht könntest du dich entspannen, wenn du etwas mehr trinken würdest.«

»Ich will nicht den Kopf verlieren.«

»Da besteht wohl keinerlei Gefahr«, lachte er. »Aber du könntest dich besser amüsieren.«

»Mir geht es gut«, insistierte ich, da ich das Thema beenden und den Tag hinter mich bringen wollte. Ich hatte gerade meine Strümpfe hinuntergerollt und mich aus meinem verschwitzten Büstenhalter geschält, als die Tür sich ohne vorheriges Klopfen öffnete. Joss stand im Rahmen.

»Hallo, meine Lieben.« Er trug ein breites, freundliches Lächeln im Gesicht. »Habt ihr alles, was ihr braucht?«

Ich erstarrte, widerstand jedoch dem Drang, mich zu bedecken. Solcherart Sittsamkeit würde hier als entsetzlich kleinkariert gelten. »Ja, vielen Dank.«

»Idina möchte dich vor dem Abendessen sehen, Beryl. Sie wartet den Flur hinunter, die letzte Tür auf der rechten Seite.« Er zwinkerte und verließ den Raum wieder, woraufhin ich Frank einen verzweifelten Blick zuwarf.

Dieser zuckte nur mit den Achseln und machte sich an den Hornknöpfen seines Pyjamas zu schaffen. An seinen zähflüssigen Bewegungen konnte ich erkennen, dass er betrunken war, was alte Gefühle in mir aufkommen ließ, wie ein vorbeihuschendes Gespenst. Frank hatte zwar keinerlei Ähnlichkeit mit Jock, dennoch wollte ich ihn nicht so sehen. »Du kannst es ihm eigentlich nicht verübeln«, meinte er.

»Ach nein? Vielleicht nehme ich es dann dir übel.«

»Wie ich sehe, sind wir streitsüchtig.« Er trat zu mir und wollte mich an sich ziehen, aber ich schob ihn weg.

»Bitte, Frank … Ich fühle mich merkwürdig hier.«

»Es ist doch bloß ein Abendessen. Wenn du möchtest, fahren wir morgen wieder.«

»Keiner von ihnen arbeitet. Ich habe keine Ahnung, was um alles in der Welt sie mit ihrer Zeit anstellen.«

»Ich schätze, wenn man genug Geld hat, kann man wohl für immer spielen.«

»Mit Arbeit bestreitet man aber nicht nur seinen Lebensunterhalt.« Ich war überrascht von meiner eigenen Heftigkeit. »Sie gibt einem einen Grund, weiterzumachen.«

»Du brauchst wirklich einen Drink«, sagte er und wandte sich seinem Spiegel zu.

Idinas Schlafzimmer war dreimal so groß wie unseres. Ihr breites Bett war mit seidigen Fellen bedeckt, darüber hing ein riesiger vergoldeter Spiegel. Ich hatte noch nie etwas Derartiges gesehen.

»Ich bin hier«, flötete Idina aus dem Badezimmer. Ich fand sie dort in einer gigantischen Badewanne aus dunkelgrünem Onyx. Sie lag bis zum Kinn in parfümiertem Wasser, aus dem Dampf aufstieg. »Er passt dir wie angegossen.« Sie wies mit einem Nicken auf meinen Pyjama. »Gefällt er dir?«

»Er ist ganz wunderbar, vielen Dank.« Sie ließ mich durch einen Blick wissen, dass ich steif klang, griff nach ihrer glatten schwarzen Zigarettenspitze und entzündete mit feuchten Fingern ein Streichholz.

»Dir macht es doch nichts aus, was ich vorhin über Frank gesagt habe?«

»Schon in Ordnung. Ich bin nur müde.«

Sie zog an der Spitze und blies den Rauch in einer Wolke aus, ohne den Blick von mir abzuwenden. »Ich selbst möchte ja nicht blond sein, aber deins ist sehr hübsch«, bemerkte sie.

»Es ist das reinste Rosshaar.« Ich hob eine Strähne an und ließ sie wieder fallen. »Was ich auch mache, es bleibt einfach nicht da, wo es soll.«

»Irgendwie funktioniert das Ergebnis aber.« Sie nahm

erneut einen Zug und wedelte dann den Rauch weg. »Deine Augen sind auch schön, wie blaue Glassplitter.«

»Darf ich nun auch all Ihre Merkmale aufzählen?«

»Ich mache dir doch nur Komplimente, Darling. Wenn Männer dich mustern, scheint es dir zu gefallen.«

»Das stimmt nicht – es sei denn, es ist der richtige Mann.«

»Sag's mir«, forderte sie mich mit einem Lachen auf. »Ich hungere nach einer kleinen Enthüllung.«

»Vielleicht sollten Sie öfter in die Stadt gehen.«

Sie lachte, als würde ich mich nicht gerade wie ein vollkommenes Biest verhalten, und fragte dann: »In wen bist du verliebt?«

»In niemanden.«

»Tatsächlich? Ich dachte, es wäre vielleicht Finch Hatton.« Sie zog eine Augenbraue hoch und wartete auf meine Reaktion. Ich wäre eher gestorben, als ihr eine zu gönnen. »Findest du nicht, dass Karen ein bisschen zu fordernd für ihn ist? Arme Tania ... wie sie seufzt, wenn er fortgeht.«

»Ich wusste nicht, dass Sie beide sich überhaupt kennen«, sagte ich in dem Bedürfnis, Karen zu verteidigen.

»Aber natürlich. Ich vergöttere sie. Ich glaube einfach nur nicht, dass sie diejenige ist, die Denys halten kann. In ihr steckt nichts Wildes.«

»Niemand verehrt ausschließlich Wildheit.« Aus irgendeinem Grund konnte ich es nicht ertragen, zu hören, wie Idina Karen so klein machte. Sie mochte vieles sein, aber das nicht. »Die beiden haben reichlich Gesprächsthemen.«

»Meinst du? Wenn du mich fragst, ist er zu gut darin, Junggeselle zu sein. Wozu eine auswählen, wenn man ein Dutzend haben kann?«

»Er kann wohl tatsächlich Dutzende haben.« Hitze schnürte mir den Hals zusammen. Ich hatte lange nicht mehr über Denys gesprochen, und noch nie zuvor mit einer Fremden. »Aber das gilt nicht für beide Seiten, oder?«

»Warum nicht? Frauen können auch viele Liebhaber haben. Dutzende und Aberdutzende, solange sie klug sind und sich nicht damit brüsten.«

»Aber so läuft es nie. Irgendjemand weiß immer Bescheid.«

»Dann stellst du es nicht richtig an«, erklärte sie und erhob sich mit einem plätschernden Geräusch. Ihre weißrosa Haut war von einer Glasur aus Wasser überzogen. Ihr perfekter Körper wirkte wie ein Kunstwerk oder ein sorgfältig arrangiertes Gericht auf einem Servierteller. Sie griff nicht einmal nach einem Handtuch, sondern stand einfach nur da und ließ sich von mir betrachten, da sie wusste, dass es mir peinlich wäre, mich umzudrehen.

Ich lief rot an und verabscheute sie und das Leben, das sie lebte. Wenn sie der Inbegriff von Diskretion und gesellschaftlichem Schliff war, dann war ich daran nicht interessiert. »Vielleicht will ich es ja nicht richtig anstellen«, erwiderte ich.

Um ihre Augen bildeten sich Fältchen, jedoch ohne jedes Anzeichen von Humor. »Das glaube ich dir nicht, Darling. Alle wollen immer mehr. Deshalb sind wir hier.«

Das Abendessen wurde an einem langen, niedrigen Tisch vor dem Feuer serviert. Im Hochland wurde es nachts immer kalt, aber die lodernden Flammen erfüllten außerdem dekorative Zwecke. Sie verliehen dem Raum und auch Idinas Wangen ein Leuchten, während diese am Kopfende des Tisches Hof hielt. Die breite Feuerstelle öffnete sich direkt hinter ihr und ließ ihre Haarspitzen funkeln. Über ihr stach ein geschwungenes Paar Büffelhörner von einer hölzernen Tafel aus in den Raum.

Irgendetwas an Idina erinnerte mich an einen Raubvogel. Es waren sowohl ihre Augen als auch ihre Worte – die Erwartung, dass alle genauso waren wie sie, ständig hungrig und auf der Suche nach neueren, noch schockierenderen Erfahrungen. Ich konnte nicht verstehen, weshalb Frank seine Zeit mit diesen Leuten verbrachte. Sie waren gelangweilte, ungezogene Kinder mit Highballs, Morphium und Sex als Spielzeugen. Menschen waren für sie ebenfalls Spielzeug. Idina hatte mich in ihr Badezimmer gerufen, um mit mir zu spielen wie mit einer Maus, voller Neugier, ob ich erstarren oder davonrennen würde. Nun begann sie ein Spiel, das eine andere Version desselben Manövers war. Es handelte sich um ein Gesellschaftsspiel, bei dem jeder reihum einer Geschichte einen Satz hinzufügte. Das Ziel dabei waren Geständnisse.

Idina setzte das Ganze in Gang. »Es war einmal vor langer Zeit, als Kenia noch nicht Kenia war, da hatte ich meinen Löwen noch nicht getroffen und wusste nicht, wie sehr er mich bezaubern und verwandeln würde.«

»Du bist wirklich süß zu mir«, sagte Joss, dem der Feuerschein ein leicht irres Ansehen verlieh. »Es war einmal vor langer Zeit, als Kenia noch nicht Kenia war, da badete ich mit Tallulah Bankhead in einer Wanne voller Champagner.«

»Hat das nicht gekitzelt?«, witzelte Charles. Idina zuckte nicht einmal mit der Wimper.

»Auf die schönste Art und Weise«, säuselte er. »Jetzt du, Beryl.«

»Ich bin zu betrunken«, wehrte ich ab, um das Spiel vollkommen zu umgehen.

»Ach, papperlapapp!«, rief Joss. »Du bist stocknüchtern. Mach doch bitte mit.«

»Können wir nicht stattdessen Karten spielen? Ich verstehe die Regeln hiervon nicht.«

»Du musst nur irgendetwas Wahres aus der Vergangenheit sagen.«

Nur? Das Spiel war oberflächlich besehen harmlos, beschaulich und, ja, auch kindisch. Aber eigentlich ging es darum, zu sehen, ob man eine in die Enge getriebene Maus dazu zwingen könnte, einem ihr Inneres zu zeigen. Ich wollte diesen Leuten keine einzige Sache über mich verraten, schon gar nicht aus meiner kostbaren Vergangenheit. Schließlich sagte ich: »Es war einmal vor langer Zeit, als Kenia noch nicht Kenia war, da legte ich meiner Gouvernante eine tote Schwarze Mamba ins Bett.«

»Aha! Ich wusste doch, dass du eine Portion Bosheit in dir hast!«, rief Joss.

»Erinnere mich daran, dass ich dich niemals wütend mache«, fügte Idina hinzu.

»Zeig uns, was du mit Franks Schwarzer Mamba anstellst.« Charles gackerte wie ein dummer Schuljunge, und alle fielen in das Gelächter ein.

Wir spielten Runde um Runde, immer weiter, und es schien, als würde ich nur in der Lage sein, mitzuspielen oder überhaupt diese Nacht zu überstehen, wenn ich mich betrank. Es war nicht leicht, mit dieser Clique mitzuhalten. Ich musste mich gehörig anstrengen, und als ich schließlich erfolgreich war, war ich es gleich zu sehr. Der Whiskey hatte mich sentimental gemacht, so dass jedes Geständnis, das ich laut enthüllte, von einem weiteren unausgesprochenen Geständnis begleitet wurde, das durch mich surrte und mich zu Fall zu bringen drohte. *Als Kenia noch nicht Kenia war, war Green Hills lebendig, und mein Vater liebte mich. Ich konnte so hoch springen wie Kibii und geräuschlos durch den Wald laufen. Ich konnte ein Warzenschwein mit raschelndem Papier aus seinem Loch herauslocken. Ich konnte von einem Löwen gefressen werden und es überleben. Ich konnte alles tun, da ich noch im Himmel war.*

Als um Mitternacht alle glänzende Augen hatten und beinahe im Delirium waren, ging Idina zu einem anderen Spiel über. Sie ließ uns in einem Kreis hinsetzen und eine Feder in die Mitte pusten. Derjenige, auf dem die Feder landete, würde für diese Nacht unser Bettgenosse sein. Zuerst dachte ich, sie würde scherzen, aber als Honor die Feder in Franks Schoß blies, stand das Paar einfach auf und ging den Flur hinunter, Franks Rücken breit und quadratisch neben Honors schlanker Gestalt, während niemand ihnen auch nur einen anzüglichen Blick hinterherwarf. Mir war schwindlig vom Whiskey. Alles kippte und entfernte sich wie in einem Tunnel. Laute traten mit leichter Verzögerung in mein Bewusstsein. Gerade schien Idina zu lachen, weil Charles sich auf Hände und Knie hatte sinken lassen und ihr die Feder mit seinen Zähnen überbrachte.

»Aber ich bin doch ein alter Hut für dich, Darling.« Sie tat, als würde sie mit ihrer Zigarettenspitze nach ihm schlagen. »Mich kannst du nicht wollen.«

»Meine Erinnerung ist ganz verschwommen.« Er lachte. »Frisch sie auf.«

Als die beiden den Flur hinuntergetaumelt waren, blickte ich Joss an, wobei Übelkeit in mir aufkam. Ich hatte viel zu viel getrunken. Meine Zunge lag schwer und belegt in meinem Mund. Meine Augen fühlten sich bleiern an und brannten. »Ich gehe ins Bett.«

Seine Augen waren glasig wie ein Spiegel. »Darum geht es doch, oder?«

»Nein, im Ernst. Ich fühle mich nicht wohl.«

»Dagegen habe ich etwas.« Er streichelte mir die Innenseite meines Schenkels, wobei seine Hand wie ein Bügeleisen über die Seide fuhr. Er beugte sich vor, um mich zu küssen, doch ich zog mich reflexartig zurück. Als er mich erneut ansah, war sein Blick klarer. »Frank meinte, du wärst zu Anfang ein wenig unterkühlt, aber ich solle nicht aufgeben.«

»Was?«

»Spiel nicht das Unschuldslamm, Beryl. Wir alle wissen, dass du schon ordentlich herumgekommen bist.«

Von Joss war ich in keiner Weise überrascht, aber wenn Frank vorgehabt hatte, mich den Wölfen zum Fraß vorzuwerfen, als er mich hierherbrachte, dann sollte er sich noch umgucken. Ich stand wortlos auf und ging den Flur hinunter, aber die Tür zu unserem Zimmer war verschlossen. Ich hämmerte mit der offenen Hand dagegen, bekam jedoch nur Gelächter zu hören.

»Frank!«, rief ich, ohne eine Antwort zu bekommen.

Im Flur war es dunkel, alle anderen Türen waren ebenfalls fest verschlossen. Da ich nicht wusste, was ich sonst tun sollte, sperrte ich mich in eins der Badezimmer, um dort auf den Morgen zu warten. Ich wusste, dass es eine lange Nacht werden würde, aber ich hatte meine Erinnerungen … Erinnerungen, die ich zuvor nicht geteilt hätte, für kein Geld der Welt. *Als Kenia noch nicht Kenia war, warf ich den Speer und den Rungu-Knüppel. Ich liebte ein Pferd mit Flügeln. Ich fühlte mich niemals einsam oder klein. Ich war Lakwet.*

37.

Bei unserer Rückkehr aus Slains zwei Tage darauf zog Frank sich sofort in seine Jagdhütte zurück, während ich mich bereitmachte, ihn zu verlassen. Es war keine überstürzte Flucht. Ich packte langsam und sorgfältig, füllte meinen Rucksack mit Dingen aus meinem vorherigen Leben. Alles, was Frank mir gegeben hatte, ließ ich in der Kommode zurück – auch das Geld. Ich war ihm nicht böse. Ich war niemandem böse, ich wollte nur meinen eigenen Weg finden und wieder sicher wissen, wofür ich stand.

Ich hatte ein paar Anhaltspunkte dafür, was ich als Nächstes tun könnte. Vor meiner Abreise aus London hatte Cockie Westerland erwähnt, einen Stall in Molo. Er wurde von ihrem Cousin Gerry Alexander geführt und wäre ihrer Ansicht nach für einen Neuanfang geeignet. Ich wusste weder, ob der Tratsch über mich so weit hinauf in den Norden durchgesickert war, noch, ob Gerry überhaupt einen Trainer benötigte, aber ich vertraute Cockie, dass sie mir helfen würde, wieder auf den rechten Weg zu gelangen. Zuerst musste ich jedoch nach Hause gehen.

Nachdem ich eine Weile der Hauptstraße nach Norden in Richtung Naivasha gefolgt war, bog ich auf den am wenigsten frequentierten Weg nach Osten ab, der direkt ins offene Buschland führte. Steinhaufen und goldene Gräser wichen rotem Staub, Akazien und ununterbrochener Savanne. Der gleichmäßige Rhythmus von Pegasus' Schritten durchbrach die Stille. Er schien zu wissen, dass es sich nicht um einen gewöhnlichen Ausritt handelte, scheute jedoch weder vor dem

Gelände noch vor der unheimlichen Ruhe, ja, nicht einmal, als plötzlich ein riesiges Buschschwein hundert Meter vor uns aus einer Kluft herausstürmte, auf seinen plumpen gespaltenen Hufen über den Pfad galoppierte und dabei empört quiekte, weil wir es aufgeschreckt hatten. Pegasus blinzelte nur und lief mit sicherem, gleichmäßigem Tritt weiter.

Schließlich stieg unser Weg wieder an, und wir sahen den grünen Saum des Mau-Waldes auf der anderen Seite des Escarpments, dicht gedrängte Bäume und hügelige Kämme. Endlich bot sich meinen Augen der Anblick, den ich mehr liebte als jeden anderen: Menengai, Rongai, die blauen Gipfel der Aberdares.

Ich traf Jock im Haus an, wo er gerade zu Mittag gegessen hatte. Ich hatte ihn überraschen wollen, was mir auch gelang: Ihm wich alle Farbe aus dem Gesicht, bevor er sich gegen die Stuhllehne sinken ließ und seine Leinenserviette in der Hand zerknüllte. »Ich kann mir vorstellen, weshalb du hier bist.«

»Du hast nicht auf meine Briefe geantwortet.«

»Ich dachte, du würdest deine Meinung vielleicht noch ändern.«

»Wirklich?« Ich konnte ihm nicht glauben.

»Nein. Ich weiß es nicht. Nichts ist so gelaufen, wie ich es geplant hatte.«

»Das könnte ich auch sagen«, erwiderte ich. Etwas in mir verspürte den Drang, alle Verluste in unserem langen, beschwerlichen Kampf herauszustreichen, jeden einzelnen zu benennen und ihn hören zu lassen, was er mich gekostet hatte. Aber auch ich hatte meinen Teil dazu beigetragen. Der Schaden ging auch auf mein Konto. »Bitte, Jock. Willige einfach in die Scheidung ein. Es ist nun lange genug so gegangen.«

Er stand auf und trat an das Fenster mit dem Blick über das Tal. »Ich hätte einen Weg finden müssen, damit es funktioniert. Diesen Gedanken werde ich einfach nicht los.«

»Wenn die Papiere aufgesetzt sind, schicke ich sie dir.«

Er seufzte tief und drehte sich dann zu mir um. »Ja. In Ordnung.« Sein Blick traf meinen für einen kurzen Moment, und in diesen kalten blauen Glassplittern sah ich endlich, nach all der Zeit, einen Hauch von Reue und echtem Bedauern. »Leb wohl, Beryl.«

»Mach's gut«, antwortete ich, und als ich in dem Wissen, dass ich nie wieder zurückkehren würde, durch die Tür hinaustrat, löste sich eine schwere alte Last von meinen Schultern und stieg in die Luft hinauf.

Ich ritt auf direktem Weg weiter nach Green Hills, wo das hohe Gras dicht gewachsen war, während das, was von Stall und Haupthaus noch stand, unwiderruflich begonnen hatte, in Richtung Erde zu kippen. Die Mühle war längst verschwunden, die Felder waren überwuchert, als nähme das Land sich alles zurück, die Arbeit meines Vaters und das Glück, das wir hier gekannt hatten – aber aus irgendeinem Grund ließ es mich keine Leere empfinden. Ich nahm ganz deutlich wahr, dass ich es nun nie wirklich verlieren oder vergessen konnte, was es bedeutet hatte. Auf einer Seite des Weges, der in den Wald führte, markierte ein hoher Steinhaufen Bullers Grab. Ich ließ Pegasus anhalten und setzte mich für eine Weile daneben, um an den Tag zurückzudenken, an dem ich ihn begraben hatte. Ich hatte das Loch so tief in die feste Erde gegraben, dass keine Hyäne ihn finden würde. Nicht ein einziger Stein des Haufens war verschoben. Buller war in seinem langen Schlaf sicher – mit all seinen ergrauten Narben und all seinen Siegen. Kein unwürdiger Aasfresser würde je an ihn herankommen.

Ich folgte dem Pfad, der sich zum Kip-Dorf hinunterschlängelte, und band Pegasus am Dornenzaun der Boma fest. Als ich das Gelände betrat, bemerkte mich zuerst eine junge Frau namens Jebbta. Ich hatte sie das letzte Mal vor Jahren gesehen, als wir beide noch Mädchen waren, war jedoch keineswegs überrascht, dass sie ein Baby, so rund wie ein Flaschenkürbis, auf ihre Hüfte gebunden trug.

»Willkommen, Memsahib. Kommen Sie.«

Ich trat auf sie zu und strich über den seidigen Schopf des Kindes. Jebbta war zu einer richtigen Frau herangewachsen, mit allen Bürden einer Frau. So liefen die Dinge im Kip-Dorf. Hier hatte sich nichts verändert. »Ist das dein einziges Kind, Jebbta?«

»Das jüngste. Und Ihre Kinder, Memsahib?«

»Ich habe keine.«

»Sind Sie nicht verheiratet?«

»Nein. Nicht mehr.«

Sie nickte, als habe sie verstanden, war jedoch nur höflich. Auf der Feuerstelle unter freiem Himmel züngelten gelbe Flammen an den Seiten eines schwarzen Topfes empor. Der Geruch nach dem Getreide, das darin blubberte, löste in mir ein Hungergefühl aus, das ich ganz vergessen hatte. »Ich bin gekommen, um Arap Ruta zu sehen, Jebbta. Ist er in der Nähe?«

»Nein, Memsahib, er jagt mit den anderen.«

»Oh, natürlich. Wirst du ihm sagen, dass ich hier war und nach ihm gefragt habe?«

»Ja. Er wird traurig sein, eine so gute Freundin verpasst zu haben.«

Molo lag achtzehn Meilen nordwestlich von Njoro auf einem Plateau an der Spitze des Mau Escarpments, den Sternen dreitausend Meter näher. Die Höhe unterschied es dramatisch von zu Hause. Eisige Flüsschen und Bäche strömten durch dichtes Farngestrüpp, wollige Schafe grasten auf niedrigen nebligen Hängen. Ich kam an Farmen vorbei, auf denen hauptsächlich Pyrethrum gewonnen wurde: So weit das Auge reichte, wuchsen die weißen Chrysanthemen, die im Hochland gediehen und deren getrocknete Blüten zu Pulver zermahlen und als Insektizid verwendet wurden. Die kugeligen Sträucher sahen aus wie Schneehügel und boten ein eindrucksvolles Bild. Hier im Hochland konnte es tatsächlich schneien, und ich fragte mich, ob ich dafür bereit war.

Das kleine Dorf bestand aus einer Ansammlung baufälliger Holzhäuser und Geschäfte mit Blech- oder Strohdächern an Straßen aus festgestampfter Erde. Es war ein rauerer Ort als Njoro, Nakuru oder Gilgil, der schwieriger zu lieben sein würde, das wurde mir sofort klar. Beim ersten Café auf meinem Weg band ich Pegasus an und ging hinein, um mich nach Westerland zu erkundigen. Mit nur wenigen Fragen fand ich alles heraus, was ich wissen musste, und sogar noch mehr – dass das benachbarte Gut namens Inglewood Farm Mr. und Mrs. Carsdale-Luck gehörte, dem langweiligen Paar, dem ich im vergangenen Jahr auf Karens Jagdveranstaltung begegnet war. In den paar Tagen, die wir gemeinsam verbracht hatten, hatte ich zwar zu keinem von beiden eine Beziehung aufgebaut, doch während ich auf Westerland zuritt, dachte ich darüber nach, wie ich diese beiden Gelegenheiten zusammenfügen könnte. Für meinen Plan würde ich einige Überredungskunst aufbieten müssen, aber immerhin hatte ich mehrere Siege vorzuweisen. Ich verstand mein Handwerk und konnte es auch beweisen; ich würde lediglich Zeit und ein wenig Vertrauen benötigen.

Cockies Cousin Gerry stellte sich als herzlicher und vernünftiger Kerl heraus. Cockie hatte in einem langen Brief an ihn bereits ein Loblied auf mich gesungen, und er war bereit, es mich mit einem zweijährigen braunen Hengst namens The Baron versuchen zu lassen, den er gemeinsam mit seinem stillen Teilhaber Tom Campbell Black besaß. The Baron fehlten noch die Grundlagen, aber er hatte Feuer und auch reichlich Mumm. Ich wusste, dass ich mit ihm etwas erreichen konnte, ebenso wie mit Wrack, einem einjährigen Hengst, der von Camsican gezeugt worden war, dem Star im Zuchtplan meines Vaters aus längst vergangenen Zeiten. Wrack gehörte den Carsdale-Lucks, die sich ebenfalls einverstanden erklärt hatten, es mit mir zu wagen. Sie hatten mir auch eine flinke junge Stute namens Melton Pie sowie eine Hütte auf ihrem Grundstück und einen ihrer Hausdiener als Stallburschen überlassen.

»Mit Camsicans Blut in seinen Adern hat Wrack ganz sicher das Zeug zum Sieg«, versprach ich dem Paar, als sie vorbeikamen, um uns beim Arbeiten zuzusehen. George Carsdale-Luck rauchte Gewürzzigarren, die auf der Koppel um ihn herum einen Geruch nach Nelken und Weihnachten verströmten. Seine Frau Viola hatte immer feuchte Kragen und wurde kaum ohne einen Papierfächer gesehen, da sie selbst in der Kühle von Molo ständig schwitzte. Sie sah vom Rand der Bahn aus zu, wie ich Wrack zweitausend Meter in halber Geschwindigkeit laufen ließ, und sagte dann, als ich ihn an ihnen vorbeiführte: »Ich habe noch nicht viele Frauen gesehen, die sich in diesem Metier betätigen. Haben Sie keine Sorge, dass es Sie verrohen lässt?«

»Nein. Darüber denke ich überhaupt nicht nach.«

In Viola steckte einiges von Emma Orchardson. Wenn ich es zuließ, dachte ich, würde sie wohl als Nächstes vorschlagen, dass ich Hut und Handschuhe tragen sollte. Meine Ecken und Kanten würden jedoch nicht mehr ins Gewicht fallen, wenn Wrack erst einmal einen Sieg und gutes Geld nach Hause brächte. Mir blieben nur ein paar kurze Monate – bis Juli musste er bereit für die Produce Stakes sein, die in Nairobi abgehalten wurden. So lange würde ich hart arbeiten und mich nicht ablenken lassen.

In Molo war es nicht schwer, mich bedingungslos ins Training zu stürzen. Ich stand vor Morgengrauen auf, schuftete den ganzen Tag und fiel abends erschöpft ins Bett. Nur manchmal, spät in der Nacht, gestattete ich mir Gedanken daran, was wohl gerade im Muthaiga Club vor sich gehen mochte, welchen Witz Berkeley womöglich erzählte, was er dabei in seinem Glas hatte, was die Frauen zum Tanzen oder beim Tee trugen und ob irgendjemand je meinen Namen erwähnte, sei es auch nur beiläufig. War es eine sehr lange Nacht, in der der Schlaf gar nicht kommen wollte, gab ich alle Vorsicht auf und dachte an Denys. Vielleicht saß er gerade gemütlich in einem von Karens niedrigen Ledersesseln am Mühlsteintisch, las Walt Whitman und hörte sich eine neue Aufnahme auf dem Grammophon an. Oder er war in seinem Märchen-Cottage beim Muthaiga Club und nippte an einem guten Scotch oder befand sich auf der Jagd nach Elfenbein, Kudus oder Löwen unterwegs im Kongo oder im Massaigebiet, wo er in dasselbe Gewirr aus Sternen hinaufblickte, das ich von meinen Fenstern aus sah.

Wie nah einem Menschen sein konnten, die so weit wie möglich fortgegangen waren, bis zu den Rändern der Landkarte. Wie unvergesslich.

38.

Eines Morgens ritten Pegasus und ich von Westerland aus los, um Vorräte zu beschaffen. Ich hatte mich in meinem Wildledermantel im Sattel vorgebeugt, die Finger vor Kälte verkrampft, als ich die aufgeklappte und abgestützte Motorhaube eines Automobils erblickte, die das kalte Licht reflektierte. Ein Mann in Arbeitsanzug und Mokassins stand über den Motor gebeugt. In Molo, das Nairobi zeitlich so weit hinterherhinkte wie Nairobi London, gab es nicht viele Automobile. Man kam nur schwer dorthin, da die steilen Felswände es abschirmten. Es war auch weiß Gott kein angenehmer Ort für eine Panne.

»Kann ich helfen?«, rief ich vom Sattel hinunter.

»Wie bitte?« Er richtete sich hinter der Motorhaube auf und wischte sich die ölgeschwärzten Hände an einem ebenfalls ölgeschwärzten Lappen ab. Ich sah, dass er jung war und einen beinahe schwarzen Haarschopf hatte. Sein Atem stieg in kleinen Wölkchen aus seinen dünnen Lippen auf, vorbei an einem dunklen, gepflegten Schnurrbart.

»Sie haben sich hier ganz schön in die Klemme gebracht.«

»Ich habe noch nicht aufgegeben.«

»Dann kennen Sie sich also mit Motoren aus.«

»Eigentlich nicht, aber ich lerne es gerade. Dieser hier scheint mich herausfordern zu wollen – um zu sehen, ob ich es ernst meine.«

»Ich glaube nicht, dass ich dafür die Geduld aufbringen würde.«

»Sie finden nicht, dass dieser hier Sie auch auf die Probe stellt?« Er wies auf Pegasus.

Ich lachte und stieg aus dem Sattel, die Zügel in der Hand. »Wir stellen uns gegenseitig auf die Probe«, gab ich zu. »Aber das hat mehr mit der natürlichen Ordnung der Dinge zu tun. Menschen und Pferde leben seit Jahrhunderten zusammen. Manchmal denke ich, irgendwann werden alle Autos liegenbleiben und aufgegeben werden, woraufhin wir sie wie Skelette am Straßenrand vorfinden werden.«

»Das ist ja ein schönes Bild, das Sie da entwerfen – aber ich sage voraus, dass es genau andersherum ablaufen wird. Das Automobil ist nur der Anfang. Die Spitze des Eisbergs. Die Menschen werden immer schneller sein und sich immer freier fühlen wollen.«

»Pegasus reicht mir, vielen Dank.«

Er lächelte. »Pegasus, hm? Ich bin mir sicher, dass er sehr schnell ist, aber wenn Sie jemals mit einem Flugzeug aufsteigen, werden Sie Ihre Worte wohl zurücknehmen müssen – und Ihr Herz gut festhalten.«

Ich dachte an Denys und JC und Maia, die immer voller Geschichten vom Fliegen waren. Über uns im Himmel war nichts zu sehen, nicht einmal eine einzige Wolke. »Wie ist es?«

»Als würde man alles abschütteln, was einen je aufhalten wollte. Dort oben gibt es keine Grenzen – nichts hindert einen daran, endlos weiterzufliegen. Ganz Afrika erstreckt sich unter einem. Es hält nichts zurück und versucht nicht, einen zu bremsen.«

»Man könnte meinen, Sie seien ein Dichter.«

»Eigentlich bin ich Farmer.« Er grinste. »Ich habe oben bei Eldama eine kleine Parzelle. Was tun Sie hier in der Gegend?«

Als ich es ihm sagte, zählten wir rasch eins und eins zusammen. Er war Gerrys stiller Teilhaber Tom Campbell Black, dem The Baron zur Hälfte gehörte. »Sie haben ein gutes Pferd«, sagte ich. »Ich setze darauf, dass er im Juli großen Erfolg haben wird. Vielleicht können Sie dann Ihr Flugzeug kaufen.«

»Darf ich Sie an dieses Versprechen erinnern?« Er beugte sich erneut über den Motor und nahm ein paar letzte Justierungen vor. »Passen Sie auf Ihr Pferd auf, ich werde ihn einmal ankurbeln.« Nach einem halben Dutzend schlingernder Keucher erwachte der Motor rasselnd zum Leben. Ich sah zu, wie Tom die Haube zuklappte und sein Werkzeug im Kofferraum verstaute, während Pegasus neben mir aufstampfte. Ihm war kalt, genau wie mir.

»Viel Glück«, rief ich ihm über das laute Knattern des Motors hinweg zu, dann winkten wir beide zum Abschied.

Innerhalb weniger Monate nahmen die Dinge in Molo ohne Vorwarnung eine ganz neue Wendung. Eine der Stalltüren in Westerland hatte ein verrostetes Scharnier, weshalb Melton Pie eines Nachts ausbüchsen konnte und aus irgendeinem Grund in Panik geriet. Schließlich verhedderte sie sich in einem Drahtzaun und riss sich Bauch und Vorderbeine übel auf. Sie würde sich wieder erholen, aber die Tierarztrechnung war erschreckend hoch. George und Viola waren wütend und wollten mir die Schuld in die Schuhe schieben.

»Was kann ich denn für ein verrostetes Scharnier?«, fragte ich, als die beiden mich eines Abends in ihrer Bibliothek in Inglewood in die Ecke getrieben hatten.

»Sie befand sich in Ihrer Obhut!«, wetterte George. »Sie sollten *alles* überwachen.«

Auf der Suche nach Unterstützung blickte ich Gerry an, doch er saß nur tief in seinen Sessel versunken, sein Hals unter dem gestutzten Bart rot angelaufen. »Vielleicht könntest du anbieten, die Hälfte zu bezahlen, Beryl«, schlug er schließlich vor.

»Wovon denn? Ich habe so gut wie nichts, Gerry. Das weißt du. Und warum sollte ich überhaupt für ihre Behandlung aufkommen? Das ist Sache des Besitzers. Ich werde schließlich keinen Penny bekommen, wenn sie gewinnt.«

»Sie hat noch nichts gewonnen«, sagte Viola rundheraus.

»Sie haben mir keine Zeit gelassen.«

»Ich sehe nicht, wie wir dieses Risiko jetzt noch eingehen können«, verkündete George und verschränkte die Arme über seiner enganliegenden Weste.

Und damit war die Angelegenheit entschieden, allerdings nicht zu meinen Gunsten. Ich würde die Kosten irgendwie tragen müssen, obendrein entließen mich die Carsdale-Lucks. Ich bekam eine Woche Zeit, um einen anderen Ort zum Wohnen zu finden und ihr Grundstück zu verlassen. In jener Nacht kehrte ich mit dem Gefühl, getreten und verleumdet worden zu sein, in meine kalte Hütte zurück. Gerry hatte mir versichert, er würde mir The Baron nicht fortnehmen, aber ich würde mehr Pferde auftreiben müssen und einen Ort, an dem ich leben konnte, während ich sie trainierte. Ich saß lange wach, brütete über meinen Geschäftsbüchern und fragte mich, woher ich das Geld für Melton Pie nehmen sollte, als ich Schritte vor meiner Hütte vernahm. An meiner Tür war kein Riegel, und ich erstarrte für einen langen Augenblick. War es George Carsdale-Luck, um das Geld bar einzufordern? War es Jock, um zu verkünden, dass er sich die Sache mit der Scheidung anders überlegt hatte? Mein Herz zog sich in meiner Brust zusammen und trommelte wie wild.

»*Hodi*«, ertönte die Stimme eines Mannes von draußen.

»*Kaaribu*«, antwortete ich und ging auf die Tür zu, ohne die Stimme erkannt zu haben. Ich drückte die Strohtür auf und sah einen großen, muskulösen Krieger in seiner über einer Schulter zusammengebundenen Shuka vor mir stehen. In einer ledernen Scheide, die tief an seiner schmalen Hüfte hing, ruhte ein gebogenes Schwert. Sein Haar war kurz geschoren, abgesehen von einem schweren Zopf, der an seiner Stirn ansetzte und über seinen glatten Schädel führte. Als ich in seine schwarzen, unergründlichen Augen sah, hätte ich am liebsten geweint. Arap Ruta hatte mich gefunden. Er hatte mich gefunden, sogar hier draußen.

Ich blickte auf seine nackten Füße, die geflochtenen Riemen, die um seine staubigen Knöchel gebunden waren. Er war von Njoro aus hierhergelaufen – hatte sich auf mich ausgerichtet, als würde man in mehreren Hundert Quadratkilometern einen einzigen Pfeil abschießen. So groß Kenia auch sein mochte, war es unglaublich schwer, darin zu verschwinden, selbst wenn man es wollte. Wir waren so wenige, dass wir Spuren hinterließen, die deutlich waren wie Rauchzeichen. Dass Ruta es fertiggebracht hatte, mich zu finden, war also keine Überraschung, wohl aber, dass er es gewollt hatte. Ich dachte, er hätte mich vergessen.

»Ich bin so froh, dich zu sehen, Ruta. Du siehst gut aus. Wie geht es deiner Familie?«

»Das Vieh zu Hause ist krank geworden.« Er trat in den flackernden Schein meiner Laterne. »Es ist schwer, mehrere Menschen mit wenig oder gar nichts satt zu bekommen.«

»Wie furchtbar«, erwiderte ich. »Kann ich irgendetwas tun?«

»Alles hat sich verändert. Es gibt keine Arbeit mehr. Ich dachte, du hast vielleicht Arbeit für mich.«

Er war schon als Junge stolz gewesen, als Mann musste er es noch mehr sein, weshalb es ihm nicht leichtgefallen sein konnte, mich um Hilfe zu bitten. »Du bist mein ältester Freund, Ruta. Ich würde alles tun, um euch zu unterstützen, aber gerade weiß ich nicht, ob es überhaupt etwas zu arbeiten gibt.«

Er sah mich an und versuchte, meinen Gesichtsausdruck zu deuten. »Dein Vater war froh, mich in seinem Stall zu haben. Ich habe nicht vergessen, was ich über Pferde weiß, und kann immer noch gut reiten. Damals kam ich mit jedem Pferd zurecht.«

»Ja, ich erinnere mich. Bitte, komm doch herein.«

Er nickte, wischte sich den Staub von den Füßen und setzte sich dann auf einen Klapphocker, während ich versuchte, die Situation zu schildern. »Es ist schwierig. Irgendwann werde ich womöglich viele Pferde zu trainieren und genügend Geld für alle haben, aber im Augenblick …« Ich ließ den Satz unvollendet.

»Ich bin geduldig.« Der Blick aus seinen klaren schwarzen Augen blieb fest. »Du kannst mich bezahlen, wenn wir gewinnen.«

»Aber ich weiß nicht, wann das sein wird. Die größten Aussichten habe ich mit The Baron bei den Produce Stakes in vier Monaten. Ich habe mich hier noch nicht bewährt.«

»Ich glaube daran, dass wir gewinnen können, Memsahib.«

»Tatsächlich?« Ich konnte mir ein Lächeln nicht verkneifen. »Ich habe es schon ganz allein geschafft, aber in Wahrheit weiß ich nicht mehr, wie viel echten Glauben ich noch habe.«

»Ich habe dich nie Angst zeigen sehen. Ich selbst fürchte mich auch nicht. Ich werde meine Frau holen lassen. Sie wird für uns kochen.«

»Das ist ein guter Plan, Ruta, aber wo sollen alle schlafen?«

»Wir meinen es ernst und wollen Derbys gewinnen. Wir finden schon einen Platz.«

Ich blinzelte verdutzt, überrumpelt von Rutas Optimismus und davon, wie einfach sich alles aus seinem Mund anhörte. Natürlich war gar nichts einfach – aber in Rutas Erscheinen lag eine bemerkenswerte Symmetrie: Wir waren beide dringend aufeinander angewiesen. Allein das fühlte sich richtig an. Vielleicht konnten wir tatsächlich eines Tages gewinnen.

»Trink einen Kaffee mit mir. Er ist allerdings leider nicht besonders gut.«

»Kochen war noch nie deine Stärke«, erwiderte er mit einem leichten Lächeln.

»Nein, das war es nie.«

Ich goss uns an meinem winzigen Zedernholztisch zwei Tassen ein. Er erzählte mir von seiner Frau Kimaru und seinem zweijährigen Sohn Asis. Ich erklärte ihm, dass meine Ehe beendet war, auch wenn ich wusste, dass er es nicht im Entferntesten verstehen oder gutheißen würde. Bei den Kips wurden Ehefrauen als Eigentum behandelt und die Machtverhältnisse waren zweifelsfrei geklärt: Die Männer standen der Familie vor, ihre Frauen respektierten dies, und sie, als Gesetz.

»Bwana Purves war nicht dein Vater«, räumte er ein, als ich meine Geschichte beendet hatte.

»Nein«, sagte ich. »Deiner auch nicht.« Ruta mochte die Entscheidungen, die ich getroffen hatte, niemals ganz begreifen, aber wir mussten uns nicht in allem einig sein, um einander zu helfen. Er hatte seine eigenen Gründe für die lange Reise von der Talsohle bis zu meiner Hütte in Molo. »Du hast keine Ahnung, wie dringend ich deine Hilfe gebraucht habe, mein Freund. Ich wusste es selbst bis zu diesem Zeitpunkt nicht.«

»Ich bin froh, dass ich gekommen bin. Aber sag mir, ist es immer so kalt hier oben?«

»Leider ja.«

»Dann werden wir ein größeres Feuer machen müssen, Beru.«

»Das werden wir«, sagte ich. *Das haben wir bereits.*

39.

Allein mit Furchtlosigkeit würde ich nun ans Ziel gelangen können, und mit Ruta an meiner Seite konnte ich mich endlich wieder an dieses Gefühl erinnern. Ich bemühte mich kühn um weitere Pferde, so dass ich bis Anfang April neben The Baron bereits einen leuchtenden Fuchshengst mit breiten Schultern namens Ruddygore trainierte – und auch Wrack und Melton Pie zurückbekommen hatte. Die Carsdale-Lucks hatten die beiden an einen anderen Besitzer verkauft, der mir auf Anhieb mehr vertraute, als sie es je getan hatten. Ich durfte sie alle mitnehmen, als ich Molo in Richtung Nakuru verließ. Denn so lösten Ruta und ich das Problem unserer Unterbringung. Molo war zu kalt und unwirtlich, also trafen wir Absprachen, um einen Platz bei der Rennbahn von Nakuru zu mieten, nicht weit entfernt von Soysambu und dem Gebiet, das ich gut kannte. Ruta und seine Frau übernahmen eine kleine Lehmhütte hinter der Hauptkoppel. Ich hatte ein Bett aus Lattenkisten in einem Zelt unter der Tribüne. Ein Heuballen diente mir als Nachttisch, ein weiterer als Stuhl, und ich fühlte mich auf Anhieb wohl und zu Hause. Das Leben erschien mir wieder lebenswert. Ruta und ich hatten einander und ein bevorstehendes gutes Rennen. Was wollte man mehr?

Die höchsten und zugleich bangsten Erwartungen setzte ich in Wrack. Er hatte vom Tag seiner Geburt an Potential gehabt – perfekt gebaut, mit dem bestmöglichen Stammbaum. Aber Potential konnte sich wenden, verderben oder gar ganz verschwinden. Die letzten Schattierungen im Training eines jeden Rennpferdes waren die wichtigsten Pinselstriche des gesamten Prozesses. In wenigen Monaten hatte ich zugesehen, wie er von einem sturen, arroganten jungen Hengst zu etwas Prachtvollem herangereift war. Jeder Muskel unter seinem sich kräuselnden kastanienbraunen Fell ließ Energie und Anmut erkennen. Seine Beine waren Kolben, sein Körper geschmeidig. Er war dazu geschaffen, zu rennen und zu gewinnen, und das wusste er auch.

Wrack war unsere Chance – Rutas und meine. Mit seiner Hilfe würden wir uns in diese komplizierte Welt hineindrängen und uns einen Namen machen.

Als ich eines Nachmittags, ein paar Wochen vor dem Rennen, in der Stadt war, um eine Futterbestellung zu korrigieren, beschloss ich, bei Ds Hotel vorbeizuschauen. Mehr als ein Jahr war vergangen, seit ich das letzte Mal dort gewesen war, in jener traumatischen Nacht, in der Jock auf D losgegangen war und ihn zusammengeschlagen hatte. Es wäre nicht schwer gewesen, den Ort ganz zu meiden, hätte ich die Erinnerungen oder die Möglichkeit, D über den Weg zu laufen, gescheut, aber ich war nun endlich bereit, ihm gegenüberzutreten und zu sehen, wo wir standen. Ich band Pegasus draußen fest, klopfte meine Mokassins ab, strich mir übers Haar und fragte mich, ob ich auch nur halbwegs vorzeigbar war. Innen brauchten meine Augen einen Moment, um sich an die Dunkelheit zu gewöhnen, aber als ich mich einmal zurechtgefunden hatte, erkannte ich, dass D überhaupt nicht da war. Dafür aber Denys – der sich mit einem Drink in der Hand in seinem Sessel ausgestreckt hatte, den staubigen Hut neben sich. Ich glaube, mein Atem setzte kurz aus.

»Du siehst gut aus, Beryl«, sagte er, nachdem ich zu ihm hinübergegangen war, wobei ich meine Füße nur halb spürte. »Wie ist es dir ergangen?«

Uns verbanden bereits zu viele gemeinsame Erlebnisse,

zu viele schwere Entscheidungen. Verluste, für die ich womöglich niemals Worte finden würde. »Ich komme über die Runden«, brachte ich hervor. »Wie ist es mit dir?«

»Ganz ordentlich.« Er blinzelte mit seinen haselnussbraunen Augen. Während ich seine Anwesenheit auf mich wirken ließ, bebte und raste mein Herz, wie es das schon immer in seiner Nähe getan hatte. Vielleicht würde es niemals damit aufhören. »Ich habe gehört, dass du in London warst?«

»Ja.« Ich griff Halt suchend nach einer Stuhllehne.

»Ich war auch dort, zur Beerdigung meiner Mutter.«

»Das tut mir leid, Denys.«

»Ich nehme an, es war an der Zeit für sie. Aber vielleicht sagt man das auch nur so.«

»Und jetzt arbeitest du?«

»Ja. Vor ein paar Monaten habe ich meinen ersten richtigen Kunden mit hinausgenommen. Ein ziemlich guter Bursche … tatsächlich ein Amerikaner. Er hat gelernt, mit der Machete umzugehen und seinen eigenen Proviant zu tragen.«

»Siehst du? Ich wusste doch, du würdest all diesen verwöhnten Teddy Roosevelts beibringen können, vernünftig zu sein.«

»Ich bin mir nicht so sicher. Blix hatte letztens einen, der darauf bestand, ein Klavier mitzunehmen.«

»Oh, Blix. Ich vermisse ihn.« Meine Worte hingen einen Augenblick zwischen uns wie Glühfäden oder Schwimmhäute. »Wie geht es Karen?«

»Sie ist nach Dänemark gereist, um ihre Mutter zu besuchen, aber allen Berichten nach geht es ihr gut.«

»Aha.« Ich verstummte und studierte erneut sein Gesicht. Er hatte viel Sonne abbekommen, doch unter der gesunden Farbe konnte ich einen Hauch Erschöpfung ausmachen, vielleicht auch Sorge. »Und Berkeley?«

»Berkeleys Zustand hat sich leider verschlechtert. Er musste einen Monat in Soysambu im Bett liegen, nachdem sein Herz dort beinahe versagt hätte. Sein Arzt ermahnte ihn, er solle sich nicht mehr von dort fortbewegen, aber er hat nicht auf ihn gehört.«

»Das klingt ganz nach Berkeley. Wo ist er jetzt?«

»Zu Hause. Ich weiß nicht, wie viel Zeit ihm noch bleibt.«

»Berkeley darf nicht sterben. Das lasse ich nicht zu.«

»Dann solltest du ihm das vielleicht bald mitteilen.«

Ich kämpfte gegen meine Emotionen an, während wir die nächsten paar Minuten schweigend tranken. Berkeley *musste* sich einfach wieder erholen, und was war mit Denys? Konnten wir nach allem, was vorgefallen war, wieder Freunde sein?

»Komm irgendwann mal hinaus nach Mbogani«, sagte er, als ich mich zum Aufbruch bereitmachte. »Dann spendiere ich dir einen Drink.«

»Hast du nicht gesagt, Karen sei fort?«

»Das ist sie. Du bist trotzdem immer willkommen.«

»Oh«, war alles, was ich hervorbrachte. Dann stand ich auf und lehnte mich einen Moment an ihn, streifte seine glattrasierte Haut mit meinen Lippen. »Gute Nacht, Denys.«

Am nächsten Tag ritt ich nach Solio, wo ich um die Cocktail-Stunde ankam. So wie ich Berkeley kannte, erwartete ich halb, ihn draußen im Garten vorzufinden, in jeder Hand eine Flasche Champagner, aber er war ans Bett gefesselt. Es brach mir das Herz, ihn dort liegen zu sehen, bleich und zerbrechlich. Er wirkte so klein wie ein Kind.

»Beryl, du Engel«, sagte er, als ich ihm eine fette Zigarre reichte, die ich ihm aus Nakuru mitgebracht hatte. »Würdest du sie für mich anzünden? Ich weiß nicht, ob mein Atem stark genug dafür ist.«

»Ich wusste nicht, wie schlimm es steht. Sonst wäre ich eher gekommen.«

»Wovon redest du?«, simulierte er. Er hatte so wenig Farbe im Gesicht, dass sogar seine prächtigen Zähne grau wirkten. Seine Stimme war schwach. »Wusstest du, dass die Farm so profitabel ist wie noch nie? Ich bekomme nun endlich den Dreh heraus. Gerade rechtzeitig.« Er versuchte, sich aufzusetzen, und ich beugte mich vor, um ihm zu helfen, schichtete Kissen als Stütze auf, während seine Somali-Diener mit strengem Blick zusahen. »Sie sind sich nicht sicher, ob du mich anfassen solltest«, flüsterte er. »In meinem Bett befinden sich für gewöhnlich keine schönen Frauen.«

»Das glaube ich keine Sekunde lang. Du bist ein Prinz, Berkeley. Du bist wirklich der Beste von allen.«

»Abgesehen von ein paar kleineren Teilen von mir.« Er blickte auf den silbernen Rauch der Zigarette, der kräuselnd emporstieg. »Aber ich werde abtreten wie die großen Dichter, nicht wahr, voller Feuer und Tiefe?«

»Geh gar nicht, du Ratte. Bitte nicht.«

Er schloss die Augen. »In Ordnung. Heute nicht.«

Ich holte uns Gläser, und er sagte mir, wo ich den besten Wein finden würde, ganz hinten in einem Schrank neben seinem Bett.

»Das ist ein Falernerwein.« Er hielt die Flasche gegen das Licht. »Einer der wenigen Weine, die schon die alten Römer anbauten. Manche halten ihn für den besten Wein der Welt.«

»Dann willst du ihn aber doch wohl nicht an mich verschwenden.«

»Arme schöne Beryl. Bist du dir sicher, dass du mich nicht heiraten kannst? Du könntest mein Vermögen erben, wenn ich tot bin, und als meine junge Witwe Skandale verursachen.«

»Armer schöner Berkeley. Du redest immer so hübsch daher, aber sag mir, wem gehört wirklich dein Herz?«

»Ach, das.« Er hustete in den Ärmelaufschlag seines Hemdes. »Das ist ein großes Geheimnis.« Durch seine dunklen Wimpern sah ich das leise Feuer in seinen braunen Augen, als wüsste er bereits, was im nächsten Leben auf ihn wartete. »Würdest du ein Buch holen und mir etwas daraus vorlesen? Ich sehne mich nach Lyrik.«

»Ich habe etwas«, sagte ich leise und begann, meine Whitman-Zeilen aus *Gesang von mir selbst* aufzusagen, die ich mir über die Jahre hinweg gemerkt hatte. Ich hatte das Gefühl, nicht fortfahren zu können, wenn ich ihn dabei ansah, also konzentrierte ich mich auf seine feinen bleichen Hände auf der schneeweißen Decke, die blassblauen Halbmonde unten an seinen kurzgeschnittenen Fingernägeln, die kleinen Kerben der Narben, die versagenden Adern.

Nachdem ich geendet hatte, saßen wir eine Weile schweigend da. Er ließ den Wein in seinem Glas kreisen. »Er hat eine wunderschöne Bernsteinfarbe, nicht wahr? Wie Löwen im Gras.«

»Genau so.«

»Sag dein Gedicht noch einmal, aber diesmal etwas langsamer. Ich möchte nichts verpassen.«

Ich fing noch einmal von vorne an, während sein Atem immer leiser wurde und seine Lider sich senkten, bis sie ganz geschlossen waren. Auf seinen wächsernen Lippen zeigte sich ein zartes Lächeln, seine stachligen Wimpern ruhten auf seinen Wangen wie zerbrechliche Farne. Wie sollte ich mich je von ihm verabschieden? Ich konnte und würde es nicht tun. Aber ich gab ihm einen Kuss, bevor ich ging, und schmeckte den Falernerwein.

40.

Die lange Regenzeit setzte ein, alle paar Tage zogen gewaltige Unwetter durchs Land, aber Berkeleys Beerdigung fand an einem erstaunlich klaren Tag statt. Er wollte zu Hause begraben werden, am Ufer seines Flusses, der, wie er stets beteuert hatte, reines Gletscherwasser vom Mount Kenya herbeitrug. An einer Biegung, die sich wölbte wie die Taille und die Hüften einer Frau, strömte das Flusswasser über schwarze Basaltsteine und poröse Torfschichten. Dort sahen wir zu, wie Berkeley in die Erde gelegt wurde, während Stare und Fliegenschnäpper glockenhelle Tonleitern durch das Baumkronendach erklingen ließen.

Dutzende Freunde waren erschienen. Blix hatte den ganzen Weg aus Somaliland zurückgelegt und trug immer noch Spuren blassgelben Staubes an sich. D blickte düster unter seinem geschwungenen Tropenhelm hervor, doch sobald die letzten Worte gesprochen waren und die Erde sich auf Berkeleys Sarg auftürmte, trat er zu mir, ergriff sanft meine Hände und ließ sie für eine lange Zeit nicht mehr los. »Weißt du, ich habe mich furchtbar mies gefühlt, weil ich dich fortgeschickt habe«, sagte er.

»Du hattest kaum eine andere Wahl«, erwiderte ich. »Das war mir klar.«

Er räusperte sich unbeholfen und schüttelte den Kopf. »Ich möchte, dass du zu mir kommst, wenn du jemals etwas brauchst. Du bist immer noch so jung. Das vergesse ich manchmal. Als Florence und ich in deinem Alter waren, hatten wir beide zusammen kaum genügend Verstand, um uns selbst am Hintern zu kratzen.« Er sah mir in die Augen, und ich spürte, wie der letzte Rest meiner Demütigung davongespült wurde. Ich hatte ein paar harte Lektionen lernen müssen, aber sie waren wichtig gewesen.

»Das werde ich, D. Danke.«

Von Berkeleys beschatteter Veranda aus hörte ich die schleppenden melodischen Anstrengungen des Grammophons aufsteigen. Gemeinsam mit D ging ich zu Denys hinüber, der über dem ausgestellten Trichter und der zischenden Nadel stand.

»Hassen Sie Beethoven nicht auch?«, fragte D.

Eine leichte Röte färbte Denys' hohe Wangenknochen. »Berkeley mag ihn.«

Wir blieben lang, stießen auf Berkeleys Eleganz und sein Leben an und hingen allen Geschichten nach, die wir über ihn kannten, bis dichte graue Wolken den Himmel verdüsterten. Als fast alle anderen fort waren, sagte Denys: »Begleite mich zurück nach Ngong.«

»Ich habe Pegasus dabei.«

»Ich kann dich wieder zu ihm zurückbringen.«

»In Ordnung«, antwortete ich, als geschähe dies andauernd und als würde ich nicht innerlich zerbrechen vor Verwirrung und nachklingendem Schmerz, Enttäuschung und Verlangen, die allesamt hemmungslos in mir herumwirbelten.

Auf der Fahrt sprachen wir nur wenig. Der bedrohliche Himmel öffnete sich schließlich ganz und ließ einen gleichmäßigen, ununterbrochenen äquatorialen Regen auf uns niedergehen. Er rann über die Fensterscheiben und trommelte leise auf das Lederdach. Denys nahm weder meine Hand noch verlor er ein Wort darüber, was er wollte. Ich ebenso wenig. Zwischen uns lag so viel unausgesprochenes Terrain, dass wir nicht einmal bis zu den einfachsten Sätzen gelangten.

Als wir uns Karens Farm näherten, bog er früh von der Hauptstraße ab, in Richtung Mbagathi, und ich verstand.

Er würde nicht in ihrem Haus mit mir zusammen sein, während ihre Gegenstände uns zusahen. Das war ihr gemeinsamer Ort. Wir würden uns einen schaffen müssen, der neu war und ganz allein uns gehörte.

Denys schaltete den Motor aus, und wir rannten tropfend vor Nässe ins Haus, wo es allerdings auch nass war. Über ein Jahr war seit dem spannungsreichen Besuch meiner Mutter vergangen, in der Zwischenzeit war das Dach womöglich noch undichter geworden. Der Regen drang überall herein, so dass wir beim Feuermachen den Kopf einziehen und ausweichen mussten. Das feuchte Holz rauchte gequält. Denys machte einen guten Brandy ausfindig, den wir abwechselnd direkt aus der Flasche tranken. Trotz des Regens und des zischenden Zedernholzfeuers im Kamin konnte ich uns beide atmen hören.

»Warum hat Berkeley eigentlich nie geheiratet?«, fragte ich ihn.

»Das hat er, auf seine Weise. In seinem Haushalt lebte eine Somali-Frau, mit der er über viele Jahre ein Verhältnis hatte. Sie waren einander treu ergeben.«

»Was, über Jahre? Und niemand wusste etwas davon?«

»Bestimmte Dinge werden in der Kolonie toleriert, aber das nicht.«

Nun verstand ich, weshalb Berkeley sich von den Frauen in der Kolonie ferngehalten hatte und stets so zurückhaltend gewesen war, wenn ich ihn nach romantischen Verstrickungen fragte. Ich war froh, zu wissen, dass es Liebe in seinem Leben gegeben hatte, aber was hatte es ihn gekostet? Wie schwer hatte das Geheimnis auf ihm gelastet? »Denkst du, dass in der Welt jemals Platz für eine solche Art der Zuneigung sein wird?«, fragte ich.

»Ich würde es gern glauben«, erwiderte er. »Aber die Chancen stehen nicht besonders gut.«

Als der Brandy fast leer war, führte er mich in das kleine hintere Schlafzimmer und zog mich wortlos aus, berührte mit seinen Lippen meine Augenlider und strich mit seinen Fingerspitzen über die Innenseiten meiner Handgelenke. Wir sanken in einem Gewühl aus warmen Gliedmaßen nieder. Er vergrub das Gesicht in meinem Haar und meinem Hals, seine Bewegungen so zärtlich, dass ich es kaum aushielt. Sosehr ich mir seine Nähe auch wünschte, verfolgten mich noch immer unser letztes Beisammensein und all die Tage, die seitdem vergangen waren. Mein Herz galoppierte so heftig, dass ich Angst hatte, es könnte bersten.

»Ich weiß nicht, was das hier zwischen uns ist«, brachte ich schließlich hervor. »Vielleicht werden wir niemals etwas haben, das über diesen Augenblick hinausgeht.« Ich berührte seinen Brustkorb, der sich im Rhythmus seines Atems hob und senkte. Unsere Schatten waren an die Wand gemalt. »Aber du bedeutest mir wirklich viel, Denys.«

»Du mir auch, Beryl. Du bist eine außergewöhnliche Frau. Das weißt du sicher.«

Ein Teil von mir wollte in diesem Moment alles offenlegen – ihm die Wahrheit über London sagen. Ihn nach Karen fragen und wie er sich selbst einen Reim aus alldem machte. Andererseits glaubte ich nicht daran, dass sich irgendetwas durch Reden oder Erklären lösen ließe. Wir hatten unsere Entscheidungen getroffen, jeder für sich und gemeinsam, nicht wahr? Wir waren, wer wir waren.

Ich setzte mich auf die Knie und fuhr die Mulden seiner Schlüsselbeine nach, in die sich Schatten gelegt hatten, seinen starken Nacken, die Schultern und Unterarme. Ich prägte ihn mir mit meinen Händen ins Gedächtnis ein. »Wenn du noch einmal leben könntest, würdest du dann irgendetwas anders machen?«, fragte ich ihn.

»Ich weiß es nicht. Vielleicht machen gerade unsere Fehler uns zu dem, was wir sind.« Er verfiel ein paar Minuten lang in Schweigen, bevor er fortfuhr: »Das Einzige, wovor ich wirklich Angst habe, ist, vor dem Leben zurückzuschrecken, nicht nach dieser Sache zu greifen ... verstehst du?«

»Ich glaube schon.« Ich ließ meine Hand auf seinem Herzen ruhen. Sein sanftes Trommeln drang durch meine Handfläche. Tatsächlich waren viele der Irrungen und Wirrungen, die mich in diesen Raum geführt hatten, schmerzhaft und kostspielig gewesen, dennoch hatte ich mich nie zuvor lebendiger gefühlt. Ich hatte Angst, aber ich wollte nicht vor ihm davonlaufen. Ich würde es nicht tun … nicht, wenn ich es verhindern konnte. »Denys?«

»Mmm?«

»Ich bin froh, dass wir jetzt hier sind.«

»Ja«, sagte er gegen meine Lippen, während der Regen über uns herunterdonnerte. Von mir aus hätte uns das gesamte Dach auf den Kopf fallen können. Ich befand mich in Denys' Armen. Ich wäre mit Freuden ertrunken.

41.

Von den ersten Trompetenstößen bis zum erlösenden Gebrüll der Haupttribüne sind Rennen kurz und flüchtig. Zehn
Pferde geben alles im Galopp. Eine und eine Dreiviertelmei-
le, überhaupt keine Zeit und zugleich genug Zeit – sich win-
dend, stillstehend und sich ausbreitend wie der Atem –, um
das Rennen vielfach zu gewinnen oder zu verlieren.

Bei den Produce Stakes lief Wrack wie der Wind und
donnerte die ganze Zeit über wie der reine, entfesselte Mut
voran. Durch mein Fernglas verlor ich ihn nicht eine Sekunde aus den Augen. Ruta stand neben mir, so still wie ein
Gebet, während Wrack die Führung Haaresbreite für Haaresbreite genommen wurde. Er gab nichts preis, hörte nie
auf, nach vorn zu preschen. Doch am Zielband führte ein
Wallach mit schnellem Körperbau, und ich atmete endlich
ernüchtert aus.

»Hast du gesehen, wie knapp das war?«, fragte Ruta, als
der Staub sich gelegt hatte und mein Herz wieder angefangen hatte zu schlagen. »Bei seinem nächsten Rennen wird
Wrack sich daran erinnern und noch mehr geben.«

»Ich glaube nicht, dass das bei Pferden so funktioniert,
Ruta.« Ich versuchte, mich zu sammeln und auch an das
nächste Rennen zu denken – falls Wracks Besitzer Ogilvie
ihn uns denn erneut überließ.

»Warum nicht?«

»Ich weiß es nicht. Sie haben keine Erinnerungen wie
wir. Jedes Rennen ist neu für sie.«

Als wir jedoch Ogilvie aufsuchten, war dieser viel eher

geneigt, Ruta beizupflichten. »Haben Sie gesehen, wie knapp das war? Beim nächsten Mal wird er gewinnen.«

Und das tat er.

Den Rest des Jahres 1925 gewannen und platzierten sich meine Pferde so oft, dass Nairobis eng verflochtene Renngemeinschaft endlich bereit schien, mich in ihren Kreis aufzunehmen und zu glauben, ich würde dort hingehören. D bat mich, nach Soysambu zurückzukehren, und verkündete, ob sofort oder später, in seinem Stall sei immer ein Platz für mich frei. Ben Birkbeck schrieb mir, er würde mir gern Pferde zum Trainieren geben und dass ich auf dem Weg zu sein schien, den Ruf meines Vaters in der Kolonie zu übernehmen. Bei einer Veranstaltung erkannte ich meine Mutter, die mich in einem aufgetürmten Federhut anfeuerte. Ich hatte sie seit über einem Jahr nicht gesehen und verspürte einen stechenden, komplizierten Schmerz. Ich wusste immer noch nicht, wer sie in meinem Leben war oder wie ich mich in ihrer Nähe aufhalten sollte, ohne das Gefühl zu haben, in einen Hinterhalt geraten zu sein. Vielleicht würde ich es niemals wissen.

»Es macht mich stolz, zu sehen, dass du dich so wacker schlägst«, sagte sie, als sie hinterher zu mir kam. »Herzlichen Glückwunsch.«

Ich sah zu, wie sie an einem nelkenroten Cocktail nippte, und hörte mir ihre Neuigkeiten an. Sie lebte mit Dickie und den Jungs oben in der Nähe von Eldoret und versuchte, Dickie dabei zu helfen, über die Runden zu kommen, jedoch ohne viel Erfolg.

»Tut mir leid, dass eure Situation schwierig ist«, sagte ich und stellte überrascht fest, dass ich es tatsächlich so meinte. Vielleicht hatte Berkeley recht gehabt mit dem, was er über die Familie gesagt hatte – vielleicht konnten wir sie, wie auch alle anderen, die wir liebten, niemals überleben. Nicht wahrhaftig. Meine Gefühle für Clara waren von der

Wurzel an unentwirrbar verknäult. Der Geist ihres Verlusts würde mich überallhin verfolgen. Dennoch schien es nicht richtig, ihr den Rücken zuzukehren und ihre Not zu ignorieren. »Kann ich irgendetwas tun?«

»Wir kommen schon zurecht«, behauptete sie eigentümlich stoisch. Sie leerte ihr Glas und verabschiedete sich mit den Worten: »Es ist wirklich wunderbar, zu sehen, dass du das bekommst, was du verdienst.«

Dank meiner Serie von Siegen konnte ich Ruta nun endlich zahlen, was er wert war, und seiner Frau neue Schuhe und Kochtöpfe schenken. Außerdem konnte ich mir ein richtiges Bett für mein Zelt unter der Tribüne leisten und Geld für ein Auto zurücklegen – ich hatte allerdings nicht vor, mich auf meinen bisherigen Lorbeeren auszuruhen oder darauf zu vertrauen, dass die Erfolgssträhne andauern würde.

Genauso fühlte ich mich, was Denys anging. Jede Stunde mit ihm war süß und gestohlen. Ich begann, mir ein Motorrad von Karen auszuleihen, um ihn zu besuchen, wenn er in Mbogani war – und irgendwie glich die Aufregung des Motorrads unter mir, mit dem ich über den harten roten Staub hüpfte und um tiefe Schlaglöcher und Steine herumschlingerte, dem Gefühl, bei ihm zu sein. Beides war gefährlich, beides eine waghalsige und unverzeihliche Form von Verstoß. Karen wäre tausend Tode gestorben, hätte sie gewusst, dass ich mich unter ihrem löchrigen Dach in Mbagathi in den Armen ihres Geliebten befand, während sie fort in Dänemark war – aber ich durfte nicht daran oder überhaupt an sie denken. Wenn ich es täte, könnte ich es nicht haben, was so viel schlimmer wäre.

Karen würde bald nach Hause zurückkehren. Als Denys anfing, von einer Erkundungstour in Richtung Meru zu sprechen, zu der er demnächst aufbrechen würde, und vorschlug, ich solle ihn begleiten, wusste ich, dass er mir damit eigentlich mitteilte, dies könnte die letzte Gelegenheit sein, um uns zu treffen. »Du könntest hinüberreiten und dort zu mir stoßen.«

Zunächst mussten die logistischen Fragen geklärt werden. Ich würde zu Berkeleys alter Farm Solio reiten. Dort konnte ich Pegasus lassen, und wir würden gemeinsam in seinem Hudson weiterreisen. Nach unserer Rückkehr würden wir getrennter Wege gehen.

Wir hatten uns für Februar verabredet. Bis dahin würde er mit einem wohlhabenden Kunden aus Australien auf eine lange Safari gehen, während ich daran arbeitete, Wrack auf das St. Leger vorzubereiten, Kenias bedeutendstes Rennen. Nach seiner jüngsten Siegesserie war Wrack der Favorit, und ich wollte nichts unterlassen, um sicherzustellen, dass er all das vollbrachte, was von ihm erwartet wurde, und noch mehr.

An dem Nachmittag, an dem ich Denys treffen sollte, riss der Himmel plötzlich auf, und es regnete in Strömen, als wollte es nie wieder aufhören.

Ruta blickte aus der Stalltür auf den grauen Regenguss. »Dann bleibst du also, Msabu?« Er kannte meine Pläne, denn ich verheimlichte ihm wie immer nichts.

»Nein, das kann ich nicht, aber ich werde meinen Aufbruch verschieben. Ich weiß, dass du es nicht gutheißt, wenn ich mit Denys zusammen bin.«

Er zuckte die Achseln und zitierte seufzend ein bekanntes Sprichwort der Einheimischen: »Wer kann schon die Frauen oder den Himmel verstehen?«

»Ich liebe ihn, Ruta.« Nach allem, was geschehen war, hatte ich dies bislang noch nie zugegeben, aus irgendeinem Grund noch nicht einmal vor mir selbst.

Er blickte mich mit seinen tintenschwarzen Augen durch die dichte, konzentrierte Luft und den Sprühregen hindurch an. »Spielt es denn eine Rolle, ob ich es gutheiße oder nicht? Du wirst doch sowieso zu ihm gehen.«

»Du hast recht. Das werde ich.«

Den ganzen Tag lang beobachtete ich den Regen und die Rinnsale fließenden roten Schlamms. Als ich endlich eine kleine Lücke mit blasseren Wolken und einer hauchdünnen Ahnung von Sonnenlicht am Horizont erkennen konnte, sattelte ich Pegasus und machte mich auf den Weg. Solio lag auf der anderen Seite der Aberdares, fünfunddreißig Meilen Richtung Osten. Bei besseren Bedingungen wäre ich Pegasus zuliebe nördlich um den Berg herumgeritten. Unter den gegebenen Umständen war ich bereits so spät dran, dass ich Stunden einsparen wollte, indem ich den schmalen, sich schlängelnden Pfad darüber nahm.

Dass ich mich mitten in der Nacht allein auf einem Pferd befand, jagte mir keine Angst ein. Ich war schon zuvor im Dunkeln geritten, ohne halb so wichtigen Anlass. Pegasus konnte mich ans Ziel bringen. Er hatte in den Bergen stets wunderbare Instinkte gezeigt und ging so sicheren Tritts wie eine Bergziege.

Zunächst kamen wir rasch voran. Es hatte aufgeklart und die Nachtluft fühlte sich gut an auf meiner Haut. Während wir dem schmalen Pfad, der in scharfen Kurven stetig anstieg, nach oben folgten, konnte ich hier und da unter uns die Lichter der Stadt ausmachen. Dort schliefen die Händler in ihren engen Betten, die Kinder zusammengepackt auf Schilfmatten auf dem Fußboden, behaglich und fest. Ich konnte mir kaum ansatzweise eine solche Art von ruhigem Leben mit Denys vorstellen. Keiner von uns war für Gleichförmigkeit und Routine geschaffen, die Beklemmungen des häuslichen Lebens – aber es gab diese Nacht und die nächste. Geraubte Küsse. Süßes, beängstigendes Glück. Ich wusste, dass ich beinahe alles tun würde, um auch nur eine Stunde länger in seinen Armen liegen zu dürfen.

Wir hatten vielleicht die Hälfte der Strecke nach Solio zurückgelegt, als ich Wasser zu riechen begann. Bald konnte ich den Fluss auch hören, direkt vor uns. Pegasus und ich ritten langsam darauf zu, da wir nur wenig Mondlicht hatten, um uns zurechtzufinden. Als wir näher kamen, sah ich die wirbelnde Bewegung der Strömung, Geisterschatten, die sich drehten und strudelten. Die Böschung des Flusses war steil und blank. Nicht einmal Pegasus würde heil dort hinunterkommen, und wie tief würde der Fluss dann wohl sein? Konnten wir hindurchschwimmen oder -waten? In der Dunkelheit war es unmöglich zu erkennen. Wir ritten stattdessen vorsichtig in nördlicher Richtung, um das Ufer nach einer Stelle zum Überqueren abzusuchen, danach kehrten wir um und versuchten es im Süden.

Endlich machte ich die entfernten Umrisse einer Brücke aus. Beim Näherkommen stellte ich fest, dass sie aus Bambus und dicken Seilen bestand und äußerst schmal war, von der Art, wie die örtlichen Stämme sie für den Eigengebrauch errichteten und instand hielten. Ich konnte unmöglich erkennen, wie stabil sie war, aber für gewöhnlich trugen diese Brücken kleine Wagen und Ochsen. Sie würde wahrscheinlich ausreichen.

Ich stieg ab und führte Pegasus am Zügel den Hang hinunter. Er rutschte auf dem kiesigen Untergrund leicht aus und wieherte erschrocken. Die Brücke fühlte sich stabil an, war aber locker in den Seilen, so dass sie unter unseren Schritten hin- und herschwankte. Mir wurde schlecht von der Schaukelei, und Pegasus war wohl kaum glücklicher.

Wir überquerten die Brücke Meter für Meter. Ich hörte das Wasser vielleicht sechs Meter unter uns dröhnen. Weißer, lebendig wirkender Schaum trieb im Mondlicht, während sich ein silberner Schimmer auf das tosende dunkle Wasser legte. Als ich das blasse Ufer erblickte, verspürte ich reine Erleichterung. Ich hatte schon langsam geglaubt, wir seien zu weit gegangen und riskierten zu viel, doch nun hatten wir es fast geschafft, waren beinahe wieder auf festem Untergrund.

Die Seile ächzten und machten ein sägendes, reißendes Geräusch, dann begann der Bambus, zu brechen. Pegasus fiel mit einem Ruck. Er schrie in seinem Sturz, und ich dachte einen Moment lang, ich hätte ihn verloren, da erzitterte die Brücke, als er in seinem Fall gebremst wurde. Seine Beine waren durch die Verstrebungen gebrochen. Er war bis zur Brust versunken, und die Bambusstäbe hielten ihn gerade so. Unter uns strudelte der Fluss und machte fürchterliche Geräusche. Wahrscheinlich lief ich Gefahr, selbst einzustürzen, aber ich konnte an nichts anderes denken als an Pegasus und die Notlage, in die ich ihn gebracht hatte.

Vollblüter waren überaus ängstlich, aber Pegasus hatte schon immer einen wunderbar kühlen Kopf bewahrt. Selbst in diesem Augenblick blieb er tapfer und gelassen, sah mich in der Dunkelheit aus seinen großen Augen an und vertraute darauf, dass ich einen Ausweg finden würde. Weil er daran glaubte, dass ich es schaffen konnte, glaubte auch ich daran und begann, einen Plan zu entwerfen. Ich hatte ein Seil am Sattel festgebunden, das gerade lang genug sein mochte, um ihn herauszuziehen, falls ich es am Ufer gut verankern konnte.

Ich spürte die Brücke nachgeben und sich winden wie Bettfedern, als ich mich Schritt für Schritt nach vorn bewegte, mir des Adrenalins und meines eigenen hastigen Atems viel zu bewusst. Endlich erreichte ich das andere Ufer und fand eine fest verwurzelte Akazie, die schräg an der Seite der glatten Böschung wuchs. Es war zwar ein junger Baum, aber einen besseren gab es nicht, also hoffte ich, dass er es aushalten würde. Ich arbeitete mich zu Pegasus zurück, der mit sagenhafter Geduld wartete, und machte für ein provisorisches Halfter einen Lasso-Knoten über seinem Nasenrücken sowie einen weiteren um seinen Kopf. Das Seil würde nichts bringen, wenn es nicht hielt. Ich dachte nur daran, ihn bis zum Morgen zu fixieren, da er unmöglich aus den Latten würde herausklettern können, nicht ohne die Hilfe eines Hebels. Es wäre zu gefährlich, es allein zu versuchen, und ich wollte nicht riskieren, ihn zu verlieren.

Nachdem ich das Halfter gesichert und das andere Ende an die Akazie gebunden hatte, lehnte ich mich erschöpft gegen seinen Hals. »Das wird eine schöne Geschichte geben«, sagte ich zu ihm, und er spitzte die samtigen Ohren. Ich legte eine Wolldecke über meine Schultern und band sie zu einem Cape zusammen, dann lehnte ich meinen Kopf erneut an seinen Hals, um mich zu wärmen. Doch gerade als ich glaubte, ich könne ein wenig Schlaf erhaschen, vernahm ich das Klatschen von Gebüsch und ein polterndes Getöse. Eine Herde Elefanten schaute vorbei, nachdem sie unsere Witterung aufgenommen hatte. Nun kreisten die großen Tiere donnernd am Ufer und verängstigten Pegasus. Ich konnte nicht sicher sein, dass sie nicht auf uns zustürmen und die Brücke mitsamt uns darauf in Stücke rütteln würden. Instinktiv erhob ich mich. Pegasus kämpfte, schlug gegen die Latten und verlagerte sein Gewicht in einer schlingernden Bewegung. Ich verspürte nackte Angst und glaubte, er würde ganz einbrechen, aber irgendwie bekam er zuerst ein, dann zwei Beine heraus. Er reckte sich nach dem Stückchen Ufer aus, das er erreichen konnte, und zog sich voran, während die Brücke um uns herum nachgab und sich verschob. Es war, als versuchte er, auf einem Floß aus verrutschenden Zahnstochern zu laufen, oder auf zerbröselndem gebranntem Zucker, oder auf überhaupt gar nichts.

Irgendwie fand Pegasus heldenhaft Halt und zog sich über die verbliebenen Latten. Aber wir standen in einem fürchterlichen Winkel. Sein Gewicht zog ihn die steile Böschung hinunter, außerdem war er erschöpft. Der sandige Lehm gab nach wie Wasser, und ich fürchtete, ich würde ihn doch noch verlieren. Die Elefanten waren noch immer in der Nähe. Ich konnte ihr warnendes Ächzen und das unmissverständliche Trompeten eines Bullen hören. Diese Tiere hatten zwar fürchterlich schlechte Augen, aber ich wusste, dass sie uns riechen konnten.

Ich trieb Pegasus an, ergriff das Seil mit beiden Händen und zog mit aller Kraft. Endlich hatten wir die Uferböschung erreicht. An Pegasus' Brust sah ich die tiefen Linien, die der Bambus hineingeschnitten hatte, während große Hautfetzen von seinen Beinen abgerissen waren. Wir konnten uns beide glücklich schätzen, hier zu stehen, aber wir waren noch lange nicht in Sicherheit. In unserer Nähe hielten sich immer noch die Elefanten auf, und der Himmel weiß, was noch. Pegasus roch nach Blut, und wir waren beide müde, was uns zu leichter Beute für alles machte, was gerade auf der Jagd war. Wir würden weitergehen müssen.

Als wir endlich in Solio ankamen, war es fast Mitternacht. Berkeleys treue Somali-Diener hatten immer noch freien Zutritt zum Haus, bis die Familie einen willigen Käufer fand. Da sie mich kannten, baten sie mich trotz der späten Stunde herein und fanden einen trockenen Stall für Pegasus. Ich würde seine Wunden am nächsten Morgen behandeln. Aber wo war einstweilen Denys? Womöglich hatte der Regen auch ihn aufgehalten? Ich hatte keine Ahnung, wie bei ihm die Bedingungen waren, und hoffte auf das Beste, als ich mich zum Schlafen hinlegte.

Am nächsten Morgen säuberte und verband ich Pegasus' Wunden sorgfältig. Sie waren weniger schlimm, als sie in der vergangenen Nacht ausgesehen hatten. Wo die Latten sich an Brust und Beinen in seine Haut gegraben hatten, waren oberflächliche Verletzungen auszumachen, aber ich sah weder Anzeichen für eine Entzündung noch frisches Blut. Sie würden gut verheilen – Gott sei Dank. Ich hätte mir nie verziehen, ihm ernsthaften Schaden zugefügt zu haben.

Ich brachte ihm Heu und mistete seinen Stall aus, dann nahm ich Kaffee und ein leichtes Frühstück zu mir, während ich die ganze Zeit über die Ohren nach Anzeichen für Denys' Ankunft gespitzt hielt. Er würde mit seinem lauten Wagen kommen, also würde ich ihn schon aus einer halben Meile Entfernung hören. Dann würden wir sechs Tage ganz allein miteinander verbringen. Wir hatten bislang nie auch nur annähernd so viel Zeit gehabt, und mir wurde schwindelig beim Gedanken an seine Nähe, seinen Geruch, seine Hände und sein Lachen. Er würde mir Orte und Dinge zeigen, die er liebte, und wir würden jeden gemeinsamen Augenblick bis zum letzten Tropfen auskosten. Wenn er doch nur käme.

Nach dem Mittagessen sah ich schließlich einen von Denys' Kikuyu-Dienern die Straße hinauf auf das Haus zurennen, so gleichmäßig trabend, als könnte er ewig weiterlaufen. Mein Magen krampfte sich bei seinem Anblick zusammen, da ich wusste, was er bedeutete.

»Bedar richtet aus, dass er nicht kommen wird, Msabu«, sagte der Bote, als er mich erreicht hatte. Er hatte an diesem Tag wahrscheinlich zwanzig steil aufsteigende Meilen zurückgelegt. Seine nackten Füße waren dick mit ledernen Schwielen gepolstert. Sein Atem ging jedoch ganz ruhig.

»Er kommt gar nicht?«

»Sie haben kein Elfenbein gefunden.«

Denys arbeitete also noch. Er konnte nicht frei über seine Tage verfügen und wäre nicht imstande gewesen zu kommen, auch wenn er gewollt hätte. Was nicht bedeutete, dass ich nicht niedergeschmettert gewesen wäre. Ich sah zu, wie Berkeleys Mann dem Boten Wasser und Essen reichte, woraufhin dieser sich wieder zurück auf den Weg zu Denys machte, furchtlos gen Norden lief, der Biegung des Weges folgend. Als er schließlich außer Sichtweite war, sank meine Stimmung tief. Pegasus und ich hätten auf diesem Berg in der Dunkelheit sterben können, und zwar für nichts. Ich würde Denys nicht sehen. Wir würden unsere gemeinsamen Tage doch nicht bekommen, nachdem ich so viel riskiert hatte, um hier zu sein. Mir wurde beinahe schlecht bei dem Gedanken.

Ich packte meine Sachen und lief dann hinunter zum Fluss, wo Berkeleys Grab lag. Monate waren vergangen, so dass die aufgeschichtete Erde bereits hier und dort eingesunken war. Ich säuberte die Stelle mit den Händen und der Spitze meiner Stiefel, um irgendetwas für ihn zu tun und mich ihm wieder nahe zu fühlen. Über mir durchschnitt ein Pärchen Stare die Luft zwischen den Bäumen und kommunizierte miteinander in einem komplizierten System aus gezwitscherten Rufen und Antworten. Ihre Brustkörbe und Köpfe schillerten smaragdgrün, blau und kupferrot. Die Blätter um sie herum raschelten, doch ansonsten war der Wald ganz still.

»O Berkeley, diesmal stecke ich wirklich tief drin«, sagte ich. »Was soll ich bloß tun?«

Nichts, nicht einmal die Vögel antworteten.

42.

Als Karen aus Dänemark zurückkehrte, versuchte ich, allen Neuigkeiten über sie aus dem Weg zu gehen, was sich jedoch als unmöglich erwies. Die Gesellschaft der Kolonie war zu eng verflochten und zu sehr darauf versessen, jede Schicksalswendung und jeden Schachzug zu enthüllen. Karen war krank gewesen und hatte eine Weile im Bett verbracht. Die Kaffeeernte in jenem Jahr war schlecht ausgefallen, und ihr Schuldenberg wuchs gefährlich an. Außerdem hatte ich erfahren, dass Denys nahezu ohne Vorwarnung nach Europa abgereist war, aber da er mich nicht direkt benachrichtigt hatte, wusste ich nicht, weshalb. Schließlich begegnete ich Karen Ende März im Muthaiga Club. Sie war gemeinsam mit Blix zum Tee dort, und als ich die beiden entdeckte, stürzte ich mich beinahe auf sie. So war es nun einmal in der Kolonie. Man brauchte Freunde, ganz gleich, wie kompliziert diese Beziehungen waren oder welchen Preis man dafür bezahlte.

»Beryl«, sagte Blix und ergriff meine Schultern. »Alle Welt spricht darüber, dass Ihre Pferde ganz einfach jedes Rennen gewinnen könnten. Wäre das nicht großartig?«

Karen und ich küssten uns zögerlich zur Begrüßung. Sie schien abgenommen zu haben. Sie hatte dunkle Ringe unter den Augen, in ihre eingefallenen Wangen hatten sich tiefe Schatten gelegt. »Denys ist nach London zurückgekehrt«, sagte sie fast augenblicklich, als könnte sie an nichts anderes denken. »Wir hatten zwei Wochen. Zwei gemeinsame Wochen, nachdem wir elf Monate voneinander getrennt waren.

Trotzdem soll ich dankbar sein. Ich soll tapfer sein und weitermachen.«

Ein Teil von mir wollte ihr ein lautes und deutliches *Ja, das sollten Sie* entgegenschleudern. Sie hatte eine lange Reihe von Tagen allein mit ihm gehabt, während meine Zeit mit Denys mir vollständig geraubt worden war. Aber ich verstand auch den Schmerz, den sie verspürte. Ich teilte ihn. Nun hatte er den Kontinent wieder einmal verlassen. »Warum ist er diesmal in London?«

»Sein Vater liegt im Sterben. Er und sein Bruder werden einen Käufer für Haverholme finden müssen. Das Anwesen ist seit mehreren Hundert Jahren im Besitz von Denys' Familie. Ich mag mir gar nicht vorstellen, wie schwer es ihnen allen fallen wird.« Sie schüttelte den Kopf und ließ ihre kurzen Locken beben. Ihr Bob war unsauber herausgewachsen. »Mir ist bewusst, dass ich in Zeiten wie diesen nur an Denys' Familie denken sollte, aber ich möchte ihn einfach zurückhaben.«

Blix hüstelte leicht als Warnung oder Erinnerung.

»Ich weiß, du bist es leid, dir das anhören zu müssen«, blaffte sie ihn an. »Aber was soll ich denn machen? Ernsthaft, Bror, was?«

Ganz offensichtlich hatte er nicht vor, sich mit ihr anzulegen, wenn es nicht sein musste. »Entschuldigt mich.« Er schob seinen Stuhl zurück. »Ich habe dort drüben einen Freund entdeckt.«

Als Blix fort war, seufzte Karen tief. »Ich habe endlich in die Scheidung eingewilligt. Ich finde, er könnte sich ein wenig dankbarer zeigen.«

»Weshalb jetzt? Er bittet Sie nun schon seit Jahren darum, oder nicht?«

»Ich weiß es nicht. Ich habe mich mit der Zeit furchtbar gefühlt, weil ich so hart darum gekämpft habe, ihn zu halten. Ich wollte einfach irgendjemanden, verstehen Sie? Für eine Weile glaubte ich, Denys würde mich heiraten, aber das kommt mir immer mehr wie der Plan einer Närrin vor.«

Ich räusperte mich, um meine Stimme fest klingen zu lassen, denn ich wollte ihr gegenüber um jeden Preis vollkommen unbefangen erscheinen. »Wird die Lage auf der Farm nun schwieriger, da Blix nicht mehr dabei ist?«

»Was denn, meinen Sie finanziell?« Sie lachte düster. »Bror bringt es immer wieder fertig, doppelt so viel auszugeben, wie er im Portemonnaie hat. Dann bittet er um ein weiteres Darlehen ... als ob ich das Geld tatsächlich hätte.«

»Das tut mir leid. Sie haben etwas Besseres verdient.«

»Ich schätze, ein Teil von mir wusste, worauf ich mich mit ihm einlasse. Vielleicht wissen wir es immer schon im Voraus.« Sie machte ein leises, schnalzendes Geräusch, als würde sie Luft hinunterschlucken, oder eine unveränderliche Tatsache. »Bror war nie gut in Gefühlsdingen, und bei Gott, Denys ist keinen Deut besser. Aber was soll ich tun? Er hat mich für ein Leben ohne ihn verdorben. Das ist das Problem bei der Sache.«

Während sie sprach, musste mir alle Farbe aus dem Gesicht gewichen sein. Ich verlor das Ringen um Normalität und hatte Schwierigkeiten damit, meine Hände zu beruhigen und meine Tasse festzuhalten. »Er scheint immer so gern auf der Farm zu sein.«

»Weshalb auch nicht? Er kommt nur, wenn er kommen will. Nie kostet es ihn irgendetwas. Meine Anstrengungen sind ihm vielleicht nicht gleichgültig, aber es sind nicht seine eigenen.«

Sie sprach von Verpflichtung – sie wollte ihn ganz und für immer haben –, schien jedoch nicht zu begreifen, wie sehr sie Denys damit einengen würde. Sie konnte ein Versprechen nicht erzwingen. Er würde freiwillig zu ihr kommen oder gar nicht. Nach allem, was ich mit Jock durchgestanden hatte, waren Denys und ich uns in dieser Hinsicht ziemlich einig.

»Warum versuchen Sie es immer weiter?«

»Weil ich zu keinem anderen Zeitpunkt so glücklich bin, wie wenn er bei mir ist. Dann wird alles um mich herum erträglicher. Wenn ich über den Rasen gehe und seine Musik aus dem Grammophon vernehme oder durch die Tür trete und seinen Hut am Haken erblicke, erwacht mein Herz mit einem Satz wieder zum Leben. Zu allen anderen Zeiten schlafe ich.«

»Mir kommen Sie äußerst lebendig vor.«

»Nur, weil Sie mich nicht kennen. Nicht so wie Denys.«

Ich saß, lauschte Karens traurigen, wunderschönen Worten und wollte sie hassen – ihre eleganten Stühle und Teppiche. Ihre seltenen weißen Lilien, ihr Gesichtspuder und ihren dramatischen Kajalstrich. Es war falsch von ihr, Denys an eine Leine legen zu wollen, aber wollte ich ihn denn nicht auch? In dieser Hinsicht waren wir miteinander verwandt, enger als Schwestern, und uns zugleich unwiderruflich entfremdet.

Bevor ich das Hotel verließ, suchte ich Blix an der Bar auf, um mich von ihm zu verabschieden.

»Wie geht es Ihnen wirklich?«, fragte er. In seinem Tonfall lag eine Feinfühligkeit, die ich noch nie bei ihm wahrgenommen hatte.

»Ich halte durch.« Ich straffte die Schultern, um ihm zu zeigen, dass er sich um mich keine Sorgen zu machen bräuchte. »Wissen Sie, Cockie hat mir in London das Leben gerettet.«

»Sie ist ein wunderbares Mädchen.«

»Sie ist phantastisch. Wenn Sie sie nicht heiraten, werde ich es tun.«

»Sie haben recht.« Er lachte, was kleine Fältchen um seine Augen herum erscheinen ließ. »Mein Plan ist, es zu vollbringen, wenn sie zurückgekehrt ist. Falls sie bis dahin nicht zur Vernunft gekommen ist.« Er lachte erneut und blickte mich über den Rand seines Glases hinweg an. »Ich werde derjenige sein, der Weiß trägt.«

»Und Dr. Turvy? Ich nehme an, er wird auch zugegen sein.«

»Ja. Er hat versprochen, die Braut zum Altar zu führen.«

43.

Ich trainierte Wrack fieberhaft. Das St. Leger würde Anfang August stattfinden, also blieben mir nur noch wenige kostbare Monate, um ihn in Bestform zu bringen – doch dann passierte das Schlimmstmögliche. Nach Wracks jüngsten Erfolgen hätte Ogilvie von meiner Eignung als Trainerin überzeugt sein sollen, aber seine Freunde hatten begonnen, auf ihn einzuflüstern. Wie konnte er einem Mädchen zutrauen, Wrack seinem größten Ruhm entgegenzuführen? Für irgendein x-beliebiges Rennen in Nakuru, in Ordnung, aber für das St. Leger? Wollte er das wirklich riskieren?

So kam es, dass ich weniger als drei Monate vor dem Rennen meines Lebens plötzlich ohne Pferd dastand. Ich konnte kaum noch klar denken oder sehen. In dem Jahr, in dem Wrack bei mir gewesen war, hatte ich ihm alles gegeben. Seine Fähigkeiten, sein Können und seine Augenblicke des Ruhms gehörten mir, denn ich hatte jedem Streckenabschnitt und jeder donnernden Kurve meinen Stempel aufgedrückt. Nun ließ mich sein Verlust mit leeren Händen zurück. Ich war ausgehöhlt.

»Was sollen wir jetzt tun?«, fragte ich Ruta. Wir saßen auf Heuballen oben auf der Tribüne, nachdem die Sonne untergegangen und die Arbeit des Tages verrichtet war. Die samtene Nacht legte sich über uns, sanft und tödlich.

»Wir haben noch ein halbes Dutzend andere Pferde.«

»Ja, aber nur für die kleineren Rennen. Ich weiß, dass wir ein paar von denen gewinnen können, aber den Klassiker, das einzige Rennen, das wirklich etwas bedeutet?«

»Wir müssen darüber nachdenken«, sagte er und blickte in die Nacht hinaus. »Es gibt vieles, das wir noch nicht wissen.«

»Alle anderen Besitzer werden mitbekommen, dass Ogilvie uns Wrack weggenommen hat. Und wenn er trotzdem gewinnt, ohne uns, dann werden sie ihm auf die Schulter klopfen und ihm dazu gratulieren, wie schlau er gewesen ist, wie vorausschauend.« Ich seufzte, raufte mir die Haare und zerbrach mir den Kopf, bis Ruta zu seiner Frau nach Hause zurückkehrte.

Als ich wieder allein war, lauschte ich dem pulsierenden Surren der Insekten und den entfernteren Geräuschen aus dem Stall. Wäre Denys irgendwo auf dem Kontinent, ganz gleich wo, so wäre ich zu ihm gerannt, nur um in seinen Armen zu liegen, meine Mitte zu spüren und zu wissen, dass ich irgendwie weitermachen könnte und Kraft und Mut auf dem Weg finden würde. Aber er war nicht da. Er war an keinem Ort, an dem ich ihn hätte finden können.

Ein paar Tage später war Ruta gerade mit Melton Pie ausgeritten, als Eric Gooch im Stall auftauchte. Er war ein Besitzer, den ich nicht besonders gut kannte – eine große, nervöse Erscheinung mit dem Tick, sich alle paar Minuten die Krawatte zu glätten. Ich kannte jedoch eine seiner Stuten. Wise Child stammte von Ask Papa ab, einer der besten Zuchtstuten meines Vaters. Wie Pegasus war sie in meine Hände geboren worden, ein Bündel glitschiger Wärme voller Verheißung. Durch ihre Adern floss das richtige Blut, um aus ihr eine ernsthafte Anwärterin auf Preisgeld zu machen, aber ein anderer Trainer hatte ihr zu früh zu viel abverlangt. Ihre fragilen Sehnen waren auf dem falschen Untergrund gravierend geschädigt worden. Nun konnte sie kaum noch einen Reiter tragen, so perfekt ihr Stammbaum auch sein mochte.

»Ihre Beine könnten wieder aufgebaut werden«, behauptete Eric. »Mit der richtigen Sorgfalt.«

»Das mag sein«, stimmte ich zu. »Aber innerhalb von zwölf Wochen?«

»Sie ist eine Kämpferin. Und, ich weiß nicht …« Er glättete seine Krawatte erneut, während sein Adamsapfel darüber lächerlich auf und ab hüpfte. »Ich habe so eine Ahnung, dass Sie schon wissen würden, was Sie mit ihr zu tun hätten.«

Er spielte auf meinen Jahre zurückliegenden Erfolg mit Ds Pferd Ringleader an, der unter einer ähnlichen Verletzung gelitten hatte. Ich hatte ihn am Ufer des Elmenteita trainiert, woraufhin er zurückgekehrt war, um zu rennen und zu gewinnen. Allerdings hatte damals weder die Zeit so gedrängt, noch stand meine Karriere auf dem Spiel. »Ich will keine irrwitzigen Versprechen geben«, sagte ich. »Um die Wahrheit zu sagen, kann es sein, dass sie niemals wieder ihrem Potential gerecht werden oder gar ein klassisches Rennen gewinnen wird. Aber die Möglichkeit dazu besteht.«

»Dann werden Sie sich ihrer also annehmen?«

»Ich werde es versuchen. Mehr kann ich nicht tun.«

Am nächsten Tag kam Wise Child zu uns, mit ihren hübschen, sanften Augen, ihrem Kampfgeist und jenen Beinen, die mir beinahe das Herz brachen. Man hatte ihr großen Schaden zugefügt, so dass sie nun sorgfältige Pflege benötigte. Wir durften in den nächsten zwölf Wochen keinen einzigen Fehler begehen.

Wie der Elmenteita hatte auch der Nakurusee einen Ufergürtel aus dickem, nachgiebigem Schlamm. Dorthin brachten wir Wise Child, um sie in allen Gangarten zu trainieren. Manchmal ritt Ruta sie, manchmal bewegte ich sie vom Trab in einen leichten und schließlich in einen schnelleren Galopp. Eine rosarote Flut aus Flamingos schreckte um uns herum auf und ließ ihre hölzernen Laute ertönen. Zehntausende Vögel erhoben sich gleichzeitig in die Luft und schwebten dann wieder herab, ließen sich lärmend nieder, nur um sogleich wieder aufzuschrecken. Sie wurden zu unseren Zeitmessern. Sie allein waren Zeugen einer Art von

Zauberei, durch die Wise Child immer stärker und selbstsicherer wurde. Sie war verletzt und beinahe gebrochen worden. Man konnte immer noch ihre Angst erkennen, mit der sie jeden Morgen vorsichtig die ersten paar Schritte tat, als ob im Schlamm Messer auf sie lauern könnten. Aber sie hatte den Mut einer Kriegerin. Wenn sie sich nun öffnete, konnten wir das Vertrauen und die Einsatzbereitschaft in ihr wahrnehmen, und noch etwas anderes, das über reine Geschwindigkeit hinausging.

»Diese Muskeln«, sagte Ruta, als er ihr im Stall das seidige Fell bürstete. »Diese Muskeln können Berge versetzen.«

»Ich glaube, dass du recht hast, Ruta, aber es jagt mir auch Angst ein. Sie ist in Höchstform. Sie ist so bereit, wie sie nur sein kann, dennoch braucht es nicht viel, um diese Beine versagen zu lassen. Es könnte am Tag des Rennens geschehen. Oder auch schon morgen.«

Ruta fuhr mit seiner Arbeit fort, die steife Bürste glitt über ihr glänzendes, wie flüssig aussehendes Fell. »All das ist richtig, aber Gott lebt in ihr. Ihr Herz ist wie ein Speer. Wie ein Leopard.«

Ich lächelte ihn an. »Welches von beiden denn nun, Ruta? Ein Speer oder ein Leopard? Weißt du, manchmal klingst du noch genauso wie damals als Kind, als du damit geprahlt hast, wie viel höher du springen konntest als ich.«

»Ich kann immer noch springen, Beru.« Er lachte. »Sogar heute noch.«

»Das glaube ich dir, mein Freund. Habe ich dir in letzter Zeit schon gesagt, wie unglaublich froh ich bin, dass du hier bist?«

Ich wusste, dass Ruta und ich für immer zusammenbleiben würden, bis ganz zum Schluss. Doch sosehr Loyalität, Gott oder Magie auch in die Wochen unseres Trainings mit Wise Child einflossen, sollten sich menschliche Schwäche und Angst doch als stärker erweisen. Drei Tage vor dem Rennen suchte Eric mich auf. Seine Frau hatte uns eines Abends im Club unsere Köpfe ein wenig zu eng zusammenstecken sehen, als wir über Wise Child und ihre Möglichkeiten sprachen, und ihm nun ein Ultimatum gestellt.

»Sie oder meine Frau«, würgte er hervor und klammerte sich an seine Krawatte, bis ich sie ihm vom Hals reißen wollte.

»Aber zwischen uns läuft doch nichts! Können Sie ihr das nicht sagen?«

»Das würde nichts bringen. Sie muss mehr bedeuten als das Pferd oder irgendetwas anderes.«

»Seien Sie doch nicht töricht! Wir haben es fast geschafft. Nehmen Sie mir Wise Child nach dem Rennen weg, wenn es denn sein muss.«

Er schüttelte den Kopf und schluckte. »Sie kennen meine Frau nicht.«

»Das wird mich ruinieren, Eric. Ich habe mich für Ihr Pferd abgerackert. Das ist mein Rennen. Sie wissen ganz genau, dass Sie mir das schuldig sind.«

Er lief bis zu den Ohrenspitzen rot an und schlich sich dann wie ein Feigling davon.

Als Sonny Bumpus gemeinsam mit einem Stallburschen später an diesem Vormittag vorbeikam, um Wise Child mitzunehmen, war ich völlig außer mir. Ich hatte Sonny selbst schon als Jockey beschäftigt und kannte ihn seit unserer Kindheit, seit meinen schrecklichen Jahren im Internat in der Stadt. Damals hatten wir Tische hintereinander aufgereiht, um Hindernisrennen zu spielen. Nun war er einer der besten Reiter in der Kolonie, und es war nicht schwer zu erraten, dass Eric ihn gebeten hatte, Wise Child zu reiten, und dass sowohl Sonny als auch mein Pferd ganz reibungslos dem neuen Trainer übergeben wurden.

»Sag mir, weshalb das geschieht, Sonny. Du weißt, wie hart ich gearbeitet habe.«

»Es ist wirklich eine Schande, Beryl. Wenn ich eine Wahl hätte, würde ich sie nicht annehmen. Ich war ganz darauf eingestellt, Wrack zu reiten, aber nun ist er zusammengebrochen. Er wird wieder an den Start gehen, aber nicht dieses Mal.«

»Wrack ist aus dem Rennen?«

»Für den Moment, ja.«

»Dann gewinnt Wise Child mit Sicherheit. Verdammt noch mal, Sonny. Ich brauche das!«

»Ich weiß nicht, was ich sagen soll, Kleine. Gooch wird seine Meinung wahrscheinlich nicht mehr ändern.« Er biss die Zähne hart zusammen, was die Muskeln in seinem Kiefer spielen ließ. »Eins sage ich dir aber, alle auf der Rennbahn werden wissen, was Sache ist. Du hast die Arbeit mit ihr getan. Ich darf sie lediglich reiten.«

Als er fort war, starrte ich die Wand an, während mein Herz in meiner Brust bebte. In meinem Leben hatte es Zeiten gegeben, in denen ich diese Art von Quittung verdient haben mochte. Ich konnte nicht so tun, als wäre dem nicht so. Erics Frau hatte sicherlich einiges an Tratsch über mich gehört, dabei hatte ich ihn nicht einmal angerührt. Ich hatte mich um Wise Child gesorgt, hatte sie gehegt und gepflegt, hatte sie geliebt. Nun hatte man sie aus meinem Stall geholt, hatte sie mir entrissen.

Nicht einmal Ruta konnte mit mir sprechen.

44.

Am Startpfosten wogen und stampfen zehn Pferde, ihre Jockeys so leicht und glänzend wie Federn. Sie sind bereit loszurennen, sie können es kaum noch erwarten, und als der Starter das Signal gibt, preschen sie vor. Ruta steht hinter mir in Delameres Loge. Wir beide spüren Wise Child auf dem Feld, bebend wie Musik. Jedes Pferd ist prachtvoll. Jedes hat seine Geschichte und seinen hervorragenden Willen, Blut und Muskeln, saubere Beine und einen fliegenden Schweif – aber keins von ihnen ist wie sie. Keins von ihnen hat ihre Stärke.

Sonny weiß, wie er nach und nach alles aus unserer jungen Stute herausholen kann. Ein pulsierender Takt nach dem anderen. Er erahnt intuitiv, wann er sie drängen und wann er sie zurückhalten muss, oder sie in eine offene, beinahe verschwindend kleine Lücke dirigieren. Sie läuft schnell und flüssig und verfügt noch über etwas anderes, etwas Unbestimmbares – aber wird es genug sein?

Bald sind alle Zuschauer auf der Tribüne aufgesprungen und recken die Hälse, um einen Blick auf bunte Seide über wirbelnden Beinen zu erhaschen, ganz gleich, wie hoch oder geringfügig ihre Einsätze sind. Nichts davon zählt. Das Geld ist nebensächlich, etwas zum Spielen, Muscheln auf einem Tisch. Die Pferde dagegen – die Pferde leben, und Wise Child ist beseelter und lebendiger, als sie es jemals war oder sein wird. Sie holt einen schwarzen Hengst ein, dann einen Fuchs und eine junge, cremefarbene Stute. Flanken und Absperrungen, Schatten und seidige, animalische Anmut. In der letzten Kurve liegt sie in Führung. Zuerst nur eine Nasen-, dann eine Körperlänge. Zwei.

Ruta legt mir eine Hand auf die Schulter. Mein Magen hüpft in meinen Hals, meine Ohren. Die Menge aus Tausenden macht kein einziges Geräusch, zumindest höre ich nichts. Irgendwo sieht Eric Gooch gemeinsam mit seiner Frau zu und ist überwältigt, sein Pferd ganz vorne zu sehen. Aber er wird nicht erkennen, was ich sehe. Niemand außer mir, Ruta und Sonny weiß danach Ausschau zu halten. Wie Wise Child sich von der Absperrung fort zur Seite neigt. Ein Verhaken, ein Stocken, ein flackerndes Schwanken, das weniger als den Bruchteil einer Sekunde andauert. Ihre Beine versagen. Sie haben alles für sie getan, was sie können.

Als das Feld hinter ihr aufholt, taumele ich rückwärts, gegen Rutas Brust. Ich spüre sein gleichmäßig trommelndes Herz mit meinem ganzen Körper, den Takt einer längst vergangenen Ngoma, das Hämmern von Arap Mainas Faust gegen die gespannte Tierhaut seines Schildes, und so kann ich den Rest des Ganzen ertragen, während ich weinen und schreien und zu ihr laufen möchte, um das Rennen zu stoppen. Alles. Kann die Welt denn nicht sehen, dass sie alles von sich auf diese Rennbahn geworfen hat und dass es doch nicht ausreicht?

Dann, irgendwie, aus einem Ort jenseits von Vernunft oder Strategie, bricht sie nach vorn, befreit von den Schwachstellen und Rätseln ihres Körpers. Allein ihr Mut trägt sie über die letzte Distanz hinweg. Allein ihr Schneid. Als ihre Brust das Zielband zerreißt, bricht die Menge in einen einzigen kollektiven Jubel aus. Selbst die Verlierer haben mit ihr triumphiert, denn sie hat ihnen mehr als nur ein Rennen geboten.

Alles verschwimmt in einem Meer aus in die Luft geworfenen Tickets und Körpern, die sich gegen die Absperrungen und vor dem Tor drängen. Die Band beginnt zu spielen. Nur Ruta und ich sind ganz still. Unser Mädchen hat nicht nur gewonnen. Mit diesen Beinen, mit kaum mehr als ihrem Herzen, hat sie den Rekord des St. Leger gebrochen.

45.

Noch im hohen Alter, als er sowohl Pferde als auch Afrika längst hinter sich gelassen hatte, bewahrte Sonny Bumpus immer noch ein silbernes Zigarettenetui in seiner Tasche auf, in das ich für ihn Wise Childs Namen und das Datum unseres St. Leger hatte eingravieren lassen. Er zog es gern hervor, strich mit dem Daumen über die warme, glänzende Oberfläche und war stets bereit, jedem, der es hören wollte, vom Ritt seines Lebens zu erzählen und davon, wie ich die nahezu lahmgelegte Wise Child dazu gebracht hatte, einen der größten Siege in der Geschichte des Rennsports davonzutragen.

Sonny war einer der Guten. Er hatte seinen Moment des Höhenfluges ausgekostet, aber den größeren Teil des Ruhmes überließ er mir. Und auch wenn Eric Gooch nie wieder angekrochen kam, um mir Wise Child zurückzugeben oder mir auch nur zu danken, waren fast alle in der Kolonie bereit, meine Fähigkeiten zu loben. Später in jener Saison errangen Ruta und ich noch eine Reihe bestätigender Siege: Welsh Guard triumphierte in Eldoret; Melton Pie siegte beim Christmas Handicap, und unser eigener Pegasus gewann bei drei Gymkhanas in Folge Gold.

Im Februar begann ich, Dovedale zu trainieren, ein Pferd von Ben Birkbeck. Als ich mich in Ds Hotel in Nakuru mit ihm traf, um unsere Strategie zu besprechen, hing Ginger Mayer an seinem Arm. Ich war ihr seit Karens Jagdgesellschaft kaum begegnet, aber nun sah sie ganz reizend und glücklich aus, das leuchtend rote Haar auf einer Seite mit einer juwelenbesetzten Klammer zurückgesteckt, ihre blasse Haut makellos. An ihrer linken Hand glänzte ein riesiger Perlenring, also waren sie und Ben anscheinend verlobt. Sie hatte offenbar keine Zeit verloren, da seine Scheidung von Cockie erst vor wenigen Monaten vollzogen worden war.

»Die Hochzeit wird hier im Hotel stattfinden«, sagte Ginger und tippte sich dabei kokett mit den Fingerspitzen aufs Schlüsselbein, direkt über dem blaugrünen Seidenkragen ihres Kleides.

Nichts von alldem hätte mich überraschen dürfen. Das Leben in der Kolonie war so eng und begrenzt, dass dieselben Leute immer wieder in unterschiedlichen Kombinationen auftauchten. Natürlich heiratete Ginger Ben. Wen gab es denn schließlich sonst noch? Aber sollte ich jemals mit Gleichmut betrachtet haben, wie die Dinge hier liefen, so war ich nun dabei, ihn zu verlieren. Es war, als sähe man zu, wie das Rad der Fortuna sich immer wieder drehte – und dabei ständig Körper abwarf, die sich bemühten, wieder hinaufzugelangen, und sich verzweifelt festklammerten. Ich selbst war oft genug gefallen und fühlte mich nun ausgelaugt. Ich war auch nicht ganz auf dem Damm. Das Wetter war in der letzten Zeit so trocken gewesen, dass mein Hals angefangen hatte, beim Schlucken zu kratzen. Meine Ohren schienen mit glühender Watte verstopft zu sein. Meine Augen brannten.

»Sie sollten meinen Arzt in Nairobi aufsuchen«, beharrte Ginger später.

»Unsinn«, erwiderte ich. »Mir wird es besser gehen, sobald es wieder regnet.«

»Sie arbeiten jetzt für mich.« Sie lachte und tat nur so, als meinte sie es ernst. »Versprechen Sie mir einfach, dass Sie zu ihm gehen werden.«

Bis ich nach Nairobi kam, hatte das Fieber bereits Besitz von mir ergriffen. Ich hatte Schüttelfrost und fragte mich, ob die Malaria mich nun doch noch erwischt hatte, oder

der Typhus oder das Schwarzwasserfieber oder irgendeine andere der tödlichen Krankheiten, die die Siedler in Kenia seit fünfzig Jahren heimsuchten. Gingers Arzt wollte mich direkt in ein Eisbad tauchen. Anscheinend hatte ich eine Mandelentzündung, und er wollte mich operieren.

»Ich mag Ärzte nicht«, erklärte ich ihm, indem ich nach meiner Jacke griff. »Ich werde mein eigenes Blut behalten, vielen Dank.«

»Die Infektion wird nicht verschwinden. Wenn Sie nichts dagegen unternehmen, wird es eitern. Sie möchten doch wohl nicht das Mädchen sein, das an kaputten Mandeln stirbt, oder?«

Also operierte er. Ich wehrte mich nur ganz leicht, als mir der in Äther getränkte Papierkegel über die Nase gestülpt wurde. Alles drehte sich und fiel in Dunkelheit, und als ich schließlich wieder zu mir kam, wie durch einen dichten Nebel mein Bewusstsein wiedererlangte, da sah ich Denys' vertrautes Gesicht, um das das Licht, das durch die unregelmäßigen Ritzen der Rollläden fiel, eine Art verwischten Heiligenschein bildete.

»Du bist wieder da«, krächzte ich.

Er klopfte sich gegen seinen eigenen Hals, um mir zu bedeuten, ich solle nicht sprechen. »Ginger hat mich schwören lassen, dass ich dich besuche. Ich glaube, sie hatte Angst, ihr Arzt könne dich kaltmachen wollen.« Er lächelte reuevoll. »Ich bin froh, zu sehen, dass er es nicht getan hat.«

Hinter ihm machte sich eine Krankenschwester mit einem steifen dreieckigen Hut am Bettzeug eines anderen Patienten zu schaffen. Ich wünschte mir, sie würde gehen und uns allein lassen. Ich wollte ihn fragen, wie es ihm ergangen war und ob er mich vermisst hatte und was nun geschehen würde. Unter den gegebenen Umständen konnte ich jedoch kaum auch nur schlucken.

»Tania wäre auch gekommen, aber es geht ihr nicht gut«, sagte er. »Auf der Farm ist die Lage aussichtslos, sie ist so niedergeschlagen, dass ich Sorge habe, sie könnte sich etwas antun.« Als er sah, wie sich meine Augen weiteten, erklärte er: »Sie hat schon früher damit gedroht. Weißt du, ihr Vater ist auf diese Weise gegangen.« Er verstummte nachdenklich, und ich konnte sehen, wie er um jedes Wort rang. Denys fiel es nicht leicht, über Herzensdinge zu sprechen, außerdem war da das komplexe Puzzle unserer Verbindungen. Er wollte eindeutig nicht mit mir über Karen sprechen, dennoch war ich von beiden Seiten tief in die Sache verstrickt.

»Ich habe dafür gesorgt, dass eine Nachbarin, Ingrid Lindström, bei ihr bleibt, wenn ich auf Safari unterwegs bin«, fuhr er fort. »Tania sollte jetzt nicht allein sein, und sie sollte sich über nichts Sorgen machen.«

»Sie darf nichts von uns erfahren«, riskierte ich zu flüstern. »Das verstehe ich.« Natürlich tat ich das.

Er wandte den Blick ab und betrachtete den Schatten meines Bettgitters, der sich auf der unebenen Wand abzeichnete. Die dunklen, schrägen Striche sahen aus wie die Gitterstäbe einer Gefängniszelle. »Ich scheine nie zu wissen, was ich zu dir sagen soll, Beryl.«

»Dann ist das also unser Abschied.«

»Fürs Erste.«

Ich schloss die Augen und spürte, wie die Ranken der Erschöpfung mich hinabziehen wollten in einen medikamentengeschwängerten Schlaf. Ich hatte immer gewusst, dass ich Denys nicht haben konnte, dennoch hatte ich geglaubt, wir könnten weitermachen wie bisher, uns so viel Zeit wie möglich stehlen und jeden einzelnen fabelhaften Moment voll auskosten. Aber das war nun vorbei. Es musste so sein.

»Beryl«, hörte ich ihn sagen, aber ich antwortete nicht. Als ich später erneut aufwachte, war der Raum dunkel und er verschwunden.

Ginger holte mich in der nächsten Woche ab und brachte mich zurück zu meiner Unterkunft in Nakuru, damit ich die Zugfahrt nicht über mich ergehen lassen musste. Mein Hals schmerzte, und die Begegnung mit Denys hatte mich betrübt und wund zurückgelassen. Ob er Karen nun heiratete oder nicht, sie waren zu eng und auf zu komplizierte Weise miteinander verbunden, um jemals voneinander loszukommen. Irgendwie würde ich einen Weg finden müssen, ihnen Glück zu wünschen. Ich mochte sie beide, so verwirrend es auch war.

»Sie sind immer noch nicht ganz auf der Höhe, oder?«, fragte Ginger. Ich hatte die ganze Zeit geschwiegen und nur auf die Straße geschaut, die vor dem Wagen anstieg und wieder abfiel, während die Reifen manchmal so hart über die Spurrillen holperten, dass meine Zähne klapperten. »Ich sollte mich nicht einmischen«, fuhr sie taktvoll fort. »Denys ist so ein liebenswürdiger Mensch, nicht wahr?«

Ich sah sie schräg an und fragte mich, was sie wohl wusste und aus welcher Quelle. »Wir sind selbstverständlich gute Freunde.«

»Er gibt sich solche Mühe mit Tania.« Sie umklammerte das Lenkrad mit ihren blassgelben Ziegenlederhandschuhen. »Aber ich bin mir nicht sicher, ob er tatsächlich in der Lage ist, irgendeinen anderen Menschen in den Mittelpunkt zu stellen.«

Offen gesagt, überraschte Ginger mich. Bislang hatte ich sie immer nur über oberflächliche Dinge wie Spitze und Taillen, Verlobungen und Puddings plaudern hören. Ich bevorzugte dieses echte Gespräch. »Viele sind dazu nicht in der Lage«, meinte ich. »Muss Liebe wirklich immer gleich aussehen, um zu zählen?«

»Sie verstehen viel mehr von der ganzen Sache, als ich es je tun werde.«

»Wirklich? Sie und Ben hatten auch nicht gerade ein konventionelles Liebeswerben.« Ich schluckte, spürte kleine Messerstiche und wünschte mir, ich hätte Eis oder gekühlte Vanillesauce für meinen Hals, oder dass der Staub sich legen würde. »Entschuldigen Sie. Ich wollte nicht gemein sein. Ich wünsche Ihnen beiden wirklich das Beste.«

»Schon in Ordnung. Ich habe lange auf ihn gewartet, ohne zu wissen, ob er jemals frei sein würde. Ist das nun Dummheit oder Mut?«

»Ich weiß es nicht«, antwortete ich. »Vielleicht ist es beides.«

46.

Nachdem Ginger und Ben verheiratet waren, begann sie, auf ihrer Farm Mgunga Gastgeberin zu spielen, und schien dabei besonders versessen auf Gäste oder Besucher, die neu in Afrika waren. Sie gab mit Vorliebe Dinnerpartys, stets perfekt zurechtgemacht in Seidenkleid und einer Perlenkette, die fast bis zu ihren Knien hinunterbaumelte. Ich besaß ein paar Kleidungsstücke, die ich für eine vornehme Gesellschaft hervorkramen konnte, trug aber stattdessen eigentlich meist Hosen und ein steif gebügeltes Herrenhemd. Diese Kombination wählte ich auch für eine Abendgesellschaft, die sie im Juni gab, in Gedanken ganz damit beschäftigt, wie seltsam es war, als Gast wieder nach Njoro eingeladen zu sein. Ihr Anwesen lag keine Meile von Green Hills entfernt, und als ich in meinem neuen Wagen die vertraute Straße entlangfuhr, stieg Nostalgie in mir auf. Nur wenig hatte sich verändert und zugleich alles.

Sir Charles und Mansfield Markham waren Brüder. Sie waren auf der Suche nach einem Ort zum Überwintern für ihre wohlhabende Mutter, die die feuchte Kälte Londons satthatte, nach Kenia gekommen. Sie fanden einen passenden Rohbau einer Villa ganz in der Nähe des Rongai Valley, wo Ginger auf sie gestoßen war. Wenn sie die beiden erst einmal ausreichend gefeiert hatte, würden sie zu einer Safari aufbrechen, um mit Blix Elefanten zu jagen.

Mansfield war zweiundzwanzig, glattrasiert und elegant. Seine Haut wirkte so weich wie Butter, seine Hände waren milchig weiß, ohne die geringste Spur von Abnutzung. Beim

Abendessen bemerkte ich, wie er mich beobachtete, während sein Bruder ganz von der Servierplatte voller Gazellensteaks eingenommen zu sein schien. Ich brachte es nicht übers Herz, Charles mitzuteilen, dass es hier nur wenig Abwechslung gab und er aller Wahrscheinlichkeit nach monatelang nichts anderes essen würde.

»Meine Familie stammt aus Nottinghamshire«, erzählte Mansfield mir, während er mit seinen gepflegten Fingernägeln am schweren Boden seines Wasserglases entlangfuhr. »Wie Robin Hood.«

»Sie wirken nicht besonders verwegen.«

»Nein? Ich gebe mir Mühe.« Er lächelte und zeigte dabei seine hübschen Zähne. »Ginger hat mir erzählt, dass Sie Pferde trainieren. Das ist ungewöhnlich.«

»Ist das eine höfliche Weise, um *maskulin* zu sagen?«

»Äh, nein.« Er lief rot an.

Später saß ich ihm bei einem Brandy im Wohnzimmer gegenüber, wo er mir erklärte, was er zuvor gemeint hatte. »Ich bin tatsächlich selbst nicht allzu maskulin. Als Junge war ich kränklich und habe zu viel Zeit mit unserem Gärtner verbracht, von dem ich die lateinischen Namen aller Pflanzen gelernt habe. Ich gärtnere noch heute zum Vergnügen. Zu Weihnachten schenkt meine Mutter mir Sets weißer Taschentücher, während Charles von ihr Gewehre bekommt.«

»Taschentücher sind nützlich.«

»Ja.« Um seine Augen bildeten sich Lachfältchen. »Aber womöglich nicht in Kenia.«

»Was würden Sie sich stattdessen aussuchen?«

»Für mich? Ich weiß es nicht. Vielleicht das, was Sie hier alle haben. Dieses Land ist wirklich wundervoll. Ich habe das Gefühl, es könnte aus jedem das Beste herausholen.«

»Ich wollte noch nie irgendwo anders sein. Ich bin direkt auf der anderen Seite des Hügels aufgewachsen. Mein Vater hatte dort den herrlichsten Pferdestall. Er war mein ganzes Leben.«

»Was ist damit geschehen?«

»Geldprobleme. Aber es ist unhöflich, von solchen Dingen zu sprechen, nicht wahr?«

»Es ist real. So empfinde ich es zumindest.«

Ich wusste nicht, weshalb ich mich in Mansfields Gesellschaft so wohl fühlte, aber es dauerte nicht lang, und ich erzählte ihm bereits die Geschichte, wie einmal ein aufgebrachter Zuchthengst Wee MacGregor angegriffen hatte, während ich auf ihm saß. Die beiden waren aufeinander losgegangen, als würde ich überhaupt nicht existieren. Es schien um Leben und Tod zu gehen, aber dann ließen sie genauso plötzlich wieder voneinander ab.

»Hatten Sie keine Angst?«

»Natürlich … aber es faszinierte mich auch. Es fühlte sich an, als würde ich etwas Privates und Seltenes miterleben. Die Tiere hatten mich vollkommen vergessen.«

»Sie haben viel mehr von Robin Hood als ich, nicht wahr?«, fragte er, nachdem er mir interessiert zugehört hatte.

»Würden weiße Taschentücher mich retten?«

»Ich hoffe nicht.«

Am nächsten Tag, nachdem die Markham-Brüder abgereist waren, um sich Blix anzuschließen, fuhr ich für ein paar Tage nach Nairobi, um dort Geschäftliches zu erledigen. Ich hatte ein Zimmer im Club reserviert und kehrte an jenem ersten Abend dorthin zurück, um zu meiner Überraschung an der Bar Mansfield mit der besten Flasche Wein, die er hatte auftreiben können, anzutreffen.

»Da sind Sie ja«, rief er, deutlich erleichtert. »Ich dachte schon, ich hätte Sie verpasst.«

»Ich dachte, *Sie* wären auf der Suche nach einem Elefanten unterwegs.«

»Das war ich auch. Aber wir sind nur bis Kampi ya Moto gekommen, bevor ich Blix sagte, er solle den Lastwagen wenden. Ich müsse mich um ein Mädchen kümmern.«

Ich spürte, wie ich rot anlief. »Haben Sie das in einem Buch gelesen?«

»Verzeihen Sie. Ich wollte nicht anmaßend sein. Ich konnte bloß nicht aufhören, an Sie zu denken. Haben Sie schon Pläne fürs Abendessen?«

»Ich sollte lügen und behaupten, dass es so ist. Das würde Ihnen eine Lehre sein.«

»Vielleicht.« Er lächelte. »Vielleicht würde ich aber auch einfach noch einen weiteren Tag bleiben und Sie erneut fragen.«

So dreist er auch war, ich mochte Mansfield. Er organisierte uns einen Tisch in der dunkelsten Ecke des Speisesaals, schenkte mir immer wieder nach, bevor mein Glas auch nur halb leer war, während die einzelnen Gänge kamen und gingen, und beugte sich vor, um mir Feuer zu geben, sobald ich auch nur daran dachte, nach einer Zigarette zu greifen. Seine zuvorkommende Art erinnerte mich an Frank, doch er hatte keine Spur von Franks Derbheit.

»Mir haben Ihre Geschichten gestern gefallen. Ich schätze, ich wäre ein vollkommen anderer Mensch geworden, wenn ich hier aufgewachsen wäre, so wie Sie.«

»Was war denn verkehrt an Ihrem Los?«

»Zunächst einmal wurde ich zu sehr verhätschelt. Man kümmerte sich zu viel um mich, falls das Sinn ergibt.«

Ich nickte. »Ich hatte schon manchmal den Gedanken, dass ein bisschen weniger Liebe, als anderen zuteilwird, einen Menschen tatsächlich formen kann, statt ihn zu zerstören.«

»Ich kann mir kaum vorstellen, wie irgendjemand Sie nicht lieben könnte. Wenn ich nach Kenia ziehe, werden wir die besten Freunde sein.«

»Wie bitte? Sie werden sich hier einfach so niederlassen?«

»Warum nicht? Ich habe mich jahrelang treiben lassen und mich gefragt, was um alles in der Welt ich bloß mit meinem Erbe anstellen soll. Das hier erscheint mir endlich wie eine klare Richtung.«

Das Wort Erbe schien immer noch über dem Tisch zu flattern. »Ich konnte noch nie mit Geld umgehen«, gestand ich ihm. »Ich bin mir nicht sicher, ob ich es überhaupt begreife.«

»Das geht mir genauso. Vielleicht bleibt es deshalb an mir kleben wie Leim.«

Ich griff nach meinem Brandyglas und rollte es zwischen meinen Handflächen. »An mir bleibt bloß regelmäßig Ärger kleben … aber ich lerne gerade zu glauben, dass auch das einen Menschen formen kann.«

»Sie zwingen mich, es auszusprechen, nicht wahr?«

»Was?«

»Dass Sie ganz wunderbar geformt sind.«

Nach dem Essen folgte er mir auf die Veranda und zündete mir meine Zigarette mit einem schweren silbernen Feuerzeug an, in das seine verschnörkelten Initialen, MM, eingraviert waren. Dies gehörte offensichtlich zu den Vorzügen, ein Markham aus Nottinghamshire zu sein. Aber ich konnte erkennen, dass er auch umgeben von Schönheit aufgewachsen war. Und Kultur. Er verfügte über perfekte Umgangsformen und die Art von Optimismus, die auf dem Wissen basiert, dass man das Leben, wenn es im einen Augenblick nicht ganz den eigenen Vorstellungen entsprach, im nächsten gleich wieder ändern konnte.

Als er sich leicht vorbeugte, um seine eigene Zigarette anzuzünden, beobachtete ich die geschmeidigen Bewegungen seiner Hände und hatte das Gefühl, dass er etwas zutiefst Vertrautes an sich hatte. Dann kam ich darauf. In seinen präzisen Gesten und seiner dunklen, schlanken Erscheinung erinnerte er mich an Berkeley. Sein ungezwungen kultiviertes Benehmen. Die beiden waren aus demselben Holz geschnitzt.

Er blickte auf. »Was ist?«

»Nichts. Sie haben wunderbare Hände.«

»Tatsächlich?« Er lächelte.

Jenseits der rosafarbenen Terrasse breitete sich der kühle und dunkle Rasen aus. Glühwürmchen flogen mit schwermütigem, sehnsüchtig pulsierendem Flackern darüber hinweg. »Ich bin so unglaublich gern hier, besonders nachts. Es ist einer meiner Lieblingsorte.«

»Ich habe ein Zimmer«, sagte er, wobei er mich jedoch nicht ansah, sondern auf die glühende Spitze seiner Zigarette blickte. »Es ist der bezauberndste Raum, den Sie je gesehen haben. Ein separater kleiner Bungalow mit irgendjemandes hübschen Büchern überall und einem Tisch aus Elfenbein. Hätten Sie Lust, auf einen Schlummertrunk mitzukommen?«

Denys' Cottage. Er selbst schlief überhaupt nicht mehr dort, aber allein der Gedanke daran, dass es jemand anderem gehören könnte, sei es auch nur für eine Nacht, schnürte mir die Kehle zu.

»Das ist nett von Ihnen, aber ich fürchte, ich muss ablehnen. Zumindest für heute.«

»Ich war wieder anmaßend, nicht wahr?«

»Womöglich«, antwortete ich. »Gute Nacht.«

Am nächsten Nachmittag bat Mansfield mich, mit ihm hinaus nach Njoro zu fahren.

»Die Straßen sind fürchterlich«, warnte ich ihn. »Es wird den ganzen restlichen Tag in Anspruch nehmen.«

»Umso besser.«

Er verlor sein sonniges Gemüt auch nicht, als einer der Reifen auf der Straße mit einem derart lauten Knall platzte, als hätte jemand ein Gewehr abgefeuert. Er hatte offensichtlich noch nie einen Reifen gewechselt, also tat ich es, während er mir so staunend dabei zusah, als hätte ich den Ersatzreifen statt aus dem Gepäckraum aus meiner Hosentasche gezogen.

»Sie sind eine außergewöhnliche Frau«, sagte er.

»Es ist eigentlich ganz einfach.« Ich suchte nach irgendetwas, woran ich meine schmutzigen Hände abwischen konnte, musste mich jedoch schließlich mit meinen Hosenbeinen zufriedengeben.

»Im Ernst, Beryl. Ich bin noch nie jemandem wie Ihnen begegnet. Sie bringen mich dazu, etwas Überstürztes tun zu wollen.«

»Etwa, zu lernen, wie man einen Reifen wechselt?«, neckte ich ihn.

»Etwa, Ihnen eine Farm zu kaufen.«

»Wie bitte? Sie machen wohl Witze.«

»Ganz und gar nicht. Wenn die Möglichkeit besteht, sollten wir alle uns das zurückholen, was wir verloren haben. Außerdem wäre es nicht nur für Sie. Ich selbst würde wahnsinnig gern ein solches Leben führen.«

»Wir haben uns gerade erst kennengelernt.«

»Ich habe Ihnen doch gesagt, dass mir nach überstürzten Handlungen zumute ist«, erwiderte er. »Aber ich sollte Sie auch warnen, dass ich es äußerst ernst meine. Ich bin nicht der Typ Mann, der sich ziert, wenn er etwas sieht, was er haben möchte.«

Wir stiegen wieder in den Wagen und fuhren die nächsten paar Meilen schweigend. Ich wusste nicht, was ich von seiner Aussage halten sollte, und das wurde bald offensichtlich.

»Es ist Ihnen unangenehm«, bemerkte er nach einer Weile.

»Bitte verstehen Sie mich nicht falsch. Ich fühle mich wirklich geschmeichelt.«

»Aber?« Er lächelte mich von seinem Platz hinter dem Lenkrad aus an. »Ich ahne, dass eine große Einschränkung im Anmarsch ist. Dafür habe ich immer ein besonderes Gespür.«

»Ich bin einfach ein sehr stolzer Mensch. Sosehr ich mir auch wünsche, eine Farm wie Green Hills zu haben, könnte ich ein so großes Geschenk von Ihnen oder auch von irgendjemand anderem nicht annehmen.«

»Ich bin ebenfalls stolz«, erwiderte er. »Und auch stur. Es erscheint mir offensichtlich, dass wir beide dasselbe wollen. Wir könnten Partner in einer großen Unternehmung sein. Gleichermaßen eigenständige und gleichermaßen sture Partner.«

Darüber musste ich lächeln, doch ich sagte nichts mehr, bis wir zur Station Kampi ya Moto kamen und den steilen Hügel zu erklimmen begannen. Von unserer Farm war nichts mehr übrig außer ein paar mittlerweile verfallenen Nebengebäuden und schiefen Koppelzäunen – aber der Blick von unserem Hügel aus war noch immer derselbe.

»Es ist wunderschön«, sagte er, brachte den Wagen zum Stehen und schaltete den Motor aus. »Und all das hat Ihnen gehört?«

Dort waren meine Aberdares, die sich dunkelblau vor dem frischeren, blasseren Blau des Himmels erhoben. Der zackige Rand des Menengai-Kraters und der finstere Mau-Wald, der vor Leben vibrierte. Nicht einmal der Anblick der Ruinen des alten Hauses meines Vaters stimmte mich traurig, während ich alles andere in mich aufnahm. »Ja, das hat es.«

»Oh, das hätte ich beinahe vergessen«, rief Mansfield plötzlich. Er langte hinter sich und zog einen Eiskübel hervor, den er gut versteckt gegen den Rücksitz verkeilt hatte. Er war gefüllt mit lauwarmem Wasser und einer bauchigen Flasche, die schon lange jede Hoffnung auf Kühlung aufgegeben hatte. »Er wird mittlerweile wahrscheinlich abscheulich schmecken«, sagte er entschuldigend, als er den Korken knallen ließ.

»Das macht nichts«, gab ich zurück. »Ein teurer Freund meinte einst zu mir, Champagner sei in Kenia einfach obligatorisch. Sie scheinen also doch hierherzugehören.«

»Sehen Sie?« Er schenkte uns ein, in zwei einfache Gläser, die er mitgebracht hatte. »Worauf sollen wir anstoßen?«

Ich blickte an ihm vorbei auf die Aussicht, die sich für immer in mein Herz eingraviert hatte. »Wissen Sie, ich werde diesen Ort niemals vergessen, selbst wenn er mich eines Tages vergisst. Ich bin froh, dass Sie hierherkommen wollten.«

»Green Hills ist ein reizender Name. Wie sollen wir unsere Farm nennen?«

»Sie werden nicht damit aufhören, bis Sie mich mürbe gemacht haben, nicht wahr?«

»Ja, das habe ich vor.«

Ich sah ihn an, wie er mit seinen feinen glatten Händen und seinem hübschen Haarschnitt Berkeley so sehr ähnelte, und verspürte plötzlich das dringende Verlangen, ihn zu küssen. Als ich es tat, waren seine Lippen so weich wie eine Feder. Seine Zunge schmeckte nach Champagner.

47.

Mansfield hielt Wort und bezwang im Laufe der nächsten paar Monate nach und nach meine Zweifel und meine Abwehr. Die Farm war eine Sache – schließlich hatte ich mich schon immer nach einer Möglichkeit gesehnt, für Green Hills einen Ersatz in meinem Kopf und in meinem Herzen zu finden –, aber bald wurde mir klar, dass er außerdem vorhatte, mich zu heiraten.

»Meine Scheidung von Jock ist gerade erst durch. Du kannst doch wohl nicht ernsthaft glauben, ich sei wahnsinnig genug, mich erneut auf eine Ehe einzulassen?«

»Diesmal wird alles anders sein«, versicherte er mir. »*Wir* sind anders.«

Mansfield schien wirklich eine seltene Art von Mann zu sein. Er verhielt sich überhaupt nicht wie Jock oder Frank oder Boy Long und hörte sich obendrein alle Geschichten über meine heikle Vergangenheit an, ohne auch nur mit der Wimper zu zucken. Ich hatte beschlossen, nichts vor ihm geheimzuhalten – nicht einmal die Sache mit Denys und Karen. Das durfte ich nicht, wenn unsere Beziehung auch nur die geringste Chance haben sollte. So viel hatte ich gelernt, und zwar auf die schmerzhafte Weise.

»Liebst du Denys immer noch?«, hatte er wissen wollen.

»Er hat Karen gewählt. Ich kann nichts tun, um etwas daran zu ändern.« Ich sah, wie eine kleine düstere Wolke über Mansfields Gesichtsausdruck und seine Stimmung hinwegzog. »Bist du dir sicher, dass du dich mit mir einlassen willst? Mein Herz ist immer rastlos gewesen, und ich kann nicht versprechen, dass ich gut in all dem langweiligen Zeug sein werde, Kochen und so weiter.«

»Das hätte ich mir denken können.« Er lächelte. »Ich suche ebenso sehr nach einer Gefährtin wie nach einer Geliebten. Mein Leben ist von Zeit zu Zeit furchtbar einsam gewesen. Sag mir, Beryl, magst du mich?«

»Das tue ich. Ehrlich. Ich mag dich wahnsinnig gern.«

»Ich mag dich auch. Und damit werden wir anfangen.«

Wir heirateten vier Monate nachdem Ginger uns einander vorgestellt hatte, im September 1927. Mein Brautstrauß, den mir Karen auszusuchen half, bestand aus Lilien und weißen Nelken, die Wahl meines Kleides traf ich allerdings ganz allein und entschied mich für ein enganliegendes Kleid aus Crêpe de Chine mit schmalen Ärmeln und langen silbernen Fransen, die über dem Rock lagen wie ein Netz aus Sternen. Ich hatte mir das Haar für den Anlass spontan zu einem kurzen Bob schneiden lassen und mochte auf Anhieb, wie frei und kühl sich mein Nacken anfühlte.

D trat an die Stelle meines Vaters, um mich zum Altar zu führen, wobei er weinte und sich fortwährend das Gesicht mit seinen bereits feuchten Ärmeln abtupfte. Hinterher gab es ein elegantes Mittagsmahl im Muthaiga, und während alldem versuchte ich, in Gedanken nicht zu lange bei Denys zu verweilen. Er war unterwegs in Tsavo, danach in Uganda. Ich hatte ihm eine Einladung telegrafiert, jedoch keine Antwort erhalten. Ich wollte gern glauben, dass Eifersucht ihn schweigen und fernbleiben ließ, allerdings war es ebenso wahrscheinlich, dass meine Nachricht ihn überhaupt nicht erreicht hatte.

Ich gab all meine Pferde auf, verabschiedete mich von Ruta und brach dann mit Mansfield zu einer mehrmonatigen Hochzeitsreise nach Europa auf. In Rom wohnten wir in der Nähe der Spanischen Treppe im Hotel Hassler, das für mich aussah wie ein Palast aus dem neunzehnten Jahrhundert. Unser Bett war riesig und mit goldenem Samt bedeckt. Die Badewanne war aus italienischem Marmor. Der polierte Parkettfußboden glänzte wie ein Spiegel. Ich konnte nicht aufhören, mich kneifen zu wollen, um zu sehen, ob das alles nicht nur ein Traum war.

»Das George V. in Paris ist sogar noch vornehmer«, sagte Mansfield. Als wir dort waren und ich mit offenem Mund unseren privaten Ausblick auf den Eiffelturm und die Champs-Élysées bestaunte, meinte er, ich solle warten, bis ich erst das Claridge's in London gesehen hätte. Auch damit sollte er recht behalten. Wir fuhren in Mansfields Rolls-Royce vor, der prachtvoll genug war, um alle Portiers in Aufregung zu versetzen. Die Aufmerksamkeit und der glänzende Marmor, die Vasen voller Blumen und die drapierte Seide halfen, das Gespenst meines vorherigen Londonaufenthalts und meiner damaligen schlechten Verfassung zu vertreiben. Dies hier hatte nichts damit zu tun. Wann immer ich abdriftete und die Vergangenheit mir zu deutlich vor Augen trat, blickte ich auf unsere Schleppe aus Louis-Vuitton-Koffern.

Wir aßen Schnecken in Paris. Sauerkraut, garniert mit frischen Rosmarinzweigen. Schwarze Sepia-Spaghetti mit Muscheln in Rom. Noch besser als die Mahlzeiten waren die kulturellen Höhepunkte in jeder Stadt: die Oper, die Architektur, die Ausblicke und die Museen. Und wenn ich bei jeder neuen Sehenswürdigkeit und jeder unvergleichlichen Aussicht dachte, *Denys sollte hier sein*, dann versuchte ich, diese innere Stimme zu ignorieren. Zunächst einmal war es illoyal, und außerdem auch unmöglich. Denys hatte seine Wahl getroffen und ich meine – und Mansfield war ein guter Mann. Ich respektierte und bewunderte ihn durch und durch, und wenn die Liebe, die ich für ihn verspürte, auch nicht von der Sorte war, die mich mitten in der Nacht über einen Berg reiten ließ, war sie doch auf ruhige Weise verlässlich. Er blieb an meiner Seite. Er hielt meine Hand, bedeckte mich unablässig mit Küssen und sagte: »Ich bin so froh, dass wir einander gefunden haben. Ich kann kaum glauben, dass es wahr ist.«

Mansfield hatte seiner Mutter stets nahegestanden. Ich versuchte diese Beziehung zu verstehen, aber wie sollte ich dazu wirklich in der Lage sein? Er wollte unbedingt, dass sie mich mochte, und hielt es für wichtig, dass von Anfang an alles glattlief.

»Sie wird gewisse Erwartungen daran haben, wie du sein solltest«, erklärte er mir.

»Was meinst du damit?«

»Afrika ist Afrika. Wenn wir hier fertig sind, können wir uns dort verkriechen und uns so verhalten, wie wir möchten. Aber Mutter und ihre Freunde sind nicht besonders fortschrittlich in ihren Ansichten.«

Ich dachte, er spreche über Politik, bis wir plötzlich vor Elizabeth Arden standen. Er hatte mich dort für ein ganztägiges Schönheitsprogramm eintragen lassen und ließ mich allein vor der roten Tür zurück, bevor ich Zeit hatte, zu protestieren. Er selbst machte sich auf den Weg zur Bond Street und anschließend zu Harrods, während ich fast zu Tode gecremt und getupft wurde. Meine Augenbrauen wurden ausgezupft und mit Kajalstift neu aufgetragen. Meine Oberlippe und meine Beine wurden mit Wachs enthaart und eingeölt und meine Lippen mit dem tiefsten Rot bemalt, das ich je gesehen hatte.

»Wie um alles in der Welt sollte das deiner Mutter gefallen?«, fragte ich ihn, als die Prozedur überstanden war. Mit so viel Farbe im Gesicht fühlte ich mich ganz nackt und wollte mich am liebsten hinter meinen Händen verstecken.

»Es ist perfekt. Du siehst bezaubernd aus. Sie wird dir nicht widerstehen können!«

»Ich mache mir Sorgen … nicht darüber, dass sie mich vielleicht nicht mögen wird, sondern dass es dir so viel bedeutet. Das ganze Szenario.«

»Es wird alles gut werden«, versicherte er mir.

Und schon waren wir auf dem Weg nach Swiftsden, dem Herrenhaus, in dem Mansfields Mutter mit ihrem zweiten Ehemann wohnte, Colonel O'Hea. Er war fünfzehn Jahre jünger als sie, und keiner der Markham-Brüder konnte ihn ausstehen. Mir erschien er dick und schweigsam, während Mrs. O'Hea dick und voller Ansichten über alles und jeden war. Als ich versuchte, ihr die Hand zu schütteln, nahm sie nur meine Fingerspitzen an.

»*Enchantée*«, murmelte sie – obwohl sie nicht im Entferntesten erfreut wirkte – und ließ sich in ihrem besten Sessel nieder, um mir sogleich einen Vortrag über die Leistungen ihrer preisgekrönten Hunde zu halten.

Bei jenem ersten Tee konnte ich nicht aufhören, mir vorzustellen, wie Mansfields Mutter auf meinen Anblick reagiert hätte, wenn ich wie damals vor Cockies Tür aufgetaucht wäre, ohne Mantel, die Hände rissig und blau, die Zehen beinahe abgefroren. In Paris und Mailand hatte Mansfield mich zu den besten Couturiers gebracht. Nun besaß ich all die richtigen Kleidungsstücke. Seidenstrümpfe, eine Pelzstola, ein Diamantenarmband, das an meinem Arm auf und ab rutschte, wie einst Bishon Singhs *kara*. Mansfield war so großzügig gewesen. Ich hatte geglaubt, er wolle mir diese herrlichen Dinge einfach ihrer Schönheit wegen kaufen, doch nun, da ich den Spießrutenlauf bei Elizabeth Arden hinter mich gebracht hatte und bei seiner Mutter in deren Schmuckkästchen von einem Salon stand, musste ich mir die Frage stellen, ob nicht all die Geschenke eigentlich für sie gewesen waren.

»Sie kann mich doch wohl kaum für eine Dame der Gesellschaft halten«, meinte ich, als wir allein in unserem Zimmer waren. Er saß auf dem Rand der geglätteten Tagesdecke aus Seide, während ich mir an einem langen Frisiertisch mit einer silbernen Bürste grob durch meinen Bob fuhr. »Was soll das ganze Theater? Meine armen Augenbrauen werden nie wieder nachwachsen.«

»Sei nicht böse, Darling. Es ist nur für kurze Zeit, dann können wir uns wieder kleiden wie zuvor und ein wundervolles neues Leben beginnen.«

»Ich fühle mich wie eine Hochstaplerin.«

»Aber das bist du nicht, kannst du das denn nicht sehen? Das ist keine Verkleidung. Tief in deinem Inneren *bist* du elegant.«

»Und wenn ich meine Hosen tragen würde? Und mich benehmen würde wie ich selbst? Würde sie mich dann hinauswerfen?«

»Bitte habe Geduld, Beryl. Mutter ist nicht so modern wie du.«

Ich wollte mich nicht streiten, also sagte ich Mansfield, dass ich es versuchen würde. Aber am Ende konnten wir unsere Zeit in Swiftsden nur durch Arbeitsteilung überstehen. Mansfield kümmerte sich um seine Mutter, und der Chauffeur kümmerte sich um mich. Ich wurde zu langen Ausflügen nach London kutschiert und zu allen touristischen Attraktionen gebracht: London Bridge, Westminster Abbey und Big Ben. Ich sah die Wachablösung der königlichen Garde vor dem Buckingham Palace, bei der die Wachposten in ihren roten Anzügen wie von Zahnrädern getrieben heran- und abmarschierten. Hinterher ging ich ins Kino, um mir *Die Schlacht an der Somme* anzusehen, wobei mich der Projektionsapparat und die Illusion von Leben ebenso faszinierten wie so vieles an London – die elektrischen Lichter und Wasserkessel, die Musik, die aus einem Magnavox-Lautsprecher auf die Oxford Street strömte. Aber die Filmaufnahmen vom Krieg waren entsetzlich. Männer, die voller Angst und Schrecken in Gräben kauerten, ließen mich an Arap Maina denken und zu Gott beten, dass er nicht auf solche Weise gestorben war. Ich vermisste Ruta und wünschte, er könnte neben mir in diesem dunklen Kino sitzen, obgleich er zweifellos ebenso überwältigt von all dem gewesen wäre, wenn nicht gar noch mehr.

Ein paar Tage später wich Mansfield lange genug von der Seite seiner Mutter, um mich nach Newmarket zu bringen, wo wir uns einen Zuchthengst ansehen wollten. Mansfield dachte, wir würden uns vielleicht etwas frisches Blut für unseren Neuanfang besorgen wollen.

»Ich möchte, dass wir in dieser Sache echte Partner sind«, sagte er. »Wir werden uns Land suchen, wo immer du möchtest, und unsere Ställe mit den besten Pferden füllen, die wir finden können. Du wirst mir alles zeigen. Ich möchte von Grund auf alles lernen und an den großen Entscheidungen beteiligt sein.«

Ich war erleichtert, das zu hören. Unser gemeinsamer Traum von einer Pferdezucht hatte uns von Anfang an zusammengeschweißt, in Swiftsden, unter dem gebieterischen Blick seiner Mutter, waren mir jedoch Zweifel gekommen. Ihre Meinung schien ihm dort viel zu viel zu bedeuten. In ihrer Gegenwart verlor er jegliches Rückgrat, als wäre sie eine große Marionettenspielerin, und als bestünde er nur aus Stoff und Fäden. In Newmarket drückte er jedoch kräftig meine Hand, während wir auf den Stall zugingen. Selbstverständlich wollte er ein neues Leben in Kenia genauso sehr, wie ich mir Green Hills zurückwünschte. Er wollte selbständig sein, Neuland erobern, und all das mit mir an seiner Seite. Bis dieser Tag gekommen war, würde ich ihm und auch mir selbst vertrauen müssen.

Messenger Boy war ein gewaltiger Rotschimmel mit Schweif und Mähne in einem goldenen Farbton – und einem lodernden Feuer in seinem Inneren. Er war der größte Zuchthengst, den ich je gesehen hatte, und auch einer der schönsten. Seine Mutter Fifinella war Siegerin im Derby und Hindernisrennen, sein Vater Hurry On war ungeschlagen und einer der größten Zeuger von Rennpferden auf der ganzen Welt. Mansfield und ich waren denn auch auf der Stelle von ihm begeistert, doch sein Trainer Fred Darling hatte uns eine ernüchternde Geschichte zu erzählen.

»Er wird es Ihnen nicht leichtmachen«, sagte Fred. »Das kann ich Ihnen nicht verhehlen.«

Die ganze Wahrheit war, dass er Fred einmal ins Krankenhaus gebracht hatte. Kurz darauf hatte er einen Stallburschen getötet, indem er ihm im Stall den Fluchtweg versperrte und mit seinen Hufen und Zähnen auf ihn losging. Es war Mord, ganz klar und deutlich. Wäre Messenger Boy ein Mann gewesen, wäre er dafür unter die Guillotine gekommen; so wurde er von den Rennen in England ausgeschlossen. Kenia könnte ihm jedoch eine zweite Chance verschaffen.

»Kann er gezähmt werden?«, wollte Mansfield wissen.

»Das ist schwer zu sagen. Ich würde es nicht tun.«

»Ich will es mit ihm versuchen«, sagte ich und sah zu, wie die Sonne feuerrot in den geblähten Nüstern des Hengstes funkelte.

»Hast du keine Angst?«, fragte Mansfield und griff nach meiner Hand.

»Doch. Aber wir können ihn nicht hierlassen, wo er wie ein Hund angekettet bleibt.« Aus irgendeinem Grund erinnerte mich Messenger Boy an Paddy, an die schwierige Grenze zwischen wilden, natürlichen Wesen und der zivilisierten Welt. »Er hat noch immer etwas Gutes in sich. Das ist unübersehbar.«

Mansfields Hand umklammerte meine. Ich wusste, dass ihn das Gehörte verunsichert hatte. »Wird er Derbys gewinnen?«

»Wenn Ruta hier wäre, würde er sagen: ›Seine Beine sind so stark wie die eines Leoparden‹, oder: ›Er hat das Herz eines Gnus‹«, behauptete ich, um die Stimmung etwas aufzuhellen.

»Also gut, wie viel kosten die Leopardenbeine?«, fragte Mansfield an Fred Darling gewandt und zog sein Scheckbuch hervor.

48.

Denys und Mansfield waren sich noch nie begegnet. Als wir an einem klaren, trockenen Nachmittag, kurz nach unserer Rückkehr aus England, hinaus nach Mbogani fuhren, war ich ein wenig nervös beim Gedanken daran, wie die beiden einander abschätzen mochten. Wir hatten den neuen gelben Rolls-Royce nach Kenia mitgebracht. Mein Kleid war von Worth, meine Perlenkette von Asprey. Paradoxerweise wollte ich, dass sowohl Denys als auch Karen all das – und mich – in vollem Umfang sahen. Ich war nicht länger eine Heimatlose oder ein Kind. Bei unserer Ankunft begrüßte uns jedoch lediglich Karens Diener Farah.

»Sie sind spazieren gegangen, Msabu«, sagte er freundlich. »Den Lamwia hinauf, zu der Stelle für ihre Gräber.«

»Sie sind noch äußerst lebendig«, versicherte ich Mansfield, der mich fragend ansah. »Sie sind in dieser Hinsicht bloß übertrieben romantisch.«

»Dagegen habe ich nichts einzuwenden«, meinte er. »Ich mag Romantik.« Er öffnete die Hecktür, und die drei Hunde, die mit uns gefahren waren, kugelten auf den Rasen heraus, ein Barsoi, ein hübscher roter Setter und ein junger blaugrauer Hirschhund, den wir als Geschenk für Karen mitgebracht hatten. Die Hunde sprangen und kläfften, glücklich über ihre Freiheit, während ich meinen Blick nicht von den Hügeln abwenden konnte und mich fragte, ob Karen und Denys uns sehen konnten und wann sie herunterkommen würden.

»Du siehst gut aus, Beryl«, bemerkte Denys später auf der Veranda. Mein Kleid war bis dahin bereits vom Sitzen zerknittert, und ich war erschöpft und ein wenig aufgeregt, ihn zu sehen. Er gab mir einen flüchtigen Kuss. »Herzlichen Glückwunsch.«

Mansfield war einen ganzen Kopf kleiner als er, aber das war Berkeley auch gewesen. Ich hoffte, Denys möge dasselbe in Mansfield sehen wie ich und ebenso erkennen, was Mansfield in mir sah.

»Wir waren in der National Gallery«, erzählte ich und lief dabei hochrot an. »Und in Rom haben wir das Bolschoi-Ballett gesehen.« Ich konnte kaum erwarten, ihm zu berichten, was wir alles erlebt hatten und wie verändert ich nun war.

»Wie wunderbar«, wiederholte er mehrmals monoton, während ich sprach und sprach. »Schön für euch beide.« Aber in seinen Worten lag kein echtes Gefühl. Er wirkte höflich desinteressiert an allem.

Karen schien von ihrer neuen Hündin angetan zu sein, die prächtige graue Augen und eine Krause aus drahtigen Schnurrhaaren um die lange Schnauze herum hatte. »Sie ist wundervoll. Wie lieb von Ihnen, an mich zu denken, ganz besonders, nachdem ich ohne Minerva so einsam gewesen bin.« Anscheinend war die hübsche Eule erst einen Monat zuvor in die hölzernen Jalousien geflogen, hatte sich in der Schnur verheddert und war erstickt. »Man sollte Tiere nicht so gern haben«, meinte sie. »Das ist gefährlich.«

»Ich kann dir jedenfalls sagen, dass die Tiere sich nicht allzu sehr um uns scheren«, wandte Denys ein, der sich in seinem Sessel zurückgelehnt hatte.

»Natürlich tun sie das«, entgegnete sie und griff nach der feuchten weichen Schnauze des Hundes. »Minerva hat mich wahnsinnig gern gemocht, meine Hunde ebenso.«

»Wir läuten zum Abendessen, und sie kommen angerannt. Das ist Vernunft und nicht Liebe. Auch nicht Loyalität.«

»Er ist wieder in einer seiner düsteren Stimmungen«, erklärte Karen uns, als würde er nicht direkt neben ihr sitzen.

»Wohin wirst du als Nächstes reisen?«, fragte ich Denys, um rasch das Thema zu wechseln.

»Nach Rejaf. Ich werde mit ein paar Kunden den Nil hinunterfahren.«

»Wie exotisch«, meinte Mansfield und zog an seiner Zigarre. »Das klingt wie ein Film aus Hollywood.«

»Die Moskitos würden Sie eines Besseren belehren.«

»Den Nil wollte ich immer schon einmal sehen«, sagte ich.

»Er wird wohl kaum so bald verschwinden«, erwiderte Denys und stand dann auf, um sich um irgendetwas im Haus zu kümmern.

Karen sah mich mit hochgezogenen Augenbrauen an. *Düstere Stimmung*, sagte ihr Blick, aber ich fühlte mich wie geohrfeigt. Ich hatte diese Begegnung auf dem Schiff zurück nach Kenia Dutzende Male durchgespielt und mich dabei gefragt, wie es sich wohl anfühlen würde, Denys nun wiederzusehen, da sich meine Lage verändert hatte. Ich war verheiratet und auch in anderer Hinsicht nicht mehr dieselbe. Ich hatte fest vor, glücklich zu sein, und wollte, dass er es mitbekam – doch er benahm sich so seltsam und gleichgültig allen gegenüber. Nichts lief wie geplant.

»Sie werden also Land erwerben?«, fragte Karen uns. Ihre Stimme klang angespannt.

»Ja, vielleicht in der Nähe von Elburgon.«

»So weit oben?«

»Der Preis stimmt, und es gibt einen wunderschönen Garten. Mansfield weiß einen guten Garten zu schätzen.«

»Das ist wahr.« Er lächelte und stand auf, um uns aus einer Kristallkaraffe Brandy nachzuschenken, wobei er zwischen Karens reizenden Gegenständen ganz wie zu Hause wirkte. »Ich werde einmal nach Denys sehen. Er kann wahrscheinlich einen Drink gebrauchen.«

»Sie sind nun also Lady Markham«, bemerkte Karen, als er fort war. »Wie gefällt Ihnen Ihr Titel?«

Ich spürte etwas zuvor nicht Dagewesenes in ihrem Blick, womöglich die unausgesprochene Frage, ob meine Ehe mit Mansfield echt oder eine Scheinangelegenheit war. Was er auch bedeutete, er sorgte dafür, dass ich mich unwohl fühlte. »Ich denke, ich habe nichts dagegen. Sie sind die Erste, die mich danach fragt.«

»Nun, Sie sehen ausgesprochen gut aus.«

»Das sind die Perlen«, erwiderte ich.

»Sie haben schon einmal Perlen getragen.«

Sie spielte auf die Zeit an, in der ich mit Frank Greswolde zusammen gewesen war, auch wenn sie niemals so geschmacklos gewesen wäre, dies zu erwähnen. Aber sie konnte doch wohl sicher erkennen, dass Mansfield mehr als nur irgendein Mann war, der bereit war, für mich aufzukommen. Er war kein *Gönner* – Cockies furchtbares Wort –, sondern mein Ehemann.

Der Hund zu Karens Füßen winselte im Traum, fuhr zusammen und zuckte mit den Pfoten. »Um der Liebe willen schließen wir manch dunkles Geschäft ab, nicht wahr?«

Taten wir das?, fragte ich mich, während Karen den Hund mit einer Hand beruhigte, wie eine Mutter ihr Baby. Aber ich gab ihr keine Antwort.

49.

Hundertzwanzig Meilen nördlich von Nairobi gelegen, war es in Elburgon morgens kühl, während weiße, an der Unterseite flache Wolken hoch über den frischen, strahlenden Himmel zogen. Wenn es geregnet hatte, legte sich Nebel in die Spalten der Abhänge. All das ließ ich auf mich wirken, wenn ich frühmorgens zum Galoppieren aufbrach und mich daran erinnern musste, dass nichts davon nur geliehen oder sonst irgendwie verdorben war. Niemand konnte versuchen, es mir zu ruinieren oder wieder fortzunehmen.

Unsere Farm trug den Namen Melela, das Haus stand auf Pfeilern und war üppig mit Bougainvillea und Feuerranken bewachsen. Der Zaun war bedeckt mit den Ranken der violetten Passionsfrüchte, über Veranda und Gartenlaube ergoss sich die Prunkwinde. Wohin man sich auch wandte, erblickte man einen neuen Spritzer Farbe, und die Luft roch lebendig. Ich hatte kurz nach unserem Einzug eine schwere Messingglocke vor dem Haupteingang des Stalles anbringen lassen, die Ruta jeden Morgen vor Sonnenaufgang läutete, um die ganze Farm zu wecken, so wie unser Hauptstallbursche Wainina es einst in Green Hills getan hatte. Ruta und seine Familie hatten eine Hütte in der Nähe der Ställe, und sein Büro befand sich direkt neben meinem, wenngleich wir für gewöhnlich Seite an Seite am selben Schreibtisch saßen und in dasselbe Hauptbuch starrten.

»Was hältst du davon, Clutt aus Kapstadt zurückzuholen und ihn als Trainer für uns arbeiten zu lassen?«, fragte ich Mansfield eines Abends im Bett. Ich hatte seit Wochen darüber nachgedacht und war immer aufgeregter bei der Vorstellung geworden. Geld hatte meinen Vater von Kenia ferngehalten, aber auch die Beschädigung seines Ansehens. Ich war nun jedoch in der Lage, ihm Arbeit und eine prestigeträchtige Position in der Kolonie anzubieten, die ihm und seinen Talenten angemessen war.

»Würde er ein solches Angebot denn in Betracht ziehen?«

»Ich denke schon. Wenn es reizvoll genug wäre.«

»Mit zwei Clutterbucks im selben Stall könnte der Rest von Kenia uns wohl kaum noch etwas anhaben.«

»Du glaubst nicht, wie glücklich mich das machen würde und wie richtig es sich anfühlt.«

Ich verschickte auf der Stelle ein Telegramm, und noch ehe zwei Monate verstrichen waren, hatte ich meinen Vater zurück. Er war gealtert, sein Haar war grau und dünn geworden, sein Gesicht faltiger – aber allein sein Anblick schien eine Wunde in mir zu heilen. Als er fortgegangen war, war ich noch so jung gewesen, und hoffnungslos überfordert mit meiner Ehe und dem schrecklichen Verlust der Farm. Beinahe acht Jahre waren seitdem vergangen, in denen ich mehr Kummer gehabt hatte, als ich ihm oder auch nur mir selbst wirklich begreiflich machen konnte. Aber ich brauchte ihm all meine traurigen Geschichten nicht zu erzählen, und auch die glücklichen nicht. Ich wollte nur neben ihm am Tor der Koppel stehen und zusehen, wie einer unserer Hengste rannte, so schnell er konnte. An seiner Seite auf ein gemeinsames Ziel hinarbeiten. Wieder seine Tochter sein – ja, das würde mir reichen.

Emma sah natürlich ebenfalls älter aus und schien auch etwas zurückhaltender geworden zu sein, wenn schon nicht weicher. Ich stellte fest, dass sie mich nicht mehr so sehr verunsicherte wie früher. Ich war nun die Herrin des Haushalts. Sie war in Melela unser Gast, was machte es nun also noch aus, ob sie mich für zu grob oder zu eigensinnig befand? Ihre

Meinung zählte nicht so viel wie meine eigene oder Mansfields.

Wie sich herausstellte, kamen Mansfield und Emma bestens miteinander aus. Sie betätigten sich beide gern im Garten und konnten bald regelmäßig Seite an Seite in gewölbten Sonnenhüten gesehen werden, wie sie über Wurzelpilze oder Mehltau fachsimpelten, während ich mich in den Stall flüchtete, wo ich hingehörte.

»Wie war es in Kapstadt?«, fragte ich meinen Vater eines Morgens kurz nach seiner Rückkehr. Wir standen gegen den Lattenzaun unserer Galoppbahn gelehnt und sahen zu, wie einer unserer Stallburschen auf Clemency ritt, einer hübschen neuen Jungstute.

»Heiß.« Er klopfte sich Staub von seinem Stiefel und blickte mit zusammengekniffenen Augen in die Sonne. »Und voller Konkurrenz. Wir haben nicht oft gewonnen.«

»Wärst du dortgeblieben, wenn wir dich nicht gebeten hätten, zurückzukommen?«

»Wahrscheinlich. Aber ich bin froh, hier zu sein. Das hier ist großartig.«

Wie immer war mein Vater sparsam mit Worten und Gefühlen, aber das kümmerte mich nicht. Ich wusste, dass er stolz auf mich war und darauf, wie weit ich es gebracht hatte. Das konnte ich spüren, während wir dort nebeneinanderstanden und über das grüne Becken des sich ausbreitenden Tales hinwegblickten.

»Es ist dieselbe Aussicht, die wir in Njoro hatten«, bemerkte ich. »Etwas weiter nördlich, aber alles andere ist gleich.«

»So ist es«, erwiderte er. »Du hast dir ein schönes Leben eingerichtet.«

»Einigermaßen. Es ist nicht immer einfach gewesen.«

»Ich weiß.« In seinem Blick lagen all die Jahre, die wir getrennt voneinander verbracht hatten, die Entscheidungen, die wir getroffen hatten, und die schwierige Vergangenheit,

die wir nicht benennen mussten – all das rollte an die Oberfläche und wurde weggestoßen wie ein schwerer Stein, als
er mit einem Seufzen sagte: »Sollen wir dann mit der Arbeit
loslegen?«

Innerhalb kurzer Zeit tauchte der Name Mrs. Beryl Markham in den Rennspalten auf, sowohl als Trainerin als auch
als Besitzerin. Das war etwas vollkommen Neues. Clutt und
ich entwarfen Pläne und Konzepte und bauten unser Geschäft darauf auf, die Nachkommen der Pferde von unserer
alten Farm in Njoro zu kaufen, Tiere, deren Anfänge er begleitet hatte. Es war ein wunderbares Gefühl, die Samen, die
wir damals ausgesät hatten, zurückzugewinnen und ihr Potential zu verwirklichen. Auch lag eine Stimmigkeit in den
Abenden, in denen wir alle gemeinsam die Köpfe über dem
dicken schwarzen Zuchtbuch zusammensteckten, von Großem träumten und Prognosen für die Zukunft wagten: für
Clutts und Rutas und Mansfields und meine.

Jeden Morgen ritt ich vor allen anderen auf Messenger
Boy. Ich zog alleine mit ihm fort, obwohl es Mansfield nervös
machte. Messenger Boy war nicht einfach irgendein Pferd.
Er vertraute mir noch nicht. Jeder konnte das an der Art und
Weise erkennen, wie er wild mit dem Kopf schlug oder zornig die Stallburschen anstarrte, die es wagten, ihn anzurüh-
ren. Er wusste, dass er ein König war. Wer waren wir?

Eines Morgens kam ich mit ihm gerade bis über den
Hof, als Messenger Boy scheute. Was es auch war, ich hatte es nicht gesehen, hatte lediglich das Zucken seiner Muskeln gespürt, als er buckelte und sich scharf zur Seite drehte. Selbst erschrocken, hielt ich mich dennoch im Sattel,
aber er wollte sich nicht beruhigen. Ich überstand drei weitere heftige Verdrehungen, bevor er mich am Zedernholz-
zaun regelrecht von sich schleuderte. Zum Glück landete
ich auf der anderen Seite des Zaunes. Andernfalls hätte er
mich ohne große Anstrengung zu Tode trampeln können.

Vier Stallburschen waren nötig, um ihn zu bändigen. Aus meiner Nase und meinem Kinn lief Blut, also überließ ich es ihnen, sich um ihn zu kümmern, und ging ins Haus, um meine Wunden auszuwaschen und zu verbinden. Ich hatte Schmerzen an der Hüfte und würde dort sicher einen riesigen blauen Fleck bekommen, aber vor allem musste ich mir wegen Mansfield Sorgen machen.

»Um Gottes willen, Beryl«, entfuhr es ihm bei meinem Anblick. »Wenn er dich nun umgebracht hätte?«

»So schlimm war es gar nicht. Wirklich. Ich bin schon mein ganzes Leben von Pferden gefallen.«

»Aber dieses ist gemeingefährlich. Und wenn er dich nun ernsthaft verletzt hätte? Ich weiß, dass du diejenige sein möchtest, die in der Lage ist, ihn zu zähmen, aber kann es dieses Risiko wert sein?«

»Du denkst, dass ich nur aus Stolz an Messenger Boy festhalte?«

»Ist es denn nicht so?«

»Es ist das, was ich am besten kann. Ich weiß, wozu er fähig ist und wie ich ihn dahin bekomme. Ich kann es erkennen, und ich habe nicht vor, ihn aufzugeben.«

»In Ordnung, aber warum musst unbedingt du es sein, die ihn reitet? Weise einen der Stallburschen ein, oder Ruta.«

»Aber es ist meine Aufgabe. Ich kann wirklich mit ihm zurechtkommen, Mansfield, und das werde ich auch.«

Er stürmte unglücklich davon, während ich weiter meine Wunden versorgte. Als ich in den Stall zurückkehrte, hatten die Stallburschen Messenger Boy zwischen zwei dicken Pfosten festgekettet. Sie hatten ihm eine Haube aufgesetzt, unter der er wild und mordlustig hervorschaute. *Du wirst mich niemals zähmen*, sagte sein Blick.

Ich hätte die Stallburschen anweisen können, ihn loszubinden, aber ich tat es stattdessen selbst und versuchte, in all meinen Bewegungen ganz ruhig zu sein, während sie uns besorgt zusahen. Weder mein Vater noch Ruta stellten mein Handeln in Frage, doch sie folgten mir in einiger Entfernung, während ich Messenger Boy zurück zu seiner Box brachte. Auf dem Weg dorthin stampfte das Tier die ganze Zeit über warnend auf und zerrte heftig an den Zügeln. Selbst als er hinter der Boxentür war, ging er in der Enge auf und ab, drehte sich im Kreis und starrte mich herausfordernd an. Er wirkte arrogant und voller Hass, aber ich vermutete, dass sich darunter stechende Angst und Selbstschutz befanden. Er wollte nicht, dass ich ihn veränderte oder aus ihm etwas machte, was er nicht war. Er würde sich nicht zwingen lassen, sich selbst aufzugeben.

»Du wirst ihn wieder reiten«, hörte ich Mansfields Stimme. Er hatte vom Haus aus zugesehen und war in den Stall gekommen, ohne dass ich es bemerkt hatte.

»Morgen werde ich es tun. Heute ist er noch zu wütend auf mich.«

»Weshalb bist du nicht wütend auf ihn? Ehrlich, Beryl. Es scheint fast, als wolltest du, dass er dir weh tut.«

»Das ist doch absurd. Ich nehme ihm bloß nicht übel, dass er tut, was in seiner Natur liegt.«

»Und meine Gefühle zählen nicht?«

»Natürlich tun sie das. Aber ich muss sein Training fortsetzen. Darum geht es nun einmal beim Farmleben, Mansfield. Es besteht nicht nur aus Fensterdekoration und hübschen Blumentöpfen.«

Daraufhin stürmte er erneut davon, und ich brauchte mehrere Tage, um ihn davon zu überzeugen, dass ich tatsächlich nicht einfach nur dickköpfig war, sondern ebenfalls das tat, was in meiner Natur lag – weil ich es tun musste. Nichts anderes fühlte sich richtig an.

»Ich hatte nicht gedacht, dass es so hart sein würde, dir beim Arbeiten zuzusehen«, gestand er, als er wieder milder gestimmt war. »Und wenn wir nun eines Tages Kinder haben? Dann wirst du es doch sicher etwas ruhiger angehen lassen?«

»Ich wüsste nicht, weshalb. Mir hat es gutgetan, auf einer Farm aufzuwachsen. Es hat mich geprägt.«

»Ich schätze, ich bin konventioneller, als ich dachte«, meinte er.

»Und sogar noch sturer, als du mir prophezeit hast.« Dann küsste ich ihn, um mich mit ihm zu versöhnen.

Im März fuhren Mansfield und ich nach Nairobi, wo im Club alle über Maia Carberry sprachen. Nur zwei Tage zuvor hatte JCs wunderschöne junge Frau einem jungen Schüler namens Dudley Cowie eine Flugstunde gegeben, als ihre Maschine in niedriger Höhe ins Trudeln geriet und am Rand der Ngong Road abstürzte, ganz in der Nähe von Nairobis Flugplatz in Dagoretti. Dudleys Zwillingsbruder Mervyn hatte gerade seine eigene Unterrichtsstunde beendet und alles mit ansehen müssen, den Aufprall und die Explosion, die Feuerwand, die keine identifizierbaren Überreste der beiden Opfer zurückließ. Dudley war erst zweiundzwanzig Jahre alt gewesen. Maia war vierundzwanzig und hinterließ eine dreijährige Tochter, Juanita. JC befand sich nun mit dem Mädchen auf ihrer Farm in Nyeri und war anscheinend zu niedergeschmettert, um mit irgendjemandem zu sprechen oder auch nur das Bett zu verlassen.

Als wir Denys und Karen im Club über den Weg liefen, wirkten sie beide bestürzt. Außerdem fragten sie sich, was man für die Familie tun könnte.

»Das arme Mädchen wird ihre Mutter niemals kennenlernen«, sagte Karen. Sie zupfte sorgenvoll an dem Baumwollschal, der um ihre Schultern lag. »Sie wird sich nicht einmal mehr an sie erinnern können, nicht wahr?«

»Das könnte der größte Segen für sie sein«, erwiderte Denys grimmig. »JC ist derjenige, den es wirklich hart trifft.«

»Es überrascht mich, dass sie fliegen wollte, obwohl sie so vieles hatte, wofür es sich zu leben lohnte, so viele Menschen, die auf sie zählten«, äußerte sich Mansfield, wobei er mir direkt in die Augen sah, als wäre es überhaupt möglich, dass ich nicht begriff, worauf er hinauswollte. Aber ich würde mich an solch einem traurigen Tag nicht mit ihm streiten. Hier ging es nun wirklich nicht um unsere kleinen ehelichen Spannungen.

»Flugzeuge sind womöglich sicherer als Automobile«, meinte Denys. »Ich denke nicht, dass sie das Fliegen als etwas furchtbar Tollkühnes angesehen hat.«

»Ihre Ansichten entsprechen wohl kaum der Norm, Denys«, erwiderte Mansfield rundheraus. »Sagen Sie, fahren Sie demnächst wieder einmal den Nil hinunter?«

»Nicht ganz«, antwortete Denys.

»Sie haben es also noch nicht gehört«, stellte Karen fest. »Elburgon liegt wirklich weit oben im Norden, nicht wahr?«

Wir erfuhren bald, was sie meinte: Ein königlicher Besuch war in Vorbereitung. Der Thronerbe Edward, Prince of Wales, plante gemeinsam mit seinem Bruder Henry, Duke of Gloucester, Ende September einen Besuch in Kenia. Denys war auserwählt worden, mit den beiden auf die Jagd zu gehen.

»Eine königliche Safari?«, fragte ich.

»Aller Wahrscheinlichkeit nach eher ein königliches Fiasko. Du hast keine Ahnung, welche Vorkehrungen dafür getroffen werden müssen.«

»Es ist eine einmalige Gelegenheit«, wandte Karen scharf ein, den blutrot und tiefblau gemusterten Schal wie ein Schild vor ihrer Brust. »Wenn du die Arbeit wirklich nicht tun möchtest, kannst du sie ja Bror überlassen.«

Mansfield zupfte einen unsichtbaren Flusen von seiner Hose, noch immer sichtlich verstört von der Nachricht über Maia Carberry. Denys schwieg mit schmalen Lippen. Karen fühlte sich aus einem Grund zurückgewiesen, den ich nur erraten konnte, bis Mansfield und Denys hineingingen, um uns einen Tisch fürs Mittagessen zu reservieren.

»Es ist einer der bedeutendsten Momente in unserer Geschichte, aber er will es einfach nicht ernst nehmen.«

»Er konnte mit Prunk und großem Trara noch nie etwas anfangen«, sagte ich. »Wahrscheinlich gibt es zehn verschiedene Komitees und Unterkomitees, die bis zum Toilettenstuhl jedes Detail festlegen wollen.«

»Es geht nicht nur um die Safari. Es ist das gesellschaftliche Ereignis des Jahrzehnts. Vielleicht des Jahrhunderts.«

»Sie wissen, dass er sich nie etwas aus Partys machen wird.« Aber ich hatte noch immer nicht verstanden, was das eigentliche Problem war.

»Bror ist neu verheiratet. Ich war immer besorgt, dass es eine andere Baronin Blixen geben würde, und nun geschieht es zum denkbar schlechtesten Zeitpunkt. Geschiedene Frauen werden nicht zu den Hauptfeierlichkeiten in den Regierungssitz geladen. Sie sehen, wie unmöglich die ganze Angelegenheit ist.« Sie ballte die Hände zu Fäusten und öffnete sie wieder. Ihre Knöchel waren weiß.

»Sie möchten, dass Denys Sie heiratet«, sagte ich leise, da ich nun endlich begriffen hatte.

»Er weigert sich.« Sie lachte eisig, ein furchtbarer Laut. »Wenn er es jetzt nicht tut, für diese Sache, für mich, dann wird er es niemals tun.«

50.

In den nächsten Monaten versuchte ich, ausschließlich an die Pferde zu denken – vor allem an Messenger Boy, der sich mir mit jedem Tag ein bisschen weniger zu widersetzen schien. Niemand hätte ihn als zahm bezeichnet, aber an manchem Morgen spürte ich beim Reiten etwas in der gleichmäßigen Rundung seines Rückens, das sich fast wie Duldsamkeit anfühlte. Es war möglich, dass er mich immer noch nicht mochte oder gar akzeptierte, aber ich hatte langsam den Eindruck, er verstehe, was ich von ihm wollte, und werde vielleicht bald anfangen, diese Dinge auch selbst zu wollen.

Eines Morgens hatte ich Messenger Boy gerade seinem Pfleger zum Abwärmen übergeben, als ich auf Emma traf, mit ihrem Sonnenhut, so breit wie ein Schirm. »Geht es dir gut?«, fragte sie mich mit einem seltsamen Gesichtsausdruck. Typisch Emma. Sie hatte noch nicht einmal Guten Morgen gesagt.

»Natürlich«, antwortete ich, doch an jenem Abend, während Mansfield gerade in der Stadt Besorgungen machte, überkam mich eine schaukelnde Woge der Übelkeit. Ich schaffte es gerade noch ins Bad, bevor ich mich übergeben musste. Mansfield fand mich bei seiner Rückkehr zusammengekrümmt auf dem Fußboden vor, zu schwach, um aufzustehen.

»Sollen wir einen Arzt in der Stadt aufsuchen?«, fragte er beunruhigt.

»Nein. Ich habe bloß etwas Falsches gegessen. Ich muss mich nur hinlegen.«

Er brachte mich zurück ins Bett, legte mir feuchte Tücher auf die Stirn und zog die Vorhänge zu, damit ich mich ausruhen konnte. Aber nachdem er mir einen sanften Kuss auf die Handfläche gedrückt und das Zimmer verlassen hatte, starrte ich lange gedankenversunken an die Decke. Ich war zweifellos schwanger. Es fühlte sich genauso an wie beim letzten Mal, in London. Irgendwie hatte Emma es geahnt, bevor ich selbst dahintergekommen war.

Mir war klar, dass ich es Mansfield sagen musste, aber nach der Geschichte mit Messenger Boy und seiner Reaktion auf Maia Carberrys Tod hatte ich Angst, es anzusprechen. Die Schwangerschaft würde seine Sorgen um mich nur verstärken. Das stand fest. Was war, wenn er mich nicht nur in Watte packen, sondern mir auch Zügel anlegen wollte? Was dann?

Während ich immer noch in einem Kreislauf aus Sorgen und Zweifeln feststeckte, erriet Mansfield es schließlich. »Freust du dich denn nicht, Darling?« Er ergriff meine Hände und blickte mir in die Augen.

»Wir fangen hier doch gerade erst an«, versuchte ich zu erklären. »Es gibt so viel zu tun, damit die Farm läuft und die Pferde vorangebracht werden.«

»Wie schlimm wäre es denn wirklich, wenn du dir eine Zeitlang freinehmen würdest? Wenn du wieder bereit bist weiterzumachen, werden die Pferde immer noch da sein.«

Wir lagen im Dunkeln in unserem Bett. Sein weißes Pyjamahemd schien vor meinen Augen zu schwimmen und springen. »Ich will nicht aufhören zu arbeiten, Mansfield. Bitte verlange das nicht von mir.«

»Du wirst aber doch sicher aufhören zu reiten … zumindest, bis das Baby geboren ist. Du musst auf dich aufpassen.«

»Auf diese Weise passe ich auf mich auf, siehst du das denn nicht? Falls wir dieses Baby bekommen, muss ich genauso weiterarbeiten können wie zuvor. Ich weiß nicht, wie ich sonst leben könnte.«

»*Falls* wir dieses Baby bekommen?« Er rückte von mir ab, und sein Blick wurde hart. »Das steht doch wohl außer Frage.«

Ich ruderte zurück. »Ich habe nur Angst davor, wie sich die Dinge verändern werden.«

»Natürlich werden sie sich verändern. Wir sprechen hier über ein Kind, Beryl. Einen lieben kleinen Jungen oder ein liebes kleines Mädchen, das ganz und gar auf uns angewiesen ist.«

Seine Stimme hatte eine Intensität angenommen, von der mir der Kopf schwirrte. Er schien nicht zu begreifen, dass allein schon die Vorstellung, das Leben, das ich am besten kannte, für irgendein anderes aufzugeben, mich in Angst und Schrecken versetzte. Andere Frauen zögerten keinen Augenblick, sich ganz dem häuslichen Leben, den Bedürfnissen ihrer Ehemänner und Kinder hinzugeben. Einige sehnten sich sogar nach dieser Rolle, aber ich hatte nie mehr als nur eine Andeutung dieser Art von Familienleben gesehen. War ich dazu überhaupt in der Lage?

»Du wirst lernen, eine gute Mutter zu sein«, sagte er, nachdem ich lange geschwiegen hatte. »Menschen können alles Mögliche lernen.«

»Ich hoffe, du hast recht.« Ich schloss die Augen und legte meine Hand auf seine Brust, strich über die glatten Knöpfe seines Hemds und über den perfekt paspelierten Saum der Baumwolle, der so sorgfältig gearbeitet war, dass er niemals aufgetrennt werden würde, ja könnte.

51.

Die ganze Welt würde über den königlichen Besuch lesen: wie der Bahnhof von Nairobi mit Rosen und Willkommensbannern geschmückt worden war. Hunderte flatternde Flaggen. Tausende Menschen aller Hautfarben in leuchtend bunten Roben und Kopfbedeckungen, Fezen und Toques und Samtschuhen. Unser neuer Gouverneur Sir Edward Grigg bellte seine Ansprache in ein Megaphon, bevor die beiden jungen Prinzen rasch in den Regierungssitz auf dem Hügel gebracht wurden, wo der Auftakt zu vielen großen Feierlichkeiten, Abendgesellschaften und schwungvollen, exklusiven Bällen stattfinden sollte.

Einen Monat lang hatte jede weiße Dame in einem Radius von hundert Meilen ihren Hofknicks geübt und händeringend überlegt, was sie nur anziehen sollte. Es war eine Parade der Ehrentitel – all die Honourables und Baronets, die ersten oder dritten Earls von Wo-auch-immer waren aufs Feinste herausgeputzt erschienen. Ich war im vierten Monat schwanger und zu abgelenkt, um mich um all das zu kümmern – außerdem war ich noch lange nicht bereit, meine Neuigkeit mit anderen zu teilen. Um Zeit zu schinden, hatte ich begonnen, locker geschnittene Blusen und weite Röcke zu tragen – ich, die sonst immer Hosen anhatte. Ich sah es als einzige Lösung an, abgesehen davon, dass ich mich so oft wie möglich versteckt hielt, doch Mansfield bestand darauf, dass wir zu allen Veranstaltungen gingen. »Lass es uns den Leuten einfach sagen, Liebling. Sie werden es doch ohnehin bald alle erfahren.«

»Ich weiß … aber es erscheint mir so persönlich.«

»Wie bitte?« Seine Stirn legte sich in Falten. »Es sind gute Neuigkeiten, Dummchen.«

»Kannst du nicht allein auf die Partys gehen? Ich fühle mich nicht wohl in meiner Haut.«

»Du glaubst doch nicht im Ernst, du könntest absagen. Es ist eine Ehre, eingeladen zu sein, Beryl.«

»Du hörst dich an wie Karen.«

»Tatsächlich?« Er sah mich eigenartig an. »Ich nehme an, das heißt dann, dass du dich wie Finch Hatton anhörst.«

»Wie bitte?« Ich blickte ihm in die Augen. »Was willst du damit sagen?«

»Nichts«, erwiderte er kühl und ging mit großen Schritten davon.

Am Ende begleitete ich ihn, um des lieben Friedens willen. Bei jenem ersten aufwendigen Abendessen war Prinz Henry zu meiner Linken platziert. Unten am Kopfende saß Edward VIII.: Edward Albert Christian George Andrew Patrick David, schneidiger Thronerbe. Informell wurde er David genannt, und sein Bruder Henry, Duke of Gloucester, war Harry. Beide waren begierig darauf, gut unterhalten zu werden.

»Ich habe Sie letztes Jahr in Leicestershire mit der Meute jagen sehen«, teilte Harry mir über Schalen gekühlter Zitronensuppe mit. Er sprach von der Zeit unseres Aufenthalts bei Mansfields Mutter in Swiftsden – obgleich wir einander damals nicht offiziell vorgestellt worden waren. Er war größer und dunkler als sein Bruder David, und nur einen Hauch weniger attraktiv. »Sie sehen fabelhaft auf einem Pferd aus, ganz besonders in Hosen. Ich finde, alle Frauen sollten Hosen tragen.«

»Coco Chanel würde auf der Stelle tot umfallen, wenn sie Sie hören könnte«, schaltete sich die extrem aufgetakelte Lady Grigg hinter Harrys Ellbogen ein, die sich gern am Gespräch beteiligen wollte. Harry ignorierte sie.

»Sie haben an jenem Tag in Melton beinahe einen Aufruhr erzeugt«, fuhr er fort. »Der Teil hat mir am besten gefallen.«

Ich konnte mir ein Lächeln nicht verkneifen. »Ja, wie es scheint, hatte High Leicestershire noch nie eine Frau rittlings auf einem Pferd sitzen sehen statt im Damensitz.«

»Mitanzusehen, wie die alten Schachteln sich echauffierten, war wirklich erfrischend. Aber das Gerede ist augenblicklich verstummt, als sie sahen, wie kühn Sie über die Hindernisse sprangen. Eine schöne Frau mit einer guten Haltung spricht für sich.«

Ich bedankte mich lachend bei ihm, während Lady Grigg den Hals erneut in unsere Richtung reckte. Sie war die ehrwürdige Ehefrau unseres Gouverneurs, doch hier, in Gegenwart von Prinz Harry, lauschte sie wie gebannt jedem Wort, das wir äußerten. Ich hatte das Gefühl, sie sei der Meinung, dass er mit mir flirtete. Möglicherweise tat er das auch.

»Vielleicht könnten Sie sich vor der Safari loseisen und sich unsere Pferde oben in Elburgon ansehen«, schlug ich vor. »Wir haben die besten Vollblüter in der Gegend.«

»Klingt phantastisch.« Er lächelte entspannt unter seinem gestutzten dunkelbraunen Schnurrbart. Mit seinen grauen Augen sah er mich direkt an. »Wenn es nach mir ginge, würden wir überhaupt nicht jagen gehen. David ist derjenige, der einen Löwen erlegen will. Ich würde viel lieber bis zum Gipfel des höchsten Hügels, den ich finden kann, hinaufreiten und mir das ganze Land in allen Himmelsrichtungen von oben ansehen.«

»Dann tun Sie es«, sagte ich. »Wer würde *Sie* schon aufhalten?«

»Das sollte man meinen, nicht wahr? Aber ich habe hier so gut wie nichts zu sagen. Im Grunde bin ich nicht viel mehr als Dekoration.«

»Sie sind ein Prinz.«

»Ich stehe in der Thronfolge hinten.« Er lächelte. »Das macht mir aber wirklich nichts aus. Der arme David muss seinen Kopf hinhalten.«

»Nun, selbst wenn Sie nichts für die Jagd übrighaben, haben Sie doch den richtigen Mann gefunden, um Sie mit hinauszunehmen.«

»Finch Hatton. Ja. Er wirkt wie ein vortrefflicher Kerl.«

»Er ist der Beste von allen.« Ich warf einen Blick zu Denys, der in der Nähe von Prinz David saß, beide flankiert von Bewunderern. Karen war nicht eingeladen worden, ganz wie sie es befürchtet hatte. Denys würde einiges zu hören bekommen, wenn er schließlich nach Mbogani zurückkehrte, aber wer wusste schon, wann es so weit sein würde. Er war so beschäftigt mit den Vorbereitungen für die Safari gewesen, dass ich ihn seit Monaten nicht einmal kurz zu Gesicht bekommen hatte.

In mancher Hinsicht befanden sowohl Denys als auch ich uns in einer Art Übergangsphase. Ohne Zweifel würde diese Safari sein Leben verändern. Die freie Zeit und die Privatsphäre, nach denen er sich sehnte, würden von seiner neu erlangten Berühmtheit verschlungen werden, wovor ein Teil von ihm sich fürchtete, das wusste ich: der reinste Teil, der bloß ein einfaches Leben nach seinen eigenen Regeln anstrebte. Wie gut ich das verstand. Innerhalb kürzester Zeit würden mein Bauch unverkennbar rund und meine Brüste fest und prall werden. Zuerst würde sich mein Körper verändern, dann würde alles andere folgen. Ich mochte Mansfield noch immer, aber ich hatte auch das Gefühl, einen Zug in eine Richtung bestiegen zu haben, der nun unwiderruflich an einen vollkommen anderen Ort fuhr. Die ganze Situation löste Verzweiflung in mir aus.

Mit einem leidenschaftlichen Violinenwirbel begann das Streichquartett, Schubert zu spielen. »Sagen Sie, Harry, tanzen Sie?«, fragte ich ihn.

»Wie ein Tölpel.«

»Wunderbar«, erwiderte ich. »Reservieren Sie mir einen Tanz.«

In der nächsten Woche kamen David und Harry auf meinen Vorschlag hin nach Melela und traten auf unserer Übungsbahn gegeneinander an. Als Rennen machte es jedoch nicht viel her. David war von gedrungener Statur und sah sportlich aus, erwies sich jedoch nicht als besonders fähiger Reiter. Er saß auf Cambrian, während Harry Clemency bekommen hatte, und für fünf Achtelmeilen ritten die beiden Brüder Kopf an Kopf, während ihre gesamte Gefolgschaft ihnen zujubelte. Cambrian war bei weitem das bessere Rennpferd, tatsächlich war er bis zu diesem Tag ungeschlagen.

»Sehr freundlich von Ihnen, nicht zu erwähnen, wie furchtbar schlecht ich bin«, sagte David, als wir zurück zur Koppel liefen, seine blauen Augen voller Charisma. Am Zaun warfen sich unzählige unverheiratete Frauen in Positur, bereit, zu töten oder ihre Höschen fallenzulassen, um auch nur einen Hauch seiner Aufmerksamkeit auf sich zu ziehen.

»Sie waren großartig.« Ich lachte. »Nun, zumindest der Hengst war es.«

»Wer ist denn dieser Bursche hier?«, fragte er, als wir uns Messenger Boy näherten. »Das nenne ich einmal ein schönes Tier.«

»Er hat eine etwas wechselhafte Vergangenheit, aber so langsam macht er sich. Würden Sie ihn gern laufen sehen?«

»Das will ich meinen.«

Ich ließ einen der Stallburschen Messenger Boy für mich satteln und dachte mir dabei nicht nur, dass er mächtig Eindruck auf den Prinzen machen würde, sondern sah es auch als gute Gelegenheit an, Mansfield zu zeigen, dass ich vorhatte, weiter mit unseren Pferden zu arbeiten wie zuvor. Es war wahrscheinlich starrsinnig von mir, aber ich stellte mir vor, ich würde leicht erklären können, David habe darauf bestanden, Messenger Boys ganzes Potential vorgeführt zu bekommen.

Doch am Ende jenes Tages, nachdem die letzten Nachzügler der Gefolgschaft sich tröpfchenweise verabschiedet hatten, ließ Mansfield mich wissen, wie unglücklich ich ihn gemacht hatte: »Beryl, du versuchst absichtlich, dieses Kind in Gefahr zu bringen und mich nebenbei noch zu blamieren. Die beiden sind berüchtigte Playboys, und niemand kann übersehen haben, wie du mit ihnen geflirtet hast.«

»Sei nicht albern. Ich war nur freundlich, außerdem weiß doch jeder, dass ich verheiratet bin.«

»Die Ehe hat dich bislang nicht gerade von Dummheiten abgehalten.«

Ich fühlte mich, als hätte er mich geohrfeigt. »Wenn du wütend wegen des Pferdes bist, sag es einfach, aber versuche nicht, mir meine Vergangenheit unter die Nase zu reiben.«

»Du bist zweifellos stur, was das Reiten angeht – aber du scheinst darüber hinaus auch keine Ahnung zu haben, wie sehr du Gerede provozierst.«

»Du übertreibst.«

»Beryl, meine Mutter liest jedes einzelne Wort der Gesellschaftsspalten. Ich würde sterben, wenn irgendein Gerücht über einen Skandal bis nach Hause durchdringen würde. Du weißt doch, wie schwierig sie ist.«

»Wieso machst du dann Kratzfüße, um sie zu besänftigen?«

»Wieso befeuerst du vorsätzlich Klatsch und Spekulationen?« Er biss sich fest auf die Unterlippe, wie so oft, wenn er wütend war. »Ich denke, wir sollten zurück nach England gehen, bis das Baby geboren ist«, fuhr er fort. »Es ist aus vielen Gründen ein weitaus sichererer Ort.«

»Wozu die weite Reise?«, sträubte ich mich. »Was würde ich denn dort anfangen?«

»Zunächst einmal für dich sorgen. Meine Frau sein.«

»Zweifelst du zusätzlich zu allem anderen auch noch daran, dass ich dich liebe?«

»Ich denke, du hast mich gern ... so weit es dir eben möglich ist. Manchmal frage ich mich allerdings, ob du nicht immer noch auf Finch Hatton wartest.«

»Denys? Warum sagst du all das jetzt?«

»Ich weiß es nicht. Es kommt mir fast so vor, als würden wir in letzter Zeit eine Art Spiel spielen.« Er sah mich scharf an. »Tun wir das, Beryl?«

»Natürlich nicht«, erwiderte ich mit fester Stimme. Als ich jedoch später versuchte, einzuschlafen, überkam mich eine Woge des Schuldgefühls und der Erkenntnis. Ich versuchte zwar nicht direkt, mit Mansfield zu spielen, aber ich hatte tatsächlich mit den Prinzen geflirtet. In gewisser Weise konnte ich nicht anders. Es fühlte sich gut an, zu lächeln und damit Harry ebenfalls zum Lächeln zu bringen, oder auf eine bestimmte Weise davonzugehen und dabei zu wissen, dass Davids Blick auf mir ruhte. Es war kindisch und zwecklos, aber in diesen Momenten konnte ich mir einbilden, wieder freigeistig und verführerisch zu sein, als hätte ich immer noch eine gewisse Kontrolle über mein Leben.

Wie waren Mansfield und ich nur so schnell in eine ausweglose Situation geraten? Wir hatten so gut angefangen, als wir uns dazu verpflichteten, treue Verbündete und Freunde zu sein. Es war vielleicht nicht perfekt gewesen, aber nun drängte uns diese Schwangerschaft in eine offene Gegnerschaft. Ich hatte keinerlei Verlangen, nach England zu gehen, nur um ihn zu beschwichtigen, aber was war die Alternative? Wenn unsere Beziehung nun in die Brüche ging, würde ich allein mit einem Kind dastehen. Außerdem könnte ich dann womöglich die Farm verlieren ... und das durfte auf keinen Fall geschehen. Ich würde wohl oder übel nachgeben müssen.

52.

Die Safari war zum Aufbruch bereit, doch davor gab Karen noch ein königliches Dinner, das sie sich mit Denys' Hilfe gesichert hatte – zweifellos ein Zugeständnis zur Wahrung des Friedens. Aufgrund des gesellschaftlichen Protokolls durfte sie nicht im Regierungssitz erscheinen, die Prinzen konnten allerdings sehr wohl zu ihr kommen. Sie hatte auch dafür gesorgt, dass es sich für die beiden lohnte, indem sie ein unvergleichliches Festmahl mit so vielen Gängen und kleinen Delikatessen servierte, dass ich das Zählen rasch aufgab. Es gab in Champagner pochierten Schinken mit winzigen, diamantenähnlichen Erdbeeren und prallen, säuerlichen Granatapfelkernen, eine Pilzkrustade mit Trüffeln und Sahne. Als Karens Koch Kamante mit dem Dessert erschien, einem mächtigen und perfekt gebräunten Baba au rhum, hatte ich das Gefühl, er müsse gleich vor Stolz platzen.

Ich beobachtete auch Karen ganz genau, der dieser Abend alles bedeuten musste, aber unter ihrem Gesichtspuder und dem tiefschwarzen Kajalstrich wirkten ihre Augen müde und abgespannt. Das Safarivorhaben hatte sich weiterentwickelt; nun würde Blix die Gruppe als Denys' rechte Hand begleiten. Aus einer Safari waren gleich mehrere geworden, angefangen mit einem Abstecher nach Uganda, gefolgt von Ausflügen nach Tanganjika – und Cockie war eingeladen worden, sie als Blix' Ehefrau und Safarigastgeberin zu begleiten und dafür zu sorgen, dass am Ende eines Tages warmes Wasser zum Baden bereitstand und Dr. Turvy ein Rezept für reichlich Gin ausgestellt hatte. Karen war im Regen stehengelassen worden und äußerst erbost darüber, wie ich bald erfuhr.

Der Höhepunkt des Abends war eine Kikuyu-Ngoma, die größte, die ich je gesehen hatte. Mehrere Tausend Tänzer von allen Stämmen aus der Gegend hatten sich versammelt, nachdem ihre Anführer sich verbündet hatten, um den Prinzen ein Spektakel zu bieten, das sie niemals vergessen würden. Das zentrale große Feuer reckte sich in den Himmel empor. Es wurde umringt von mehreren kleineren Bränden, wie glänzende Speichen um eine leuchtende Radnabe. Die Trommelmusik schwoll in wogenden Crescendi an und ab, während Tänzer und Tänzerinnen sich rhythmisch in Bewegungen warfen, die zu alt und kompliziert waren, um sie jemals zu erfassen.

Ich schaute zu und erinnerte mich an die Ngomas meiner Kindheit, als Kibii und ich uns gemeinsam hinausgestohlen hatten und bis zum Morgengrauen geblieben waren, fasziniert und auch verwirrt von den sinnlichen Regungen, die die Tänzer in uns auslösten, Gefühlen, die wir noch nicht benennen konnten. Ich hatte mich seit jenen Tagen mehrfach verwandelt, hatte meine Haut wieder und wieder abgestreift. Ich würde Lakwet immer noch erkennen, wenn sie aus den Schatten kröche, um im Schein der Flammen zu stehen, aber würde sie noch wissen, wer ich war?

Auf der Veranda hatte Karen zwei leuchtende Signalfeuer aufgehängt, Schiffslaternen, die sie Berkeley einst aus Dänemark mitgebracht hatte und die nach seinem Tod an sie zurückgegangen waren. Im Schein einer der Laternen stand Denys und beobachtete die Ngoma aus der Ferne, sein Gewicht auf einem Bein, das andere angewinkelt, seine Schulter gegen eine Säule aus blauem Feldstein gelehnt. Mansfield stand in der Nähe der anderen Laterne – die beiden waren so symmetrisch angeordnet wie die Eingänge zu zwei verschiedenen Welten. Unwillkürlich kam mir der Gedanke in den Sinn, das Schicksal hätte die Dinge anders arrangieren können. Zu einer anderen Zeit oder in einer anderen Realität hätte Denys mein Ehemann sein können und dieses Kind sein Kind. In diesem Fall hätte ich all dem gegenüber anders empfunden, hätte glücklich und erwartungsvoll in die Zukunft geblickt, statt besorgt und niedergeschlagen. Doch hier und jetzt waren die Würfel gefallen. Selbst wenn, Gott stehe mir bei, ein versteckter Teil von mir noch immer darauf wartete, dass Denys mich liebte, sich von Karen abwandte und mich für sich beanspruchte, was für einen Unterschied machte das schon? Es sollte nicht sein.

Ich löste meinen Blick von den beiden Männern und richtete ihn erneut auf das Feuer, aus dem die Flammen kupfern und golden, leuchtend blau und weiß emporstiegen und Funken in den Himmel gesprüht wurden und wieder herunterregneten wie die Asche verloschener Sterne.

Ein paar Tage danach pochte ich an die Tür von Rutas und Kimarus Hütte, nachdem die Arbeit des Tages erledigt war. In ihrer Küche roch es nach Gewürzen und geschmortem Fleisch. Asis war nun vier Jahre alt und hatte die hohe, breite Stirn und auch das Selbstvertrauen seines Vaters. Er stellte sich gern neben den Tisch auf den Boden aus festgestampfter Erde und hüpfte so hoch in die Luft wie er nur konnte, wobei er Kibii so ähnlich sah, dass es mir beinahe das Herz brach.

»Er wird einmal ein ausgezeichneter Moran, denkst du nicht auch?«, fragte Kimaru und berührte leicht seinen hübschen Kopf.

»Er wird perfekt sein«, stimmte ich zu und gestand Ruta endlich, dass auch ich bald ein Kind haben würde.

»Ja, Beru«, erwiderte er leichthin. Natürlich hatte er es bereits gewusst. Es war lächerlich von mir gewesen, zu glauben, es könnte ihm entgangen sein. »Und unsere Söhne werden gemeinsam spielen, genau wie wir damals, oder nicht?«

»Das werden sie«, bestätigte ich. »Vielleicht werden sie sogar jagen gehen. Wir beide wissen noch, wie … ich weiß es noch.«

»Ein Moran vergisst niemals«, erwiderte er.

»Du bist meine Familie, Ruta. Du und Asis und Kimaru auch. Ich hoffe, das weißt du.«

Er nickte, seine Augen schwarz und voller Verständnis. Ich hatte das Gefühl, ich müsste nur tief genug in sie hineinblicken, um all die Jahre unserer Kindheit sich einen wunderbaren Tag nach dem anderen darin abspielen zu sehen. In diesem Moment verspürte ich auch einen leisen Hauch von Hoffnung angesichts dieses Babys. Es würde nicht einfach sein, aber wenn Ruta bei mir wäre, um mich daran zu erinnern, wer ich wirklich war, könnte alles gut werden. England und Mansfields Mutter würde ich ohne ihn ertragen müssen – aber nächsten Sommer würden wir das Baby nach Hause bringen. Melela würde das Green Hills meines Sohnes werden. So betrachtet, kam mir die Zukunft gar nicht mehr so beängstigend vor.

»Was sagt dein Vater dazu?«, fragte Ruta.

»Er weiß es noch nicht.«

»Ah«, machte er und wiederholte dann einen Suaheli-Spruch, mit dem er mich schon Jahre zuvor herausgefordert hatte: »Ein Neuanfang ist etwas Gutes, auch wenn er weh tut.«

»Ja, so sagt man«, erwiderte ich und ließ ihn allein mit seiner Familie zu Abend essen.

53.

»Niederkunft« ist eins dieser seltsamen altmodischen Worte, die so viel mehr ausdrücken, als sie eigentlich sollen. Ich bereitete mich auf meine in Swiftsden bei Mansfields Mutter vor, die mir einerseits alles ganz leicht machte und mich andererseits durch meine persönliche Hölle gehen ließ. Ich schlief in einem wunderschönen Zimmer, hatte eine Kammerzofe und musste keinen Finger rühren, nicht einmal, um mir selbst Tee einzuschenken. Es war offensichtlich, dass sie dieses Kind mit allem überhäufen wollte, was einem Markham gebührte. Ich selbst war dagegen keine echte Markham, was sie mir deutlich zu verstehen gab, ohne ein Wort zu sagen.

Ich fuhr alleine von Mombasa aus mit dem Schiff nach England und überließ die Pferde der Obhut von Ruta und meinem Vater. Mansfield stieß im Januar zu uns, rechtzeitig zur Geburt am 25. Februar 1929, einem Tag, der so bitterkalt war, dass die Rohre in der Entbindungsklinik am Eaton Square klirrten und zu platzen drohten. Die vereisten Fenster zur Straße hinaus legten einen Schleier über die Außenwelt, eine undurchsichtige Schmiere, auf die ich mich während der Geburt konzentrierte. Man hatte mir Lachgas und irgendein Beruhigungsmittel verabreicht. Unter dem Einfluss der Medikamente schüttelte ich mich und hatte das Gefühl, in Stücke zu brechen. Umklammernde, erstickende Schmerzen überkamen mich in einem Rhythmus, über den ich keinerlei Kontrolle hatte. Meine Knie bebten. Meine Hände zitterten auf den feuchten Laken.

Stunden später, mit einem letzten abscheulichen Stoß, fiel Gervase aus meinem Körper. Ich reckte den Hals, um ihn zu sehen, erhaschte jedoch nur einen hastigen Blick auf sein gerunzeltes Gesicht und die winzige, glitschige Brust, ehe die Ärzte ihn fortbrachten. Ich befand mich immer noch fest im Griff der Medikamente, hatte keine Ahnung, was vor sich ging, und konnte nichts weiter tun, als liegenzubleiben, von den Krankenschwestern zum Stillhalten ermahnt.

Niemand erklärte mir irgendetwas — weder, warum sie mein Baby mitgenommen hatten, noch, ob es überhaupt am Leben war. Ich rang mit den Schwestern und schlug schließlich eine, woraufhin sie mich endgültig mit Medikamenten ruhigstellten. Als ich wieder zu mir kam, war Mansfield in meinem Zimmer und sah wächsern und abgespannt aus. Dem Baby gehe es nicht gut, setzte er an, zu erklären. Es sei gefährlich klein, und ihm fehlten Dinge, die eigentlich vorhanden sein sollten. Der Anus und der Enddarm hätten sich nicht ausgebildet.

»Wie bitte?« Ich fühlte mich immer noch benebelt vom Beruhigungsmittel. »Wie ist das möglich?«

»Der Arzt meint, es passiere manchmal.« Er hatte sich wieder auf die Lippe gebissen. Ich konnte einen blasslila Bluterguss anschwellen sehen. »Aber was, wenn deine Reiterei der Grund dafür ist, Beryl?«

»Kann das denn sein? Denkst du das etwa?«

»Mutter meint, es habe wohl kaum geholfen.«

»Oh.« Seine Worte schlugen dumpf in meinem Bewusstsein auf. »Was können sie für ihn tun?«

»Sie werden ihn operieren. Wenn er stark genug ist, werden sie das sogar mehrmals tun. Aber im Augenblick ist er nicht stark. Er ist so klein. Er atmet nicht richtig. Sie sagen, wir sollen uns auf das Schlimmste gefasst machen.«

Nachdem Mansfield mein Zimmer verlassen hatte, zog ich die Laken und Decken fest um mich, aber mir wollte einfach nicht warm werden. Unser Sohn würde womöglich sterben. Allein die Vorstellung ließ mich erneut zittern – verloren und krank und vollkommen hilflos.

In meinen Tagen als Lakwet war ich einst in der Shamba der Kips gewesen, als ein verkrüppeltes Kind geboren wurde. Es hatte einen kleinen Stumpf, wo eins seiner Beine sein sollte, die Haut rosafarben und roh. Niemand versuchte, diese Tragödie vor Kibii oder mir zu verbergen. Das Kind würde entweder leben oder nicht – das hatte ihr Gott zu entscheiden. In jener Nacht legte die Mutter das Baby draußen direkt vor die Tür zu ihrer Hütte und schlief, wie der Rest des Stammes, ohne auf seine Schreie zu hören. Wenn die Ochsen es nicht tottrampelten, hieß es, dann sollte das Kind leben. Doch in jener Nacht kam ein Raubtier und holte es – wahrscheinlich ein Leopard oder eine Hyäne. Auch das wurde als Gottes Wille angesehen.

Würde Gervase die Operation überleben oder auch nur seine erste Nacht? Würde irgendein Gott mich bestrafen, indem er ihn mir nahm – oder war alles, was uns auf Erden zustieß, nicht mehr als ein blindes Würfeln, keinen Deut vernünftiger oder absichtsvoller als der nackte Zufall? Ich war mir nicht sicher, woran ich glaubte, und hatte nie gelernt, zu beten. Genauso wenig wusste ich, wie man sich dem Schicksal ergab – also summte ich beim Warten leise ein altes afrikanisches Lied, in dem ein vorsichtiger Mut zum Ausdruck kam: *Kali coma Simba sisi … Askari yoti ni udari.* Wild wie der Löwe sind wir, alle Soldaten sind tapfer.

54.

Erstaunlicherweise überlebte Gervase seine ersten heiklen Tage auf Erden. Die Ärzte brachten einen seltsamen Beutel an seinem Bauch an und fütterten ihn durch winzige Schläuche, die sich in seine Nase schlängelten. Er nahm dreißig Gramm zu und verlor dann das Doppelte wieder. Er bekam Gelbsucht und wurde unter helle Lampen gelegt. Die meiste Zeit über mussten wir uns von ihm fernhalten, da er auch nicht dem geringsten Ansteckungsrisiko ausgesetzt werden durfte. In all den Tagen, in denen ich mich in der Entbindungsklinik erholte, bekam ich ihn nur zweimal zu Gesicht, und jedes Mal versetzte es mir einen Stich ins Herz. Er war so hilflos und zerbrechlich – wie ein Vogel, der aus dem Nest gefallen war.

Am Tag vor seiner Operation kam Mansfield blass und erschöpft in mein Zimmer. »Ich weiß, dass es noch zu früh ist, um all das zu besprechen, aber wenn er durchkommt, möchte ich, dass Gervase sich in Swiftsden erholt. Mutter kann dafür sorgen, dass er die bestmögliche Pflege bekommt.«

»Selbstverständlich, wenn die Ärzte zustimmen.« Für mich selbst hasste ich Swiftsden, aber Gervase stand an erster Stelle.

»Und was wirst du tun?«, fragte er. »Wenn du aus dem Krankenhaus entlassen wirst?«

»Wie meinst du das? Ich möchte natürlich dort sein, wo Gervase ist.«

»Ich nahm an, du würdest nach Hause zurückkehren wollen.«

»Irgendwann, ja. Wenn wir drei zusammen gehen können. Was hat das alles zu bedeuten, Mansfield?«

Er kehrte mir den Rücken zu und trat ans Fenster, vor dem er über die dunklen Holzdielen auf und ab ging. Das Wetter war immer noch fürchterlich, und die Scheiben waren mit grünlich schimmerndem Eis überzogen, das Mansfields Haut einen gespenstischen Ton verlieh. Er wirkte anders auf mich, seit wir in England waren – nicht nur blasser, sondern auch willensschwächer, beinahe so, als fiele er zurück in sein kindliches Selbst, diesen kränklichen Jungen, der den größten Teil seiner Zeit im Bett verbrachte, wo er sich in die lateinischen Namen von Blumen vertiefte.

»Ich bin mir nicht sicher, ob ich nach Kenia zurückgehen werde«, sagte er. »Es scheint mir immer deutlicher zu werden … wie unterschiedlich wir sind. Ich komme mir deswegen ein bisschen dumm vor.«

»Dumm, weil du mich geheiratet hast? Wieso sagst du das jetzt? Wir haben uns ein Leben zusammen aufgebaut. Willst du das einfach wegwerfen?«

»Ich wollte eine neue Chance, das stimmt. Aber vielleicht habe ich auch bloß eine Rolle gespielt. Oder du hast es getan.«

Der Raum geriet ins Wanken. »Ich verstehe nicht. Die Farm ist mein ganzes Leben, und jetzt haben wir außerdem Gervase. Wir sind an ihn gebunden.«

»Das weiß ich«, erwiderte er müde. Dann ging er, um mit dem Arzt zu sprechen, während alles, was wir gesagt hatten – und was ungesagt geblieben war –, wie ein dichter, kalter Nebel im Raum hing.

Ich konnte kaum begreifen, was vor sich ging. Mansfield und ich waren uns in der Vergangenheit manches Mal uneins gewesen und hatten nie perfekt zueinander gepasst, aber wir hatten dieselben Dinge gewollt und waren Freunde gewesen. Nun schien jegliche Zuneigung zwischen uns genauso schnell verschwunden zu sein wie die Sonne. Hier herrschte eine andere Jahreszeit, in mehr als nur einer Hinsicht.

Während ich mich noch mit all diesen Gedanken quälte, vernahm ich Schritte vor der Tür. Ich erwartete, dass Mansfield mit den Neuigkeiten des Arztes zurückkehrte, stattdessen war jedoch Prinz Harry gekommen.

»Sie sollten doch auf Safari sein«, sagte ich und musste den Schock, ihn zu sehen, erst einmal verarbeiten. Sein feiner grauer Anzug sah aus wie aufgemalt. Er gehörte nicht in eine Entbindungsklinik in der Gerald Road.

»Sie ist vorzeitig beendet worden. Sie waren hier wahrscheinlich zu eingespannt, um es mitzubekommen: Mein Vater ist an einer Lungenentzündung erkrankt. Es war eine lebensbedrohliche Angelegenheit, aber er hat sich wieder erholt. Was ist mit Ihnen? Ich wusste noch nicht einmal, dass Sie ein Kind erwarteten, und plötzlich tauchten Sie in der *Times* auf. Ein Sohn, geboren von einer gewissen Markham, Beryl, in der Gerald Road. Sie sind ganz schön raffiniert.«

»Ich war noch nicht bereit, es irgendjemandem mitzuteilen. Und nun geht es dem Baby schlecht …« Ich konnte nicht weitersprechen und fragte mich, ob ich tatsächlich vor einem Mitglied des Königshauses weinen würde. Würde das anschließend auch in der *Times* stehen?

»Das tut mir leid. Ich habe es gehört. Was kann ich tun?«

»Wenn Sie wirklich helfen wollen, könnten Sie sicherstellen, dass er den besten Arzt bekommt. Sie müssen doch wissen, wer hier gut ist und wem man vertrauen kann. Er ist immer noch so klein. Haben Sie ihn gesehen?«

Harry schüttelte den Kopf, als zwei Krankenschwestern das Zimmer betraten und sich an den Laken zu schaffen machten. Sie waren offensichtlich verwirrt darüber, dass sich ein Mitglied des Königshauses im Haus aufhielt, und wollten ihn aus der Nähe betrachten. »Ich werde den Arzt gern überprüfen«, sagte er, ohne ihnen Beachtung zu schenken.

»Und bitte zögern Sie nicht, mich anzurufen, wenn Sie noch irgendetwas anderes benötigen, was es auch sei.«

»Vielen Dank. Ich mache mir solche Sorgen.«

»Das ist doch ganz verständlich.« Er drückte meine Finger, bevor er sich über sie beugte und seine Lippen auf meinen Handrücken presste. Es war eine harmlose Geste, die lediglich seine Anteilnahme ausdrücken sollte, doch die Krankenschwestern drehten sich um und starrten uns mit geöffneten Mündern an.

55

So schwach er auch war, Gervase hatte das Herz eines Morans. Er überstand jene erste Operation Mitte März, nach der sein Körper ein wenig vollständiger war. Die Ärzte schufen eine Öffnung, wo zuvor nur eine glatte Hautfläche gewesen war. Einen Monat später folgte eine weitere Operation, um aus dem Gewebe seines Dickdarms einen Enddarm zu formen, und bei einem letzten Eingriff wurden schließlich alle Teile zusammengebracht, wie die Punkte, die in einem Rätselheft für Kinder miteinander verbunden werden mussten. Jedes Mal wussten wir nicht, ob er den Eingriff oder die Narkose überleben würde. Hinterher bestand immer die Gefahr einer Sepsis, einer Blutung oder eines Kreislaufversagens.

Die Ärzte hatten sich für den Augenblick gegen Swiftsden ausgesprochen. Gervase blieb im Krankenhaus, während Mansfield und ich ins Grosvenor zogen, allerdings in getrennte Suiten. Alle Gespräche über das Schicksal unserer Ehe hatten wir vertagt. Wir sprachen überhaupt kaum noch miteinander.

Eines Tages kam Ginger Birkbeck mich im Hotel besuchen. Sie und Ben waren in London, weil ihr ein gutartiger Tumor aus einer »weiblichen« Region ihres Körpers entfernt werden musste, deren Bezeichnung sie vornehm verschwieg. Aber darüber wollte sie ohnehin nicht sprechen … sondern über Harry.

»In der ganzen Stadt wird über euch beide getratscht«, erzählte sie mir. »Es heißt, du würdest im Grosvenor woh nen, weil es direkt gegenüber vom Buckingham Palace liegt, und dass er deine Suite durch einen Geheimgang im Keller betritt und wieder verlässt.«

»Das ist doch absurd. Wir sind lediglich gute Freunde; er ist unglaublich nett zu mir gewesen.«

»Trotzdem solltest du aufpassen. Es ist eine ziemlich ernste Angelegenheit. Vergib mir, dass ich das sage, aber dein Ruf ist nicht gerade makellos. Und die Klatschspalten kommen immer zu dem naheliegendsten Schluss.«

»Dann sollen sie doch. Es ist mir mittlerweile egal.«

»Du hast also ein Verhältnis mit Harry?«

»Wen zur Hölle geht es etwas an, ob ich ein Verhältnis habe oder nicht?« Ich ging auf dem Plüschteppich auf und ab, der aus aufeinanderprallenden Grün- und Rottönen bestand, eine Mischung aus Weihnachten und Sotheby's.

Ginger riss die Augen weit auf. Von ihrem Platz auf dem Sofa aus fragte sie mich: »Du willst es also weder bestätigen noch dementieren?«

»Du hast mir nicht zugehört! Ich versuche dir zu sagen, dass es ganz gleich ist. Mir wird ohnehin niemand glauben, wenn ich die Gerüchte zurückweise.«

»Das könnte dich ruinieren, Beryl«, sagte sie. »Hast du darüber nachgedacht?«

Ich schloss die Augen und öffnete sie wieder. »Ehrlich gesagt glaube ich nicht, dass es mir viel ausmachen würde, wenn ich nur mein Leben zurückbekommen könnte und in Ruhe gelassen würde.«

»Weißt du, ich möchte dir helfen. Ich will nur das Beste für dich.«

»Ob du es glaubst oder nicht, aber das will ich auch.«

Es pochte mehrmals kurz an der Tür, woraufhin Harry mit seinem hübschen Haarschnitt, seinem kräftigen, harzigen Eau de Cologne und seinen messerscharf gebügelten Hosen ins Zimmer trat. »Hallo«, sagte er. »Was gibt es Neues? Wie geht es Gervase heute?«

»Dem Vernehmen nach ist er stärker geworden.«

»Das ist ausgezeichnet. Wirklich ausgezeichnet.« Er durchquerte rasch den Raum, drückte mich und gab mir dann einen Kuss auf die Stirn, während Gingers Wangen tiefrot anliefen.

Anfang Mai waren die Ärzte endlich bereit, Gervase nach Swiftsden zu entlassen. Auch wenn ich wusste, dass es Streit bedeuten würde, fand ich, es sei nun ebenfalls an der Zeit, Kenia zur Sprache zu bringen.

»Er würde die Reise niemals überleben«, antwortete Mansfield schlicht. Wir befanden uns in der üppig, aber lieblos eingerichteten Bibliothek seines Bruders Charles am Connaught Square.

»Natürlich nicht sofort. Aber nächstes Jahr?«

»Ich gehe nicht zurück – nicht so, wie die Dinge jetzt stehen. Und Gervase wird hier ein besseres Leben haben.«

»Wie kannst du uns alle einfach entwurzeln, ohne auch nur eine andere Möglichkeit in Betracht zu ziehen?«

»Du kannst tun, was du willst«, sagte er emotionslos. »Ich denke jetzt nur an Gervase. Er wird rund um die Uhr von Krankenschwestern, Kindermädchen und den besten Ärzten gepflegt werden. Er wird niemals ein starkes Kind sein. Du hast den Arzt gehört.«

»Das habe ich tatsächlich. Ich habe alles gehört, was die Ärzte gesagt haben.« Ich blickte ihn eindringlich an. »Ist dir bewusst, dass jedes Kind Gervases Fehlbildung hätte bekommen können? Dass das Reiten nicht das Geringste damit zu tun hatte?«

Ein Muskel in seinem Kiefer zuckte, und er wandte den Blick ab. »Das macht nun keinen Unterschied mehr, oder?«

»Nein. Das macht es wohl nicht.«

Wochenlang war ich von Schuldgefühlen geplagt gewesen, überzeugt davon, ich hätte Gervase mit meinem Verhalten geschadet, aber am Ende war es sinnlos, irgendjemanden verantwortlich machen zu wollen. Seine Zukunft würde eine Frage von Macht und Mitteln sein. Mansfields Mutter hatte mich nie gemocht. Sie würde mich aus dem Leben meines Sohnes hinausdrängen, während Mansfield mir gegenüber so bitter und verschlossen geworden war. Die Tür zwischen uns hatte sich in eine Wand verwandelt, und Gervase befand sich auf der anderen Seite. »Er ist auch mein Kind. Wie kann es sein, dass ich keinerlei Rechte und überhaupt nichts zu sagen habe?«

Er zuckte die Achseln und presste die Lippen aufeinander. »Das hast du dir selbst zuzuschreiben. Mittlerweile geht das Gerücht um, er sei das Kind des Herzogs.«

»Das ist doch lächerlich. Ich war im Juni schon schwanger. Harry ist erst im Oktober nach Kenia gekommen, als ich schon mehrere Monate weit war.«

»Harry? David? Die Geschichten gehen in beide Richtungen. Ehrlich, Beryl. Ein Prinz war dir nicht genug? Du musstest dich gleich um zwei von ihnen bemühen?«

Ich hätte ihm eine Ohrfeige verpasst, hätte ich noch Kraft für Empörung übrig gehabt. »Dieses Gerede widert mich an.«

»Dann bestreite die Behauptungen.«

»Ich sollte nicht dazu gezwungen sein, ganz besonders nicht vor dir! Und was zählt es denn noch, was die Leute denken? Sollen sie doch alle zum Teufel gehen!«

So ging es immer weiter, während die Bediensteten ohne Zweifel direkt vor der Tür kauerten, um alles brühwarm an den *Tatler* weiterzugeben. Mansfield versuchte, mich zu einer klärenden Stellungnahme in der *Times* zu drängen. Seine Mutter war wegen des Skandals außer sich. »Denk doch an ihren guten Namen«, beschwor Mansfield mich. »Schicklichkeit bedeutet hier alles.«

»Ich habe es so unendlich satt, Dinge um der Schicklichkeit willen zu tun«, spuckte ich aus. »Ich will nach Hause.«

»Zwing mich nicht, zu handeln, Beryl. Ich kann meinen

eigenen Namen reinwaschen, indem ich mich von dir scheiden lasse und den Herzog als Mitverantwortlichen angebe. Du wirst jeden Penny verlieren, den du jemals von mir zu bekommen glaubtest. Und Gervase wirst du auch verlieren.«

»Kannst du ehrlich behaupten, dass du ihn mir nicht ohnehin fortnehmen willst, ganz gleich, was passiert?«

Er blickte mich teilnahmslos an. Teegeschirr klapperte direkt vor der Tür. Ich fühlte mich den Tränen nah und zugleich vollkommen leer, als hätte ich all dies schon einmal erlebt, schon viele Male, mit jeweils unterschiedlichen Worten für immer dieselben furchtbaren Verbrechen, die mir vorgeworfen wurden: dass ich eine Frau war und die Dreistigkeit besaß zu glauben, ich könnte frei sein. Doch diesmal lag nicht nur mein eigenes Schicksal in der Waagschale.

»Dann bekämpfe mich eben mit allem, was du zu bieten hast«, sagte ich schließlich. »Mach, was du willst.«

Was als Nächstes geschah, darüber sollte noch in den kommenden Jahrzehnten getratscht und getuschelt werden, und in den Nacherzählungen wurden die Ereignisse ziemlich durcheinandergebracht, so wie bei der Stillen Post, wenn selbst die einfachste Nachricht am Ende bis zur Unkenntlichkeit entstellt ist. Einige behaupteten, Markham sei mit einem Bündel Liebesbriefe des Herzogs in den Palast gestürmt. Andere beharrten darauf, dass stattdessen seine Mutter dort war und um eine Audienz im Royal Enclosure in Ascot bettelte. Queen Marys Anwälte wurden im Morgengrauen aus dem Schlaf gerissen, oder vielleicht war es auch Sir Ulick Alexander, Keeper of the Privy Purse. Die alte Dame war empört, entsetzt, voller Verachtung und Drohungen. Niemand durfte einen Prinzen von Geblüt in eine Scheidungsklage hineinziehen, dennoch würde sie zahlen, um sicherzugehen, dass es auch wirklich niemals geschehen würde, zehntausend oder dreißigtausend oder fünfzigtausend Pfund als fest angelegtes Kapital, das für den Rest meines Lebens eine Jahresrente abwerfen sollte. Wenn ich mich bloß zur Hölle scherte.

Die Gerüchte und Spekulationen nahmen ein Eigenleben an, doch nichts von dem, was behauptet wurde, konnte mich auch nur ansatzweise überraschen. Dafür fühlte ich mich zu leer. Gervase kam nach Swiftsden, wie mir von Anfang an klar gewesen war, und machte dort Fortschritte. Sein Körper heilte. Er fand Gefallen an seiner eigenen Stimme und brabbelte und krähte in seinem hübschen Babykorb vor sich hin. Vielleicht würde er sich an mich erinnern, wie ich über ihm stand und mit dem Finger die kleine Hautfalte unter seinem Kinn entlangfuhr. Ich hoffte es. Er hatte Markhams Augen, doch ich sah nichts von mir in ihm. Abgesehen davon, wie er gekämpft hatte, um hier zu sein, am Leben.

Im Laufe der Jahre würde ich immer wieder nach Swiftsden zurückkehren, um ihn zu besuchen, stets unter dem wachsamen Blick von Mansfields Mutter und mehreren Kindermädchen, als befürchteten sie, ich würde mich mit ihm nach Afrika davonmachen. Gewiss hatte ich darüber nachgedacht, und sei es nur, damit er die Farben meines Landes – das löwengoldene Gras und den schneebedeckten Gipfel des Kilimandscharo – sehen und auch mich besser kennenlernen konnte. Stattdessen erzählte ich ihm Geschichten über Njoro – über Kibii und Buller und Wee MacGregor, über Leopardennächte, Elefantennächte, den weiten, endlosen Himmel. Zum Abschied wiederholte ich jedes Mal dieselben Worte: »Irgendwann werden wir zusammen dort hinfahren. Ich werde dir alles zeigen.«

56.

Ich blieb den Rest des Jahres 1929 in England, wo ich häufig den Aero Club in Piccadilly aufsuchte. Es hatte etwas Beruhigendes, ja sogar Heilendes, zu beobachten, wie die Flugzeuge durch das leere Blau über Shellbeach stachen, glänzende silberne Nadeln, die einen Faden hinter sich herzogen. Dort lief mir an einem klaren Oktobertag Denys über den Weg. In einer enganliegenden Lederjacke und mit einem Fliegerschal um den Hals, kam er mir auf der Café-Terrasse in der Nähe einer der großen Flugzeughallen entgegen. Einen Moment lang konnte ich es kaum glauben – als hätte ich ihn herbeigeträumt. Dann eilten wir ohne nachzudenken und frei von Verlegenheit aufeinander zu, wie zwei Menschen, die einander am Ende der Welt wiedergefunden hatten.

»Meine Güte, wie schön, dich zu sehen.« Ich ergriff seine Hand und konnte sie nicht wieder loslassen. »Was machst du denn hier?«

»Flugstunden nehmen. Das königliche Fiasko hat mir die nötigen Mittel eingebracht, um endlich das Flugzeug zu kaufen, das ich mir gewünscht hatte. Eine bezaubernde goldene Gipsy Moth. Wenn wir beide in sechs Monaten noch heil sind, werde ich sie nach Mombasa verschiffen lassen.« Er meinte sich und das Flugzeug. Nach Maias Tod war ich überrascht, ihn so kühn reden zu hören, aber so war Denys eben.

»Sie sind wunderschön.« Ich blickte gen Himmel, wo eine glänzende de Havilland kurz wackelte und dann gleichmäßig weiterflog. »Es sieht so anmutig aus.«

»Ich nehme an, du wurdest ganz schön in die Mangel genommen.«

»Du konntest Mansfield nie leiden, oder?«, fragte ich vorsichtig. »Du hast dich uns gegenüber immer ziemlich unterkühlt verhalten.«

»Ich wollte, dass du glücklich bist … das habe ich immer gewollt. Aber ich war überrascht, als du ihn geheiratet hast. Ehrlich gesagt habe ich dich immer für einen zu freien Geist gehalten, um dich in irgendeiner Weise einschränken zu lassen. Ich dachte, in dieser Hinsicht wären wir uns ähnlich.«

»Vielleicht hat genau das die Sache von Anfang an verpfuscht. Wer weiß das schon? Aber nun ist alles vorbei. Ich weiß nicht, was jetzt aus der Farm und meinen Pferden wird oder auch nur, was ich zu retten versuchen sollte.«

»Du solltest fliegen lernen.«

»Ich?«, fragte ich. »Fühlt man sich dort oben denn so frei, wie es von hier unten den Anschein hat?«

»Sogar noch freier.«

»Das hört sich himmlisch an«, meinte ich. »Lass mir etwas davon übrig.«

In den nächsten paar Wochen, vor meiner Abreise nach Hause, trafen Denys und ich uns jeden Mittag, bei Sonne oder Regen, zum Essen auf dem Flugplatz. Ich fühlte mich zu ihm hingezogen wie eh und je, doch während ein Teil von mir sich danach sehnte, ihn zu küssen und seine Nähe zu spüren, fühlte sich dieses Verlangen zugleich falsch an, solange Gervase immer noch so verletzlich war und die um mich herum zerstreuten Trümmer meiner Ehe rauchten. Aber Denys war auch ein Freund, den ich gerade bitter nötig hatte. Er berichtete mir alles, was er in der Luft lernte, und ich stürzte mich auf jedes Detail, froh darüber, meine Aufmerksamkeit auf etwas anderes lenken zu können.

»Das hört sich nach purer Freiheit an«, sagte ich. »Zumindest, solange man all die Gefahren ausblendet.«

»Die Angst verschwindet nie ganz. Sie lässt alles schärfer werden.«

Ich nickte, da ich genau wusste, was er meinte. Schon als Kind hatte ich das Bedürfnis gehabt, mich auf die Probe zu stellen und herauszufordern. Dieses Mädchen hatte ich in der Zwischenzeit manchmal vergessen, doch es kam eindeutig zurück, wenn ich in den klaren blauen Himmel blickte, als wäre er eine Art Fenster. Vielleicht würde ich auch fliegen. Vielleicht war das der Sinn all dieser Tage, die Denys und ich gemeinsam auf dem Flugplatz verbrachten, der Grund dafür, dass ich mich immer weniger niedergeschlagen und verzweifelt fühlte. Die Vorstellung davon – von einer Zukunft mit Flügeln – ergab wahrhaftig Sinn und begann, mich zu heilen. Denys trug ebenso dazu bei. Einfach nur neben ihm zu sitzen half mir, mich daran zu erinnern, wer ich in besseren Zeiten war, stärker und sicherer, bereit, nach vorn zu blicken und dem Bevorstehenden ohne Angst entgegenzutreten.

»Hast du dir uns beide jemals zusammen vorgestellt?«, fragte ich ihn eines Tages. »Eine Zeit oder einen Ort … vielleicht sogar eine Welt, in der wir zusammen sein könnten? Ich meine, ganz unkompliziert, ohne dabei ein riesiges Loch im anderen zu hinterlassen oder mehr zu wollen, als der andere geben kann?«

Sein Lächeln breitete sich langsam aus. Als ich in seine haselnussbraunen Augen blickte, konnte ich keinen Grund erkennen. »Wie wäre es mit diesem Ort hier? Genau jetzt?« Er griff nach meiner Hand, und so saßen wir ein paar weitere kostbare Minuten Seite an Seite, während über unseren Köpfen eine silberne Moth funkelte wie Sternenfeuer, ihre Flügel seitwärts kippte und hinter einer Wolke verschwand.

57.

Ende März 1930 fuhr ich mit dem Schiff nach Hause. Ich machte einen kurzen Abstecher nach Melela, um meinen Vater, Ruta und unsere Pferde zu besuchen. Worte der Erklärung dafür zu finden, dass Gervase noch immer in England war und sie ihn vielleicht niemals zu sehen bekommen würden, war schwerer, als ich mir je hätte vorstellen können. Mein Vater wollte sich mit Mansfield anlegen, als könnten wir uns über einen Ozean hinweg streiten und damit irgendetwas erreichen. Ruta war ruhiger, aber auch furchtbar traurig für mich, das wusste ich. Er schien sofort zu spüren, dass die Farm ihre Blütezeit hinter sich hatte.

»Mir steht im Augenblick nicht der Sinn nach Pferderennen«, teilte ich ihm mit. »Ich kann keinerlei Gedanken an die alte Zeit ertragen. Ich will weder auf einem Pferd sitzen noch die Koppel riechen. Stattdessen werde ich fliegen lernen.«

»Ich verstehe«, erwiderte er und schwieg einen Moment. »Und wohin werden wir gehen, um zu fliegen?«

Das Wort *wir* war beinahe zu viel für mich. »Wie wäre es mit Nairobi?«

Wir zogen in den Muthaiga Club, wo ich Denys' altes Cottage mietete, während Ruta im nahegelegenen Viertel der Einheimischen ein Haus für sich und seine Familie fand. Der Anblick von Asis, wie er neben seiner Mutter herlief oder auf Rutas Schoß kletterte, ließ mich Gervase so heftig vermissen, dass ich mich oft beinahe vor Schmerzen krümmte. Mansfields Briefen zufolge war er immer noch empfindlich, wurde aber immer stärker. Neben den Neuigkeiten hatte Mansfield auch begonnen, mir eine kleine finanzielle Unterstützung zu schicken. Als ich noch in London war, hatte er mir aggressiv mit der Scheidung gedroht, doch nun verzögerte er das tatsächliche Verfahren. Aber das war nicht von Bedeutung. Er würde die Sache zu Ende bringen, sobald er bereit dazu war. Ich merkte allerdings, dass ich diesmal nicht mit den Füßen scharrte, um endlich vollkommen frei von ihm zu sein, wie ich es getan hatte, als damals mit Jock alles im Argen lag. Ich war eine Mutter, die ihr Kind nicht in den Armen halten konnte. Freiheit bedeutete mir nicht mehr dasselbe wie zuvor. Nichts bedeutete mir mehr dasselbe.

Eines Tages kam Karen auf einen Drink in mein Cottage, und ich erfuhr überrascht, dass auch sie in England gewesen war, kurz nach meinem wohldokumentierten Durcheinander mit den Markhams und der Monarchie.

»Ich kann mir vorstellen, wie furchtbar das alles gewesen sein muss«, sagte sie. Ich hatte ihr ein wenig von Mansfield und Gervase erzählt, die schmerzhaftesten Details jedoch für mich behalten.

»Ich bin nicht die einzige angebliche Kurtisane der Fleet Street. Bald wird ein anderes Mädchen daherkommen, und alle werden mich vergessen.«

»Darauf würde ich nicht wetten.« Sie seufzte und zog an einer Locke, die ihr in die Stirn gefallen war. »Während Sie fort waren, hatte ich zuerst Heuschrecken auf der Farm und dann Frost. Alle Pflanzen sind verkümmert. Deshalb bin ich hinübergefahren, um zu sehen, ob Denys mir irgendwie aus meinen Schulden heraushelfen könnte.«

»Und konnte er?«

»Nein«, antwortete sie leise. »Aber er hat versprochen, mit mir zu fliegen, wenn er wieder zurück ist. Die Prinzen kommen ebenfalls, um erneut auf Safari zu gehen, aber das wissen Sie zweifellos bereits.«

»David braucht seinen Löwen.«

»Selbstverständlich«, erwiderte sie bitter.

»Es hat auch sein Gutes. Sie wissen, wie sehr Denys sich dieses Flugzeug gewünscht hat.«

»Ja. Und jetzt betteln ihn mehr Kunden an, sie mitzunehmen, als er jemals unterbringen könnte. Ich sollte mich für ihn freuen, nicht wahr? Und doch befürchte ich, es könnte unser Ende sein.« Ihre Augen waren von Falten umringt und undurchdringlich. Ich wusste nicht, ob sie mir die Wahrheit sagte – dass sie und Denys kurz vor dem Aus standen – oder sich eine dramatische Geschichte ausdachte. Auch konnte ich nicht sagen, welche Auswirkungen ihr sich entfaltendes Drama auf mich haben würde. Aber es sollte nicht ohne Folgen bleiben.

Denys kehrte ein paar Monate später zurück und begann den zweiten Aufenthalt der Prinzen vorzubereiten. Ich sah ihn nicht sofort, erfuhr jedoch von Cockie, dass er aus Ngong zurück nach Nairobi ziehen wollte. »Tania hat ihm seinen Ring zurückgegeben«, erzählte sie mir, als wir uns in der Stadt zum Mittagessen trafen. »Anscheinend ist die Trennung einvernehmlich, aber das bedeutet nicht, dass es ihr nicht das Herz brechen würde.«

»Was, denkst du, hat die beiden letzten Endes auseinandergebracht?«

»Sie wollte mehr, als er geben konnte.«

»Das ist niemandes Schuld. Sie haben sich beide alle Mühe gegeben, oder?« Ich suchte nach den richtigen Worten für meine verworrenen Gefühle. »Wir können nicht weiter gehen, als bis zu unseren eigenen Grenzen – wenn auch sonst nichts, so habe ich doch zumindest so viel gelernt. Gehen wir darüber hinaus, geben wir zu viel auf. Damit tun wir niemandem einen Gefallen.«

»Weißt du, sie wird womöglich die Farm verkaufen müssen. Nachdem sie so viel durchgemacht und so hart darum gekämpft hat. Sie ist unglaublich tapfer gewesen.«

»Sie ist eine Kriegerin«, stimmte ich zu. Und das war sie auch. Fast zwei Jahrzehnte lang hatte Karen alles aufs Spiel gesetzt, war ohne Aussichten auf Erfolg Risiken eingegangen, hatte alles mit Hypotheken belastet, da sie ihr Land zu sehr liebte, um es aufzugeben. Und doch würde sie nun dazu gezwungen sein. Ich konnte mir Ngong – ganz Kenia – kaum ohne sie vorstellen. »Das einzig Gute an all dem ist, dass du Blix bekommen hast. War es das wert, was du durchgemacht hast, um ihn für dich zu gewinnen?«

»Ich weiß es nicht.« Sie drehte den Ring an ihrem Finger, auf dem ein viereckiger gelber Diamant saß, so strahlend wie die Sonne. »Ich weiß nicht, ob es darauf überhaupt ankommt. Ich hätte keine andere Entscheidung treffen können. Er ist mein Leben. Verstehst du, was ich meine?«

»Ja«, bestätigte ich. »Ich denke schon.«

Ein paar Tage später lag ich in meinem Bett im Cottage und las, als Denys an die Tür klopfte. Noch bevor ich ihm öffnete, wusste ich, dass er es war. Ich hatte seit Wochen darauf gewartet – seit Jahren. Aber diesmal wusste ich, dass er gekommen war.

Ich schlüpfte in meinen Morgenmantel, zündete die Lampe an und schenkte uns beiden ein großzügiges Glas Scotch ein. Selbst müde und unrasiert, mit einer üblen Schürfwunde am Arm, sah er für mich aus wie ein Stück vom Himmel. Wir saßen lange einfach nur da, ohne zu sprechen, bis ich das Gefühl hatte, dass es kaum noch von Bedeutung war, wofür wir Worte fanden oder auch nicht. Sein Atem beruhigte mich. Das Heben und Senken seiner Brust, das leise Knarren des Stuhles unter seinem Gewicht und seine feinen, abgerundeten Finger, die sich um den Boden des Glases schlossen.

»Wie steht es mit deinem Flugzeug?«, fragte ich schließlich.

»Bestens. Ich hatte keine Ahnung, wie sehr ich es lieben

würde. Und es könnte auch gut fürs Geschäft sein. Als ich letztes Mal oben war, habe ich gleich drei Elefantenherden entdeckt, vier riesige Bullen. Dafür bin ich sonst oft wochenlang unterwegs und muss Hunderte Meilen weit fahren.«

»Wie meinst du das? Du machst sie aus der Luft ausfindig und gibst dem Lager dann telegrafisch Bescheid?«

Er nickte. »Nicht schlecht, oder?«

»Nicht schlecht.« Ich lächelte.

Wir verfielen erneut in Schweigen und lauschten auf die Geräusche der Insekten im Gras und auf dem Jakarandabaum. »Ich habe gehört, dass Karen womöglich ihre Farm verkaufen muss«, sagte ich.

»Sie sieht gerade ziemlich schwarz. Ich mache mir Sorgen um sie, aber sie hat mich gebeten, sie nicht zu besuchen. Wenn wir uns jetzt nicht voneinander fernhalten, könnten wir alles verlieren, selbst unsere wundervollen Erinnerungen.«

Ich stellte mein Glas ab und ging zu ihm hinüber, kniete mich vor seinen Stuhl und ergriff seine Hände. »Weißt du, ich habe so großen Respekt vor ihr. Sie ist eine außergewöhnliche Frau.«

»Ja.« Er sah mich aufmerksam, beinahe feierlich an, als versuchte er, mich zu entziffern wie einen altertümlichen Text. Die Lampe ließ einen Teil seines Gesichts im Schatten, aber seine bernsteinfarbenen Augen schimmerten sanft. Sie erinnerten mich an Berkeleys Falernerwein. An Löwen im Gras.

»Bringst du mir das Fliegen bei?«

»Ich könnte nicht die Verantwortung für dein Leben übernehmen. Ich habe es ja selbst gerade erst richtig gelernt.« Sein eigenes Leben ließ er unerwähnt, ebenso Maia Carberrys, deren Flugzeug stundenlang am Rand der Ngong Road gequalmt hatte, so dass die Behörden nicht einmal versucht hatten, ihre und Dudleys sterbliche Überreste zu bergen. Ich hätte nichts anderes von ihm erwartet.

»Ich werde es trotzdem tun.«

»Gut«, erwiderte er. »Ich bin in drei Monaten zurück, dann fliegen wir gemeinsam, und du kannst mir alles zeigen, was du gelernt hast. Wir werden Richtung Küste fliegen oder gemeinsam auf Safari gehen. Wir haben jene sechs Tage damals schließlich nie nachgeholt, nicht wahr?«

Ich dachte an Pegasus und die Elefanten und die auseinanderfallende Brücke, an Denys' Diener, der zwanzig Meilen barfuß gerannt war, um mir das Herz zu brechen. »Nein, das haben wir nicht.«

58.

In Tom Campbell Blacks Leben hatte sich vieles verändert seit jenem Tag, an dem wir uns in Molo am Straßenrand zum ersten Mal begegnet waren. Er hatte das Flugzeug, von dem er geträumt hatte, bekommen und auch gelernt, es zu beherrschen. Nun war er Geschäftsführer und Chefpilot bei Wilson Airways in Nairobi, ein funkelnagelneuer Flugbetrieb, der zahlende Passagiere beförderte und einen Kurierdienst anbot. Außerdem war Tom kürzlich in den Schlagzeilen gewesen, nachdem er den weltberühmten deutschen Kriegspiloten Ernst Udet gerettet hatte, dessen Flugzeug über der Wüste abgestürzt war. Als ich ihn aufsuchte und fragte, ob er mir Flugstunden erteilen würde, schien er ganz und gar nicht überrascht, mich wiederzusehen, und sagte: »Ich habe immer gewusst, dass Sie fliegen würden. Ich konnte es in den Sternen sehen.«

»Ich verstehe. Deshalb haben Sie damals also diese große Rede gehalten über Flugzeuge, Freiheit, die Wolken und darüber, dass einen dort oben nichts aufhalten kann? Das war alles nur für mich?«

»Was denn? Sehe ich etwa nicht aus wie ein Mystiker?«

»Solange Sie bereit sind, mich zu unterrichten, können Sie so mysteriös sein, wie Sie möchten«, erwiderte ich lachend.

Der Unterricht begann am frühen Morgen über dem friedlich schlafenden Nairobi. Der Flugplatz war damals so chaotisch zusammengewürfelt, wie die Stadt selbst nur dreißig

Jahre zuvor ausgesehen hatte: Blech, Glas und Hoffnung standen auf Zehenspitzen am Rand der Leere.

Tom hatte noch nie zuvor einen Schüler gehabt, aber in gewisser Weise war das nicht von Bedeutung. Fliegen bestand hauptsächlich aus Instinkt und Intuition, mit ein paar zusätzlichen unumstößlichen Regeln. »Vertraue deinem Kompass«, war eine davon. »Ihr Urteilsvermögen wird Sie manchmal im Stich lassen. Auch der Horizont wird Sie belügen, wenn Sie ihn denn sehen können. Dazu wird es kommen. Aber diese Nadel«, womit er theatralisch darauf wies, »sie wird Ihnen sagen, wohin Sie fliegen sollten. Nicht, wo Sie gerade sind. Vertrauen Sie darauf, dann werden Sie schließlich auch dort hingelangen.«

Das Flugzeug, in dem wir saßen, war für das Fliegen mit einem Fluglehrer konstruiert. Ich konnte lernen, mit den Instrumenten umzugehen, und ein Gefühl für den Steuerknüppel entwickeln, während Tom zur Stelle war, um meine Fehler zu korrigieren. Wir hatten Kopfhörer, um uns miteinander zu verständigen, doch Tom wollte bald aufhören, sie zu verwenden. »Sie müssen selbst lernen, zu bemerken, wann Sie einen Fehler begehen«, erklärte er mir. »Ich kann Sie natürlich auch weiter darauf aufmerksam machen, aber was würde das bringen?«

Er hatte selbstverständlich recht. Der Gashebel, der Winkel des Steuerknüppels, das Seitenruder, die Flügelklappen und Höhenruder: Ich musste jedes einzelne dieser Elemente spüren und genau kennen – und insbesondere am Anfang hin und wieder Fehler dabei machen. Manchmal sackte die Moth nach unten, sie verlor an Flughöhe und sauste mit rasender Geschwindigkeit auf das sonnengebleichte Gras und die Felsen zu. In der Nähe der Berge gab es unberechenbare Fallwinde. Der Propeller konnte von einer Sekunde auf die andere den Geist aufgeben, ebenso wie aus dem Nichts heraus ein Unwetter aufziehen mochte. Man konnte in Sansevieria-Pflanzen landen, die einem die Flügel zerfetzten, oder schräg aufsetzen und das Fahrwerk beschädigen. Man konnte auf Wurzeln oder Erdklumpen oder ein verstecktes tiefes Schweineloch stoßen und dabei die Streben zerstören, was einen am Boden festhielt oder noch Schlimmeres. Man konnte üben und üben und sämtliche Zeichen richtig erkennen und dennoch scheitern. Aber all die Herausforderungen kamen mir gerade recht. Durch sie fühlte ich mich so lebendig, wie ich es schon sehr lange nicht mehr getan hatte.

»Ich möchte meine B-Lizenz machen«, eröffnete ich Denys, als er zurück in der Stadt war. »Ich könnte die einzige Berufspilotin in Afrika sein.«

»Sehr bescheiden.« Er lachte. »Aber dasselbe Neuland hast du damals auch schon als Trainerin betreten, nicht wahr?«

»Wahrscheinlich. Das hier fühlt sich aber anders an. Dort oben ist man ganz allein auf seine Instinkte angewiesen, nicht wahr? Es ist jedes Mal aufs Neue eine Herausforderung.« Ich verstummte für eine Weile und tastete mich dann langsam zu etwas vor, das ich selbst gerade erst ansatzweise begriff: »Nach der Sache mit Gervase wusste ich nicht, ob ich je wieder auf die Beine kommen würde.«

»Du wirst deinen Sohn bald sehen«, erwiderte er sanft. »Mansfield kann dich nicht für immer zurückweisen.«

»Das würde ich auch nicht zulassen. Ich würde Gervase niemals aufgeben, wie meine Mutter mich aufgegeben hat. Das könnte ich nicht.«

»Wenn man leidet, hilft es manchmal, sich auf etwas zu stürzen, das einen trägt.«

Ich nickte.

»Versprich mir bloß, dass du vorsichtig bist, wenn du fliegst.«

»Ich verspreche es«, sagte ich. »Weißt du, irgendwie hat Ruta die Umstellung problemlos gemeistert. Er liebt es, die Propeller anzudrehen, und wenn er das Flugzeug abends wäscht, könnte man meinen, er würde es striegeln.«

Da die Sonne untergegangen war, zündete ich die Sturmlaterne an, während Denys ein Buch aus seiner Umhängetasche zog und sich, die langen Beine übereinandergeschlagen, in einem Sessel ausstreckte. Ich rollte mich an seiner Seite zusammen, und er las mir vor, unsere Körper in warmes Licht getaucht. Beinahe zehn Jahre lang hatte ich mir das hier gewünscht … genau das. *Ist er wirklich hier?*, fragte ich mich. *Bin ich es?* Denys las weiter, seine Stimme hob und senkte sich, während ein Nachtfalter, der sich in den Vorhängen verfangen hatte, für einen Moment den Kampf aufgab und merkte, dass er frei war.

59.

Denys würde schon bald zur nächsten Safari aufbrechen, und es gab nur ein sehr kleines Zeitfenster, in dem wir beide allein hinausziehen konnten. Wir reisten in Begleitung einer Gruppe Afrikaner, darunter Denys' Diener Billea und ein Kikuyu-Junge namens Kamau, mit dem er oft unterwegs war, in Richtung südliches Massaigebiet mit dem Mara River als Ziel. Es war unbeschreiblich trocken, dennoch sahen wir unzählige Tiere, als wir durch die Lake Province reisten – Büffel, Nashörner, zottelige Löwen und Gazellen in allen Formen und Farben. Auf den goldenen Hängen und im flimmernden Tiefland wimmelte es nur so von Leben.

Denys war in der Wildnis am meisten er selbst. Durch verschmierte Ferngläser schätzte er ein Paar Kudu-Hörner oder das Gewicht von Elfenbein ab. Er konnte auf alles zielen, ohne sich je zu vertun, und ein Tier so rasch und präzise häuten, dass dabei kaum ein Tropfen Blut floss. Aber genau so entschieden verzichtete er auf das Schießen und Töten, wenn es sich vermeiden ließ, und verwendete stattdessen seine Kamera. Fotosafaris waren damals noch etwas Neues, und er glaubte daran, dass die Kameras das Jagen verändern konnten, die sportliche Idee dahinter. Auf diese Weise konnten die Jäger Afrika bekommen, ohne irgendetwas fortzunehmen – ohne es zu ruinieren.

Auf der Safari zeichnete sich Denys' Wesen so deutlich vor mir ab wie noch nie zuvor. Er trug einen unfehlbaren Kompass in sich und hatte eine Art, alles so zu betrachten, als wüsste er, dass er es nie wieder genau so sehen würde.

Mehr als irgendjemand, den ich je gekannt hatte, verstand Denys, dass nichts jemals für uns stillhielt und es auch nicht sollte. Die Kunst bestand darin, die Dinge so zu nehmen, wie sie kamen, und zwar voll und ganz, ohne Widerstand oder Angst oder den Versuch, sie zu fest zu packen oder zu verbiegen. Ich wusste all dies aus meinen Tagen als Lakwet, aber seine Gegenwart half mir, mich daran zu erinnern und es wieder machtvoll zu spüren.

Wir liefen den größten Teil eines Tages über Alkali-Ebenen, deren weiße Oberfläche wie eine Salzkruste war, die als Pulver aufwirbelte, wenn unsere Stiefel sie berührten. Der Kalk klebte überall an uns, an unseren Beinen bis zu den Knien, zwischen unseren Fingern, die den Gewehrriemen umklammert hielten, in der Mulde zwischen meinen Brüsten und auch in meinem Mund. Ich konnte ihn nicht draußen halten und gab den Versuch schließlich auf. Mir wurde bewusst, dass ich gar nichts draußen halten konnte und dass das etwas war, was ich an Afrika liebte. Die Art und Weise, wie es einen vollkommen durchdrang, nicht lockerließ und man es niemals loswurde.

Denys war den ganzen Tag über fröhlich und gutgelaunt, obwohl wir am Abend zuvor gemeinsam eine Flasche Gin geleert hatten. Es war mir ein Rätsel, wie einfach er es wegsteckte. Sein Blut musste tatsächlich zäh sein, da es genügend Malaria in sich trug, um einen Ochsen zu Fall zu bringen, dennoch bekam er nie Fieber und brach nie zusammen. Die Sonne drückte mir schwer wie ein Amboss auf Kopf, Schultern und Nacken, wo mir frischer Schweiß ausbrach, der meinen Kragen durchnässte. Meine Kleidung klebte an mir, das Salz meines Körpers trocknete darauf in Kreisen. Mein Atem ging schwer und unregelmäßig. Aber wir mussten die geplante Strecke zurücklegen. Was war schon Müdigkeit? Die Gepäckträger gingen vor uns in einer Linie, und als meine Sicht verschwamm, erschienen mir die schlanken Umrisse ihrer Körper vor der endlosen weißen Fläche wie eine menschliche Gleichung: Gliedmaßen verwandelten sich in scharfe Striche, eine Geometrie reinen Durchhaltevermögens.

Kurz nach Mittag hielten wir an und rasteten im durchbrochenen Schatten eines großen Baobab-Baums. Er war breit und gedrungen, mit wellenförmigen Bändern aus Rinde, die ihn wie eine Art Rock oder wie Flügel umgaben. Von ihm hingen Früchte in hellbraunen Schalen herunter, an denen sich die Paviane gütlich taten. Einige von ihnen saßen auf einem Ast über unseren Köpfen, und wir konnten hören, wie sie die Früchte aufknackten, ein melodisches Rasseln wie von Maracas. Das faserige Fruchtfleisch regnete um uns herum auf das kurze gelbe Gras, ebenso wie vereinzelte ausgespuckte Samen und übel riechender Pavianmist.

»Wir könnten weiterziehen«, sagte Denys, als ich das Gesicht verzog. »Oder sie erschießen.«

Ich wusste, dass er das mit dem Schießen nicht ernst meinte, und scherzte: »Nicht um meinetwillen. Ich könnte mich wahrscheinlich direkt in den Mist hineinlegen und sofort einschlafen.«

Er lachte. »Die körperliche Anstrengung verändert einen. Man bekommt ein dickeres Fell.«

»Meins war von Anfang an ziemlich dick.«

»Ja, das war mir sofort klar.«

Ich blickte ihn an und fragte mich, was er wohl sonst noch empfunden haben mochte, als wir uns zum ersten Mal begegnet waren – ob er denselben Klang des Wiedererkennens vernommen hatte wie ich, das klare, vertraute Läuten einer Glocke, als wären wir dazu bestimmt, einander zu finden.

»Hast du je geahnt, dass wir auf irgendeine Weise hier landen würden?«

»Unter diesem fürchterlichen Baum?«, fragte er lachend. »Ich bin mir nicht sicher«, fügte er dann hinzu, als noch mehr Unrat und Essensreste auf uns herunterfielen. »Aber ich könnte Gefallen daran finden.«

Bis zum Abend hatten wir den Fluss erreicht und schlugen unser Lager auf. Wir aßen einen jungen Kudu, den Denys am Morgen geschossen und gehäutet hatte, und tranken danach unseren Kaffee, während wir ins Feuer starrten, das schnappte, sich kringelte und lila Rauch aufsteigen ließ.

»Tania hat einmal ein Löwenpärchen mit nichts als einer Lederpeitsche vertrieben«, erzählte er. »Sie und Blix waren auf dem Viehtrieb. Er war losgezogen, um ihnen etwas fürs Abendessen zu schießen, da gerieten die Rinder plötzlich in Aufruhr. Die Träger stoben auseinander wie Mäuse, so dass die arme Tania ganz allein dastand, während die beiden Löwen ihre Beute ansprangen. Die Gewehre waren lächerlicherweise in ihren Truhen verpackt.«

»Also hat sie sie mit Peitschenknallen verjagt? Das war mutig von ihr.«

»Ja, sie ist noch unerschrockener, als man denkt.«

Wir hatten in letzter Zeit vermieden, zu viel über Karen zu sprechen, da die Farm nun verkauft war und feststand, dass sie fortgehen würde. »Es gibt viele Gründe für dich, sie zu lieben«, wagte ich mich vor.

»Und zu bewundern«, ergänzte er.

»Das ist sogar noch besser, wenn du mich fragst.«

»Ich wäre ihr jedoch niemals ein guter Ehemann gewesen. Das muss sie tief in ihrem Inneren gewusst haben.«

»Seltsam, wofür wir nicht alles kämpfen, selbst wenn wir wissen, dass es unmöglich ist. Hat sie die Ochsen retten können?«

»Einen, ja. Den anderen haben sie zum Abendessen verspeist, nachdem Blix mit leeren Händen zurückgekommen war.«

»Dann hat sich ja alles perfekt gefügt.«

»Dieses eine Mal, ja.«

Aus der Ferne hörten wir das hohe, affenähnliche Kreischen von Hyänen, jenes Geräusch, das gerne als Lachen beschrieben wird, für mich jedoch immer etwas Schwermütiges hatte. Der Rauch stieg in drängenden Schwaden auf, als wollte auch er jemandem zurufen, womöglich dem Horizont oder den gerade erwachenden Sternen.

»Ein Löwe zu sein wäre kein so schlechtes Leben«, sagte Denys. »Ganz Afrika ist sein Buffet. Er nimmt sich, was er will, wann er will, ohne sich dabei zu verausgaben.«

»Er hat allerdings auch eine Frau, nicht wahr.« Es war keine Frage.

»Eine Frau *auf einmal*«, stellte er klar.

Dann, während das Feuer aufloderte, rauchte und uns die Füße zu versengen drohte, rezitierte er Walt Whitman, nachdem ich ihn darum gebeten hatte. Er richtete seine Worte an mich und an die Sterne. Ich lauschte schweigend und dachte daran, wie ich jahrelang gekämpft und mich verrenkt hatte, genau wie Karen, um Dinge zu erreichen, die verheerend für mich waren. Aber vielleicht war das auch nicht zu vermeiden. Suchende und Verirrte waren wirklich oft kaum voneinander zu unterscheiden, wie Denys einmal zu mir gesagt hatte, und womöglich kamen wir auch irgendwann alle an demselben Ort an, zweifellos klüger als zuvor, ganz gleich, welchen Pfad wir einschlugen oder wie oft wir hinfielen.

Scheinbar ohne sich zu regen, griff Denys nach meiner Hand. Schmerzhaft langsam fuhr er über die feinen Knochen, die Linien und Furchen, die vom Arbeiten schwielig gewordene Haut. Ich dachte an Karen mit der Lederpeitsche. Unter ihren Halstüchern und ihrem Puder, ihren Kelchen, ihrem Kristall und Chintz war sie unvergleichlich stark und mutig. Wir drei hatten einen schmerzvollen Tanz aufgeführt und dabei vieles verloren, hatten einander und uns selbst weh getan. Aber auch Außergewöhnliches war geschehen. Ich würde nichts davon je vergessen.

Wir saßen wohl mehrere Stunden so da. So lange, dass ich spürte, wie mein Gewicht mehr und mehr in den kalkigen Staub sank. Äonen hatten ihn entstehen lassen aus sich auflösenden Bergen, aus endlos erschütterndem Wandel. Die Teile der Erde wussten so viel mehr als wir und lebten wahrhaftiger danach. Die Dornbäume kannten weder Kummer noch Angst. Die Sternbilder kämpften nicht oder hielten sich zurück, ebenso wenig wie die milchig schimmernde Mondsichel. Alles war vorübergehend und endlos zugleich. Diese Zeit mit Denys würde verblassen und für immer andauern.

»Woran denkst du?«, fragte er mich.

»Nur daran, wie sehr du mich verändert hast.« Ich spürte seine Lippen an meinem Hals, seinen Atem. »Dafür werden Gedichte geschrieben«, sagte ich so leise, dass ich nicht sicher war, ob er mich hören konnte. »Für Tage wie diesen.«

60.

Obwohl mir bewusst gewesen war, was mich erwartete, drehte sich mein Magen um und wurden meine Knie weich beim Anblick von Karens auf dem Rasen aufgestellten hübschen Möbeln und ihren in Kisten verpackten Büchern. Sie verkaufte oder verschenkte nahezu alles – und ich kämpfte gegen die Erinnerung daran an, wie ich hilflos zusehen musste, als Green Hills damals auf dieselbe Weise Stück für Stück verschwunden war, die sich tief in mein Gedächtnis eingegraben hatte. Nun, da Karens Land veräußert wurde, versuchte sie, eine geschützte Parzelle für die Kikuyu zu finden, die auf ihrem Grundstück gelebt hatten, damit diese etwas für sich besaßen, das ihnen später nicht genommen werden würde. Als ich bei ihr eintraf, umkreiste sie händeringend und rauchend ihre Sachen.

»Jetzt sind Sie auch noch gekommen«, begrüßte sie mich. »So viele Besuche und Abschiede, ich habe keine Tränen mehr für sie übrig.« Ihr weißes Kleid hing locker um ihre Brüste und Beine, ihr Strohhut lag vergessen auf einem Stuhl. Sie wirkte auf mich plötzlich sehr jung.

»Ich könnte für Sie weinen«, erwiderte ich. »Es würde nicht viel dazu fehlen.«

»Haben Sie gehört, dass eine Ngoma zu meinen Ehren veranstaltet werden soll?« Sie wedelte den blauen Rauch davon. »Was sagt man dazu? Es wird allerdings kein Dinner geben wie damals, als die Prinzen hier waren. All meine Sachen sind in Kisten verpackt.«

»Es wird bestimmt trotzdem ganz wunderbar. Sie wollen

Sie würdigen. Sie haben so einen tiefen Eindruck hinterlassen, dass niemand Sie so bald vergessen wird.«

»In letzter Zeit habe ich oft von Dänemark geträumt, und davon, auf dem Bug eines riesigen Schiffes zu stehen und zuzusehen, wie Afrika immer kleiner wird.«

»Ich hoffe, Sie können eines Tages zurückkehren.«

»Wer hat schon das Privileg oder auch die Bürde, zu wissen, was möglich ist? Ich kann Ihnen jedoch sagen, ich hätte niemals gedacht, dass ich dieses Land überhaupt verlassen könnte. Ich nehme an, das bedeuten die Träume. Ich selbst verlasse Afrika nicht, aber Afrika hat langsam, ganz langsam begonnen, aus mir hinauszusickern.«

Mein Hals schnürte sich zusammen, und ich versuchte, den Knoten herunterzuschlucken. Karens Mühlsteintisch war an den Rand der Veranda geschoben worden. Für mich hatte er immer das Herz von Mbogani dargestellt. Der alte Granit war getüpfelt und porös und hatte bereits wer weiß wie viele Kognakgläser und Teetassen, all ihr kostbares Porzellan aus Sèvres und Limoges, Denys' große, breite Füße, seine Bücher und seine Hände getragen. An ihm hatte sie Tausende Male gesessen, sich eine Zigarette angezündet, das Streichholz ausgeschüttelt und in die Ferne geblickt, um sich zu sammeln. Sich ihren Wollschal um die Schultern geschlungen und dazu angesetzt, etwas zu sagen.

Nach allem, was geschehen war, all den Dingen, die uns zusammen- und auseinandergebracht hatten, fühlte es sich seltsam an, hier bei Karen auf ihrer sich auflösenden Farm zu sein. Aber tatsächlich wäre es noch seltsamer gewesen, nicht zu kommen.

Wir setzten uns auf zwei niedrige Rattansessel und blickten zu den fünf Knöcheln der Ngong-Berge hinauf. »Ich habe gehört, dass Sie fliegen lernen«, sagte Karen.

»Ja, es ist sehr wichtig für mich geworden – und hat mich so glücklich gemacht.«

»Sie sind jetzt achtundzwanzig?«

Ich nickte.

»In Ihrem Alter bin ich nach Kenia gefahren, um Bror zu heiraten. Welche Wandlungen unser Leben durchläuft. Uns widerfahren Dinge, die wir niemals vorausgesagt oder auch nur geahnt hätten, und sie verändern uns für immer.« Sie strich mit den Fingern leicht und lautlos durchs Gras, vor und zurück. »Wissen Sie, ich habe mir selbst immer Flügel gewünscht ... vielleicht mehr als alles andere. Als Denys mich das erste Mal mit nach oben nahm, sind wir ganz tief über meine Hügel hinweggeflogen und dann weiter zum Nakurusee, wo Tausende Zebras unter unserem Schatten auseinanderstoben.«

»Es ist das reinste Gefühl von Freiheit, nicht wahr?«, fragte ich sie.

»Ja, aber es bringt auch wahrhaftige Klarheit. Ich dachte: *Jetzt verstehe ich. Erst jetzt.* Aus dieser Höhe zeigen sich alle möglichen Dinge, die zuvor verborgen gewesen waren. Selbst das Schreckliche besitzt eine Form und eine Schönheit.« Sie fing meinen Blick mit ihren dunklen Augen ein und hielt ihn fest. »Wissen Sie, Beryl, Sie werden Denys niemals wirklich besitzen. Nicht mehr, als ich es getan habe. Er kann niemandem gehören.«

Mein Herz setzte einen Schlag aus. »O Karen ...« Ich suchte nach Worten, konnte jedoch keine finden.

»Ich schätze, ich habe immer schon gewusst, dass Sie ihn liebten, habe es mir aber lange Zeit nicht eingestanden. Vielleicht haben Sie dasselbe getan.«

Es fühlte sich furchtbar an, als sie so den Schleier vor all den vergangenen Jahren herunterriss – aber auch notwendig. *Wir sollten einander die Wahrheit sagen*, dachte ich. *Das zumindest haben wir uns verdient.* »Ich wollte Ihnen nie etwas fortnehmen«, sagte ich schließlich.

»Und das haben Sie auch nicht. Nein, die Götter bestrafen mich dafür, dass ich zu viel wollte.« Sie blickte erneut hinauf zu ihren Hügeln und dann um sich herum auf ihre Besitztümer auf dem Rasen. »Solches Glück hat immer einen Preis, doch ich würde ihn wieder aufs Neue bezahlen und sogar noch mehr. Ich würde keinen einzigen Augenblick rückgängig machen, nicht einmal, um mir Schmerzen zu ersparen.«

»Sie sind die stärkste Frau, die ich kenne«, sagte ich. »Ich werde Sie vermissen.« Dann beugte ich mich vor, um sie auf die Wange zu küssen, genau dorthin, wo ihre Tränen das Puder verwischt hatten.

61.

Welche Wandlungen unser Leben durchläuft.

Ich hatte mit Denys vereinbart, dass er mich abholen und mit mir die Küste hinunter nach Takaungu fliegen würde. Auf dem Rückweg wollten wir seine Idee testen und in der Nähe von Voi versuchen, ein paar Elefantenherden auszumachen, um unsere Informationen dann über Funk an wartende befreundete Jäger weiterzugeben. Es war Anfang Mai. Ich teilte Ruta mit, dass ich fliegen würde, und danach Tom, den ich im Hangar von Wilson Airways fand, wo er Zahlen in sein Flugbuch kritzelte.

»Aber wir haben morgen eine Unterrichtsstunde.«

»Können wir die nicht verschieben?«

Er sah erst mich an, dann aus dem Tor des Hangars hinaus, wo tief treibende Wolkenfetzen über den blassblauen Himmel zogen. »Fliegen Sie nicht, in Ordnung?«

»Weshalb? Haben Sie wieder eine mysteriöse Vorahnung?«

»Vielleicht. Es wird andere Gelegenheiten geben, nicht wahr?«

Ich wollte den Ausflug zwar nicht wegen eines vagen Gefühls absagen, aber Tom war ein wunderbarer Lehrer, und ich vertraute ihm. Außerdem bat er mich nur äußerst selten um etwas. Also kehrte ich zurück in mein Cottage im Muthaiga und ließ Denys allein nach Voi fliegen. Später erfuhr ich, dass er ursprünglich auch Karen gefragt hatte, ob sie ihn begleiten wolle, doch an jenem Morgen war sein einziger Passagier sein Kikuyu-Diener Kamau. Sie starteten bei herrlichem Wetter und waren mehrere Tage unterwegs, bevor sie zum Fuß des Molo Hills flogen, wo sein Freund Vernon Cole lebte. Vernon war Distriktskommissar und hatte einen kleinen Sohn namens John, der von Denys fasziniert war. Seine Frau Hilda war mit einem zweiten Kind schwanger. Sie bereiteten Denys ein üppiges Abendmahl und lauschten seinen Geschichten über die Elefanten, die er wie geplant aus der Luft ausgespäht hatte.

»Dort am Fluss waren sie und fraßen in aller Seelenruhe. Wochen des Auskundschaftens waren in wenigen Augenblicken erledigt.«

Am nächsten Morgen brachen Denys und Kamau in der Dämmerung erneut auf, diesmal in Richtung Heimat. Hilda gab ihnen einen Korb kenianische Orangen mit auf den Weg. Kamau hielt ihn auf dem Schoß, während der Propeller zum Leben erwachte und der Motor der Moth losknatterte, durch Denys' Fingerspitzen am Gashebel in Gang gesetzt. Er brachte sie rasch nach oben und drehte zwei Runden in der Luft, bevor er davonflog.

In Denys' Cottage schlief ich einen traumlosen Schlaf. Ruta weckte mich mit einem Klopfen an der Tür. »Hast du von Bedar gehört?«

»Nein«, antwortete ich verschlafen. »Warum sollte ich?«

»Ich weiß es nicht«, sagte er. Aber er ahnte etwas. Spürte es, wie Tom es gespürt hatte.

In einem eleganten Schwung drehte die vanillegelbe Moth bei und verschwand außer Sichtweite. Denys hatte sein Flugzeug *Nzige* genannt, was Heuschrecke bedeutete, leicht wie der Wind, flink und unbeirrbar. Diese wunderbare Maschine hätte endlos weiterfliegen sollen, und Denys auch, aber eine Meile weiter nördlich geriet das Flugzeug aus einem Grund, den niemand je herausbekommen würde, in niedriger Höhe ins Trudeln. Womöglich war ein wichtiges

Kabel zerstört, oder er hatte sich angesichts der Scherwinde irgendwie falsch verhalten. Vielleicht hatte er bei zu geringer Geschwindigkeit den Steuerknüppel zu ruckartig betätigt oder auf eine andere von unendlich vielen Arten die Kontrolle über seine Maschine verloren. Alles, was man mit Sicherheit sagen konnte, war, dass das Flugzeug fast senkrecht auf die Erde zugerast, auf dem felsigen Untergrund bei Mwakangale Hill aufgeprallt und sofort explodiert war. In Flammen aufgegangen. Als die Coles, die dem Rauch gefolgt waren, am Unfallort ankamen, war kaum noch etwas von seinem Körper oder dem des Jungen übrig. Lediglich eine Handvoll geschwärzter Orangen war auf die verkohlte Erde gerollt, und die Seiten eines schmalen Gedichtbandes, der aus den Trümmern der Moth geflogen war, flatterten in der Asche.

Vor Schreck kollabierte Hilda Cole. Später an diesem Nachmittag würde sie ihr Baby verlieren, und so kamen an jenem Tag in Voi drei Menschen ums Leben. Drei Seelen starben, doch meine gehörte nicht dazu.

62.

Karen beerdigte Denys auf der Farm, da sie wusste, dass er es sich so gewünscht hatte, auf dem Gipfel des Lamwia in den Ngong-Bergen. Um die Stelle zu erreichen, musste man einen steilen Hang hinaufklettern, was den Sargträgern, die unter ihrer schweren Bürde schwankten, einige Mühe abverlangte. Karen ging vor und stand der Grube, die so rot war wie eine Wunde, am nächsten, als sie ihn hinunterließen. Ich war innerlich vollkommen taub und konnte weder mit ihr noch mit irgendjemand anderem sprechen.

Der Tag war entsetzlich klar. Unterhalb des Gebirgskamms ging der kupferfarbene Abhang in die Ebenen über. Ein heller Straßenstreifen stach daraus hervor wie ein Seil, das aus den Wolken geworfen worden war, oder wie eine Schlange, die sich endlos wand, den ganzen Weg bis zum Kilimandscharo. Um Denys' Grabstätte herum war das Gras saftig und lebendig. Hindurch flochten sich zwei dunkle Umrisse, die Schatten eines Adlerpärchens, das über uns immer größere Kreise in den Himmel malte.

Die Trauergäste waren aus Nairobi und Gilgil, Eldoret und Naivasha angereist – Somalis, Kikuyus und weiße Hochlandbewohner, Jäger und Gewehrträger, Pilger und Dichter. Jeder von ihnen hatte irgendetwas Liebens- und Bewundernswertes in Denys gesehen. Er war stets unbeirrbar er selbst gewesen, was ihn auf eine Weise ehrenwert machte, wie diese Adler und auch das Gras ehrenwert waren.

Während des kurzen Gottesdienstes sank Karens Kopf auf ihre Brust, und ich verspürte den starken Drang, zu ihr zu gehen. Ich war die einzige Person, die genau wusste, was sie in Denys verloren hatte; sie war ebenfalls die einzige, die das Gewicht und die Färbung meiner Trauer hätte verstehen können. Aber etwas hatte sich verändert und hielt mich zurück. Sie war nun seine öffentlich anerkannte Witwe. Die Götter mochten ihn ihr geraubt haben, doch mit seinem Tod hatte sie ihn wieder zurückgewonnen. Niemand konnte ihre Verbundenheit in Frage stellen oder anzweifeln, wie sehr sie ihn geliebt hatte. Oder wie wahrhaftig er ihr gehört hatte. Eines Tages würde sie über ihn schreiben – ihn auf eine Weise beschreiben, die ihre Zusammengehörigkeit für immer besiegeln würde. Ich würde auf diesen Seiten jedoch nicht auftauchen.

Ich glaubte nicht, dass ich noch mehr weinen könnte, und empfand genau wie Karen, dass ich bereits genügend Tränen für ein ganzes Leben vergossen hatte, doch irgendwie fand mein Schmerz an jenem Tag einen Weg, mich noch weiter zu öffnen. Als der Gottesdienst vorbei war und die Trauergäste den Hügel hinunter nach Mbogani gegangen waren, blieb ich zurück, um eine Handvoll Erde von Denys' Grab aufzuheben, so rot wie der Lebenssaft und älter als die Zeit. Ich schloss meine Finger um die pulvrige Kühle und ließ dann los. Im Grunde war es nicht wichtig, ob in Karens Trauer oder in der Art und Weise, wie sie Denys geliebt hatte, etwas Besitzergreifendes lag. Meine Liebe zu ihm war auch nicht perfekter gewesen, das begriff ich nun endlich. Wir hatten beide der Sonne entgegengestrebt und waren gefallen, waren auf die Erde zurückgetaumelt und hatten geschmolzenes Wachs und Trauer geschmeckt. Denys gehörte weder ihr noch mir.

Er gehörte niemandem und hatte auch nie irgendjemandem gehört.

Nach Denys' Beerdigung kehrte ich in sein Cottage zurück, das ich bewohnt hatte, doch der Anblick seiner Bücher war beinahe zu viel für mich. Die Vorstellung, dass sein Geist einfach nicht mehr auf der Welt war, erschien mir unerträglich. Ich würde nie wieder sein Lachen hören oder seine feinen starken Hände berühren oder mit den Fingern die Fältchen um seine Augen herum entlangfahren. Als er aus dem Himmel fiel, verschwand auch all das, was er war und was er noch tun würde. Und er hatte auch mein Herz mit sich genommen. Wie sollte ich es bloß je wieder zurückbekommen?

Ich wusste nicht, was ich mit meinen Tagen anfangen oder wohin ich gehen sollte, aber irgendwie zog es mich zurück nach Elburgon, nach Melela. Mein Vater schien überrascht, mich zu sehen, stellte mir jedoch keine unerträglichen Fragen. Ich hätte auch nicht gewusst, wie ich irgendeine von ihnen beantworten sollte. Ich wollte lediglich allein und bei meinen Pferden sein, da mich dies in der Vergangenheit stets gerettet hatte. Also blieb ich wochenlang dort, stand vor Morgengrauen auf und trat hinaus in die Kälte, um nachzudenken. Die Farben des Landes waren so schön wie immer. Nebel hing über dem Wald mit den hoch aufragenden Zedern, die zerklüftete Linie des Escarpments stieg an und verschwand am Horizont. Aber etwas fehlte. Bei aller Schönheit schien Melela mich nun zu verspotten. Ich hatte so viele Träume darangehängt, hatte geglaubt, wenn Mansfield und ich Green Hills hier neu entstehen lassen und die traurigen Veränderungen der Vergangenheit ungeschehen machen könnten, dann würde ich einen Teil von mir selbst zurückgewinnen und mich wieder so stark fühlen, wie ich es letztendlich nicht mehr getan hatte, seit ich ein kleines Mädchen gewesen war und mit Arap Maina gejagt hatte, mit Kibii durch die hohen, sonnengebleichten Gräser gerannt und aus dem Fenster meiner Hütte geklettert war, Buller im Schlepptau, der sich genauso wenig vor der Nacht fürchtete wie ich.

Doch eigentlich hatten Mansfield und ich nicht mehr

zustande gebracht, als den anderen und uns selbst zu demü-
tigen und uns tiefe Wunden zuzufügen. Gervase war unendlich weit weg. An manchen Tagen konnte ich es kaum ertragen, an ihn zu denken – und nun war auch noch Denys fort.
Ein erdrückender Verlust lag wie ein schwarzer Stempel auf
dem anderen. Ein Schatten, der einen anderen Schatten ver-
deckte, Leere und noch mehr Leere – was war zu tun?

Mein Vater sorgte sich um mich, das konnte ich sehen,
aber nichts schien mir helfen zu können, bis ich eines Tages ein vertrautes stotterndes Geräusch von den Bergen wi-
derhallen hörte und schließlich Toms Moth erblickte, die
durch das reine, wolkenlose Blau auf die Farm zutuckerte.
Er verwendete unsere lange Koppel als notdürftige Landebahn und setzte leicht wie eine Feder auf.

»Wie ist es Ihnen ergangen?«, fragte er, nachdem er den
Motor ausgestellt hatte und über einen Flügel hinunter-
geklettert war.

»Ach, Sie wissen schon …« Ich brachte kein weiteres
Wort hervor. Aber das war auch nicht nötig. Tom reichte
mir einen Pilotenhelm, und ich setzte mich hinter ihn ins
Cockpit, dankbar für das Geräusch des Motors, der ratternd
ansprang, für die Vibration meines schmalen Sitzes und für
die bebende Gegenwärtigkeit von allem, als wir Geschwindigkeit aufnahmen. Während wir über die Hügel hinweg-
brausten und die Landschaft sich zur Seite neigte und unter uns davonglitt, wurde mein Kopf zum ersten Mal seit
Wochen wieder klar. Kalte Luft fegte mir ins Gesicht und
füllte meine Lungen. Hier oben fiel es mir so viel leichter,
zu atmen, und selbst mit dem andauernden Geknatter von
Wind und Propeller war es auf eine Weise friedlich, nach
der sich mein verwundeter Geist gesehnt hatte. Ich musste daran denken, wie mich ein einheimischer Junge einmal
gefragt hatte, ob ich vom Flugzeug aus Gott sehen könne.
Tom war dabei gewesen, und wir hatten beide gelacht und
den Kopf geschüttelt.

»Vielleicht sollten Sie dann noch höher fliegen«, hatte er gesagt.

Tom flog in einem weiten Bogen über unser Tal, in Richtung Njoro im Osten und Molo im Norden. Die Spitze des Flügels war wie ein glänzender silberner Zauberstab, während ich sie betrachtete, verspürte ich einen Hauch von Hoffnung und eine Art Erlösung. Nicht Gott sah ich von dieser Höhe aus, sondern mein Rift Valley. Es entfaltete sich unter mir wie eine Karte meines eigenen Lebens. Dort waren Karens Hügel, der flache Schimmer des Nakurusees in der Ferne, der hohe zerklüftete Rand des Escarpments, der rote Staub und die weißen Tupfer der Vögel. Alles, was ich durchlebt hatte, lag unter mir ausgebreitet, jedes Geheimnis und jede Narbe – wo ich gelernt hatte, zu jagen, zu springen und zu reiten wie der Wind; wo mich ein guter Löwe ein kleines bisschen aufgefressen hatte; wo Arap Maina sich hinuntergebeugt hatte, um auf einen kleeblattförmigen Abdruck im trocknenden Schlamm zu zeigen und mich aufzufordern: »Sag mir, was du siehst, Lakwet.«

Dieses Tal war mehr als nur meine Heimat. Es schlug in mir wie das Trommeln meines eigenen Herzens.

Erst als uns der Treibstoff ausging, machten wir uns auf den Weg zurück nach Melela. Tom blieb zum Abendessen, ging jedoch früh ins Bett, da er bei Morgengrauen wieder losfliegen wollte, während mein Vater und ich noch bei heißem, bitterem Kaffee zusammensaßen. Nichts durchbrach die Stille im Raum, und nur ein schwacher Lichtschein breitete sich an der Wand entlang aus – gemeinsam mit dem Gefühl, dass mir etwas Wichtiges bevorstand. »Ich werde nach Nairobi zurückgehen«, sagte ich, nachdem wir lange geschwiegen hatten. »Ich reise morgen früh gemeinsam mit Tom ab, um mein Flugtraining wieder aufzunehmen.«

»Ich wünschte, ich könnte den Sinn der Sache verstehen«, erwiderte mein Vater.

Ich hatte ihn zweifellos überrascht, und obwohl ich nicht wusste, ob er mit der »Sache« die Fliegerei oder meinen Abschied von Eldoret meinte, sagte ich: »Fliege einmal in Toms Flugzeug mit. Vielleicht wirst du es dann verstehen.«

Er hatte im schwarzen Zuchtbuch gelesen, das seit eh und je schon seine Bibel war. Nun strich er eine Weile mit den Fingern über den Buchrücken und schüttelte dann den Kopf. »Ich weiß, wo ich hingehöre.«

»Das weiß ich auch«, gab ich zurück, und im selben Augenblick, in dem die Worte meinen Mund verließen, wusste ich, dass sie der Wahrheit entsprachen.

»Was sollen wir mit den Pferden tun?«

»Ich bin mir noch nicht sicher. Immerhin gehören sie auch Mansfield. Es könnte noch Jahre dauern, bis unsere Scheidung geregelt ist. Aber wie auch immer das ausgehen wird, möchte ich meinen Lebensunterhalt selbst bestreiten. Ich muss die Gewissheit haben, dass ich allein für mich sorgen kann.«

»Und das kannst du mit der Fliegerei?« Er klang ungläubig.

»Vielleicht. Tom meint, eines Tages werden Flugzeuge die Menschen überall hinbringen, so wie heute die Schiffe. Das wäre eine Möglichkeit für mich. Oder ich transportiere Post und Pakete, oder was weiß ich. Denys hatte den Plan, aus der Luft für Jäger nach Tieren Ausschau zu halten.« Seit dem Tag seiner Beerdigung war es das erste Mal, dass ich seinen Namen laut aussprach. Auch wenn mein Hals sich dabei zuschnürte, fühlte es sich richtig an, Denys in dieses Zimmer zu rufen. Er war derjenige gewesen, der mich überhaupt erst auf die Idee gebracht hatte, selbst zu fliegen.

»Es ist furchtbar gefährlich. Ich weiß, dass ich dir das nicht erzählen muss.« Er räusperte sich, starrte in seinen Kaffee und dachte schweigend nach. »Aber du hast dich noch nie vor irgendetwas gefürchtet, nicht wahr?«

»Doch, das habe ich«, erwiderte ich, von meinen eigenen

Gefühlen überrascht. »Ich hatte Angst ... ich habe mich bloß nie davon aufhalten lassen.«

Es war bereits ziemlich spät, und wir beide waren zu müde, um noch etwas zu sagen. Ich gab ihm einen Kuss auf die Stirn und wünschte ihm eine gute Nacht. Aber als ich mich ins Bett legte, spürte ich neben Erschöpfung und Müdigkeit auch eine seltsame Art Energie durch mich pulsieren. Gedanken traten mir wesentlich deutlicher vor Augen, als sie es lange Zeit getan hatten. Melela war nicht sicher. Es würde mit großer Wahrscheinlichkeit eines Tages genauso verschwinden, wie Green Hills einst verschwunden war. Pegasus würde ebenso sterben wie Buller, meine beiden frühesten Helden. Mein Vater würde nach und nach oder auch mit einem Mal von mir gehen. Es würde wieder und wieder zu großen, erschütternden Veränderungen kommen ... und ich würde sie überleben, so wie ich es vor langer Zeit überlebt hatte, als meine Mutter in einen Zug gestiegen und sich in Rauch aufgelöst hatte. Damals hatte mich der Stamm gefunden und mir meinen wahren Namen gegeben, aber Lakwet war am Ende auch nur ein Name. Ich hatte sie selbst aus Zerrissenheit heraus geformt und gelernt, das Wilde zu lieben statt es zu fürchten. Durch das Hochgefühl der Jagd aufzublühen, mit dem Kopf voran in die Welt hinauszustürmen, sogar – oder ganz besonders – wenn es weh tat.

Nun stand ich an der Schwelle zu einer neuen großen Veränderung, vielleicht der wichtigsten in meinem Leben. Der Himmel hatte zwar Denys genommen, aber ich wusste, dass dort auch Leben zu finden war – ein Zusammenspiel von Kräften, die mir, der Art, wie ich geschaffen war, auf machtvolle Weise entsprachen. Diese großartige, sich in die Höhe schwingende Freiheit und unvorstellbare Anmut war untrennbar verbunden mit Risiko und Angst. Die Fliegerei verlangte mehr Mut und Glauben, als ich tatsächlich besaß, und sie forderte mein bestes, vollkommenes Selbst. Um es darin überhaupt zu etwas zu bringen, würde ich ziemlich verrückt sein und hart arbeiten müssen, und ihr mein ganzes Leben widmen, wenn ich wirklich Großes erreichen wollte. Doch genau das hatte ich vor.

Am nächsten Morgen war ich sogar noch vor Tom wach. Ich packte rasch meine paar Sachen und wartete im Dunkeln auf ihn. Als er mich sah, lächelte er, da er sofort begriff, welche Entscheidung ich getroffen hatte und was als Nächstes geschehen würde.

Nach unserer Rückkehr nach Nairobi arbeitete ich mich wie eine Besessene durch unzählige Unterrichtsstunden und nahm jede Minute an, die Tom mir geben konnte. Nahezu auf den Tag genau vier Wochen nach Denys' Unfall beendeten Tom und ich einen kurzen Flug mit einer makellosen Landung auf dem Flughafen von Nairobi. Die Moth rollte über die Landebahn und zog einen Streifen aufwirbelnden roten Staubs hinter sich her. Als wir zum Stehen gekommen waren, forderte Tom mich nicht wie üblich auf, den Motor abzustellen, sondern kletterte auf den Flügel hinaus und rief mir über den Lärm des Propellers hinweg zu: »Warum bringen Sie sie nicht alleine nach oben, Beryl?«

»Jetzt?«, formte ich mit den Lippen. Mein Herz begann auf der Stelle, zu hämmern.

Er nickte. »Nur einmal hoch und wieder runter. Steigen Sie bis auf etwa achthundert Fuß und drehen Sie eine Runde … schön gleichmäßig.«

Schön gleichmäßig sollte es sein, aber das Adrenalin galoppierte so wild durch meinen Körper, dass mir ganz schwindelig wurde. Würde ich mich an alles erinnern können, was Tom mir in den letzten Monaten beigebracht hatte, und davon auch Gebrauch machen? Wäre ich in der Lage, den Aufruhr in meinem Geist zum Schweigen zu bringen, jeden Gedanken an die zehntausend Dinge, die schiefgehen konnten? Nur eins von ihnen hatte Denys das Leben gekostet.

Ich zwang mich, meine Hände ruhig zu halten, und zeigte Tom meinen erhobenen Daumen. Ruta kam aus der Flugzeughalle und stellte sich neben Tom. Ich winkte ihnen beiden zu, ehe ich die Moth bis zum Ende der schmalen Startbahn rollen ließ, wo ich ihre Nase in den heißen Wind drehte.

Denken Sie daran, sie rasch zu beschleunigen, hörte ich Toms Stimme in meinem Kopf. *In dieser Hitze müssen Sie schnell sein, sonst stirbt Ihnen der Motor ab.* Ruta hob einmal kurz die Hand. *Kwaheri*. Auf Wiedersehen.

Ich jagte den Motor hoch und raste die Startbahn aus festgestampfter Erde entlang, während mir das Herz bis zum Hals schlug und jeder einzelne Nerv in mir lebendig war. Ich wartete bis zum letzten Augenblick, um den Steuerknüppel nach hinten zu ziehen, dann löste sich die Moth langsam vom Boden, machte ein paar schlingernde Bewegungen und kam wieder ins Gleichgewicht, fand den Wind und ihre eigene Mitte. Ich spürte Tom und Ruta und auch Denys in meinem Rücken. Vor mir lag alles, eine ganze Welt breitete sich immer weiter unter meinen eigenen starken Flügeln aus.

Ich war unterwegs.

Epilog

4. September 1936

Ich kann nicht sagen, wie nah ich den ausgestreckten Klauen des Atlantiks bereits gekommen bin, als mein Motor endlich wieder stotternd zum Leben erwacht. Das Geräusch fährt mir in die Glieder. Es erschreckt mich so sehr, als hätte ich jahrelang geschlafen – und womöglich habe ich das auch. Ich gebe Vollgas und ziehe den Steuerknüppel zu mir heran, und die Nase der Gull reagiert sofort und hebt sich wieder. Sie klettert hinauf, kämpft sich hartnäckig voran und erklimmt die Wand des Sturms. Ich klettere mit ihr empor aus einem inneren Nebel, einer verwirrenden Blindheit heraus.

Erst als ich wieder horizontal fliege und meine Hände aufgehört haben, zu zittern, gestatte ich mir, darüber nachzudenken, wie lange mein Motor ausgesetzt haben mag und wie bereit ich gewesen bin, dem Stillstand nachzugeben und mich fallenzulassen, als ich spürte, wie der Boden mir entgegenstürzte. Diese Tendenz habe ich schon immer besessen, aber auch einen verlässlichen inneren Kompass. Manches können wir nur tief in uns selbst finden. Die Vorstellung von Flügeln, dann die Flügel selbst. Einen Ozean, den zu überqueren sich lohnt, eine dunkle Meile nach der anderen. Den ganzen Himmel. Und all das Leid, das uns quält, ist der unausweichliche Preis für solche Wunder, wie Karen einst gemeint hatte, das wunderbare Zucken und Zappeln, das anzeigt, dass wir am Leben sind.

Der schwarze Regen lässt noch mehrere Stunden lang nicht nach. Ich folge dem Rand der langen Nacht, vor Erschöpfung beinahe im Delirium und zugleich wacher als je zuvor. Endlich mache ich die ersten geisterhaften Anzeichen des Tagesanbruchs aus – oder ist es gar Land? Die Fensterscheibe ist mit einer Eisschicht überzogen, und vor meinen Augen wabern Nebelschwaden, aber bald weiß ich, dass es keine Einbildung ist. Die grauschwarze Leinwand verwandelt sich in Wasser, dann in deutlich sichtbare Wellen, und schließlich in die wachsenden Umrisse eines Steilhangs, wie aufgetürmte Wolkenberge. Ich habe Nordamerika erreicht, den Golf von St. Lawrence und Neufundland. Das graue Flimmern wird von Minute zu Minute realer. Dies ist der Ort, an den ich gelangen soll.

Ich habe vor, in Sydney, in der Nähe von Cape Breton, einen Zwischenstopp zum Auftanken einzulegen und von dort aus weiterzufliegen – diesmal über Land direkt gen Süden, wo ich New Brunswick und die Spitze von Maine hinter mir lassen und schließlich in New York ankommen werde. Doch ich bin immer noch fünfzig Meilen vom Festland entfernt, als der Motor erneut kränklich zu stottern beginnt und schließlich mit einem Schluckauf ruckend den Geist aufgibt. Mein letzter Tank ist noch zu drei Vierteln gefüllt, also kann es sich nur um eine Luftblase handeln. Wie zuvor betätige ich mehrmals den Schalter des Benzinschlauchs, aber der Motor reagiert nur mit einem Röcheln. Ich falle, und meine Hoffnungen stürzen mit mir zusammen ab. Nach über dreitausend Meilen in der Dunkelheit mit dem Tod vor Augen soll ich nun scheitern, da ich meinem Ziel bereits so nah gekommen bin? Ein furchtbarer, alles trübender Gedanke. Wieder und wieder drücke ich mit blutenden Fingern den scharfkantigen Benzinhahn. Die Gull erwacht keuchend zum Leben, steigt kurz auf, nur um erneut zu straucheln, während mein Propeller sich stockend dreht und die Sonne meine verglaste Haube in einen blitzenden Spiegel verwandelt.

Zehn bis fünfzehn Minuten lang schleppe ich mich auf diese Weise voran und komme dem zerklüfteten Rand des Festlands in einem stotternden Gleitflug immer näher. Bald erkenne ich schlammig wirkende Felsbrocken und einen Sumpf, der wie schwarzer Pudding aussieht. Als ich ein letztes Mal versuche, die Moth auszubalancieren, verfangen sich meine Räder und bleiben stecken, woraufhin der Rumpf mit der Nase voran aufprallt und ich nach vorn geschleudert werde. Ich knalle hart gegen die Scheibe, und meine Stirn wird feucht von meinem Blut. Ich bin zwar noch weit von New York entfernt, aber kaum dreihundert Meter vom Ufer. Doch ich habe es geschafft.

Ich bin so unendlich müde, dass ich mich kaum bewegen kann, dennoch zwinge ich mich dazu. Ich drücke die schwere Haube auf und setze meine Füße auf die Erde. Der Sumpf zerrt sofort an meinen Stiefeln, und ich versinke, während mir das Blut in die Augen strömt. Bald lasse ich mich fallen und krieche halb, als müsste ich mich nach so vielen Stunden in den Wolken erst wieder daran erinnern, wie man läuft. Als müsste ich neu lernen, wohin ich gehe und wo ich – unmöglich – gewesen bin.

Ende

Anmerkung der Autorin

Nach ihrem ersten Soloflug im Juni 1931 war Beryl Markham bald die erste Frau, der jemals eine Profi-B-Lizenz erteilt wurde. Sie hörte nie ganz damit auf, Rennpferde zu trainieren oder Derbys zu gewinnen, doch sie arbeitete fortan auch als Buschpilotin, die für zahlreiche von Bror Blixen geleitete Safaris Elefanten aus der Luft ausfindig machte und damit Denys' Vision in die Tat umsetzte.

Nachdem sie 1936 ihren einundzwanzigstündigen Rekordflug über den Atlantik erfolgreich vollbracht hatte, beherrschte sie die Schlagzeilen aller bedeutenden amerikanischen Zeitungen und wurde bei ihrer Ankunft auf dem New Yorker Flughafen Floyd Bennett Field von fünftausend jubelnden Zuschauern begrüßt. Zurück in England, wurde ihr dagegen kein förmlicher Empfang bereitet. Stattdessen wartete dort die schreckliche Nachricht auf sie, dass ihr Freund und Flugmentor Tom Campbell Black während ihrer Abwesenheit bei einem Flugzeugabsturz ums Leben gekommen war.

Skandale und Spekulationen verfolgten Beryl den Großteil ihres Lebens. 1942 veröffentlichte sie ihre Erinnerungen in *Westwärts mit der Nacht*. Das Buch verkaufte sich nur mäßig, obgleich viele der Meinung waren, es verdiene größere Anerkennung, darunter auch Ernest Hemingway, der in einem Brief an seinen Lektor Maxwell Perkins schrieb: »Haben Sie Beryl Markhams Buch gelesen? ... Sie schreibt so gut, so erstaunlich gut, dass es mich als Schriftsteller beschämt hat ... Sie steckt uns alle locker in die Tasche.« In ein und demselben Brief (ich kann nicht ausreichend in Worte fassen, wie sehr mich diese Tatsache amüsiert) bezeichnete er sie als »unangenehme Person« und »hochgradiges Miststück«.

Hemingway lernte Beryl 1934 auf einer Safari in Kenia kennen, als er mit seiner zweiten Ehefrau Pauline Pfeiffer unterwegs war. Berichten zufolge soll Hemingway sich an Beryl herangemacht haben, jedoch von ihr zurückgewiesen worden sein. Bald fünfzig Jahre später zeigte sein ältester Sohn Jack dem mit ihm befreundeten Restaurantbesitzer George Gutekunst einige Briefe seines Vaters, darunter auch die Beschreibung von *Westwärts mit der Nacht*. Gutekunst verspürte den Drang, Markhams Buch ausfindig zu machen, und überredete daraufhin einen kleinen kalifornischen Verlag, es neu zu veröffentlichen. Es verkaufte sich überraschend gut und erlaubte Beryl, die damals achtzig Jahre alt war und verarmt in Afrika lebte, ihre restlichen Tage relativ komfortabel und sogar als kleine Berühmtheit zu verbringen.

Seitdem wurde der Ruf des Buches – wie auch der seiner Autorin – durch Klatsch und Spekulationen beschädigt. Es wurde behauptet, sie habe das Buch überhaupt nicht selbst geschrieben, stattdessen sei ihr dritter Ehemann Raoul Schumacher, der als Ghostwriter in Hollywood arbeitete, der Verfasser gewesen. Ich kann nicht behaupten, dass mich die Zweifel der Öffentlichkeit an ihr überraschen würden. Beryl redete so ungern über sich selbst; sogar Menschen, die sie in ihrem späteren Leben gut zu kennen glaubten, waren oftmals erstaunt zu erfahren, dass sie etwas vom Fliegen oder Reiten verstand oder mehr als eine Postkarte verfassen konnte. Allerdings gibt es stichhaltige Beweise dafür, dass Beryl ihrem Verleger große Teile des Buches (achtzehn von vierundzwanzig Kapiteln) bereits gezeigt hatte, bevor sie Raoul überhaupt kennenlernte.

Obwohl sie denselben Ort zur selben Zeit darstellen und

zum großen Teil von denselben Figuren bevölkert werden, hat Beryls Buch weder eine so umfangreiche Leserschaft gefunden noch so viel Einfluss gehabt wie Tania Blixens *Jenseits von Afrika*. Ich bin jedoch davon überzeugt, dass es das Potential dazu hat. Sobald ich auch nur ein paar Sätze von *Westwärts mit der Nacht* gelesen hatte, hatte mich das Buch schon ganz in seinen Bann gezogen. Beryls Beschreibungen ihrer afrikanischen Kindheit, des kolonialen Kenias im Verlauf seiner Geschichte und ihrer außergewöhnlichen Abenteuer sind ausgesprochen lebendig – doch noch mehr beeindruckte mich der Geist, der in ihren Worten steckte. Sie zeigte so viel Mut und Schneid, wie sie sich furchtlos in die tiefen Gräben zwischen den Geschlechtern stürzte, und das zu einer Zeit, in der solche Taten noch beinahe undenkbar waren. Auf jemanden wie sie war ich noch nie zuvor gestoßen – eine Frau, die nach ihren eigenen Regeln lebte, statt nach denen der Gesellschaft, auch wenn es sie einiges kostete. Die sich perfekt in Hemingways kraftstrotzende Prosa eingefügt hätte, wäre er in der Lage gewesen, starke, unerschrockene Frauen ebenso gut zu beschreiben wie Männer.

Beryl war zweifellos kompliziert – ein Rätsel, ein Freigeist, eine Einzelgängerin. Eine Sphinx. Doch während ich ihre Figur entwarf und mich tief in ihrer Welt vergrub, wurde sie für mich seltsamerweise in mancher Hinsicht greifbarer und vertrauter als Hadley Hemingway in meinem Roman *Madame Hemingway*. Beryl und ich haben mindestens eine tiefgreifende Gemeinsamkeit in unserer Familiengeschichte: Auch meine Mutter ist aus meinem Leben verschwunden, als ich vier war, und zurückgekehrt, als ich zwanzig war. Als ich diese Verbindung entdeckte, war ich wie vom Donner gerührt – und sie wurde zu einem zuverlässigen Mittel, um Beryl näher zu kommen und zu wichtigen Erkenntnissen über einige ihrer problematischeren Entscheidungen zu gelangen. Den Verlust ihres Sohnes beispielsweise empfinde ich als herzzerreißend. Sie würde Gervase, der bei Mansfields Mutter in England blieb, zwar nie besonders nahestehen, aber anscheinend erbte er Beryls Eigensinn und ihr stoisches Durchhaltevermögen. Er war stolz auf den Abenteurergeist und die Leistungen seiner Mutter und hegte offensichtlich mehr Zuneigung für sie als für seinen Vater, der ihm gegenüber noch distanzierter und unzugänglicher war.

Beryls Freundschaft zu Ruta währte ihr ganzes Leben, da sich auf der Basis ihrer geteilten Kindheitserlebnisse gegenseitiger Respekt und unerschütterliches Vertrauen entwickelte. Als sie in den 1930er Jahren nach England zog, waren sie zwar für eine Weile voneinander getrennt, doch sie konnte ihn nach dem Zweiten Weltkrieg wieder ausfindig machen, woraufhin ihr Kontakt nie mehr abbrechen würde. Auch wenn Beryl ihr Herz vor den meisten Menschen verschlossen und ihre Geheimnisse gut verborgen hielt, sind sich ihre Freunde und Vertrauten einig, dass Denys Finch Hatton nach Ruta und ihrem Vater mit großer Wahrscheinlichkeit der einzige Mann war, den sie jemals wahrhaftig liebte. Sie starb 1986 im Alter von dreiundachtzig Jahren in Nairobi, kurz vor dem fünfzigsten Jahrestag ihres Rekordflugs, und vielleicht in Gedanken bei jenem Augenblick, in dem sie in ihre Gull kletterte und sich einen Flachmann voll Brandy in den Fliegeroverall steckte.

»*Twende tu*«, rief sie auf Suaheli, als sie ihren Helm zuschnallte.

Ich breche auf.

Paula McLain
Cleveland, Ohio

Danksagung

Bücher sind komplizierte gemeinschaftliche Anstrengungen. Auch wenn ich mich isoliert an meinem Schreibtisch abschufte, bin ich dabei doch kaum allein. Viele, viele großartige Menschen waren an der Entstehung von *Lady Africa* beteiligt. Ich hoffe zwar, jedem einzelnen von ihnen meine Dankbarkeit im Laufe der Zeit mehrfach ausgedrückt zu haben, dennoch verdienen sie zweifellos an dieser Stelle eine formelle Anerkennung sowie meinen ergebensten Dank. Meine Agentin Julie Barer ist einfach die beste, die es gibt. Mit Herz und Verstand und darüber hinaus ganz wunderbaren Instinkten ist sie zu meiner ersten und wichtigsten Leserin und auch zu einer lieben Freundin geworden. Ich würde nichts von alldem ohne sie tun wollen. Susanna Porter ist die Sorte von Lektorin, um die einen andere Autoren mit Recht beneiden. Sie hat unzählige Entwürfe gelesen (und gelesen!), jedoch nie den Glauben daran verloren, was dieses Buch einmal sein könnte. Ihr scharfer Blick, ihre Einsichten sowie ihre unerschütterliche Hingabe finden sich auf jeder Seite wieder.

Bei Ballantine Books und Penguin Random House habe ich mein bestmögliches Zuhause gefunden, wo ich mich auf viele essentielle Mitwirkende verlassen kann, die ihre Arbeit so vorbildlich erledigen. Unendlicher Dank gebührt der absolut großartigen und brillanten Libby McGuire; außerdem Kim Hovey, Jennifer Hershey, Susan Corcoran, Jennifer Garza, Theresa Zoro, Quinne Rogers, Deborah Foley, Paolo Pepe, Benjamin Dryer, Steve Messina, Kristin Fassler, Toby

Ernst, Anna Bauer, Mark Maguire, Carolyn Meers, Lisa Barnes und selbstverständlich der unentbehrlichen Priyanka Krishnan. Ich danke an Sue Betz für ihr sorgfältiges und gründliches Lektorat, Dana Blanchette für die wunderbare Seitengestaltung und Robbin Schiff für das absolut umwerfende Cover. Außerdem bin ich der großartigen Gina Centrello dankbar, die sich mit einer notwendigen Lektüre eingeschaltet hat, als viel auf dem Spiel stand, und ebenso dem unglaublichen Vertriebspersonal für sein leidenschaftliches Engagement für Bücher, für ihr buchhalterisches Können und dafür, dass sie meine Arbeit in die Hände von Buchhändlern und Lesern gelangen lassen und ihren Job so unermüdlich und gut erledigen.

Die Heimmannschaft von Barer Literary ist unvergleichlich, und ich habe ihnen viel zu verdanken: Gemma Purdy, Anna Geller und William Boggess. Tausend Dank auch an Ursula Doyle, Susan de Soissons und David Bamford von Virago; Caspian Dennis von Abner Stein; sowie Lynn Henry, Kristin Cochrane und Sharon Klein von Doubleday Canada und Penguin Random House Canada.

Die MacDowell Colony hat mich mit einem großzügigen Aufenthaltsstipendium für Autoren unterstützt, das mir das unschätzbare Geschenk von Raum und ungestörter Zeit machte und mir damit erlaubte, an einer wichtigen Fassung dieses Buches zu arbeiten. Steve Reed gab mir hilfreiche Hinweise zur Fliegerei und war auch derjenige, der mir als Erster *Westwärts mit der Nacht* in die Hände drückte. Er würde sich zwar wahrscheinlich mehr über Bargeld oder einen Vintage-Doppeldecker freuen, wird sich aber stattdessen mit meiner ewigen Dankbarkeit begnügen müssen! Stacey Giere von der Maple Crest Farm half mir entscheidend dabei, die Welt der Pferde und des Pferdetrainings auszugestalten. Ich bin ihr für ihre Zeit und ihre Fachkenntnisse sehr dankbar.

Von Herzen danken möchte ich dem umwerfenden

Team von Micato Safaris, das meine Keniareise zu einer unvergesslichen und magischen Erfahrung gemacht hat: Felix, Jane und Dennis Pinto; Melissa Hordych; Marty Von Neudegg; Liz Wheeler; und Jessica Brida. Dank auch an Fairmont Hotels & Resorts, insbesondere Mike Taylor und Alka Winter, sowie an all meine freundlichen Gastgeber in Kenia: das Norfolk Hotel, den Muthaiga Country Club, das Segera Retreat, Familie Craig und die Lewa Wilderness Lodge, den Mount Kenya Safari Club, Andrew und Bruce Nightingale von Kembu Cottages in Njoro, Soysambu Conservancy und die Sleeping Warrior Tented Camp Lodge, den Fairmont Mara Safari Club.

Brian Gosh hat den größten Teil der Recherchen für meine Afrikareise auf Beryl Markhams Spuren übernommen. Er hat mir ebenfalls ein frühes Feedback zu meinem Manuskript gegeben und ist mir seit vielen Jahren ein Freund mit dem Herz eines Löwen gewesen. Andere wichtige frühe Leser und Unterstützer waren Lori Keene, David French, Jim Harms, Malena Morling und Greg D'Alessio. Weiteren lieben Freunden muss ich für ihre jahrelange unermüdliche Unterstützung und Liebe danken: Sharon Day und Mr. Chuck, Brad Bedortha, die phänomenale Familie O'Hara, Becky Gaylord, Lynda Montgomery, Denise Machado und John Sargent, Heather Greene und Karen Rosenberg. Chris Pavone hat mich mehr als einmal davon abgehalten, mich vor Verzweiflung aus dem Fenster zu stürzen. Ein großes Dankeschön an die East Side Writers – Terry Dubow, Sarah Willis, Toni Thayer, Charlie Oberndorf, Karen Sandstrom, Neal Chandler und Justin Glanville –, die stets auf meiner Seite sind.

Meine besondere Anerkennung und ein dicker Kuss gebühren Terry Sullivan für sein grenzenloses Vertrauen in dieses Buch und in mich, für die phänomenalen Abendessen und dafür, dass er so viel Freude in mein Leben bringt! Und schließlich muss ich auch meiner Mutter Rita Hinken dan-

449

ken; meinen unglaublichen Kindern Beckett, Fiona und Connor dafür, dass sie mich (sozusagen!) mit meiner Arbeit teilen; und meinen Schwestern, die mir alles bedeuten.

Eine Anmerkung zu den Quellen

Einen Romanen über Personen zu schreiben, die tatsächlich gelebt haben, hat etwas von Fallschirmspringen. Ich stürze mich aus verschiedenen Gründen im freien Fall in meine Geschichte – Neugier, Phantasie, eine unbeschreibliche Verbindung zu meinen Figuren und, seien wir ehrlich, eine seltsame Anziehungskraft, die das Gefühl des Fallens auslöst. Die Recherche ist dabei jedoch mein Fallschirm. Konkrete Quellen bieten mir Halt und einen Anker und ermöglichen meine Arbeit überhaupt erst. Sie sagen mir, was ich wissen muss, um das erfinden zu können, was zum Schreiben eines Romans nötig ist – und dafür bin ich unendlich dankbar. *Westwärts mit der Nacht*, Beryls eigene Schilderung ihres unglaublichen Lebens, hat in mir das Bedürfnis ausgelöst, mehr über sie zu erfahren, war der ursprüngliche Auslöser für meinen Roman und ist für sich selbst ein erstaunliches Werk. Andere wichtige Quellen waren *Rivalen der Wüste und andere Erzählungen aus Afrika* von Beryl Markham; *Jenseits von Afrika* und *Schatten wandern übers Gras*, von Tania Blixen; *Unvergessenes Afrika* von Baron Bror von Blixen-Finecke; *Beryl Markham: Leben für Afrika* von Mary S. Lovell; *The Lives of Beryl Markham* von Errol Trzebinski; *Beryl Markham: Never Turn Back* von Catherine Gourley; *Too Close to the Sun: The Audacious Life and Times of Denys Finch Hatton* von Sara Wheeler; *Tania Blixen: Ihr Leben und Werk* von Judith Thurman; und Tania Blixens *Briefe aus Afrika: 1914–1931*.

Unglaublich hilfreich, um sowohl Kenia zur Kolonialzeit als auch das Leben dieser britischen Auswanderer heraufzubeschwören, waren *Die Flammenbäume von Thika* und *Nine Faces of Kenya: Portrait of a Nation* von Elspeth Huxley; *The Bolter* von Frances Osborne; *The Ghosts of Happy Valley* von Juliet Barnes; *Der Baum der Schöpfung* von Peter Matthiessen; *Swahili Tales* von Edward Steere; und *Kenya: A Country in the Making, 1880–1940* von Nigel Pavitt.

Anhang

Zu Beryl Markhams Leben
nach ihrem Rekordflug

Beryl Markham führte auch nach ihrer legendären Atlantiküberquerung ein abenteuerliches Leben voller Höhen und
Tiefen. Zunächst schien ihre plötzliche Berühmtheit ihr verschiedene interessante Möglichkeiten zu eröffnen. So sollte
sie etwa an einem von der französischen Regierung gespon-
serten Wettfliegen von New York nach Frankreich teilneh-
men und in einem Film über ihren Rekordflug mitspielen.
Doch all diese Projekte zerschlugen sich, und obwohl Beryl nach ihrer Rückkehr in London im Mittelpunkt des gesellschaftlichen Interesses stand, plagten sie beständig Geld-
sorgen. Als angesichts des drohenden Krieges Rekordflüge
mehr und mehr als frivoler Zeitvertreib abgetan wurden, gab
Beryl diese Karriere auf und zog nach Kalifornien, wo sie zunächst als technische Beraterin für einen Film über Afrika
arbeitete. Ermuntert durch den mit ihr befreundeten An-
toine de Saint-Exupéry, begann sie auch, ihre Erinnerungen
zu Papier zu bringen, schickte erste Entwürfe an eine New
Yorker Agentin und verhandelte mit dem Verlag Houghton
Mifflin. *Westwärts mit der Nacht* wurde schließlich 1942 veröffentlicht, fand jedoch, obgleich von der Presse gelobt, inmitten des Krieges kaum Leser. Dies war auch in England
nicht anders, wo das Buch 1943 nur in einer kleinen Auflage
erschien, da zu dieser Zeit selbst Papier rationiert war. Geschadet haben dürfte dem Buch wohl auch das Gerücht, es

sei gar nicht von Beryl selbst, sondern von Raoul Schumacher verfasst, einem Ghostwriter, den sie 1941 kennenlernte. Um ihn zu heiraten, willigte Beryl nach Jahren endlich
in die Scheidung von Mansfield ein. Das Paar zog zunächst
auf eine kleine Farm in New Mexico und schließlich auf
eine Avocado-Ranch in Kalifornien. Beryl veröffentlichte
noch einige Kurzgeschichten (auf Deutsch 1988 unter dem
Titel *Rivalen der Wüste* erschienen), doch nachdem auch die
Ehe mit Schumacher scheiterte, beendete sie ihre schriftstel-
lerische Karriere ebenso abrupt wie zuvor bereits ihre Trai-
ner- und Fliegerlaufbahn. Mittellos kehrte sie nach Afrika
zurück, begann jedoch bald wieder Pferde zu trainieren, wobei sie, wie schon früher, mit ihrem Jugendfreund Ruta zu-
sammenarbeitete. 1959 gewann nach 33 Jahren erneut eins
ihrer Pferde das Kenya St. Leger und brachte Beryl damit an
die Spitze von Kenias Trainerliste. Obgleich sie bis ins hohe
Alter, zeitweilig äußerst erfolgreich, als Trainerin arbeitete,
geriet sie immer wieder in finanzielle Schwierigkeiten. Ihren
Sohn Gervase sah sie 1955, als er sie mit seiner hochschwan-
geren Frau in Kenia besuchte, zum letzten Mal, aber die
beiden sprachen auch in den folgenden Jahren stets liebe-
voll voneinander. Als Gervase 1971 bei einem Unfall schwer
verletzt wurde und schließlich starb, war Beryl untröstlich,
konnte sich eine Reise nach Europa zu diesem Zeitpunkt
jedoch nicht leisten. Beryl selbst starb am 3. August 1986 an
einer Lungenentzündung, die sie sich nach einer Operation
infolge eines Sturzes im Krankenhaus zugezogen hatte. An-
lässlich des fünfzigsten Jahrestags ihrer Atlantiküberquerung
am 4. September desselben Jahres wurde in London für sie
ein Gedenkgottesdienst abgehalten, bei dem viele ehemalige
Wegbegleiter zugegen waren.

Zur Kolonialgeschichte Kenias

Das Gebiet des heutigen Kenia wurde 1895 zum Protektorat Britisch-Ostafrika erklärt, nachdem die Versuche, das Land durch die British East Africa Company mit privaten Mitteln zu erschließen, gescheitert waren. 1896 wurde mit dem Bau der Uganda-Eisenbahn begonnen, die 900 km zwischen dem Indischen Ozean und dem Victoriasee überwinden sollte. Aus einem Eisenbahnlager mitten im Sumpf, das 1899 errichtet wurde, entwickelte sich schließlich Nairobi, die Hauptstadt des späteren Kenia. Um die Wirtschaftlichkeit der kostspieligen Eisenbahn zu sichern, warb die Regierung Siedler aus Großbritannien an, die in den nun erschlossenen Gebieten Land erwerben sollten. 1920 wurde Britisch-Ostafrika zur »Kronkolonie Kenia«. Kriegsveteranen des Ersten Weltkriegs konnten günstig subventioniertes Land kaufen, während die Afrikaner in Reservate mit weniger fruchtbarem Boden umgesiedelt wurden oder als »Squatter«, also »Landbesetzer« ohne Rechtsanspruch, auf den Farmen geduldet wurden, deren Land sie selbst zuvor bewohnt und bewirtschaftet hatten. Einwanderer aus Indien, unter anderem Arbeiter, die zum Bau der Eisenbahn angeheuert wurden, durften im Land bleiben, um die wirtschaftliche Entwicklung Kenias voranzubringen, ihnen war jedoch nicht gestattet, Land im fruchtbaren Hochland zu erwerben, das den Weißen vorbehalten war. Sowohl aus der afrikanischen als auch der indischen Bevölkerung regte sich bald Widerstand gegen die weißen Siedler, der Ruf nach mehr Rechten und besserem Land wurde laut. Das »weiße Hochland« um Nairobi herum wurde indessen zum Treffpunkt einer vergnügungssüchtigen britischen Elite, dem sogenannten »Happy Valley Set«, da es in britischen Adelskreisen üblich war, jüngere Söhne, die versorgt werden mussten, sowie Töchter, die ein zu wildes Benehmen an den Tag legten, loszuwerden, indem man sie mit großzügigen Ländereien in Kenia abspeiste. Dieser Zirkel zeigte kaum Interesse an der Landwirtschaft und war weder bei der einheimischen Bevölkerung noch bei den Siedlern, die mit ernsthafteren Absichten ins Land gekommen waren, gut angesehen.

Zum Wahrheitsgehalt der Figuren

Paula McLains Roman bevölkern neben Beryl viele weitere faszinierende Figuren – und die meisten von ihnen haben ebenfalls tatsächlich gelebt. Am bekanntesten von ihnen ist sicher die dänische Schriftstellerin **Karen Blixen**, die ihre eigenen Erinnerungen an Kenia 1937 in *Afrika, dunkel lockende Welt* veröffentlichte. Um der bürgerlichen Enge ihres Elternhauses zu entfliehen, heiratete Karen mit 28 Jahren den adligen **Bror von Blixen-Finecke** und wurde damit zur Baronin. Die beiden führten eher eine freundschaftliche Zweckehe, wollten sich aber gemeinsam eine Zukunft in Ostafrika aufbauen, wo sie 1913 eine Kaffeeplantage am Fuße der Ngong-Berge kauften, der jedoch kein Erfolg beschieden war. 1931 kehrte Karen nach Dänemark zurück und widmete sich fortan dem Schreiben. Sie starb 1962 auf dem Hof ihrer Familie. Karens wahre Liebe war der englische Adlige **Denys Finch Hatton**, Großwildjäger wie Bror und begeisterter Flieger, aber auch ein Intellektueller, mit dem sie über Literatur, Kunst und Musik philosophierte. Die Liebesgeschichte der beiden wurde 1985 in *Jenseits von Afrika* mit Meryl Streep und Robert Redford in den Hauptrollen verewigt.

Beryls väterlicher Freund **Lord Delamere** spielte in den ersten Jahrzehnten des 20. Jahrhunderts eine wichtige Rolle in Kenias Politik. Überzeugt von der Überlegenheit der Weißen, vertrat er die Interessen der Siedler und warb weitere Landadlige aus Großbritannien an. Viele seiner eigenen landwirtschaftlichen Experimente auf seinen riesigen, bereits 1903 erworbenen Ländereien schlugen allerdings fehl.

Er gilt als exzentrischer Mitbegründer des »Happy Valley Set« und soll einst mit einem Pferd durch den Speisesaal des Norfolk Hotel geritten sein. Ein weiteres Mitglied dieses ausschweifenden Kreises reicher Briten war **Idina Hay**, besser bekannt unter ihrem Geburtsnamen Lady Idina Sackville, die fünfmal heiratete und unzählige Liebhaber hatte – zur damaligen Zeit ein Skandal. 1919 zog sie mit ihrem zweiten Ehemann Captain Charles Gordon nach Kenia, wo sie auf ihrem Landsitz berüchtigte Partys feierte.

Ebenfalls auf realen Figuren basieren: die Pilotin **Maia Carberry**, die 1928 bei einem Flugzeugabsturz ums Leben kam, und ihr Mann **John**, der 1912 als erster Mann in Irland fliegen lernte und 1920 eine Farm in Kenia erwarb; **Jim Mollison**, der bereits 1932 den Atlantik im Alleinflug überquerte, allerdings von Irland aus (und der es wie Beryl ebenfalls nicht ganz bis nach New York schaffte); Beryls Fluglehrer **Tom Campbell Black**, der sich als Flieger einen Namen machte und auch eine Affäre mit Beryl gehabt haben soll; Denys' enger Freund **Berkeley Cole**, ein weiterer britischer Aristokrat, der sich in Kenia ansiedelte, und einer der Gründer des Muthaiga Club; **Frank Greswolde**, der die Kolonie mit Drogen versorgte; und natürlich **Prinz Henry** und sein Bruder **David**, der 1936 für ein knappes Jahr als Edward VIII. König war, bevor er abdankte, um die bereits geschiedene Wallis Simpson heiraten zu können.

Die beiden Motti sowie die im Roman
zitierten Gedichte sind entnommen aus:

Shelleys ausgewählte Dichtungen, übersetzt von Adolf Strodtmann, Bibliographisches Institut, 1866

Walt Whitman, *Grashalme*, Nachdichtung von Hans Reisiger, Diogenes, 1985

Beryl Markham, *Westwärts mit der Nacht – Mein Leben in Afrika*, übersetzt von Günter Panske, Goldmann, 1995

Frans Lasson und Clara Selborn, *Tanja Blixen. Ihr Leben in Dänemark und Afrika. Eine Bildbiographie*, übersetzt von Jón Laxdal, Deutsche Verlags Anstalt, 1987

Leseprobe

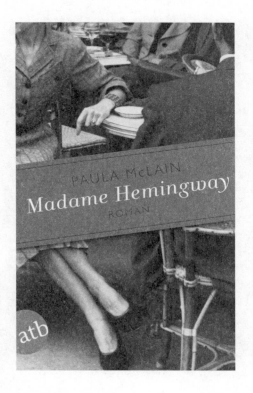

Eins

Es begann damit, dass er mich mit seinen wunderschönen braunen Augen fixierte und sagte: »Vielleicht bin ich zu betrunken, um es zu bewerten, aber das klingt gar nicht schlecht.«

Es ist Oktober 1920, und Jazz liegt in der Luft. Ich kenne mich mit Jazz nicht aus, also spiele ich Rachmaninow. Ich spüre, wie sich meine Wangen vom Apfelwein röten, den meine liebe Freundin Kate Smith mir eingeflößt hat, damit ich mich entspanne. Und ich bin auf einem guten Weg. Angefangen bei meinen Fingern, die warm und beweglich werden, lockert der Alkohol meinen gesamten Körper. Ich bin seit über einem Jahr, seit meine Mutter schwer krank wurde, nicht mehr betrunken gewesen und habe das Gefühl vermisst, das sich wie eine Nebelhülle wunderbar behaglich über mein Hirn legt. Ich will an nichts denken, und ich will auch nichts spüren, außer das nur wenige Zentimeter entfernte Knie dieses wunderschönen jungen Mannes.

Das Knie allein reicht mir beinahe schon, aber es gehört zu einem vollständigen Mann, der groß und schlank ist, dichtes dunkelbraunes Haar und ein Grübchen in der linken Wange hat, in das man sich hineinfallen lassen könnte. Seine Freunde nennen ihn Hemingstein, Oinbones, Bird, Nesto, Wemedge oder was immer ihnen sonst gerade einfällt. Er nennt Kate Stut oder Butstein (nicht besonders schmeichelhaft!), einen anderen Kerl nennt er Little Fever und wieder einen anderen Großohreule. Er scheint jeden hier zu kennen, und alle lachen bei denselben Witzen und Geschichten. Sie senden blitzschnell geistreich verschlüsselte Pointen durch den Raum. Ich kann nicht mithalten, aber das macht mir nicht viel aus. Mich nur in der Nähe dieser fröhlichen Fremden aufzuhalten wirkt wie eine hochdosierte Transfusion guten Mutes.

Kate kommt aus der Küche zu uns geschlendert, und er weist mit seinem perfekt geformten Kinn auf mich und fragt: »Wie sollen wir unsere neue Freundin hier nennen?«

»Hash«, antwortet Kate.

»Hashedad finde ich besser«, erwidert er. »Hasovitch.«

»Und du bist Bird?«, frage ich.

»Wem«, sagt Kate.

»Ich bin der Kerl, der findet, dass getanzt werden sollte.« Er lächelt sein breitestes Lächeln, und kurz darauf hat Kates Bruder Kenley den Wohnzimmerteppich aufgerollt und macht sich am Victrola-Grammophon zu schaffen. Wir entern die Tanzfläche und tanzen uns durch einen Stapel Platten. Er ist kein Naturtalent, doch seine Arme und Beine sind beweglich, und ich merke, dass er sich in seinem Körper wohl fühlt. Er ist auch nicht zu schüchtern, um mir auf den Leib zu rücken. Bald sind unsere feuchten Hände ineinander verschlungen, und unsere Wangen sind sich so nah, dass ich seine Wärme spüren kann. Dies ist der Moment, in dem er mir schließlich sagt, dass sein Name Ernest sei.

»Ich überlege aber, ob ich ihn wechseln soll. Ernest ist so langweilig – und Hemingway? Wer will schon einen Hemingway?«

Höchstwahrscheinlich jedes Mädchen von hier bis zur Michigan Avenue, denke ich und schaue auf meine Füße, um nicht rot anzulaufen. Als ich den Blick wieder hebe, sehen seine braunen Augen mich fest an.

»Also? Was denkst du? Soll ich ihn ändern?«

»Warte vielleicht noch etwas damit.«

Ein langsames Lied ertönt, und er packt mich ohne zu fragen an der Hüfte und zieht mich an seinen Körper. Er hat einen breiten Brustkorb und starke Arme. Ich lasse meine Hände sanft auf ihnen ruhen, während er sich mit mir durch den Raum dreht, vorbei an Kenley, der das Victrola voller Freude bedient, und vorbei an Kate, die uns mit neugierigen Blicken verfolgt. Ich schließe meine Augen und lehne mich an Ernest, rieche Bourbon und Seife, Tabak und feuchte Baumwolle, und alles an diesem Augenblick ist so klar und wunderbar, dass ich etwas für mich völlig Untypisches tue und mich ihm einfach hingebe.